D1056492

LE NOIR
ET LE ROUGE

ou
l'histoire d'une ambition

DU MÊME AUTEUR

La Double Méprise, Grasset, 1980.

CATHERINE NAY

LE NOIR ET LE ROUGE

ou
l'histoire d'une ambition

BERNARD GRASSET
PARIS

« *Madame Bovary,* pour moi, est évidemment le roman le plus important sur la société française. Mais ce qui me gêne chez les personnages du XIXe, c'est quelquefois leur manque d'ampleur. Regardez la pauvreté de l'ambition de Julien Sorel. Il a la modeste idée de la réussite que se faisait Stendhal, consul à Civitavecchia, lequel admirait beaucoup Chateaubriand d'être ambassadeur à Rome... »

FRANÇOIS MITTERRAND,
in Gonzague Saint-Bris,
la Nostalgie, camarades.

Avant-propos

C'était un soir de juin 1982 au château de Versailles. François Mitterrand recevait en grande pompe les chefs d'Etat et de gouvernement des principaux pays industrialisés pour l'un de ces sommets-spectacle qui scandent la vie internationale.

Le ciel était radieux, les journalistes innombrables, oh ! temps, suspends ton vol, l'espace d'un moment l'état de grâce semblait renaître.

Le plus célèbre palais du monde prêtait son cadre majestueux au déploiement d'un arsenal inouï d'équipements électroniques. Tout ce qui se fait de plus sophistiqué avait été rassemblé là comme pour convaincre les grands de la terre de la modernité du dessein présidentiel français.

Mais plus que des merveilles de la technologie et du ballet admirablement réglé des hélicoptères, les prestigieux invités de la France socialiste s'enchantaient du décor sans pareil de la galerie des Glaces. Au milieu des ors et des fastes du Roi-Soleil, le président de la République semblait jouir intensément de l'instant. Le menton relevé, le regard souverain, le sourire retenu, il avait dans ce lieu, symbole de tous les privilèges, un port royal. « Je ne savais pas que Louis XIV avait succédé à Louis XV », faisait remarquer en souriant le plus impertinent des ministres socialistes. (Allusion aux ascendances discrètement revendiquées par Valéry Giscard d'Estaing.)

Avec sa corpulence et sa prestance de Bourbon, François Mitterrand semblait en effet mieux à sa place que son prédécesseur à la silhouette et aux traits de Valois croqué par Clouet.

Ce comportement si naturel et paradoxal à la fois du

président de la République (un ministre communiste faisait partie de la Cour) m'a donné ce soir-là l'envie de savoir qui était l'homme responsable pour sept ans de notre destin. Je le connaissais mal, je n'éprouvais pour lui ni attrait ni rejet, plutôt une réserve timide. Je résolus de savoir d'où il venait, quelles influences il avait subies, quelles expériences il avait traversées avant d'arriver au pouvoir. Quels événements l'avaient façonné avant qu'il ne les marque à son tour. Comprendre le personnage, éclairer le caractère. C'est là mon propos. Je n'en ai point eu d'autre.

C. N.

1

Le bonheur de Jarnac

A peine hissé au faîte du pouvoir, François Mitterrand choisit, le 21 mai de l'an 81, de descendre solitaire au tombeau...

Singulière liturgie ! Tandis qu'il erre, dans les immensités glacées du Panthéon, une moitié de la France — la sienne — délire d'allégresse et s'adonne à de profanes réjouissances. Sans doute eût-elle mieux compris qu'il imitât son devancier : sept ans plus tôt, pour sceller sa jeune victoire, Valéry Giscard d'Estaing avait entrepris l'ascension pédestre des Champs-Elysées jusqu'à l'Etoile, sous les vivats de ses partisans.

Le carré des intimes, lui, n'est point surpris. Il connaît l'inclination particulière du nouveau président pour les sépultures. Certains hommes politiques érudits savent réciter de mémoire un alexandrin, vanter dans un tableau la profondeur d'un bleu ou la densité d'un vermillon. François Mitterrand, lui, quand on évoque un grand poète ou un peintre fameux, songe aussitôt à préciser le lieu de sa dernière demeure : « Bernanos ? Enterré à Pellevoisin, dans l'Indre, près de sa mère. Mallarmé ? A Samoreau, du côté de Fontainebleau. Van Gogh ? A Auvers-sur-Oise. Romain Rolland ? A Brèves. Et Braque ? A Varangeville, près de Dieppe, sous une dalle ornée d'un oiseau ailes déployées pour l'éternité. » « Où sont allés les corps de ceux qui ont inventé des mondes, la question m'intéresse. Qui aime la mort aime la vie », expliqua-t-il naguère à qui s'étonnait devant lui de cette étrange manie[1].

Mais en ce jour de mai, plus d'un Français, plus d'un électeur

1. Interview au magazine *Lire*, juillet 1978.

de gauche, ignorant cet insolite penchant, s'interrogent sur la symbolique de cette visite.

Humilité d'un mystique déjà conscient de la vanité d'un pouvoir si longtemps attendu ? Hâte d'un superstitieux soucieux d'exorciser les puissances infernales ? Impérieux désir d'engager, à l'orée d'un avenir mystérieux, un apaisant dialogue avec les grands ancêtres qui ne pourront jamais être des rivaux ou des traîtres ?

L'inspiration du nouveau président est peut-être tout simplement politique. Depuis un siècle, la gauche est exclue du pouvoir. Elle n'y a campé qu'en de rares et furtives occasions. En s'inclinant au Panthéon sur les tombes de Jean Jaurès, Jean Moulin et Victor Schœlcher, le vainqueur socialiste renoue le fil si longtemps brisé. Il enracine de nouveau la gauche dans le terreau de l'Histoire. Un demi-siècle plus tôt, en un rite identique, les trois normaliens qui venaient de mener le Cartel des gauches au pouvoir — Paul Painlevé, Edouard Herriot, Léon Blum — avaient ainsi suivi, en grande pompe, le transfert des cendres de Jean Jaurès depuis le Palais-Bourbon jusqu'au temple laïque — mais toujours surmonté d'une croix [1] — des grandeurs nationales.

Le choix de ces trois tombes par François Mitterrand, en outre, illustre à merveille les espoirs qu'a fait lever son succès et les équivoques qui l'ont permis.

Jean Jaurès ou l'union, le syncrétisme. Assassiné à la veille de la guerre de 1914, le prophète inspiré du socialisme français, homme à l'âme généreuse, d'origine modérée comme le nouvel élu, patriote mais pacifiste, progressiste mais tolérant, n'eut à souffrir aucune des grandes questions qui devaient ensuite diviser la gauche : il n'eut pas à opter au moment crucial pour ou contre la défense nationale, pour ou contre le bolchevisme, pour ou contre la rupture avec ceux qui allaient former le Parti communiste et qui revendiquent aujourd'hui bruyamment son héritage. En 1981, Jean Jaurès demeurait le héros idéal.

Jean Moulin, le résistant. L'ancien préfet de la IIIe République, devenu le délégué clandestin du général de Gaulle dans la France occupée, avait su, lui aussi, s'entendre avec les communistes. Mais s'il appréciait leur vaillance au combat, il connaissait l'ardente obligation de leurs solidarités, qui leur fait

1. Le Panthéon, monument consacré aux héros de la patrie, sécularisé sous la Révolution, a toujours gardé son statut primitif d'église.

choisir le moment de l'union ou le temps de l'isolement selon des critères dont ils savent seuls le secret. En Jean Moulin les héritiers du général de Gaulle ne pouvaient manquer de se reconnaître.

Victor Schœlcher, enfin, ministre de la Marine sous la Révolution de 1848, le libérateur des esclaves, dont la tombe se trouvait fort opportunément sur le parcours présidentiel[1]. L'illustration édifiante du bon Blanc émancipateur des opprimés de toutes races et de toutes conditions devait aller droit au cœur des tiers-mondistes fervents qui hantent, nombreux, le Parti socialiste et ses abords.

Dans le peuple de droite — de ce jour date pour lui une ère nouvelle, il cesse de s'appeler la majorité — ce transport officiel par la rue Soufflot, à travers le cœur historique et intellectuel de Paris, cette célébration dans la crypte du progressisme éternel provoquent des sentiments mêlés : l'amertume de vaincus qui se sentent exclus, pour longtemps peut-être, d'un pouvoir qu'ils croyaient leur à jamais ; la déférence instinctive de légitimistes envers un adversaire démocratiquement élu ; une forte envie de rire et de railler enfin — thérapeutique inconsciente ? — une mise en scène d'un irrésistible pompiérisme. A moins, songent certains, que le nouveau président, en s'inclinant devant trois tombes, ne sacrifie à quelque obscur rite maçonnique.

Pour la France entière, en effet, l'œil est dans la tombe et regarde l'impétrant. Surprenant : l'homme politique le plus secret, le plus jaloux de son intimité, sollicite l'intrusion de millions de Français dans son face-à-face avec le destin. Par le truchement des caméras, ces glaces sans tain du xxe siècle, il en fait les voyeurs de l'émotion, de la fierté, du sentiment de revanche, des certitudes et des timidités qui l'étreignent en cette heure unique.

Il n'a pas choisi la chorégraphie la plus sobre. Que voit-on ? Un étonnant numéro de prestidigitation : la multiplication des roses. Tel un chanoine mondain qui va déjeuner au château — un bouquet l'eût par trop fait ressembler à une jeune épousée —, le président entre au Panthéon une fleur à la main. A peine l'a-t-il déposée sur la stèle d'un de ses héros qu'une

1. Coïncidence : Mme Jeanine Alexandre Debray, mère de Régis Debray, conseiller à l'Elysée, publia à la fin de 1981 une biographie du héros honoré ce jour.

autre rose sans épines semble aussitôt sortir de sa manche. En d'autres temps, sainte Thérèse de l'Enfant-Jésus avait en vain imploré le ciel de la gratifier de semblables miracles. On l'apprendra plus tard : des figurants anonymes cachés derrière les piliers étaient chargés d'approvisionner le nouvel élu et de le guider dans le labyrinthe.

Sans pudeur, des caméras dévisagent un homme aux traits figés et liftés par ce bonheur rare qui mérite le nom d'extase. Le buste raide, comme taillé dans le marbre, porté par des jambes — seul signe de vie dans l'édifice pétrifié — qui avancent en étroites et précautionneuses foulées, comme si elles redoutaient de laisser tomber leur prestigieux fardeau. Une courte silhouette projetant des ombres allongées sur les colonnades infinies, tandis que résonnent ses pas et s'enfle l'*Hymne à la joie*.

Fritz Lang ou Cecil B. de Mille ? La mise en scène de ce jour est cosignée par un Lang inconnu des masses populaires, sur le point de se prénommer Jack.

Le voyage au bout de la nuit achevé, enfin rendu aux vivants qui l'acclament, le regard perdu vers un ailleurs qui n'appartient qu'à lui, comment François Mitterrand se voit-il ? Etranger à sa propre aventure ? Ivre de l'instant, sent-il tomber les premières gouttes d'une pluie qui choisit ce moment pour se manifester ? Entend-il même cette *Marseillaise* entonnée par le ténor madrilène Placido Domingo sous la baguette du chef d'orchestre Daniel Barenboïm ?

« Il aurait pu choisir des artistes français », bougonne la nouvelle opposition. Elle note que les invités personnels du chef de l'Etat relèvent tous du Gotha le plus international et le plus progressiste des arts et des lettres. Les Américains William Styron (décoré en 1982), Arthur Miller (décoré en 1982) et Elie Wiesel (décoré en 1981), le Colombien Garcia Marquez (décoré en 1982), le Mexicain Carlos Fuentes, l'Argentin Julio Cortazar, le Turc Yachar Kemal.

Régis Debray, Paul Guimard et Jean-Edern Hallier, représentant la littérature française, sont, ce jour-là, les trois seuls symboles de la reconquête intellectuelle du marché intérieur.

Il est 20 heures, le pèlerinage est fini, le règne commence. A quoi ressemblera-t-il et de quoi sera-t-il fait ?

A gauche, on ne veut pas douter. Depuis des lunes on a tant promis et répété que socialisme et bonheur rimaient ensemble. « Il faut rêver la vie », enjoignaient allègrement les affiches de la campagne. L'avènement de François Mitterrand doit exorciser la crise, abolir les inégalités, terrasser le chômage, accorder à chacun la seconde chance qu'il espère et assurer aux plus modestes ce supplément de sécurité, sinon d'âme, qui garantit toute dignité. On fera rendre gorge aux patrons, on travaillera moins, on gagnera plus. La France, osant enfin un salutaire et libérateur pied de nez au monde cruel du profit, retrouvera force et prospérité. On changera tout, l'Histoire l'exige. Si tous les idéalistes de la terre voulaient se donner la main ! Un rêve passe...

Le camp d'en face n'en finit pas de s'interroger. Si ce Mitterrand vainqueur a réussi à convaincre tant de monde, c'est qu'il a joué sur des registres des plus ambigus. Avec lui, il eût fallu savoir distinguer musique et refrain. Paroles, paroles, paroles. Il avait annoncé la rupture avec le capitalisme, la fin des riches, la naissance d'un monde nouveau où les premiers seraient les derniers et les derniers seraient les premiers. De quoi en effaroucher plus d'un, si le texte n'avait été chanté sur l'air le plus mélodieux et le plus séraphique. Celui qui faisait craindre la fin de l'école libre se présentait sur un fond d'église romane [1], celui qui depuis des années avait tant mordu et griffé paraissait apaisé et suave. Celui qui promenait un sourire sceptique sur les êtres et les choses avait su faire partager son sentiment quasi religieux de la nécessité socialiste. Chacun devrait l'accepter puisque enfin la morale triomphait. François Mitterrand au pouvoir, on serait protégé de la grande inquisition qui défigure toujours les temps de ferveur, de zèle et de passion. Un ton presque élégiaque pour un fond presque sectaire.

La France des vaincus s'attend bien au changement. Elle en ignore l'ampleur. Le grand chambardement ? Le socialisme force 10 sur l'échelle de Richter ? Ou l'évolution lente, pas à pas ?... Mystère. Sera-t-il Robespierre, Blanqui, Guesde, Danton, Gambetta, Proudhon, ou encore Victor Considérant ? Les paris sont largement ouverts.

— Ne vient-il pas de la droite ? avancent quelques inquiets pour se réconforter.

— Il n'en aura que plus l'ardeur des néophytes, répliquent les autres pour se donner des frissons.

Comme frappés d'amnésie, ils oublient tout ce que le vain-

1. L'église de Sermages dans la Nièvre.

queur a déjà écrit (mais il n'est pas certain que ses écrits suffisent à révéler sa vérité). Tout ce qu'il fut et tout ce qu'il fit.

Si l'enfance contient en germe la personnalité de l'adulte, celle de François Mitterrand pouvait-elle en ce jour donner la clé du personnage ?

Les premières années de François Mitterrand lui ouvraient en réalité une diversité de voies, parfois contradictoires. Le cadre, le milieu familial, l'éducation reçue devaient le conduire vers une forme d'intégration qui porte naturellement au conservatisme politique (une enfance heureuse ne met pas forcément un adolescent en opposition avec l'ordre social). Mais le caractère, une propension à toujours vouloir se poser en s'opposant, une volonté inquiète de s'affirmer en se différenciant le poussaient vers la contestation et la sédition instinctives. Mais le tempérament, avec une emprise naturelle sur l'entourage, un goût de l'autorité, un désir d'être toujours le premier, conduit à cette certitude : François Mitterrand est né monarque.

Le cadre : même si du côté de Jarnac on tient Jacques Chardonne pour un fieffé menteur, l'enfance de François Mitterrand pourrait s'inscrire aisément dans les pages de ses romans : « Dans une petite ville de Charente, tout le monde était heureux autant qu'il est possible sur terre ; on ne souffrait que des maux éternels... Les grands n'étaient pas toujours dépourvus d'âme et le peuple avait beaucoup d'esprit... Ils avaient chacun leurs tourments et l'habitude de n'en rien dire ; leurs difficultés de cœur aussi, plus secrètes encore. L'argent représentait une grande valeur : il permettait à chacun de conserver sa place, sa maison à la ville ou son champ à la campagne mais jamais il ne modifiait la façon de vivre, les usages de la famille... Dans cette société toute fondée sur les intérêts très âpres car chacun pouvait perdre pied et la sagesse obligeait d'être avare, je suis frappé du peu de place que tenaient en somme l'argent ou la fraude[1]. »

1. Jacques Chardonne, *le Bonheur de Barbezieux*, Paris, Stock.

Né à Jarnac le jeudi 26 octobre 1916 sous le signe du Scorpion ascendant Balance, le petit François, deuxième garçon et numéro cinq de la nichée Mitterrand, fils de Joseph, chef de gare à Angoulême, et d'Yvonne Lorrain, une mère fort pieuse qu'il vénéra, connut une enfance privilégiée.

Il appartenait à une famille assez aisée pour que l'on n'y parlât jamais d'argent. Assez nombreuse — huit frères et sœurs et deux cousins germains du même âge — pour qu'y régnât en permanence de la gaieté. Assez religieuse pour inculquer à ses enfants la morale et les principes qui balisent les routes de la vie. Assez chaleureuse et attentive pour prévenir toute envie de rupture. Assez stricte et souple pour donner des usages sans entraver la liberté. Assez férue enfin de littérature et d'idées nouvelles pour familiariser aux jeux de l'esprit.

Vivre à Jarnac au lendemain de la Grande Guerre, ce n'était même pas s'enfermer dans une province bourgeoise où l'imprévu est une denrée exotique pour romancier. Ce petit bourg de quatre mille habitants, bien calé sur ses tonneaux de cognac, s'ouvrait par tradition sur l'étranger avec lequel il commerçait. Négociants anglais, suédois et allemands venaient s'y approvisionner. Ils étaient reçus dans les puissantes et énigmatiques maisons de pierre blanche. D'abord comme des clients, bientôt comme des amis. Le vent du dehors soufflait sur cette belle province au climat retenu. Les étés semblaient doux et les hivers cléments. L'air de la mer souvent venait y expirer.

La société charentaise vivait dans l'harmonie. Les vapeurs belliqueuses de la lutte des classes n'entêtaient point encore les cerveaux. Cette région sans industrie lourde ne comptait pas de prolétaires. Les riches étaient très riches, « ils croyaient mériter leurs avantages et le peuple le croyait comme eux-mêmes[1] ». Les pauvres n'étaient point misérables. Rien n'offensait la justice. Les plus grosses fortunes étaient ici protestantes, donc républicaines. Entre patriciens huguenots et bourgeois catholiques, souvent de tradition monarchiste, on se saluait, on se considérait parfois, on ne se fréquentait guère : « Les alliances naturelles des protestants se faisaient avec la porcelaine de Limoges ou les châteaux de Bordeaux[2]. » Jusqu'à

1. Jacques Chardonne, *le Bonheur de Barbezieux*, *op. cit.*
2. Interview de François Mitterrand, *l'Expansion*, août 1972.

la Libération les mariages mixtes étaient presque inconcevables.

La famille Mitterrand-Lorrain, catholique et fort pratiquante, tenait dans ce monde exigu un rang honorable. Ils étaient des notables, mais point des tout premiers. Petits-bourgeois pour les grands, grands bourgeois pour les petits, ils en nourrissaient une double fierté : leur proximité avec le peuple était faite de charité, et de réserve leur voisinage avec ceux qui comptent. L'absence d'arrogance envers les humbles autorisait avec les nantis — peu disposés à réduire les écarts — une distance teintée de réprobation.

On respectait les Mitterrand et les Lorrain. On vantait leur générosité, leur façon d'héberger sans ostentation quelque vieille cousine dans le besoin ou quelque religieuse à la santé chancelante. Ils avaient des biens mais n'en faisaient nul étalage. Sans se créer de soucis financiers, ils pouvaient se permettre d'envoyer une fille, veuve de guerre, se reposer quelque dix-huit mois, accompagnée d'une infirmière, dans un hôtel en Suisse.

Jules Lorrain, le grand-père, possédait à Jarnac plusieurs belles maisons carrées — « tout un quartier de la ville », prétendent même les Jarnacais qui se souviennent. La famille se répartissait entre deux grandes bâtisses plus robustes qu'élégantes. De deux étages chacune aux ouvertures étroites, comme il sied en Charente, et séparées par un vaste jardin où poussaient des géraniums, des giroflées « qui plaident pour l'existence de Dieu mieux qu'on ne fait à Notre-Dame[1] », un palmier et même un *Pinus pinaster soland,* ce pin maritime symbole de vie éternelle de l'Eglise réformée. Signe irréfutable d'origine : le grand-père avait acheté aux héritiers du pasteur l'une de ces bâtisses jouxtant le temple. Là vivaient M. et Mme Lorrain, leur fille Antoinette Sarrazin, veuve de guerre, ses deux enfants Pierre et Yvonne, dite Lolotte, et les hôtes de passage. Une tenace odeur d'encaustique flottait dans les longs couloirs enténébrés comme des chapelles où les enfants redoutaient de croiser mille fantômes, et jusque dans les vastes pièces encombrées de meubles rustiques ou de style Louis-Philippe ; des porcelaines de la Compagnie des Indes et des bibelots anglais rapportés de voyage complétaient la décoration.

L'autre maison abritait les dix Mitterrand. Quand ils évoquent leurs souvenirs, les frères et sœurs du président racon-

1. François Mitterrand, *la Paille et le Grain,* Paris, Flammarion.

tent volontiers que leur père aimait utiliser ou disposer les meubles d'étrange façon. Un lit clos breton, rapporté de Quimper, fut par ses soins métamorphosé en bibliothèque ; la cheminée du salon s'ornait de coffres également bretons — « il avait, disent-ils, le goût des belles choses ».

Filles d'un côté, garçons de l'autre, les enfants dormaient à plusieurs dans les chambres spacieuses. Très jeune, François intrigua pour obtenir un cadre bien à lui et la permission de s'isoler dans la chambre aux oiseaux, ainsi dénommée parce que les murs étaient tendus d'une perse rouge et verte représentant des passereaux.

Le grand-père, Jules Lorrain, possédait aussi à La Treille, aux portes du bourg, une petite propriété — environ vingt-cinq hectares. On y cultivait la vigne dont le produit était vendu aux fabricants de cognac. Mais c'est à Touvent, près d'Aubeterre, aux confins de la Dordogne, que s'étendait son véritable domaine : une centaine d'hectares, entourant une confortable maison de maître campagnarde, plantée face à un jardin d'agrément dont les ormes séculaires abritaient les dépendances. Il passait là quelque huit mois par an, des primevères au foie gras. On ne vivait pas dans le luxe. Point d'eau chaude. On s'éclairait au gaz. Les commodités, encore rustiques, trônaient dans le jardin — toutes choses fort habituelles à l'époque dans ce milieu. On ne manquait de rien. On était servi. Une cuisinière, une lingère, un cocher et les femmes des trois métairies qui grossissaient les effectifs en cas de presse.

Pour Jarnac, Mme Lorrain faisait venir ses bonnes de Bretagne. Elle les choisissait d'après photographies. Toute la famille se souvient encore en riant d'une certaine Marie : elle avait envoyé son portrait en pied, vêtue de la robe de mariée de sa sœur ; elle présentait bien, elle fut sélectionnée... et l'on vit arriver une minuscule personne plutôt contrefaite. Passe encore le souvenir de l'irritante Simone qui chantonnait *la Fille du bédouin* du soir au matin. Et celui de la gracieuse Henriette qui perturba quelque peu les sens des garçons.

Le dimanche, on se rendait à la messe en voiture capitonnée, à petit trot, à Nabinaud [1]. Ce jour, on priait à déjeuner le curé,

1. Chaque été, François Mitterrand vient se recueillir dans cette petite église. Il songe, paraît-il, à élire sa dernière demeure dans le cimetière attenant. La photo de l'ensemble trône aujourd'hui sur la cheminée du bureau présidentiel à l'Elysée.

l'abbé Marcellin, de tendance bonapartiste, et M. Delugin, le maire radical et laïc du bourg. Illustration de l'émollience du climat charentais : ce Peppone local n'a jamais refusé de vendre son vin de messe à son Don Camillo.

La table était agréable et variée. Veaux, vaches, cochons, couvées, légumes et fruits de saison à profusion. Le canard à l'orange (avec des quartiers d'orange) était plat de fête[1]. La Dronne, lente rivière où les enfants canotaient en barque plate, traversait la propriété. Elle approvisionnait la famille en chevesnes, perches arc-en-ciel et anguilles. Les paniers tendus en viviers en recueillaient parfois jusqu'à deux cents kilos dans la nuit, que l'on allait vendre à Angoulême. Un moulin fournissait l'huile de noix. On parlait alentour, avec grand intérêt, de la porcherie modèle bâtie par le grand-père et, avec une pointe de surprise — ce paternalisme-là n'était guère dans les usages de la région —, des logements qu'il avait fait construire pour ses métayers.

Durant deux trimestres, sept années de suite — jusqu'à leur entrée en sixième au collège d'Angoulême —, le petit François, deux de ses frères et sœurs cadets, Jacques et Geneviève, et leurs cousins Pierre et Lolotte vécurent avec leurs grands-parents dans ce décor « où le temps et les choses parlent de Dieu comme d'une évidence[2] ».

Ils ne fréquentaient guère l'école communale (à peine un petit trimestre l'an à Jarnac). Les curés de La Prade et de Pillac venaient leur faire la classe, comme à des enfants de château. Les horaires étaient stricts — 9 heures, midi ; 14 heures, 16 heures — et les caprices interdits. Une grosse cloche, plantée sur le toit, réglait la vie des enfants. On la mettait en branle depuis le vestibule au pied de l'escalier.

« Tiens, voilà les petits messieurs qui vont à table... » « Tiens, voilà les petits messieurs qui vont à l'étude... », ponctuaient les gamins des fermes du domaine en entendant le carillon.

« A Touvent on épousait sans y penser le rythme des saisons

1. Racontant sa première évasion devant la conférence des ambassadeurs en mai 1947, François Mitterrand dira : « En marchant, un souvenir ambiant m'obsédait, c'était les plats que l'on faisait chez moi dans les fêtes de famille deux ou trois fois l'an, je me souvins d'un canard à l'orange et pendant cinq jours j'ai marché en pensant au canard à l'orange. »

2. François Mitterrand, *la Paille et le Grain*, *op. cit.*

et la courbe des jours... Le soir, on abaissait la lampe pour allumer le manchon à gaz. Le poêle à bois ronflait dès octobre. La vie quotidienne passait par les chemins détrempés de novembre, la terre coupante de février, les jambes molles du printemps... A cette époque, on mourait chez soi quand ce n'était pas à la guerre. Le médecin venait au pas de son cheval. Le curé plus jeune montait à bicyclette, de femme évidemment à cause de sa soutane. Pour donner à la mort sa dimension métaphysique, il fallait se forcer un peu », écrit avec nostalgie François Mitterrand dans *Ici et maintenant*. « J'ai vécu mon enfance dans un autre siècle, il m'a fallu faire un effort pour sauter dans le nôtre », avouera cinquante ans plus tard le leader socialiste[1].

Deux hommes ont marqué l'enfance du futur président. Le grand-père, dit papa Jules, et le père, papa Joseph. Quand on interrogeait le jeune François : « Comment va ton papa ? » il répliquait innocemment : « Mais lequel ? »

L'aïeul Lorrain, né en 1854, qui fut longtemps la clé de voûte de la famille, vivait heureux. « Il avait toutes les qualités », dit de lui, encore éblouie, l'une de ses petites-filles. Généreux, populaire, aimant rire, bon époux, bon père, il appréciait les jolies personnes et les idées nouvelles. De taille moyenne, mais toujours droit comme un *i* pour n'en point perdre un pouce, le cheveu dru et blanc, la moustache fournie et lissée, ce sportif accompli, bon nageur[2], escrimeur entraîné, était fort soigné de sa personne. Il s'étrillait chaque jour au gant de crin et fleurait bon la lavande. « Il savait charmer son auditoire en racontant dans un patois irréprochable de succulentes histoires charentaises qui faisaient la joie des soirées familiales. La petite réputation qu'il en tirait le flattait plus que n'importe quelle décoration[3]. » Il avait le goût du contact, des voyages, et le sens du commerce. Les mondanités ne le rebutaient pas. La fortune lui souriait.

Quand l'affaire de bois de son père battit de l'aile — il était encore adolescent —, une grande maison de cognac de l'époque (Pellisson) en fit son représentant général pour l'Angleterre, car

1. François Mitterrand, *Ma part de vérité*, Paris, Fayard.

2. Quand il lui arrive de tomber tout habillé dans la Dronne à soixante-quinze ans sonnés (un petit pont ayant cédé), il lance, imperturbable, à son métayer effrayé, tout en regagnant calmement la rive : « Mais allez donc rattraper mon chapeau ! »

3. François Mitterrand, *Ma part de vérité*, *op. cit.*

« bien que n'en buvant pas [du cognac] il était réputé pour son nez infaillible et respirait en toute certitude le coteau et l'année[1] ». Il s'exprimait aisément dans la langue de Shakespeare, recevait volontiers à sa table et en son logis ses honorables clients. Chaque Noël, on dégustait en famille puddings noirâtres et short breads dorés (les jouets étaient distribués le Jour de l'An seulement).

Comme il aimait aussi être son propre maître et avait de l'énergie à revendre, il fonda à Jarnac une vinaigrerie. Entreprise menée rondement avec l'aide de Mme Lorrain. Elle devint relativement prospère. Avec le grand Dessaux d'Orléans — passé maître dans l'art du condiment — Jules Lorrain fut à l'origine de la Fédération nationale des fabricants de vinaigre, dont il resta le président d'honneur jusqu'à sa mort. Il s'intéressait aussi aux affaires communales et siégea au conseil municipal de Jarnac aux côtés des Bisquit, dynastes réputés du cognac. Avec eux, il fonda la première école libre pour les filles.

Politiquement, la famille le classe comme un républicain. Ses grands hommes furent, dit-on, Clemenceau et Poincaré. On le vit tout de même, et au premier rang — il avait vingt ans —, aux obsèques religieuses de Napoléon III, dans la petite église de Sainte-Marie à Chislehurt, tout près de Londres. Ses descendants assurent qu'il se trouva là en bonne place, porté par le hasard des mouvements de foule. Il ne détestait pas la poigne pourvu qu'elle s'accompagnât de quelque sensibilité sociale. Ce nationaliste, qui rêvait tout haut de revanche contre l'Allemand, se montrait libéral et admettait fort bien que l'on ne soit pas de son avis. Quand l'affaire Dreyfus déchira la France et les familles, Jules Lorrain, sans être du camp du capitaine, ne refusa pas d'écouter les arguments de ses défenseurs. Il cultivait avant tout la tolérance — ce nom clandestin du scepticisme. Si, à Touvent, quelque altercation politique l'opposait parfois à un métayer, un « méchant rouge », quand il se trouvait à Jarnac, en revanche, il allait volontiers interroger l'original du pays, seul lecteur de *l'Humanité*.

Surtout, il aimait les gens importants. La compagnie de militaires (gradés bien sûr) le grisait (en villégiature, il se faisait appeler le commandant Lorrain). Les grands le fascinaient. Il se flattait d'une parenté fort lointaine, mais tout à fait

1. *Ibid.*

Jean de BARBEZIÈRES
épouse Clémence D'ORGEMONT

Philippe DE BARBEZIÈRES
Hélène de [ ]

Jacqueline DE BARBEZIÈRES
René POUSSARD,
seigneur du Bas-Vandre

Jean POUSSARD
Anne DE LA JAILLE

J[ ] POUSSARD
Suzanne DE GOULLARD
DE SAINT-DISANT

Jacqueline POUSSARD
Alexandre DESMIER,
seigneur d'Olbreuse

Léonore DESMIER D'OLBREUSE,
Georges Guillaume, duc de
BRUNSWICK-LUNEBOURG-CELLE

Sophie Dorothée de CELLE
Georges L., de BRUNSWICK-HANOVRE,
roi George Ier d'Angleterre

GEORGE II, roi d'Angleterre
Wilhelmine Caroline
DE BRANDEBOURG-ANSPACH

Frédéric Louis, prince de Galles
Augusta DE SAXE-GOTHA

GEORGE III, roi d'Angleterre
Charlotte Sophie
DE MECKLEMBOURG-STRELITZ

Edouard Auguste, duc de KENT
Victoria Marie-Louise
DE SAXE-SAALFELD-COBOURG

VICTORIA, reine d'Angleterre
Albert DE SAXE-COBOURG-GOTHA

EDOUARD VII
Alexandra DE DANEMARK

GEORGE V, roi d'Angleterre
Mary DE TECK

GEORGE VI, roi d'Angleterre
Lady Elisabeth BOWES-LYON

ELISABETH II, reine d'Angleterre
Philippe, duc d'EDIMBOURG

CHARLES, prince de Galles
Lady Diana FRANCE SPENCER

Louis DE BARBEZIÈRES
Catherine GUY TAUT

Hercule DE BARBEZIÈRES
Guillemine JAY

Jean DE BARBEZIÈRES
Marie DE LA FAYE

Hiérémie DE BARBEZIÈRES
Marie THÉVENIN

Etienne DE BARBEZIÈRES
Florence CORGNOLLE

François Ier DE BARBEZIÈRES
Marie-Anne DE GUY

Etienne II, comte de BARBEZIÈRES
Marie-Anne LAISNE DE FRANCHEVILLE

Marie-Rose DE BARBEZIÈRES
Alexandre BERNARD,
seigneur de Javerzac
Vicomte de MONTANSON

Marie-Thérèse BERNARD DE JAVERZAC
DE MONTANSON
Jean TOUZET

Marie-Rose TOUZET
François FAURE

Eugénie FAURE (dite maman Ninie)
Jules LORRAIN (dit papa Jules)

Yvonne LORRAIN
Joseph MITTERRAND

François MITTERRAND
Danielle GOUZE

Jean-Christophe MITTERRAND

Généalogie établie à partir de la publication *l'Intermédiaire des chercheurs et des curieux* (janvier et mars 1982) et mise en doute par M. Jacques Mitterrand dans la même revue (mars 1982).

incontestable, avec la famille régnante d'Angleterre. Par une certaine Léonore, née aux alentours des années 1650 et devenue par mariage duchesse de Brunswick-Lunebourg-Celle, les Lorrain se trouvaient alliés éloignés de la dynastie britannique. Plus tard, un président socialiste français aura la sagesse de n'en tirer aucune gloriole intempestive et de se rendre au mariage du prince de Galles et de Lady Diana sans faire savoir que le futur roi était son cousin. Tous ses prédécesseurs n'eurent pas cette modestie avisée.

Le grand-père Lorrain, que la vie semblait n'avoir ni froissé ni blessé, connut pourtant de grandes épreuves : la perte de deux fils, l'un âgé de quatre ans, l'autre, un garçon de vingt ans, poitrinaire, dont le souvenir devait longtemps peser sur la famille. Ce jeune homme, Robert, aux sentiments religieux très vifs, tôt introduit dans les milieux littéraires parisiens — il fut l'ami de François Mauriac —, s'était pris d'intérêt pour le catholicisme social. Il avait approché Marc Sangnier et collaboré aux cercles d'études du Sillon. Son père, qui lui écrivait à Paris chaque jour, aurait aimé pour lui une carrière politique et — qui sait ? — les honneurs de la République. Son fils disparu, ce sceptique se mit à fréquenter les églises. Toute la famille à sa suite fit siennes les intuitions du catholicisme social et se prit à rêver d'une société où la solidarité communautaire étayerait le respect de tout individu. Chacun à sa manière, les petits-fils de Jules Lorrain devaient retenir la leçon.

« Nous étions plus près, dit aujourd'hui l'un d'eux, de Lamennais que de Veuillot » (c'est-à-dire plus proches d'un catholicisme humanitariste qu'institutionnel).

Le deuxième homme, Joseph Mitterrand, papa Joseph, ne ressemblait guère à papa Jules. Autant le grand-père était expansif et volubile, autant le père se montrait secret, réservé, misanthrope. Ce n'était pas un fantaisiste ! Il en imposait par son allure distinguée. On le craignait, « il était froid, glacial même, il ne parlait jamais de lui [1] ». L'une de ses filles avoue avoir redouté le moment où, sa mère disparue, il lui faudrait vivre à ses côtés en tête à tête. Il s'absentait souvent pour de longues promenades solitaires. Il ne se confia vraiment à ses fils qu'après la mort de son épouse, quand il venait leur rendre visite à Paris, pendant leurs études. « La beauté ne compte pas

1. François Mitterrand, *l'Expansion*, août 1972.

pour une femme, seule sa valeur morale doit dicter votre choix », leur conseillait-il alors. Il fut à sa manière un père admiratif et tendre. En récompense d'un bon livret scolaire, il invitait ses enfants à déjeuner chez Dubern, allée de Tourny à Bordeaux, le trois-étoiles de l'époque, dont on admirait les boiseries anciennes. Cinquante ans plus tard, l'actuel président n'omet jamais d'y faire pèlerinage et d'évoquer les repas d'antan comme des festins merveilleux[1].

Il était originaire du Berry — « un ancêtre paternel nommé de Laroche avait supprimé sa particule avant la Révolution par une sorte de modestie ostentatoire[2] » (à moins que ce ne fût de prudence avisée) —, d'une famille de gens de robe ou de commerce devenue modeste, après quelques revers de fortune qui le privèrent d'études.

Ses humanités terminées à Notre-Dame-des-Aides, à Blois, on avait fait entrer ce latiniste distingué, qui parlait bien les langues d'Homère et de Ciceron et rêvait de journalisme, à la Compagnie des chemins de fer de Paris-Orléans. Ainsi débutèrent une carrière administrative et une véritable vie de garnison qui le menèrent de ville en ville : Nantes-Chantenay, Montluçon, Quimper, Angoulême enfin, où il devint chef de gare. A en croire ses enfants, on allait le promouvoir responsable suprême de la gare d'Austerlitz[3] quand, en 1919, il démissionna par piété filiale et non sans quelques regrets. Il lui fallait, dit-on, se préparer rapidement à prendre la succession de son beau-père à la tête de la vinaigrerie. Il avait quarante-six ans, et le petit François tout juste trois printemps[4].

Selon d'autres témoignages, tout aussi familiaux, son épouse l'aurait convaincu d'abandonner un métier où il ne s'épanouissait pas. (A moins que le couple n'ait voulu simplement se rapprocher de ses enfants et mettre un terme à son noma-

1. Sa femme décédée, ses enfants élevés, Jules Lorrain, toujours escorté de son barzoï, exigeait dans les restaurants que l'on serve son chien à ses pieds.

2. Claude Manceron, *Cent Mille Voix par jour pour François Mitterrand.*

3. Sauf leur respect, cette promotion semble assez improbable, Angoulême n'étant pas, dans la hiérarchie de la Compagnie du PO, l'ultime marchepied menant droit à Austerlitz.

Dans les colonnes du *Who's who,* avant sa première candidature à l'élection présidentielle, François Mitterrand, qui voulait alors incarner l'Union de la gauche, écrivait trop modestement sous la rubrique profession du père : cheminot. Après concertation avec ses frères, il précisera comme eux dans les éditions ultérieures : agent de la Compagnie des chemins de fer de Paris-Orléans, puis industriel.

disme.) Son père, lui jurait-elle, ne manquerait pas de lui céder la place. En fait, M. Lorrain y était bien moins disposé que sa fille ne se l'imaginait.

Entre un gendre aussi introverti et un beau-père aussi ouvert, les rapports n'étaient guère aisés. Au moment où Joseph Mitterrand, acquiesçant aux vœux de sa femme, renonçait aux chemins de fer, papa Jules, comme soudain revigoré, rempilait à la vinaigrerie pour dix ans. En affaires et en politique, le successeur est toujours plus ou moins un imposteur. Dans les bonnes familles aussi !

Pour apporter une contribution personnelle aux ressources du clan, papa Joseph eut alors l'idée de se lancer dans les assurances. Il devint le représentant régional du groupe l'Union... Il fonda aussi une petite fabrique de balais, accessoires ménagers que le bon Joseph Bordage, quincaillier à Jarnac, père de neuf enfants, royaliste et militant catholique comme lui, ne manquait jamais de proposer à ses clients. Mais si d'autres ont su se tailler un empire dans l'équipement ménager à partir d'un modeste atelier de presse-purée artisanaux, Joseph Mitterrand en resta à ses crins et à ses manches. Le profit lui semblait être une préoccupation vulgaire, le démarchage inconvenant, le contact avec l'acheteur prosaïque ! Lorsque, après 1929, le grand-père ayant fait le partage de ses biens[1], il finit par diriger la vinaigrerie, il réussit ce tour de force de ne jamais visiter un client. Ses enfants ne devaient donc trouver dans l'héritage paternel ni esprit d'entreprise, ni sens du commerce, ni goût de la finance. Animer la Fédération nationale des fabricants de vinaigre lui semblait autrement plus constructif : « Ses satisfactions, je crois qu'il les a trouvées en représentant sa profession dans les organisations économiques de la Charente... c'était un grand esprit, il s'est toujours considéré comme exilé en Charente, mon père savait qu'il vivait à la fin d'une époque et s'irritait en silence des rites désuets, des quiproquos compassés qui accompagnaient cette agonie[2]. »

1. Et vendu sa propriété de Touvent, au désespoir de ses petits-enfants. Aujourd'hui, encore marqué par l'épisode, « mon premier deuil », avouera-t-il, le président de la République adjure ses amis de ne jamais vendre une maison de famille : « Surtout n'en faites rien », leur dit-il. Et chaque été il revient à Touvent pour tenter de convaincre l'actuel propriétaire de lui céder une part de ses terrains.

2. Interview à *l'Expansion*, 1972.

Le taciturne et complexe Joseph Mitterrand dut parfois se sentir submergé par un flot familial déferlant : le clan Lorrain. Dans l'éternelle querelle des anciens et des modernes, en effet, le grand-père Lorrain incarnait beaucoup plus que son gendre l'audace et la novation.

« Au lieu de construire ses porcheries modèles, votre grand-père ferait bien mieux d'apporter quelque confort à son gîte », relevait, aimablement caustique, Joseph Mitterrand devant ses enfants.

« Plutôt que de se flatter de ne point la fréquenter, mon gendre serait avisé d'entretenir sa clientèle », devait songer in petto papa Jules, se gardant bien toutefois d'en faire tout haut la remontrance à ce beau-fils ombrageux.

En fait, chacun était très représentatif de son époque et de sa génération. Ainsi, à Jarnac, Joseph Mitterrand fut-il l'un des premiers à rouler en automobile : une rutilante Chenard-Walker dont les bougies, toute la famille s'en souvient encore, marquaient une fâcheuse tendance à s'encrasser. Quand il menait son beau-père faire quelques emplettes à Aubeterre, celui-ci, peu au fait de la mécanique, conseillait : « Vous n'avez pas besoin d'arrêter votre moteur, je n'en ai pas pour plus d'une demi-heure. »

L'aïeul avait appartenu à la bourgeoisie charentaise frottée de bonapartisme, gagnée aux idées d'expansion et de libre échange, d'ouverture sociale et de conquête commerciale. Le père incarnait la bourgeoisie d'une France sortie exsangue d'une victoire pour entrer dans la grande dépression économique et financière des années trente. Une classe sociale appauvrie et effrayée, qui songeait davantage à limiter ses pertes et attendre des jours meilleurs qu'à réagir par de nouvelles initiatives. A l'évidence, cette sombre conjoncture a conforté Joseph Mitterrand dans sa mélancolie et le regret de n'avoir pu mener une carrière plus intellectuelle.

S'ils étaient pareillement des hommes d'ordre, politiquement, Joseph Mitterrand se montrait plus conservateur, plus traditionaliste que son beau-père. Quand ils tentent de le définir, ses enfants en font aujourd'hui un démocrate-chrétien. Il aurait pu siéger à la droite du MRP. « Il se serait fort bien accommodé de la monarchie », note son fils Robert[1].

Il était le responsable régional du groupe Saint-Vincent-de-

1. Interview au *Quotidien de Paris*, août 1981.

Paul et le président régional très actif de la Fédération nationale catholique (FNC). Un groupement créé en 1924, pour riposter au Cartel des gauches qui menaçait de remettre en vigueur les lois laïques. Sous la houlette du général de Castelnau, glorieux soldat de conviction royaliste, patriote vigilant et homme de droite s'il en fût, ce rassemblement visait à mobiliser les fidèles pour préserver les intérêts catholiques. Les projets d'école unique ne connurent pas d'adversaires plus déterminés que les membres de la FNC !

S'il n'était inscrit à aucun parti [1], Joseph Mitterrand prisait fort les réunions politiques et ne rechignait pas à aller lui-même porter la contradiction. Il soutenait à Jarnac l'honorable conseiller général Rambaud de La Rocque, grand-père de Pierre Marcilhacy.

Vers le milieu des années trente, il fut intéressé par les prises de position du colonel de La Rocque, leader de la ligue des Croix-de-Feu [2]. Il assista à plusieurs de ses réunions, ses filles s'en souviennent.

Fut-il tenté par l'Action française, comme le proclame certaine rumeur locale ? Ses proches jurent avec véhémence qu'il ne pouvait y songer, une encyclique du pape Pie XI ayant, en 1926, condamné le mouvement de Charles Maurras.

Si des nuances les séparaient, papa Jules et papa Joseph étaient tous deux des bien-pensants et tous les Lorrain et les Mitterrand avec eux. Dans la famille, on aimait Dieu, la France « terre et chair ». On n'aimait pas les francs-maçons, les Allemands, les bolcheviks et... les socialistes. « Quand j'avais moins de quinze ans les noms des leaders socialistes et radicaux étaient toujours objet de critique chez nous, à table [3] », se souvient Robert, le frère aîné du président. « Je n'ai jamais entendu chez moi de propos durs sur les socialistes ou les communistes [4] », note pour sa part François Mitterrand. On

1. Il se présenta cependant comme indépendant aux élections municipales de Jarnac et connut l'échec. Tout le monde n'est pas fait pour le suffrage universel...

2. En 1934, *in Service public,* de La Rocque exposait ainsi son programme : renforcement de l'exécutif, extension des pouvoirs du président de la République et limitation de ceux du parlement, réconciliation du capital et du travail, réglementation du droit de grève, mesures en faveur des travailleurs et de la famille. En 1958, Joseph Mitterrand aurait peut-être été gaulliste ?

3. Interview au *Quotidien de Paris,* août 1981.

4. Interview à *l'Expansion,* août 1972.

peut être frères et ne pas entendre les mêmes choses entre la poire et le fromage.

Que Joseph Mitterrand n'ait éprouvé aucun penchant pour la gauche était à Jarnac chose établie. Lors de la manifestation qui opposa le 13 juillet 1936 partisans et adversaires du Front populaire dans la petite ville, il se rangea parmi les seconds. Fred Bourguignon, alors jeune ouvrier teinturier de gauche, et aujourd'hui artiste peintre en Dordogne, se rappelle fort bien que le lendemain de l'échauffourée, Joseph Mitterrand vint trouver son patron pour l'avertir qu'il employait un dangereux révolutionnaire. Il raille aujourd'hui : « Quand j'entends Mitterrand évoquer Blum comme son grand ancêtre, cela m'amuse beaucoup ! »

Pierre Boujut[1], fils d'un négociant de Jarnac, poète à ses heures — libertaire et anarchiste — et partenaire au tennis d'une des demoiselles Mitterrand, s'étant aventuré à lui offrir un recueil de ses vers, se le vit retourner par un père courroucé qui lui faisait savoir que pareille littérature ne devait pas entrer chez lui.

Dans cette famille catholique, pourtant, on aimait encore moins les « gros » (les deux cents familles), et les nouveaux riches. Bien que ne manquant pas de moyens, « ils tenaient les hiérarchies fondées sur les privilèges de l'argent pour le pire des désordres. L'argent, c'était l'ennemi, le corrupteur avec lequel on ne fraie pas. Leur foi chrétienne renforçait cette disposition[2] », note François Mitterrand. Il ajoute : « Mon père portait des jugements sévères sur le patronat, sur le capital, sur l'argent. Ses jugements m'ont profondément marqué. Donc je ne me suis jamais senti de ce milieu-là. Une sorte de défiance, sans doute y a-t-il des éléments caractériels... malgré ma vie bourgeoise, je n'ai jamais eu aucun lien d'aucune sorte avec les milieux d'affaires[3]. »

Aussi bien dans le folklore familial, c'était les histoires des gens du cru qui divertissaient le plus. On moquait volontiers ceux qui étaient mus par l'appât du gain : comment pouvait-on se montrer aussi trivial ? On respectait les dynasties, mais on ironisait sur les enfants du cognac protestant, au train de vie

1. Invité à déjeuner à l'Elysée par le président de la République au printemps 1983.

2. François Mitterrand, *Ma part de vérité, op. cit.*

3. Interview à *l'Expansion*, Août 1972.

trop ostentatoire et peu enclins au divertissement intellectuel : comment pouvait-on être aussi superficiel ?

De leur côté, ces jeunes gens huppés regardaient plutôt de haut les enfants Mitterrand. A Jarnac, où il ignora la pauvreté, l'insécurité de l'existence et la dignité froissée, le futur leader de la gauche a peut-être ressenti quelque atteinte de cette envie sociale qui engendre des complexes d'infériorité (excellents bouillons de culture, parfois, pour les idées socialistes). A tout le moins, y a-t-il découvert — avant la lutte des classes — la lutte des castes méprisantes, et parfois vénéneuses. Il a pu mesurer combien étanche est la frontière qui sépare les clans. On songe aussitôt à cette citation de Maurice Barrès : « Jeune, infiniment sensible et peut-être humilié, vous êtes prêt pour l'ambition. »

S'ils se barricadaient contre les vents de la futilité, les Mitterrand et les Lorrain ne détestaient pas l'humour et la gaieté. Au contraire. On s'amusait bien en famille. Jamais on ne se trouvait moins de douze à table. Robert, l'aîné des garçons et le plus démonstratif aussi, excellait dans les imitations (Pierre Fresnay lui servait de modèle pour un morceau de bravoure). Il se lançait dans d'éloquents pastiches de Verlaine ou de Rimbaud, et la gamme de ses talents s'étendait jusqu'à la danse des claquettes. On prisait les jeux de mots et les astuces. Seules les plaisanteries faciles, la familiarité, la grivoiserie étaient exclues.

« Devant le père de François, on avait toujours peur de dire une bêtise ou de se laisser aller à quelque réflexion incongrue », se souvient François Dalle [1], qui fit de fréquents séjours de vacances à Jarnac.

Les conversations, toujours passionnées, abordaient le plus souvent des thèmes culturels. Des discussions interminables opposaient François et Robert, rapporte une de leurs sœurs, sur ce sujet hautement spéculatif : qu'y a-t-il de plus important pour l'humanité, une découverte scientifique ou le mot juste dans un thème latin ? Robert plaidait pour la science, et François pour la syntaxe. Cela durait, paraît-il, des heures, comme s'il s'agissait d'une question de vie ou de mort.

Pour leurs descendants, papa Jules et papa Joseph nourrissaient d'identiques ambitions. Ils étaient l'un et l'autre trop respectueux de leur liberté pour leur assigner une carrière

1. Camarade d'études de François Mitterrand, aujourd'hui P-DG de l'Oréal.

précise. Bien sûr, les enfants devaient travailler et, dès qu'ils furent entrés au collège, lutter pour obtenir les premières places. La famille était trop nombreuse pour qu'ils puissent prétendre à un gros héritage. Ils devaient donc se former pour se lancer dans la vie.

Jules Lorrain feuilletait souvent un gros livre : le *Carus*, sorte de répertoire des filières professionnelles de l'avenir. Avec plaisir, il relevait que le commerce offrait de forts alléchants débouchés. Mais il lisait qu'en période de troubles économiques, mieux valait ne point s'aventurer dans l'industrie. Travailler pour l'Etat, dans l'administration ou l'armée était plus sûr. Deux de ses petits-fils, doués comme lui pour le négoce, Pierre Sarrazin et Philippe Mitterrand, le cadet de la famille [1], s'intéressèrent à une affaire de cognac. Mais ce n'est pas un hasard si, des frères Mitterrand, Robert entra à Polytechnique et Jacques à Saint-Cyr. Le bicorne et le casoar ont bien sûr réjoui l'aïeul, qui prisait fort l'uniforme et les grands corps de l'Etat. L'idéal eût été qu'un autre petit-fils se hissât jusqu'à la Cour des comptes : conseiller-maître par exemple, c'est un si joli titre.

Joseph Mitterrand n'était pas loin de partager ses préférences. Il eut toujours la nostalgie du service public (ses enfants le prétendent). Le barreau le séduisait aussi. La médecine ? On n'y songeait pas. La carrière politique ? Personne ne se serait aventuré à regarder dans cette direction (papa Jules excepté). L'antiparlementarisme sévissait. La France allait de scandale en scandale. Tous en convenaient : emprunter ces chemins périlleux semblait plus fait pour les saltimbanques que pour les fils de famille avisés. Et puis, comme le disait toujours maman Ninie : « La politique ? Cela monte à la tête des hommes, et cela divise les familles. »

Maman Ninie... Les trois femmes de la maison ne comptaient pas moins que les hommes. L'épouse de Jules Lorrain, issue d'une famille aisée, avait failli épouser Ernest Monis, un Charentais qui devint ministre de la Justice puis président du Conseil en 1911. Dans les albums de famille, on l'aperçoit, toute petite, regard myope derrière ses lorgnons, toujours vêtue de noir (les vêtements féminins de l'époque ressemblaient fort à des carapaces d'insectes). Pour ses petits-enfants, elle ne ménageait guère son temps lorsqu'il s'agissait de leur

1. Grand amateur de chasse à courre devant l'Eternel.

éducation religieuse. Elle les prépara à leur première communion.

Animée de fermes principes, elle menait à la baguette tout son petit monde — personnel et enfants. On ne devait pas couper la parole. On devait dire merci, se tenir bien à table et garder toujours les mains propres.

Plus austère et moins sociable que son mari, maman Ninie ne partageait pas son goût des mondanités. Elle prit tout de même une part importante aux affaires de la famille. Volontiers silencieuse, elle montra toujours quelque affinité élective avec son gendre. Cette personne économe et sage n'avouait qu'une folie : la belle argenterie.

La mère, maman Yvonne, régnait sur le foyer. A Jarnac, à Angoulême, quand son souvenir est évoqué, revient immanquablement l'image de l' « admirable mère ». Or, à la différence de son mari, elle apparaît bien peu dans les écrits de François Mitterrand pour qui pourtant elle compta beaucoup. « Dans le fond, je l'ai fort peu connue », reconnaît aujourd'hui le président. Le lecteur la rencontre presque au hasard, au détour d'une phrase, quand son fils lui prête cette réflexion : « Il n'y a que des guerres de religion. » Une citation empruntée à Montalembert, leader au XIXe siècle des catholiques libéraux orléanistes (on dirait aujourd'hui centristes). (En 1974, Mme Mitterrand aurait peut-être été giscardienne ?)

Politiquement, elle partageait les idées de son mari. Dans sa prime jeunesse, comme tant de demoiselles de son âge, « elle s'était emballée pour le général Boulanger [1] », dit son fils aîné Robert.

« C'était un être de communication », souligne l'une de ses filles. Cultivée, musicienne, cette femme brune aux traits un peu lourds, expansive et dominatrice, montrait quelque tendance à l'excès. Mettre après plus de dix ans de mariage huit enfants au monde (quatre garçons et quatre filles, le juste milieu !), n'est-ce point téméraire quand on est cardiaque ? S'imposer toute sa vie une discipline sévère : lever à 5 heures l'été, 6 heures l'hiver, messe quotidienne, méditation journalière — « Elever son cœur vers Dieu quatre fois par heure », consignait-elle dans son carnet —, n'est-ce point spartiate ?

Elle enseignait soigneusement ses principes à sa progéniture, « mais avec elle un enfant n'avait jamais tort », note une

1. Interview au *Quotidien de Paris,* août 1981.

cousine. Lorsqu'ils se trouvaient loin, chacun recevait une lettre de sa main chaque jour. Très attentive à leur formation intellectuelle, elle les abonna tôt à *la NRF*, déjà grande revue littéraire, et les guida dans leurs lectures : Claudel, Bernanos, Jules Romain, Maurice Barrès, Marie Noël, sans oublier bien sûr les illustrations régionales : Jacques Chardonne, François Mauriac, les frères Tharaud et Alfred de Vigny.

Elle mourut en janvier 1936, à l'âge de cinquante-huit ans.

Sa sœur Antoinette, dit Mamie, mère de Pierre et de Lolotte, participa à l'éducation des jeunes Mitterrand à Touvent. Aidée d'une publication destinée aux instituteurs, elle les initia à l'orthographe et à la grammaire. Aussi pondérée que Maman Yvonne pouvait être exaltée, Mamie se plaignit toute sa vie d'une santé défaillante qui la conduisit gaillardement jusqu'à quatre-vingt-quatorze ans.

Parmi les enfants, le petit François n'était pas le plus effacé, mais le plus têtu, le plus obstiné, le plus solitaire et le plus personnel. Ses frères et sœurs décidaient-ils de se rendre ensemble à une fête ? « Partez devant, lançait-il, je vous rejoindrai. » Voulaient-ils monter une comédie ? Il y participait volontiers, à une condition : avoir le choix de son rôle et de la mise en scène. Même au jeu, il n'était pas question de lui assigner une place. Lui interdisait-on, comme à ses frères et sœurs, de toucher un objet déposé sur la table ? Bravant l'autorité, le regard bien droit, il approchait lentement sa menotte jusqu'à l'immobiliser à un millimètre du corps du délit.

— François, tu n'as pas entendu ce que l'on te dit ? grondait maman Ninie.

— Mais je ne le touche pas, répliquait le téméraire du ton de l'homme sûr de son bon droit.

— Ah ! François, si tu mets ton intelligence au service de ton ambition, tu iras loin, grommelait l'aïeule, faussement navrée et peut-être secrètement divertie.

L'enfermait-on en pénitence dans sa chambre, au pain sec et à l'eau ? Si l'on ne prenait pas la précaution de lui confisquer ses vêtements, il réapparaissait bientôt, impassible, comme si de rien n'était.

A Jarnac, la punition ultime consistait à entraver le bras du récalcitrant à l'aide d'une longue corde, elle-même fixée à la grande armoire de la lingerie. Ainsi tenus en laisse, les enfants s'amusaient fort... sauf François qui fut toujours le seul à s'en détacher. « Il n'admettait ni autorité ni conseil, ses idées lui tenaient lieu de loi », dit joliment sa cousine Lolotte.

Il n'aimait pas perdre au jeu. Quand, à la veillée, papa Jules le mettait échec et mat, à l'issue d'une partie d'échecs acharnée, il remuait toute la nuit des idées de revanche. Son esprit de compétition, pourtant, s'arrêtait net devant le symbole du gain. Le Monopoly ? « Je répugnais à dilapider mes heures en disputant l'argent, je n'avais pas de goût marchand et n'en ai pas acquis. Le jeu de l'oie m'excitait davantage. La loi du hasard a le sombre attrait de la philosophie. Ce dé qui vous expédiait au cachot, en enfer, qui tout près du but vous tirait soudain vers le zéro avec le chemin à refaire ou qui traversait les embûches comme s'il avait des yeux pour les voir, j'éprouvais une délectation à le regarder décider pour moi. La sincérité m'oblige à dire que je n'imaginais pas qu'il pût tromper mes espérances quelque malheur qu'il m'arrivât, que ma confiance en lui tenait à *la foi que j'avais en moi*[1]. » N'est-ce pas là l'une des clés du jardin secret du président ?

Enfant rêveur et secret, il aimait par-dessus tout étancher sa soif de lecture. Des heures entières, il disparaissait : « Quand j'entrais dans le petit grenier où mes parents avaient rangé vingt ans plus tôt les œuvres complètes d'auteurs définitivement oubliés, qui parlaient des Croisades, de l'Eglise, des Girondins, des guerres du Ier Empire, l'odeur de poussière et de papier piqué m'enfiévrait l'imagination et me donnait un coup de bonheur au cœur. Ma madeleine à moi est dans cette qualité de poussière qui ne ressemble à aucune autre, avec une vague persistance de senteur de maïs (on engrangeait jadis dans ce grenier les épis pour l'hiver) et de peuplier (le plancher où je m'étalais pour lire était fait de ce bois) et nourrie de littérature[2]. »

S'il n'était pas le plus hardi pour se jeter à l'eau et apprendre la brasse, de tous les enfants, il se montrait le plus dur au mal, le plus stoïque parfois. Il impressionna beaucoup sa mère en ne se plaignant jamais des suites d'une péritonite qui, à l'âge de onze ans, l'immobilisèrent plus de quatre mois (il en garde une profonde cicatrice à l'aine).

1. Souligné par l'auteur. François Mitterrand, *l'Abeille et l'Architecte*, Paris, Flammarion.

2. *Id.*, *la Paille et le Grain*, *op. cit.*

Ce que son caractère avait déjà d'inflexible pour un âge aussi tendre, le jeune François le compensait par un charme et des talents de séduction dont il usait avec habileté.

Son entourage n'y résistait guère. Il ne l'ignorait pas.

2

L'empreinte

Les « femmes en lutte » du Parti socialiste se souviendront longtemps du 4 août 1982. Elles apprenaient, en ce jour anniversaire de l'abolition des privilèges, que le remboursement de l'IVG (interruption volontaire de la grossesse), tant promis et tant réclamé, était renvoyé aux calendes grecques. Lugubre célébration !

Souci inopiné d'économie budgétaire ? Mais non : « Simple question d'éthique », susurre en sortant de l'Elysée Pierre Bérégovoy qui vient d'être intronisé ministre des Affaires sociales.

Gisèle Halimi, volcanique et féministe député de l'Isère[1], entonne aussitôt la grande complainte des mal aimées sur le thème : on ne peut décidément pas compter sur les hommes. Sous-entendu : ce n'est pas cette bonne Nicole Questiaux, renvoyée depuis peu à ses études et à ses fourneaux, qui aurait ainsi trahi la cause des femmes.

« Le gouvernement veut refuser aux femmes la libre disposition de leur corps », peste le MLF. « La patience des femmes a des limites », maugrée Mme Simone If, présidente du planning familial et conseiller technique au cabinet d'Yvette Roudy, ministre de la Condition féminine. Comble de malheur, celle-ci ne peut même pas s'interposer à cette heure pour apaiser l'ire de ses camarades. Cléopâtre des temps modernes, elle gît encore sur son lit de douleur, neutralisée par la rectification de son appendice nasal.

Le Bureau exécutif du PS est saisi de l'affaire. Le lendemain

1. A l'époque.

jeudi, au rituel petit déjeuner des hiérarques mitterrandistes à l'Elysée, ces messieurs s'étranglent d'indignation avant d'attaquer leurs croissants chauds : « Que vont dire nos électrices, nos militantes, nos femmes, nos filles, nos maîtresses ?... Honte à celui qui vient de tronquer la soixantième des cent dix propositions qui, depuis la campagne présidentielle, servent de tables de la loi au pouvoir. Sus à Béré[1] ! »

Le mutisme équivoque du souverain maître des lieux aurait dû alerter ses commensaux. Le président de la République passait ce matin-là par une de ces phases de méditation silencieuse que ses intimes connaissent bien. Et quelques heures plus tard, le ciel allait tomber sur la tête des mangeurs de croissants. La rumeur interministérielle leur révélait que la décision d'ajournement venait du chef de l'Etat soi-même. Dans l'un de ces étranges et imprévisibles retours dont il est coutumier, François Mitterrand avait laissé parler sa conscience. Le catholique garanti d'origine, toujours hostile à l'avortement, avait contredit l'auteur méticuleux de la plateforme socialiste toujours soucieux de ne pas oublier les droits de la femme[2]. Le militant s'effaçait devant le moraliste. Tout était suspendu.

Pour un temps seulement : quelques jours plus tard, devant la levée des boucliers, notre philosophe catholique décidait quand même de faire retraite. Et, sur l'air du changement dans la continuité, le même Pierre Bérégovoy pouvait enfin triomphalement annoncer : « L'IVG sera bien remboursée. »

Le président avait tranché. Mais ses hésitations demeurent incompréhensibles pour qui ignore l'empreinte religieuse qui le marqua dans sa jeunesse.

Les enseignants barbus du Parti socialiste se souviendront longtemps du mois de décembre 1982... et encore plus de l'été 1984. Décembre 1982 : après dix-huit mois de conciliabules et de patientes consultations, Alain Savary, ministre de l'Education nationale, se décide enfin à tracer l'ébauche du grand service laïc, public et unifié de l'Education nationale depuis si

1. Bérégovoy dans le jargon socialiste.

2. Lors de sa première campagne présidentielle, en 1965, le candidat Mitterrand avait presque fait scandale en se prononçant pour la contraception.

longtemps promis. On se congratule sur les bancs socialistes du parlement et dans toutes les écoles normales d'instituteurs de France. Il était temps ! On avait eu si peur depuis le 10 Mai. On s'était même pris à douter, tant le ministère de la rue de Grenelle se montrait pusillanime et timoré. Que cette réforme-là restât en panne eût été un comble. La victoire du candidat socialiste n'était-elle pas due, pour une bonne part, à ces bataillons d'instituteurs, de PEGC, de maîtres-auxiliaires et de maîtres-assistants qui, faisant don de leur personne au parti, avaient œuvré des milliers d'heures dans ses locaux gris et enfumés afin de bâtir en rêve une société laïque ?

C'était compter sans la pugnacité des parents de l'école libre et des responsables de l'enseignement catholique. A peine le ministre avait-il fait part de ses intentions que des manifestations, massives et courroucées, se succédaient sur tout le territoire, province après province, dans un climat de croisade.

Présenter un tel projet trois mois à peine avant les élections municipales, était-ce bien raisonnable ? Le prudent Alain Savary avait-il perdu la tête ? A l'heure de la trêve des confiseurs, la gauche venait de déclencher un joli tintamarre..

Une fois encore, François Mitterrand dut réparer les dégâts. Le 2 janvier 1983, depuis sa bergerie de Latché, il enterrait solennellement la hache de guerre, au cours d'une interview passée à la postérité sous l'appellation d' « entretien à la grue [1] ».

Le président l'affirmait, il entendait respecter la liberté de choix des parents : « Je ne veux aucune contrainte, surtout dans un domaine de cette importance vitale. Ma philosophie personnelle et profonde, qui sera la mienne jusqu'à mon dernier souffle, c'est le respect des consciences. »

Patatras ! La guerre n'était pas finie pour autant. Le discours du 2 janvier n'annonçait qu'une pause. Alain Savary, bientôt, remettait sur le métier son ouvrage. Soudain, le gouvernement brusquait les choses et les gens. Vite, vite, il fallait en finir avec cette affaire ! Et boucler cette loi ! On avait dit que rien ne serait imposé, que tout serait discuté, négocié même. Et voilà qu'on refusait aux représentants du peuple le droit d'amender

1. Ainsi dénommé parce que la grue nécessaire à la retransmission technique des propos présidentiels manquait fâcheusement à l'appel à l'heure prévue. On apprenait qu'elle boudait en Alsace. Il fallut en catastrophe repousser l'émission de vingt-quatre heures.

le projet, qu'on acceptait dans une ultime tractation obscure avec les députés socialistes des changements qui le durcissaient un peu plus, quitte à se mettre sur les bras l'une des plus grandes, peut-être la plus grande manifestation d'opposition populaire que la France ait connue. L'archevêque de Paris, Mgr Lustiger, accuse le gouvernement de manquement à la parole donnée, deux millions de parents, d'enseignants et de jeunes envahissent la capitale, mais on se congratule à nouveau sur les bancs socialistes du parlement et dans toutes les écoles normales d'instituteurs. La détermination du gouvernement paraît cette fois inébranlable. Et quelques petites phrases du président, venu humer dans le Cantal de Georges Pompidou et le Puy-de-Dôme de Valéry Giscard d'Estaing l'odeur de lait caillé de la France profonde, semblent indiquer qu'il approuve pleinement ses ministres (à commencer par le Premier), qu'il les encourage et que rien ne le détournera de la voie qu'il s'est tracée, du chemin qu'il leur a montré.

Une semaine s'est à peine écoulée que, le 12 juillet, les Français, occupés à boucler les valises de leurs vacances, apprennent de la bouche de leur président, revenu la veille d'un Orient compliqué avec des idées qui ne le sont pas moins, qu'il a décidé de retirer en catastrophe la loi Savary, désavouant ainsi un ministre qui, l'apprenant par la télévision, décide alors de démissionner et un Premier ministre qui souhaite vite en faire autant. Les écoles normales d'instituteurs, vidées par les congés, restent muettes ; et la stupeur provoque aussi le mutisme des députés socialistes, privés de vacances, eux, pour cause de loi scolaire précisément. Tandis que l'on annonce que le nouveau ministre Jean-Pierre Chevènement, du nouveau gouvernement Fabius, va concocter, dans les meilleurs délais, un nouveau texte susceptible — peut-être, éventuellement, à condition que, si, mais, sait-on jamais ? — d'être soumis à référendum.

Et bientôt tout change encore : à quoi bon un référendum puisque les nouvelles mesures annoncées par le nouveau ministre donnent, à des nuances près, satisfaction aux partisans du privé et ne provoquent pas de hourvari du côté du public ? Le combat, séculaire, est en train de cesser faute de combattants. Point final.

Dans les sables, les monts et les bois de leurs villégiatures, les Français, qui pressentent l'importance de l'événement, s'interrogent. Comment expliquer ces allées et venues, ces aller et retour ? A s'en tenir aux seuls écrits ou aux seuls discours de François Mitterrand, bien malin qui pourrait dégager quelque certitude.

Nul ne peut en douter, l'homme public incline vers un service laïc unifié dans lequel les établissements privés et confessionnels devraient se soumettre aux normes communes. L'homme privé, en revanche, celui qui a voulu que ses deux fils soient comme lui élevés dans des établissements privés et religieux (notamment l'Ecole Bossuet et l'Ecole alsacienne à Paris), est moins assuré de ce qui est bien et de ce qui est juste.

Un mois à peine après son élection à l'Elysée, le président répondait à un message de félicitations envoyé par l'Association des élèves du collège Saint-Paul d'Angoulême, où il avait été pensionnaire lors de ses débuts du secondaire : « Le temps qui passe et la diversité des chemins parcourus par les uns et les autres ne peuvent dissiper le souvenir des années passées ensemble, ni briser les liens qui nous rattachent à notre Institution. Vous pouvez être assurés — nul n'en ignore d'ailleurs — qu'il ne saurait être question de remettre en cause le principe qui nous est cher de la liberté de l'Enseignement. Si des évolutions sont nécessaires, je veillerai à ce qu'elles soient conduites dans le respect des intérêts et des opinions en présence et après un débat approfondi. »

A la réception de cette auguste missive, les responsables du collège Saint-Paul — en tête desquels le chanoine Coudreau (décoré en décembre 1982 de la Légion d'honneur à l'initiative de l'Elysée) — concluaient en bonne logique que rien d'irréparable ne serait tenté par leur ancien élève. En réalité, s'il permettait tous les espoirs, ce beau texte ambigu autorisait aussi toutes les craintes.

Que le président porte en lui avec une égale sincérité des vérités contradictoires lorsqu'il aborde ces sujets essentiels, un autre fait l'illustre : en voyage officiel dans le Sud-Ouest, en mai 1982, François Mitterrand faisait une brève incursion dans la Creuse pour rendre visite à Jean Védrine, un ami de Résistance (décoré en 1982). Le philosophe Jean Guitton, dont la propriété familiale est voisine, était convié à cette fête du souvenir. Et il se voyait apostropher à peu près en ces termes : « Monsieur l'académicien, vous avez été élevé au lycée, et vous faites aujourd'hui du prosélytisme pour l'Eglise. Mais moi qui ai été éduqué dans un collège religieux, j'ai pris beaucoup de distances, expliquez-moi donc ce paradoxe. »

La conversation se noue alors autour du livre que l'illustre écrivain a consacré à sa mère[1]. Il y explique comment cette catholique convaincue, soucieuse de prévenir toute tentation de rejet de sa foi, avait souhaité pour son fils une éducation laïque de plein vent.

L'avenir de l'école libre est naturellement évoqué et François Mitterrand s'écrie, soudain véhément, comme pour se convaincre lui-même : « Avouez que l'école libre, c'est l'école de l'argent, c'est l'école des bourgeois[2] ! »

Le fossé entre les positions du leader politique et les sentiments de l'ex-pensionnaire des bons pères semble en réalité refléter moins ses opinions sur l'enseignement privé que ses ressentiments à l'égard de l'Eglise elle-même. « L'enseignement privé est devenu une arme du pouvoir conservateur et les dirigeants de cet enseignement s'y prêtent, ce sont des adversaires irréductibles, dont nous n'avons rien à attendre, il y a identification de l'enseignement catholique et de ses associations de parents d'élèves avec les partis conservateurs », déclarait François Mitterrand lors d'un colloque organisé à Paris entre croyants et non-croyants en novembre 1977.

Le leader socialiste se demandait en somme : pourquoi une gauche au pouvoir ferait-elle des cadeaux aux dirigeants de l'école libre qui se comportent comme des adversaires politiques ?

« L'Eglise s'est coupée des masses ouvrières. Avoir contre soi le pouvoir temporel, passe encore. Mais avoir contre soi le pouvoir spirituel ou réputé tel quand on est le peuple des pauvres, c'est pire ! Les prolétaires ont dû se bâtir leur propre explication du monde. Puisqu'on leur proposait le bonheur dans une autre vie, et qu'au nom de ce bonheur on les abandonnait aux puissants de la terre, le message n'avait plus de sens. Le Christ obscurci, l'Eglise complice, il n'y avait d'issue que dans la lutte à bras d'hommes pour la conquête ici et maintenant qui vous délivrerait de l'esclavage, de la misère ou de l'humiliation... Il y avait plus de charité dans le cœur de Louise Michel que dans la Communion des saints de l'Eglise

1. Jean Guitton, *Une mère en sa vallée*, Paris, Fayard.

2. Arguments contestables : une enquête publiée par *la Croix* en décembre 1980 révélait au contraire que l'enseignement libre est bien ouvert à tous. Dans les statistiques on relevait : 8 % d'enfants d'agriculteurs ; 16,6 % d'ouvriers ; 10,5 % d'employés ; 21,4 % de cadres moyens pour 16,85 % de fils de patrons et 12,5 % de professions libérales.

romaine », écrit François Mitterrand avec la hargne malheureuse d'un amoureux déçu [1].

Où trouver les racines d'une telle rancune et d'une telle réprobation ? Dans les huit années passées au collège Saint-Paul ?

« François Mitterrand n'a pu être choqué par l'attitude de ses professeurs », affirment d'un même cœur tous ses anciens camarades. Perché sur les hauteurs des remparts du Midi — la première colline depuis la mer — si bien décrits par Balzac [2] (les établissements religieux ont toujours su se placer dans les sites les plus beaux), le collège Saint-Paul d'Angoulême était dirigé par des prêtres diocésains. Il ne différait guère des centaines de pensionnats dont toute une littérature a conservé l'image et où se formèrent, nourries de culture classique et foncièrement religieuse, des générations de garçons destinés à devenir — si Dieu le voulait — les élites de la région. Et à grossir la masse des croyants qui feraient rayonner autour d'eux une espérance inaltérable.

A Saint-Paul, où ne jouait pas, assure-t-on, la sélection sociale, on recrutait en priorité les enfants des bien-pensants. Les fils de riches négociants du cognac ou de fabricants de papier (la principale industrie de la ville), les rejetons des commerçants, des médecins, des notaires s'y mêlaient aux enfants d'aristocrates désargentés et de modestes employés (toujours méritants bien sûr) sans jamais, tous les témoignages concordent, que les professeurs marquent une considération particulière pour les mieux nantis. Les distances sociales n'étaient pas effacées pour autant. Rien de tel qu'un peu d'inégalité pour chatouiller l'amour-propre et stimuler les rivalités créatrices. On distinguait donc les « excellentes familles » (les quatre fils Mitterrand en étaient), les « belles situations » et les « cas intéressants ». Forcément, la gradation de ces nuances dosait les civilités et les sympathies entre parents et professeurs. Entre enfants, ces notions de castes, de milieux et de classes, grands sujets d'intérêt pour les parents — « Que

1. *In Ici et maintenant.* (*hic et nunc*, un titre aux résonances religieuses). Paris, Fayard.

2. *Les Illusions perdues.*

fait son père ? Sais-tu s'il est allié aux X ou aux Y ? » questionnaire rituel lors des retrouvailles de vacances —, s'estompaient quelque peu. Pour tous l'uniforme était identique : bleu l'hiver avec des roses dorées (déjà !) brodées aux revers, gris l'été avec des roses argentées. C'est que le blason du collège s'ornait lui-même de quatre roses. Il illustrait la devise : « *In graciam veritate* » (la vérité est dans la grâce).

La discipline, moins contraignante que celle du collège des jésuites de Sarlat dans la Dordogne voisine — le turbulent Jacques Mitterrand fut maintes fois menacé d'y être exilé — était pourtant, à l'aune de nos critères actuels, plutôt sévère. Lever à 5 h 45 : « Maintenant une matinée de paresse au lit me paraît un luxe un peu immoral », confiera plus tard François Mitterrand. Toilette à l'eau froide (hâtive l'hiver), messe à la chapelle où la fragrance de l'encens mêlée à l'indicible odeur de la pierre moisie faisait protester les estomacs vides. Etude, petit déjeuner, récréation, cours, étude, récréation, cours et ainsi de suite jusqu'au dîner... Après la prière du soir et les précautions en vue de la nuit, à 20 heures on éteignait les feux.

« Votre cœur, oh mon Dieu, est moins inflexible que la règle. » Inaugurant l'année scolaire de 1933, le chanoine Bouchaud[1], sans doute soucieux de ranimer des ardeurs assoupies, écrivait dans le bulletin de l'école : « Sachez sourire au travail, voyez-le en rose, la discipline, voyez-la aussi en rose ! Elle n'est point faite pour vous contrarier, mais pour vous soutenir et vous garder. Les maîtres ? Voyez en rose les rapports avec eux. Ils vous aiment, ils veulent votre bien, même et surtout quand ils vous grondent. La vie, voyez-la en rose ! »

Le brave chanoine n'imaginait sûrement pas qu'à coups de métaphores et de symboles, le destin, par son entremise, multipliait les clins d'œil.

« Vous devez être entre vous d'une politesse exquise, prêchait de son côté l'abbé Maes, préfet des études : La politesse, c'est comme les chocolats, il y en a d'ordinaires et il y en a d'exquis. »

Anecdote peut-être moins frivole qu'il n'y paraît. La leçon de ce saint homme gourmand a sans doute porté ses fruits.

1. Plus tard, François Mitterrand, devenu ministre, mettra toujours une voiture à la disposition du chanoine quand celui-ci viendra séjourner dans la capitale.

Lorsque le président est en veine d'attention, sa politesse devient si suave qu'on la dirait sucrée.

Plus que la sévérité des horaires, la morale pesait sur les collégiens. Elle paraîtrait aujourd'hui bien étriquée ou tatillonne : pour un léger manquement à la discipline, un col ouvert à vêpres, ils étaient renvoyés pour huit jours... Un regard échangé avec une fille lors d'une excursion entraînait une exclusion d'un mois. Une lettre reçue de quelque jouvencelle, c'était le renvoi définitif.

Les enfants des écoles libres d'aujourd'hui, élevés dans une société tolérante, voire permissive, ne connaîtront peut-être jamais le lancinant appel du fruit défendu et le plaisir pervers du péché accompli. Dommage...

Que sert à l'homme de gagner l'univers s'il vient à perdre son âme ? Outre la messe quotidienne obligatoire, les vêpres dominicales et les exercices de piété aux fêtes carillonnées, les élèves étaient tenus de se confesser chaque semaine et chaque semestre de faire retraite sous la houlette d'un jésuite dans une maison religieuse de La Coquille, en Dordogne. A ce rythme, l'âge adulte venu, beaucoup devaient se détacher de la pratique religieuse, sinon de la foi, comme si ces contraintes de l'adolescence les avaient à jamais détournés du signe de la croix et du bénédicité. François Mitterrand n'en a pas, semble-t-il, été rebuté. Toute sa vie il a aimé les rites religieux et fréquenté volontiers les églises et les chapelles. L'une de ses belles-sœurs raconte : « Dès que Danielle partait avec les enfants en vacances de neige à Noël, il se précipitait avec nous à la messe de minuit. » Jean-Noël de Lipkowski se souvient fort bien d'avoir visité avec lui la cathédrale de Cologne, en 1956, et d'avoir retrouvé François Mitterrand prosterné en prières, dans l'obscurité, à genoux à même le sol derrière une colonne. Le futur président de la République apprécie aussi l'art du vitrail sur lequel, avant d'être élu, il projetait d'écrire quelque texte.

Dans ce petit monde clos de trois cents élèves et cinquante professeurs, François Mitterrand s'est singularisé. Aujourd'hui encore, ses anciens condisciples — ils n'ont pas tous épousé ses opinions, entériné ses choix, ni même voté pour lui — éprouvent à son égard un sentiment de fidélité plus ou moins vif. Sans doute son accession au pouvoir l'a-t-elle grandi à leurs yeux. Tous gardent le souvenir d'un écolier peu banal : « Il ne se dégonflait pas, il a toujours été pour moi un homme d'exemple », assure le bon docteur L'Hoiry, d'Aubeterre. « Il était attachant et mystique », dit Jean Rocheboitaud. « Il se montrait sensible et très amical, il avait beaucoup d'humour et faisait des astuces », témoigne Pierre Chiron, tandis que le général de Bénouville, qui servait la messe avec lui, note : « C'était un garçon très pieux, avide de connaître et d'aimer. »

Ses succès scolaires, pourtant, ne le distinguaient guère de la masse. Dans le genre fort en thème, Robert, son aîné de treize mois, éblouissait davantage : bachelier à quinze ans, doué pour toutes les disciplines — sportives aussi — il raflait tous les prix jusqu'au jour où il fut auréolé d'une entrée à Polytechnique à l'âge tendre, « le plus jeune reçu depuis le maréchal Foch », selon la rumeur angoumoise. Par une lettre restée célèbre dans les annales familiales, Robert annonçait ses succès scolaires à ses parents et ajoutait : « François est sixième, je lui ai demandé s'il comptait faire un effort le mois prochain pour se rapprocher de la tête de la classe, il m'a répondu qu'il se trouvait très bien là où il était. » Réplique, sans doute, de cadet orgueilleux à un aîné trop brillant, bien accordée au personnage, en tout cas.

Ses pairs le jugeaient très intelligent, mais sa réputation ne dépassait guère celle d'un élève moyen supérieur. Il était excellent dans les matières qui l'inspiraient : histoire, géographie, « ma passion, ma poésie » (on comprend mieux son goût prononcé pour les voyages présidentiels), français, prosodie latine et instruction religieuse, matières dans lesquelles il remportait les premiers prix (ainsi qu'en témoigne le palmarès de l'année 1930, son année de troisième). Il se montrait médiocre en revanche dans les matières qui le rebutaient et sur lesquelles, plutôt que de risquer un résultat médiocre, il préférait faire l'impasse : « Ecolier, j'étais déjà un piètre matheux, le professeur de mes petites classes, qui portait le nom symbolique de Trinques, m'avait abandonné au bout de deux trimestres à ce qu'il appelait mes songeries. J'ai quand même retenu de cette époque le calcul des quatre opérations, non sans faille pour les deux dernières », avoue-t-il plaisamment[1]. Quant à l'anglais, lors de ses séjours en Grande-Bretagne — tous les petits Mitterrand y passaient chaque année une partie des vacances dans des familles amies pour apprendre la langue —, François ne se mêlait guère à la conversation. A l'usage d'un idiome trop approximatif, il

1. François Mitterrand, *la Paille et le Grain*, *op. cit.*

préférait un mutisme hautain. La langue de la perfide Albion ne lui venant pas naturellement aux lèvres, il étendait son opprobre au pays tout entier, à ses pompes et à ses mœurs. Ainsi, à table, refusait-il tout net de manier la fourchette et le couteau façon outre-Manche... Le futur président a toujours tenu à manger ses petits pois à la française !

Plus que par ses succès scolaires, le jeune François s'illustrait par une manière d'être. Nimbé d'étrangeté altière, il jouait les romanesques. Sociable et bon camarade, il savait maintenir les distances ; marginal, il savait toutefois parfaitement s'intégrer et ne refusait pas les jeux collectifs à condition de gagner. Il s'y adonnait même avec un acharnement tout spécial. En 1932, il remportait avec Pierre Chiron le championnat de pelote basque au collège. Au football, il gardait les buts. Son goût du sport le portait volontiers à l'hyperbole littéraire. En mars 1933, il rendait ainsi compte dans le bulletin du collège d'une compétition cycliste et de la victoire d'un élève africain : « Tigori, le vainqueur, nous a rappelé ces fiers héros de l'Antiquité qui battaient les déesses à la course[1]. »

Il se montrait tantôt ouvert aux autres, tantôt refermé comme s'il abaissait d'invisibles défenses, et malheur à qui voulait les forcer. Le plus souvent solitaire à l'heure de la récréation, il allait se réfugier pour méditer ou lire sous le grand marronnier qui fleurit rose. On ne s'étonnait pas de le voir se diriger vers la chapelle, et chaque jour il communiait. Certains croyaient alors lire sur son front ce rayonnement particulier qui est la marque de l'élu. Son professeur de philosophie, Mgr Jobit, évoquera en 1935 dans le bulletin *Notre Ecole* « la vie profonde et recueillie de François Mitterrand ». Personne n'eût été très surpris qu'il choisît un jour la carrière ecclésiastique, à condition de pouvoir espérer y occuper un rang digne de lui.

A en croire le futur président, il éprouva quelque difficulté à s'insérer dans la collectivité collégienne. Un rhume ayant retardé de vingt-quatre heures son arrivée et fait manquer du même coup la rentrée officielle, voici comment il relate les faits

1. Au collège Saint-Paul étaient accueillis de nombreux élèves africains que la famille Mitterrand invitait volontiers à Jarnac pour les petites vacances. Parmi eux, Alphonse Boni, ex-président de la Cour suprême de la Côte-d'Ivoire à Abidjan, qui fera partie du cabinet de François Mitterrand devenu ministre de la France d'outre-mer.

cinquante ans plus tard[1] : « Je mis des semaines à m'intégrer dans cette société et son ordre établi qui s'était constituée la veille. Je veux dire le banc de la classe, le lit au dortoir, le rang à l'étude, la place aux jeux, les cénacles de la récréation. Des semaines à franchir, de l'extrême périphérie où je pensais qu'un injuste destin m'avait rejeté, les cercles concentriques qui me séparaient du chœur des anciens, comme si, en vingt-quatre heures, s'étaient bâtis et refermés le mur des habitudes, le cercle clos des amitiés. »

Sans doute, ce jeune littéraire qui n'avait connu jusque-là d'autre société que la famille a-t-il ressenti plus vivement que d'autres ce sentiment d'exclusion provisoire, fort habituel au demeurant. Pour les cœurs sensibles, le début de l'internat amorce un dur et long apprentissage d'où l'on sort cuirassé, prêt pour les luttes impitoyables de la vie.

L'épreuve fut d'autant plus rude qu'il était timide, ce qui lui fit par deux fois rater l'oral du premier bac et l'obligea à redoubler. « L'oral de mon premier bac hante parfois encore mes rêves. Je me vois face à l'examinateur, dans cette salle de la faculté des lettres de Poitiers, aux bonnes odeurs de poussière d'été. Les mots dansaient dans ma tête et restaient au niveau du larynx. Et le peu qui en sortait échappait aux normes grammaticales. Sale affaire. Cet examen raté, faute d'avoir émis un son clairement articulé, je ne cesse pas de le passer. Aujourd'hui encore, parler en public déclenche en moi une sorte de refus[2]. »

Pourtant, François Mitterrand manifestait parfois des sursauts d'audace. Ainsi, un jour, demanda-t-il de l'argent à sa mère sans vouloir lui en préciser l'emploi. Mme Mitterrand, qui savait son fils peu dépensier (en étude, il gommait ses cahiers de brouillon afin de pouvoir les utiliser de nouveau[3]), accéda à son désir. Elle apprenait le lendemain qu'il avait acheté un billet de chemin de fer pour se rendre à Bordeaux. Il voulait seulement se mesurer aux orateurs en herbe de la région. Il s'agissait du concours d'éloquence de la DRAC[4], dont il remporta le premier prix pour l'Aquitaine. C'était en 1934.

1. François Mitterrand, *l'Abeille et l'Architecte, op. cit.*

2. *Id. la Paille et le Grain, op. cit.*

3. Un ancien élève qui a longtemps été placé près de lui à l'étude, Guy Dupuis (devenu frère Guy), a rapporté l'anecdote dans *Paris-Match*.

4. Concours organisé entre les élèves d'établissements catholiques par la Ligue pour les droits du religieux ancien combattant.

Déjà secret, il attendait d'être vainqueur pour en informer sa famille. De la même manière, enfin reçu à la première partie du baccalauréat, il se garde d'en dire un mot à son cousin Pierre rencontré dans le train.

S'il acceptait la discipline, cet élève sage ne répugnait pas parfois à défier l'autorité. Un professeur, l'abbé Perrinot, ayant interdit aux élèves de prendre des notes à la plume pendant les leçons, fut très surpris de voir François écrire calmement sous son nez, au mépris de la consigne.

— Vous vous moquez de moi ?

Le prêtre s'entendit répondre :

— Mais vous nous avez défendu d'écrire à la plume, or, vous le voyez, j'emploie le crayon et dans le règlement rien ne l'interdit.

L'affaire fit grand bruit et arriva jusqu'au préfet de discipline, qui finit par donner raison au rebelle.

Une autre fois, mécontent du fait que le collège ne dispose pas d'un terrain de sport, François Mitterrand décida d'interpeller le surveillant à la fin de l'étude. Et le jeune élève de discourir dans un silence stupéfait sur l'importance de l'éducation physique à l'école, avant de conclure fièrement : « Il n'y a pas de liberté sans moyen. » Propos prémonitoires !

De telles incartades lui valaient une grande notoriété et un sérieux prestige. On le considérait comme un caractère. Sur une photo de classe datant de 1931 (il a quinze ans), on aperçoit au milieu de la rangée supérieure, dominant ses camarades, un joli adolescent aux traits réguliers et à la lippe altière qui fait songer à cette réflexion d'Alain : « Pour juger un jeune homme, prendre d'avance son tirant d'eau et pressentir sa destinée, il ne faut regarder ni son front ni même l'arête du nez, mais le saillant du menton qui indique l'obstination, qualité sans laquelle les autres dons se dissipent et qui peut les suppléer presque tous par la patience et la persévérance. »

Sa destinée, à l'en croire, François Mitterrand l'aurait alors pressentie : « Veut-on savoir si je me voyais roi ou pape ; pour peu que cette idée ne m'eût jamais visité, elle a duré moins d'un été. Mais ce monde, dont je ne connaissais que dix villages d'une province, j'avais l'intolérable sensation de le supporter tout entier. Je communiquais avec lui au point de m'en attribuer la vocation sublime. Bref, j'étais plus proche de moi-même et des autres à quinze ans que je ne le suis à deux pas de la soixantaine[1] », écrit-il avec une belle franchise.

La vocation sublime aurait donc été précoce. Certains de ses camarades prétendent même l'avoir entendu annoncer : « Plus tard, je serai président et mon train s'arrêtera à Jarnac. » L'histoire est peut-être trop jolie, mais les plus belles témérités de l'homme sont souvent la suite des rêveries de l'enfance.

Témérité ? Le premier secrétaire du PS avoue en 1975[2] : « Dans toute ville, je me sens empereur ou architecte, je tranche, je décide et j'arbitre. » Empereur ? Pas moins.

En ce début des années trente, les tumultes du siècle commençaient à franchir les murs de ce petit enclos privilégié. La crise économique s'étendait et les cortèges de chômeurs s'étiraient. Les collégiens apprenaient encore que la France couvrait une superficie de onze millions de kilomètres carrés, comptait quatre-vingts millions d'habitants et formait sur la planisphère cette constellation de taches roses qu'on appelait l'Empire. Mais chacun sentait que le monde basculait. Comme dans tous les collèges de garçons, de France et de Navarre, on se chamaillait ferme. A la grande fureur des professeurs, circulait sous le manteau une modeste publication locale : *l'Action angoumoise*, qui, son nom l'indique, se situait dans la mouvance de l'Action française condamnée par le pape.

André Markevitch et Pierre de Ter Mossessov, deux jeunes réfugiés qui avaient fui les bolcheviks, apportaient une touche de romantisme et d'aventure. Ils rappelaient quotidiennement à leurs amis que dans les steppes lointaines régnaient des hommes au couteau entre les dents.

On comptait aussi, paraît-il, à Saint-Paul une poignée de gauchisants qui balbutiaient déjà quelques slogans sur la lutte des classes.

Dans ce modeste charivari où les barricades étaient constituées de mots, François Mitterrand demeurait silencieux. Perdu dans ses rêveries, en a-t-il même perçu les échos ? « Mon collège ne m'avait pas formé aux disciplines marxistes. Marx et Engels étaient, je suppose, tabous par quarante-six degrés de latitude nord. J'ai reçu mon diplôme de bachelier philosophe

1. François Mitterrand, *l'Abeille et l'Architecte, op. cit.*
2. *Id, la Paille et le Grain, op. cit.*

sans avoir entendu prononcer leurs noms[1] », écrira-t-il cinquante ans plus tard, au grand étonnement de certains de ses camarades.

Aux yeux de ses professeurs, le jeune François de Jarnac était d'abord un littéraire que la politique n'intéressait pas. Un mystique aussi, voué à la cause des humbles par l'effet d'un cœur tendre accessible à la pitié : « A dix-sept ans, j'ai découvert Gide, Martin du Gard, Claudel, Jouhandeau, je suis devenu un fanatique de Paul Valéry. Dostoïevski, Tolstoï ont été des révélateurs de toute une foule de sensations, de réflexions : le malheur du monde[2]. » Un malheur dont, peut-être, ce jeune catholique commence à identifier l'un des principaux responsables : l'argent.

Quand, en 1934, il rend compte dans le bulletin de l'école des vacances pascales, il écrit : « Vacances, soleil, gaieté, pourquoi faut-il quitter tout cela ? Mardi gras s'est enfui comme un vulgaire banquier avec ses beaux costumes et ses airs de fête. » Voilà tout de même les banquiers qualifiés une fois pour toutes.

Quand les quatre frères Mitterrand se remémorent leurs années à Saint-Paul, c'est avec une identique nostalgie qu'ils racontent leur arrivée de la gare par cette rue pentue, qui mettait à l'épreuve leur jeune souffle, leurs dimanches loin de la famille dans la haute maison de leurs bonnes correspondantes, les dames Girardel et Guetta, mère et fille, toutes deux veuves d'officiers morts à la guerre et toutes deux coiffées de perruques. Elles s'acquittaient de leur mission en faisant transcrire aux Mitterrand des livres en braille destinés aux aveugles tandis que leur cuisinière, manchote du bras droit, les gavait de gâteaux.

Devenus adultes, tous sont maintes fois revenus au collège, et François plus souvent que ses frères. Il évoque ainsi cette époque : « La Bible a nourri mon enfance. Huit ans dans une école libre m'ont formé aux disciplines de l'esprit. Je ne m'en suis pas dépris. J'ai gardé mes attaches, mes goûts et le souvenir de mes maîtres bienveillants et paisibles. Nul ne m'a

1. François Mitterrand, *Ma part de vérité, op. cit.*
2. Entretiens avec Hélène Vida en 1972.

lavé le cerveau. J'en suis sorti assez libre pour user de ma liberté [1]. »

Bilan somme toute flatteur d'une éducation qui, à l'en croire, a développé sa personnalité sans jamais brider sa conscience. Il n'y avait rien dans ses souvenirs apaisés qui pouvait le métamorphoser en justicier de l'école libre.

Rien, sinon un programme.

1. François Mitterrand, *l'Abeille et l'Architecte, op. cit.*

3

Qui suis-je ?

En voyage officiel entre Gascogne et Aquitaine, le président François Mitterrand faisait halte le 27 septembre 1982 à Figeac, petite bourgade du Lot.

Les services de l'Elysée ayant annoncé à sons de trompe qu'il tiendrait là un discours de grande importance — depuis des mois il se taisait —, la presse, les administrations et la gauche étaient tout entières à son haleine suspendues. Elles ne furent point déçues mais peut-être interloquées.

« Ce que j'ai appelé le socialisme, je n'en fais pas ma bible », déclare tout à trac l'ex-leader du PS, qui, de ce jour, bannira le mot socialisme de son vocabulaire pendant deux ans[1].

Ce préambule de choc lâché, le chef de l'Etat poursuit : « Je dois exprimer toutes les volontés de la nation. Ah ! cette diversité, ce pluralisme, comme j'y tiens ! Et comme je veux que la France reste en sa profondeur aussi diverse et contraire, non pas contradictoire. Comme j'aime ceux qui me contestent[2] : dès lors que je trouve avec eux le langage commun de ceux qui veulent servir la France et qui l'aiment. Rien ne sera jamais fait sous mon autorité qui puisse en quoi que ce soit altérer cette diversité. »

Stupeur des commentateurs, perplexité des Français et grands remous dans les cervelles des militants. De quoi

1. En voyage officiel en Savoie en septembre 1984, le président, qui vient de nommer à Matignon le presque libéral avancé Laurent Fabius, s'écrie : « Socialiste j'étais, socialiste je reste. C'est-à-dire que j'entends conduire la société dans cette direction-là. »

2. D'aucuns ne l'avaient pas jusqu'alors remarqué.

s'agissait-il ? Dans les salles de rédaction et les sections socialistes, on se perdait en conjectures.

Car enfin, celui qui parlait si benoîtement du pluralisme et d'œcuménisme était bien le président déterminé, il l'avait dit, à transformer la France libérale en société résolument socialiste, le candidat vainqueur qui entendait appliquer à la lettre un très large programme de nationalisation des entreprises, des cœurs et des esprits, le préfacier d' « un projet socialiste » qui prétendait substituer un avenir de logique, de science et de rationalité à tout un monde d'archaïsme bourgeois, le stratège téméraire enfin, qui décidait de faire avancer la démocratie et fonctionner l'alternance en compagnie de quelques excellences communistes.

Pour achever de faire tourner les têtes, François Mitterrand ajoutait : « J'entends que chacun, que chacune d'entre vous soit en mesure de s'assumer, de voir ses responsabilités s'accroître, de disposer de ses chances de n'être jamais retenu, empêché, étouffé par l'organisation sociale. Je crois à la valeur de l'individu. »

Un hymne néolibéral était ainsi entonné par un chef de l'exécutif dont l'avènement avait été célébré par la multiplication des fonctionnaires, la publication de force textes réglementaires tatillons et par l'extension du territoire de l'Etat au détriment des entreprises privées, des initiatives individuelles et de la concurrence.

Fallait-il prendre à la lettre ces propos ? S'agissait-il d'une conversion subite, d'un tournant dans son septennat ? Devait-on redouter quelque double langage, quelque manœuvre machiavélique ? Fallait-il soupçonner quelque habileté attrape-gogo ? A moins que, devant la chute abyssale des sondages, le président n'ait médité sur ce proverbe espagnol : « On ne parle pas de Dieu à quelqu'un qui a les pieds froids. »

Devait-on, au contraire, saluer un réalisme tout neuf, fruit d'une expérience récente ? A moins que ces mots soient un cri du cœur irrésistiblement monté des profondeurs de l'être. Sans exclure tout à fait les autres hypothèses on peut plaider pour cette dernière explication. Chez François Mitterrand en effet, le socialisme est plus le Nouveau Testament que l'Ancien. Il l'avait ignoré dans sa jeunesse collégienne. Il ne le découvrira pas davantage dans sa jeunesse étudiante.

Il a beau arriver lui aussi d'Angoulême, le jeune François qui débarque un jour d'octobre 1934 sur les quais de la gare d'Austerlitz n'est point Eugène de Rastignac. Et bien sots sont ceux qui le réduisent au héros balzacien. Qu'il éprouve l'envie légitime de réussir sa vie, qu'il nourrisse quelque ambition, nul doute. S'il lui arrive de songer à lancer à la face de la capitale le défi de Rastignac : « A nous deux maintenant ! », son projet intime n'est point d'aller courtiser les riches, de s'introduire chez les puissants ou de préméditer quelque mariage avec dot avantageuse. Son premier acte de défi n'est pas non plus d'aller dîner chez quelque Mme de Nucingen, bien qu'il ait en poche quatre lettres de recommandations familiales adressées à des personnages influents : François Mauriac, l'ami de son oncle, le général Guillaumat [1], lointain parent du grand-père Lorrain, le préfet Joinot des Yvelines, frère de Madeleine Joinot, une amie de sa mère, Maurice Marcilhacy, avocat au Conseil d'Etat et conseiller général de Jarnac [2]. De ces visites, il dira bien plus tard : « Seul le premier — en l'occurrence François Mauriac — m'a parlé de moi, de mon avenir, alors que les trois autres dissertaient sur eux-mêmes, aussi n'ai-je revu que le premier. »

Cet adolescent timide, au teint pâle et au profil de fier hidalgo, a déjà le regard pénétrant. On le sent inquiet de se mesurer aux autres, avide d'éprouver sa propre valeur. Que sait-il à dix-huit ans de la vie et du monde ? Il connaît l'ordre éternel des champs, le nom des arbres, des plantes et des oiseaux, les odeurs des sous-bois. Il peut lire l'heure à la lumière du ciel [3]. Il a vécu dans de petites villes calmes et prospères. Rien ne lui est plus étranger que l'univers des usines et des banlieues tristes. Il n'éprouve nulle tentation de rébellion contre son milieu d'origine, sa culture, et les mœurs qui l'ont imprégné. Il a l'esprit social, comme on dit alors, et l'âme littéraire, car il a beaucoup lu et les ouvrages aimés sont à ce jour ses compagnons les plus chers.

François Mauriac l'a deviné mieux que personne : « Il a été un garçon chrétien pareil à nous, dans une province, il a désiré

1. Père de Pierre Guillaumat, ex-président d'Elf-Aquitaine, mis en cause par les socialistes dans la célèbre affaire des avions renifleurs.

2. Père de Pierre Marcilhacy qui sera nommé au Conseil constitutionnel en 1983.

3. Le président Mitterrand ne porte jamais de montre sur lui.

comme nous devant ces coteaux et ces forêts de la Guyenne et de la Saintonge qui moutonnaient sous son jeune regard. Il a été cet enfant barrésien, souffrant jusqu'à serrer les poings du désir de dominer sa vie. Il a choisi de tout sacrifier pour cette domination[1]. »

A l'inverse de tant de jeunes provinciaux désemparés par les duretés de la jungle parisienne et les accueils sordides des « pensions Vauquer », François Mitterrand n'aura pas à se défendre contre la tentation ou le vice. Il va avoir le privilège de faire l'apprentissage de la liberté sous la protection douillette d'un milieu qui prolonge le cocon familial et l'univers de son collège d'Angoulême. Au 104 de la rue de Vaugirard, en effet, il trouve le gîte et le couvert assurés. Un établissement que dirigent les pères maristes[2] et où naquirent, au début de ce siècle, les Equipes sociales. Une petite centaine d'étudiants provinciaux partagent son heureux sort. Tous viennent de « bonnes familles », catholiques et bourgeoises — « Ce n'était quand même pas le grand gratin, qui, lui, allait plutôt chez les jèzes » (entendez : jésuites), dit un ancien élève.

Sur ses camarades, François Mitterrand a l'avantage de bénéficier d'un préjugé de sympathie auprès des bons pères. N'est-il pas le neveu de Robert Lorrain, l'un de leurs ex-pensionnaires les plus attachants, mort si jeune, que François Mauriac avait peint comme un « garçon angélique, un de ceux que Maeterlinck appelle des avertis parce qu'ils ont le pressentiment que Dieu va les prendre avant que la vie les ait souillés » ? Cette parenté, qui lui vaut quelque chaleur particulière, l'oblige sans doute à se distinguer.

Tous ceux qui ont logé au « 104 », comme ils disaient, gardent la nostalgie de cette maison. A la rentrée universitaire de 1934, Henri Lacombe, le président de la Réunion des étudiants, qui accueille les nouveaux venus, en définit ainsi l'atmosphère : « Vous ne sentirez jamais l'isolement. C'est une chose bien digne d'être notée que cette demeure ancienne ait su conserver les traditions d'urbanité et le charme de la vie française, de la société polie aux meilleures époques. Ici, le nom d'étudiant ne saurait jamais et par personne être pris en mauvaise part et la délicatesse des manières et de cœur y a créé

1. « Bloc-notes » de *l'Express*, 1959.
2. Congrégation religieuse de spiritualité mariale.

ce climat que vous aimerez où fleurit avec prédilection l'amitié. »

Deux ans plus tard, Bernard Offner, un autre étudiant, lance à son tour : « Nous avons essayé d'unir en un mélange équitable la culture intellectuelle et morale, l'activité sociale, le travail, les sports et les amusements. »

Chaque mercredi soir, des conférenciers, de préférence connus et en vogue, se chargent d'élargir l'horizon intellectuel des jeunes gens. Daniel Rops vient parler de Dieu, François Mauriac, ancien du « 104 », de littérature, Jean Guitton, autre ex-pensionnaire, de philosophie, Henri de Taste, député de Paris, rend compte d'un voyage à Tahiti, le chanoine Thellier de Poncheville évoque Jacques Cartier et sa mission au Canada, l'économiste Gaëtan Pirou analyse la crise du capitalisme pour conclure : « Rien ne permet d'affirmer encore l'imminence de sa chute. »

Suivent souvent des discussions passionnées où s'affirment les tempéraments et se forgent les convictions. Etudiants en droit ou en lettres, apprentis médecins, candidats ou élèves des grandes écoles, tous sont conscients des privilèges dont ils bénéficient. Le « 104 » se situe à un petit quart d'heure de marche de la Sorbonne, de la Faculté de droit, de Sciences po ou des établissements les plus prestigieux, et à quelques enjambées de Montparnasse et du cœur du quartier Latin dont rêvent tant de leurs camarades restés en province.

Les chambres sont simples, encore dépourvues d'eau courante (mais les douches viennent juste d'être installées à l'étage quand François Mitterrand arrive de Jarnac).

Comme les autres, la sienne est sobrement meublée : une table, une armoire, un lit et des rayonnages sur lesquels on aperçoit, entre autres, *les Hommes de bonne volonté* de Jules Romains et *les Frères Karamazov* dont il dira plus tard : « Ce n'étaient ni des caractères, ni des personnages composés, mais des êtres qui allaient authentiquement jusqu'au bout d'eux-mêmes. »

Cette chambre ne deviendra jamais un lieu de pèlerinage, le « 104 » étant voué aujourd'hui à la démolition. Elle n'est pas la plus luxueuse. François Mitterrand ne paraît guère en avoir souffert. Il n'a et n'aura jamais besoin d'opulence. Il n'a et n'aura jamais le goût ni même le sens du luxe [1], s'il a ceux du faste.

1. L'atteste la chambre qu'il occupera des années durant à l'hôtel du Vieux-Morvan : une méchante table en formica, un lit recouvert d'un velours cramoisi, un petit lavabo, point de salle de bains.

Ce n'est pas lui qui, comme son frère Robert, aurait jeté, rageur, ses chemises à la tête de la lingère à Jarnac pour défaut d'amidon. Ce n'est pas lui non plus qui, comme son frère Jacques, aurait chiné des heures à la recherche d'un meuble rare. Seule la perspective de dénicher un livre longtemps guigné peut lui inspirer cette patience. (Partant pour la guerre. il fera à sa jeune sœur cette unique recommandation : « Prends bien soin de mes livres. »)

Ses tenues vestimentaires, jugées souvent un peu trop claires par ses amis, n'en font pas non plus un Brummel qui donne le ton. Et jusqu'à une époque fort récente, le premier secrétaire du Parti socialiste semble avoir manqué de conseils avisés pour raffiner sa mise.

En revanche, il a sûrement dû apprécier que le « 104 » dispose d'un jardin, d'un tennis, d'un ping-pong, d'un billard. d'une salle de musique et d'une vaste bibliothèque où travailler en silence et lire tous les journaux (sauf, bien sûr, *l'Action française* et *l'Humanité*).

Grâce au diligent abbé Haour, économe de la maison, la nourriture est copieuse et de qualité. Les sœurs converses ajoutent une note de bonhomie : si d'aventure un étudiant est grippé, mère Marc monte inlassablement dans les étages pour apporter du bouillon de légumes. Les contraintes sont douces : il faut être ponctuel aux repas (le retardataire doit venir s'incliner devant le supérieur en signe de contrition). Après le dîner, tout le monde est prié d'aller se recueillir quelques minutes à la chapelle située en sous-sol. « Il n'y a qu'une chose qui soit intéressante, c'est de devenir un saint », répète souvent le père supérieur, l'abbé Plazenet. Les étudiants, qui ne partagent peut-être pas ce point de vue, peuvent sortir le soir à condition d'user des permissions avec mesure et de rentrer à une heure avouable : 23 h 30. Le concierge guette !

Parce que son intérêt pour la politique était plus accusé que chez ses camarades, parce qu'il maniait le verbe avec une virtuosité très inhabituelle pour un garçon de son âge, François Mitterrand devait s'imposer très vite au « 104 ».

« C'était sûrement l'un de nos étudiants les plus brillants », affirme le père Rey-Herme, alors jeune séminariste. « Il se montrait ironique, mais jamais blessant, il avait horreur de la trivialité et de la familiarité », dit un ancien pensionnaire,

Bernard Warenghien de Flory. Et il marque durablement ses condisciples. Jamais il ne cessera de les voir. Une fois l'an, un bistrot du quartier Latin les réunira à dîner, mais les sujets politiques seront toujours soigneusement exclus de cette assemblée amicale. La petite histoire notera que ces fidèles compagnons [1] seront tous décorés de la Légion d'honneur après mai 1981.

Son goût de l'écriture annonce déjà une vocation de plume. Plus souvent qu'à son tour, il publie dans la revue *Montalembert.* Il a la passion des mots précieux et des tournures rares. Ses amis l'en admirent autant qu'ils le moquent. Témoin cette chronique amusée de Jacques Marot qui raille en recensant les articles publiés en fin d'année : « [Mitterrand] n'écrit-il pas, à propos des *Anges noirs* [2] : " enclos immarcescible où le Christ viendra reposer " ? Immarcescible ? Immarcescible ? Pardon, cher ami, vous n'auriez pas un dictionnaire ? Allons, ceux-là au moins auront lu Mitterrand, ils seront épuisés du reste. Ne parle-t-il pas de parentèle ? Parentèle ? Et puis ce style dense et serré, comme du Chardonne travaillé, c'est fatigant à lire. N'écrit-il pas encore : " Dans le temple des officines où champignonnent des génies à tout faire, on s'étonne de ne découvrir que des carapaces vides " ? »

Ce jeune précieux, un brin pédant, n'est pourtant pas le narcisse que l'on pourrait imaginer. Dans ce petit monde pratiquant, on remarque son zèle et son abnégation. François Mitterrand fait partie de la Conférence Saint-Vincent-de Paul. Une association charitable, à laquelle les pensionnaires du « 104 » qui le veulent bien sont appelés à participer. Une trentaine d'étudiants s'engagent. Lui s'y adonne avec constance. Ainsi, chaque samedi après-midi, va-t-il visiter « ses familles ». Pour apporter une bonne parole, une paire de chaussures usagées mais encore valides pour la marche, un ticket de charbon. En 1937, il en devient le président au « 104 » (tout comme son père l'est dans sa Charente).

Le père O'Reilly raconte : « Il menait sa tâche avec fermeté

1. Jacques et Bernard Marot, Jean Ferréol de Ferry, Jean Roy, Henri Thieullent, Louis Gabriel Clayeux, François Dalle... André Bettencourt, qui arrive au « 104 » au moment où François Mitterrand fait son service militaire.

2. Une œuvre de François Mauriac.

car c'est un autoritaire, il réprimandait avec sévérité ceux de ses camarades qui ne s'acquittaient pas régulièrement des devoirs pour lesquels ils s'étaient portés volontaires. »

Sur ses actes de charité, voilà comment il s'exprime en octobre 1937 (toujours dans la revue *Montalembert*) : « Ceux qui, en échange de nos faibles dons, nous ont offert le spectacle de leur pauvreté, à nous qui venions leur porter secours, avec au fond du cœur la sensation d'un beau sacrifice à faire chaque semaine, ils nous ont appris que le sacrifice n'est que le contraire de la pénitence. Quand il serait le seul, cet enseignement aurait quand même quelque valeur. »

Ce jeune Mitterrand si chrétien fait alors l'admiration de ses anciens maîtres d'Angoulême.

Dans le bulletin intérieur du collège Saint-Paul, le père Jobit note en mars 1935 : « Dans sa lettre, François Mitterrand passe avec virtuosité du politique à l'économique et du social au religieux... Il a assisté, et pas seulement en spectateur, aux incidents récents de la faculté et sa famille ne fut pas peu étonnée de reconnaître sur un grand journal, au premier rang des étudiants chahuteurs, la figure de l'ami François... Il a servi de bonnes soupes chaudes aux chômeurs — " œuvre vraiment magnifique ", nous dit-il..., il demeure toujours fidèle jéciste[1] et il tient à nous le dire. »

Cette vocation sociale peut aller jusqu'au prosélytisme.

Une autre lettre envoyée en mars 1935 au collège d'Angoulême en dit long sur son état d'esprit. L'élève de Sciences po décrit ainsi le climat de la rue Saint-Guillaume :

« C'est une école de droite. La question politique y est même si primordiale que la question religieuse semble souvent de second ordre.

« L'étudiant de Sciences po est en général catholique, mais il n'est pas militant. Il n'a pas encore compris que la crise actuelle ne relève pas de l'ordre politique, mais dépend profondément de l'ordre moral. Il n'a pas compris que ce ne sont pas les institutions qui dirigent une société, mais que c'est la valeur morale de chacun qui fait sa force et commande les institutions elles-mêmes. Voilà pourquoi il reste un grand travail à accomplir à Sciences po. Il faut changer une mentalité. Certes, on trouve beaucoup d'anciens élèves de collèges libres qui ont conservé une foi intacte et qui pratiquent

1. Jeunesse étudiante chrétienne.

conscienciеusement leur religion. Mais combien semblent la vivre profondément ? Je sais qu'il y en a, mais je sais qu'ils sont peu nombreux. Quel remède apporter à cet état de choses ? C'est une question très délicate à résoudre. Il faudrait pouvoir remplacer les aspirations actuelles de notre jeunesse par des aspirations plus nobles et plus vraies, ou plutôt diriger l'idéal qui l'anime par un autre idéal plus fort. L'action chrétienne n'exclut pas l'action politique : elle la complète. Seulement, il ne faut pas que l'action politique prenne le pas sur l'action chrétienne, elle dépasse son rôle. C'est malheureusement ce qui arrive, d'où le déséquilibre des forces de rénovation. Ce n'est pas la forme d'une action qui peut en sauver le fond. Si l'on se pose en champion de la cause de l'action catholique, on ne s'attire pas de sarcasmes, mais on ne rallie pas ceux qui croient vivre leur vie chrétienne.

« Quel rôle jouer dans ces conditions ? Je crois qu'il n'y en a qu'un seul : apporter dans les groupements politiques auxquels il est nécessaire d'adhérer, et admis par l'Eglise[1], les directives et les principes de notre foi, n'est-ce pas ce qu'ont enseigné les papes Léon XIII et Pie XI ?

« Par une action sociale, que rejoint l'action politique, et qui s'y relie de plus en plus étroitement, il faut apprendre à ceux qui nous entourent que seul le christianisme est capable d'entreprendre une rénovation totale. Les exemples de vie intérieure chrétienne sont indispensables, mais ils ne compteront pour rien tant que les exemples d'action chrétienne ne seront pas réalisés. »

François Mitterrand, qui n'a pas dix-neuf ans lorsqu'il rédige cette missive, se sent apparemment une âme de missionnaire à temps partiel décidé à payer de sa personne pour convaincre les hérétiques. Voilà un penchant moralisateur qui se retrouvera des décennies plus tard lorsqu'il s'agira de pousser les brebis égarées à rejoindre le troupeau socialiste. Reste à savoir si tous les grands principes et les bons sentiments ainsi exprimés n'ont pas pour premier objectif d'édifier ses anciens maîtres et de les combler d'aise. S'ils attestent son engagement, en effet, ses amis du « 104 » n'ont pas gardé, loin de là, le souvenir d'un chrétien d'une exceptionnelle bigoterie. Chaque dimanche, il allait à la messe, en changeant chaque fois

1. Allusion évidente à l'interdiction pontificale pesant sur l'Action française.

d'église, mais cette pratique régulière n'avait rien alors de très remarquable. Plus rare : il communiait tous les dimanches.

« Je me souviens d'une discussion à table où François Mitterrand se donnait des airs bien voltairiens, mais peut-être jouait-il un personnage », raconte le père Rey-Herme.

« Il était en fait superficiellement voltairien, je crois surtout qu'il ne voulait pas paraître conformiste », rétorque Jacques Benet.

François Dalle, son compagnon le plus proche, ajoute : « Il était très pratiquant, mais ne semblait pas crucifié par les problèmes de la foi. »

Adolescent, il semble déjà pénétré en tout cas de l'idée qu'il faut peser sur les hommes pour agir sur l'événement. Peut-on trouver là, en filigrane, la conscience d'un destin et l'espoir d'une mission politique ? Certes non. Les temps ne sont pas mûrs : « Avocat, journaliste, homme politique, que ferait François plus tard ? Nous n'en savions rien et lui non plus. Nous n'étions sûrs que d'une seule chose : il ne dirigerait jamais la vinaigrerie familiale », témoigne François Dalle.

Pourtant, Marie-Louise Terrasse [1], la fiancée de François, se souvient fort bien avoir entendu celui-ci lui dire : « Plus tard, quand j'aurai voix au chapitre, je déciderai ceci ou cela. »

L'univers préservé du « 104 » tranche sur le fracas du moment. Alors que François Mitterrand poursuit avec aisance ses études supérieures (licence en droit et Sciences po), l'actualité charrie de gros nuages noirs : la crise économique mondiale, la montée du fascisme, le réarmement de l'Allemagne, la guerre civile d'Espagne, la guerre d'Ethiopie, les grands procès de Moscou, l'Anschluss, Munich. La France est scindée en blocs antagonistes et déchirée de polémiques furieuses. Les ligues de droite recrutent et défilent. Des échauffourées éclatent dans les rues. Les scandales alimentent l'antiparlementarisme. L'ascension de la gauche, puis la victoire du Front populaire traumatisent la bourgeoisie. « Au " 104 ", nos étudiants étaient très conservateurs, très hostiles au Front populaire. Si certains d'entre eux ont espéré en la victoire de la gauche, ils n'étaient guère nombreux et François Mitterrand n'en faisait pas par-

1. Voir plus loin dans ce chapitre.

tie », se souvient le père O'Reilly qui a succédé au père Plazenet.

A cette époque, de nombreux témoignages en font foi, il est même ouvertement Croix-de-Feu[1].

« Il était mon chef volontaire national », explique Henri Thieullent, aujourd'hui notaire au Havre. « Il ne s'en cachait pas », ajoute Jacques Benet. « Pour cette raison, j'ai même dû le prévenir en toute hâte un jour que les communistes voulaient lui casser la figure », raconte Pierre Chiron, son camarade d'Angoulême, qui poursuivait lui aussi ses études dans la capitale.

Dans la revue *Montalembert,* le bulletin interne de la maison, Jacques Marot, futur journaliste à l'AFP et toujours ami du président, qui assure le compte rendu des conférences données au cours de l'année 1935, rapporte ainsi ses propos : « François Mitterrand, lui, apporte une solution à d'autres problèmes aussi graves : c'est la solution Croix-de-Feu. Il nous montre un idéal, un idéal mesuré, un idéal très humain parce que social, accessible parce que largement compris, très grand parce que français. Félicitons surtout Mitterrand d'avoir su garder un ton de parfait honnête homme dans une discussion qui eût pu tourner à la politique pure, domaine où les gens les plus sensés deviennent stupides et furieux sans savoir pourquoi. Cela vient sans doute d'un calme absolument admirable doublé chez lui d'une sage et philosophique lenteur. » Lorsqu'il est ainsi dépeint, François Mitterrand n'a pas dix-neuf ans.

Le 16 mai 1935, le colonel de La Rocque sera d'ailleurs invité à prononcer une conférence au « 104 » où il déclarera entre autres : « Il s'agit de réinstaller la patrie dans la tradition française et, pour cela, de détruire l'action malfaisante de la franc-maçonnerie dans la haute finance et l'industrie. Demain,

1. Le mouvement Croix-de-Feu, dirigé par le colonel de La Rocque, qui attirait déjà, on l'a vu, le père de François Mitterrand, devait être dissous le 18 juin 1936. Sa puissance et sa discipline en avaient fait l'une des ligues les plus redoutées des partis de gauche. Il se recrutait à l'origine uniquement parmi les titulaires de la croix de guerre 14-18 (d'où son nom), mais s'était ensuite élargi. Il avait créé des organisations parallèles, notamment les Fils de Croix-de-Feu et les Volontaires nationaux, regroupant les jeunes. Il comptait au début de 1935 plus de 260 000 adhérents en état de mobilisation permanente, capables de répondre sur-le-champ aux coups de force présumés du PC, comme à tout rassemblement de la gauche. Pendant la période du Front populaire, chaque démonstration des partisans du colonel de La Rocque répondait aux grands meetings des communistes et des socialistes.

je donnerai l'ordre de mobilisation contre la révolution de MM. Blum, Daladier, Cachin et consors. »

Nulle part il n'est dit, et nul ne se souvient, que François Mitterrand ait pris alors quelque initiative pour faciliter cette conférence, ni qu'il se soit comporté en militant zélé.

Le colonel est alors au zénith de sa trajectoire. Il incarne la nostalgie de l'ordre, la volonté de réforme de l'Etat, une certaine ouverture sociale teintée de paternalisme. Dans son programme, le maréchal Pétain puisera plus tard quelques idées et maximes : Travail, Famille, Patrie par exemple ! S'il rêve d'un pouvoir exécutif fort, le colonel n'entend pas s'affranchir des lois de la République. Il a le goût de l'autorité, mais point celui de l'aventure. Lors des manifestations du 6 février 1934, où les Croix-de-Feu montrèrent leur force, il empêcha l'affrontement et la marche sur l'Assemblée nationale. Certains prétendent que la IIIe République lui doit de ne pas avoir sombré ce jour-là.

Les partisans du colonel de La Rocque, généralement issus des classes moyennes, sont des conservateurs, voire des réactionnaires. Mais, contrairement à l'image volontiers répandue par ses détracteurs, lui n'a rien de fascisant. Il est plus rassembleur dans le style du RPF de 1947 que fasciste à la manière mussolinienne. Il est plus velléitaire qu'activiste. Si ses jeunes supporters défilent en uniforme et au pas, ce style paramilitaire n'est pas l'apanage de la droite. Les Jeunesses socialistes elles-mêmes arborent foulards, bérets et brassards (Hitler n'a pas encore détourné à jamais les partis des uniformes).

En dépit de ses dénégations, la rumeur veut toujours que François Mitterrand ait été tenté par l'Action française. Aucune trace n'existe pourtant d'un quelconque engagement. L'espace d'une saison, ses camarades, et le père O'Reilly avec eux, ont cru enregistrer une séduction au moins intellectuelle. En fait, comme beaucoup d'étudiants, il a admiré en Maurras la qualité littéraire et cette forme de culture qui sublimait presque ses canons les plus familiers. Toujours dans la revue *Montalembert,* Mitterrand écrit en 1937 dans un article intitulé « la Chasse au grand homme » : « L'élite est souvent le talent mis au service de la lâcheté et de la bêtise. Les Anatole France qui frappent du poing sur la table dans les meetings et mettent le soir des chaussettes de laine ne nous disent rien qui vaille ! Pas un d'entre eux, sauf peut-être Maurras, qui ait correspondu à quelque attente impatiente... Nous ne connaissons que des sculpteurs de fumée à la remorque des fabricants de doctrine. »

Ce « sauf peut-être Maurras » illustre bien la considération qu'il éprouve à l'époque pour l'éditorialiste de *l'Action française* et la circonspection qu'un jeune catholique comme lui se doit de manifester au moins publiquement [1].

« Pour moi qui étais étudiant d'Action française, François Mitterrand, je le considérais comme étant rigoureusement de la même famille que moi », assure aujourd'hui maître Jean-Baptiste Biaggi, qui fut longtemps un activiste d'extrême droite. Il surenchérit : « Tous mes camarades de l'Action française le considéraient alors comme un cagoulard [2], ils prétendaient même que Mitterrand avait prêté serment. »

Rien n'étaye cette thèse du serment sinon l'amitié personnelle et jamais dissimulée de François Mitterrand pour plusieurs leaders de la Cagoule.

Et d'abord pour Jean-Marie Bouvyer, dont la famille d'origine charentaise, « très distrayante, très exaltée et tout acquise à l'Action française », venait passer chaque été ses vacances à Rouillac, à quinze kilomètres de Jarnac. L'aîné des garçons, Jean-Marie, « un grand ami de François », avait mal tourné. Membre de la Cagoule (matricule 219), il a été mêlé à l'assassinat des deux frères Rosselli, Carlo et Nello, deux professeurs italiens (l'un d'économie, l'autre d'histoire), tous deux socialistes et célèbres pour leur opposition à Mussolini et au fascisme. Pour avoir pisté les victimes et relevé leurs habitudes jusqu'à Bagnoles-de-l'Orne où elles étaient en cure,

1. Dans son livre *les Non-conformistes des années trente,* Jean-Louis Loubet del Bayle assure que dans les années 37-38 François Mitterrand fut un actif propagandiste du mensuel *Combat,* dans lequel écrivaient beaucoup d'intellectuels de la jeune droite : Thierry Maulnier, Drieu La Rochelle, Robert Brasillach et Claude Roy, son ami d'Angoulême.

2. Cette petite organisation, qui s'appelait en réalité Comité secret d'action révolutionnaire (CSAR), se voulait clandestine et cultivait le mystère. Elle reprochait à Maurras de ne pas oser sortir de la légalité pour abattre la République parlementaire. Pour répondre aux mouvements de la rue et à l'occupation des usines par les militants du Parti communiste, elle prônait le recours à l'action violente, elle fustigeait le Front populaire et les puissances d'argent. Elle possédait quelques caches d'armes, notamment dans les souterrains de la capitale, et ses réseaux furent à l'origine de plusieurs attentats. La guerre devait diviser la Cagoule. La plupart de ses membres furent d'actifs collaborateurs, d'autres combattirent dans la Résistance ou parmi les Français Libres.

Jean-Marie Bouvyer devait être appréhendé par la police alors qu'il faisait son service militaire au 3e régiment de chasseurs d'Afrique à Constantine. Il fut emprisonné au printemps 1938. François Mitterrand, qui n'abandonne pas ses amis dans la détresse, lui rendit plusieurs fois visite à la Santé ; sa fiancée Marie-Louise Terrasse se rappelle fort bien l'y avoir accompagné.

Après cette première rencontre, François Mitterrand, nombre de ses proches le confirment, se lia très étroitement à François Méténier.

Selon l'Elysée, il ne l'aurait connu qu'après guerre et fort peu. Sa sœur aînée, Colette Landry, lui aurait signalé en 1949 ce cas de détresse d'un homme en prison atteint d'un cancer avancé. François Mitterrand, jeune ministre, serait alors intervenu pour faire raccourcir sa peine et l'extraire de la geôle. Poussa-t-il l'obligeance jusqu'à l'aller chercher, comme certains familiers le suggèrent ? François Mitterrand n'en garde pas le souvenir. Plus tard, garde des Sceaux, il assistera à ses obsèques. Pierre de Bénouville, entre autres, en fut le témoin.

D'autres considèrent que ces liens étaient plus anciens et plus intimes. Michel de Camaret[1], un ami de François Méténier, se souvient parfaitement d'une scène pittoresque. En 1950, François Mitterrand, tout jeune ministre de la France d'outre-mer, était allé lui rendre visite en compagnie de François Méténier. Celui-ci, d'humeur badine, aurait lancé à l'excellence : « Laisse-moi m'asseoir dans ton fauteuil pour que je sache l'effet que cela fait d'être ministre. » En sortant de l'entrevue, François Méténier aurait assuré à Michel de Camaret : « Tout ce que tu demanderas à Mitterrand en mon nom, tu l'obtiendras. »

En tout cas, ce « diable d'homme, épicurien et téméraire[2] » constituait plutôt une relation encombrante. Il avait participé à tous les grands coups du CSAR. Il était un peu le ministre des Affaires étrangères d'Eugène Deloncle, le patron de la Cagoule, et avait noué pour cette raison des contacts avec les entourages de Mussolini et de Franco. Lors du procès de la Cagoule, le colonel Emmanuele Santo, qui dirigea le contre-espionnage

1. Ex-consul de France à Sao Paulo, élu en 1984 sur la liste Le Pen aux élections européennes.

2. Méténier est ainsi décrit par Philippe Bourdrel dans son livre *la Cagoule*, Paris, Albin Michel.

italien du temps de l'Italie fasciste, avait raconté que Méténier était venu voir les dirigeants italiens pour leur dire : « Votre Duce est et sera notre modèle et nous sommes tout à fait d'accord avec lui pour considérer le fascisme comme une norme de vie politique à l'échelle européenne. La France doit, selon nous, s'inspirer du régime fasciste italien et l'appliquer pour son propre compte. »

Il avait été convenu qu'en remerciement de la liquidation physique des frères Rosselli, la Cagoule recevrait des Italiens cent fusils Beretta semi-automatiques [1].

De même, ses responsabilités dans l'attentat contre le CGPF, 4 rue de Presbourg (l'ancêtre du CNPF), qui fit deux morts (deux gardiens de la paix en faction), en juin 1937, lui valurent au procès de la Cagoule en octobre 1948 une condamnation à vingt ans de prison et la dégradation nationale à vie. Un ancien chef de la Cagoule interprète ainsi ce double attentat : « Le but recherché était, en mettant cette affaire au compte des communistes, de débarrasser le pays du Front populaire et en même temps d'obtenir de nouveaux crédits des bailleurs de fonds [2]. »

François Méténier avait rejoint Vichy en 1940 à l'appel de Raphaël Alibert, ministre de la Justice du maréchal Pétain et lui-même cagoulard. A ce titre, il fut de ceux qui, autour du colonel Groussard (qui dirigeait les groupes de protection), arrêtèrent Pierre Laval, alors chef du gouvernement, le 13 décembre 1940.

Cet ex-industriel à Chamalières est présenté comme « un amateur de bonne chère vouant au sexe faible une admiration enthousiaste, menant la vie à grandes guides [3] », ou encore : « Un brave type, ce Méténier, observe du Moulin de la Barthète, un peu fou, des mains d'étrangleur, un cœur de grisette, un drôle de dur. »

Sans vouloir impliquer François Mitterrand dans cette organisation secrète, on doit tout de même relever qu'il n'y comptait pas seulement Méténier comme ami. Ainsi fut-il très lié à Gabriel Jeantet [4], ancien président des Etudiants d'Action française, puis responsable de l'approvisionnement en armes du CSAR, familier du maréchal Pétain à Vichy et propagan-

1. *Ibid.*
2. *Ibid.*
3. *Ibid.*
4. Qui sera l'un de ses parrains pour la francisque.

diste de la révolution nationale. François Mitterrand fera même paraître un article dans sa publication *France, revue de l'Etat nouveau.*

L'écrivain Jacques Laurent, neveu d'Eugène Deloncle et proche de Gabriel Jeantet avec lequel il a publié un ouvrage très antigaulliste, *l'Année 40,* témoigne de ce que Mitterrand et Jeantet étaient « intimissimes ». « Mais, ajoute-t-il, Jeantet a été un grand résistant et déporté par les Allemands pour cette raison. »

Dans son livre *Hitler contre Pétain,* Jeantet raconte qu'il fut le contact du Maréchal auprès des officiers allemands qui complotaient contre le Führer, qu'il travaillait assidûment à préparer avec des émissaires de la Résistance une réconciliation entre Pétain et les gaullistes à la Libération.

Dans un mémoire au juge d'instruction chargé d'instruire son propre procès, Bernard Ménétrel, confident du Maréchal, a confirmé que Jeantet leur avait servi à Pétain et à lui d'intermédiaire auprès de « l'armée secrète[1] ».

Simple coïncidence cette fois, Robert, le frère aîné de François Mitterrand, épousera en premières noces la fille de son colonel, Edith Cahier, elle-même nièce d'Eugène Deloncle. Elle assure aujourd'hui : « François n'a jamais rencontré mon oncle, qui était en prison le jour de mon mariage. »

Du moins est-il évident que son milieu et ses réseaux d'amitiés portaient davantage le futur leader de la gauche vers les rivages sulfureux d'une droite extrémiste, plutôt que du côté des chimères socialistes.

Fils d'une époque trouble et dangereuse, François Mitterrand s'inquiète, s'interroge et regarde autour de lui. A-t-il, comme il l'assure en 1969[2] (à un moment où il commence à rêver d'incarner l'Union de la gauche), senti dès 1936 « de quel côté étaient le droit et la justice » (c'est-à-dire du côté du Front populaire), tel n'est assurément pas le sentiment de ceux qui le côtoyaient. S'il n'était aussi curieux de tout, on aurait les meilleures raisons de douter de la véracité de ses propos quand il déclare[3] lors des cérémonies d'anniversaire de la mort de Jaurès qu'il s'était précipité en pèlerinage au café du Croissant dès son arrivée à Paris en 1934.

1. Herbert Lottman, *Pétain*, Paris, Le Seuil.
2. François Mitterrand, *Ma part de vérité, op. cit.*
3. Europe 1, août 1984.

Par curiosité, il se rend plusieurs fois à l'Assemblée nationale en compagnie du député de la Meuse, le chanoine Angèle Polimann. Celui-ci est inscrit au groupe des Républicains indépendants d'action sociale et il loge au « 104 ». Ce géant beau parleur, qui pérore volontiers devant les étudiants, a emporté les suffrages des électeurs de Bar-le-Duc en 1933 en dénonçant « le triste bilan de la majorité de gauche » et préconisé « le retour aux saines traditions ». Il fera partie à Vichy des proches de Pétain.

Au Palais-Bourbon, l'oreille aux aguets, François Mitterrand se montre pourtant sensible à la distinction intellectuelle et à l'éloquence méthodique et sentimentale d'un Léon Blum, « alors que moi je ne l'appréciais pas du tout », reconnaît Henri Thieullent qui l'accompagnait ce jour-là. François Mitterrand est déjà attentif à la qualité et à l'inspiration des propos quel que soit leur auteur.

Un autre discours le marquera : celui de Paul Reynaud, le plus brillant et le plus compétent des espoirs de la droite parlementaire, qui plaide à la tribune pour une dévaluation vertueuse au grand dam de la gauche. Le raisonnement séduit tant l'étudiant de Sciences po qu'il veut en faire profiter ses professeurs d'Angoulême : « Il a entendu Paul Reynaud parler de la dévaluation », relate le père Jobit dans le bulletin *Notre école*.

Ses frères, encore abasourdis, se rappellent un déjeuner à Jarnac où François, s'étant fait le disciple de l'étoile montante des libéraux, se métamorphosa en avocat érudit d'une modification des parités du franc. Cette technicité, aussi parisienne qu'inédite, émerveilla l'entourage. Elle prouve au moins que l'extrême droite n'a pas, aux yeux de François Mitterrand, le monopole de la séduction. La droite libérale, pourvu qu'elle soit brillante et moderne, peut retenir son attention.

Dans une bataille qui, à l'époque, agite beaucoup l'université, François Mitterrand se range résolument du côté de la gauche (modérée) : il prend en effet parti pour le professeur Jeze, défenseur du Négus et du droit international contre la politique de force menée en Ethiopie par l'Italie mussolinienne. On se bat dans les amphithéâtres, les étudiants de droite veulent empêcher le professeur de donner son cours. La gauche en fait une figure symbolique de la vaillance et de l'indépendance des intellectuels devant les fascistes menaçants : « François et moi, nous étions pour le professeur Jeze », confirme Henri Thieullent.

Signe d'évolution ? Non pas. Un peu plus tard, la guerre d'Espagne, qui va tenir tant de place dans la politique et la littérature, ne mobilisera pas son attention, même si, en 1969, il écrit : « D'instinct, j'éprouvais de l'horreur pour Franco, sa bande et sa bandera[1]. » A l'époque, François Mitterrand collabore, en tant que président de la section littéraire des étudiants, au journal *l'Echo de Paris*, plutôt favorable au général Franco et hostile à la gauche tout entière.

Dans ce quartier Latin où l'on échange des horions ou des coups de canne entre camelots du roi et étudiants de gauche, on sait aussi plaisanter sur le mode badin, voire vachard, les hommes et les institutions politiques. On s'y donne la comédie. D'autant que les étudiants politisés se connaissent, s'identifient facilement : en 1937, on ne comptait guère plus de trente mille inscrits dans les universités parisiennes (contre trois cent mille aujourd'hui). Pour rire donc, François Mitterrand se nomme président du Conseil de Ferdinand Lop (un simple ministère ne lui aurait pas suffi). L'éternel pitre du quartier Latin, candidat à toutes les élections, contestataire, qui proposait à chaque campagne de prolonger le boulevard Saint-Michel jusqu'à la mer, trouve ainsi, l'espace d'un sourire, un disciple qui ira loin.

François Mitterrand n'est pas de ces étudiants qui demeurent toute la journée la tête penchée dans leur chambre sur des polycopiés. Il flâne, il hume les vents du monde. Il va écouter à la Mutualité les grands intellectuels de l'heure : André Chamson, André Malraux, chantre de l'antifascisme, Julien Benda, rationaliste fulgurant, mais aussi Maurice Thorez et Jacques Doriot. « On le voyait très peu aux cours », affirme Jean-Baptiste Biaggi.

Son inséparable ami, François Dalle, témoigne pourtant : « Le matin, nous étions à la bibliothèque de la fac de droit où le climat était ultraréactionnaire, l'après-midi, nous allions à la bibliothèque de la Sorbonne, où tout non-marxiste était jugé imbécile. »

Cinquante ans plus tard, François Mitterrand se souvient[2] « A l'université, j'étais intimidé par mes camarades socialistes

1. François Mitterrand, *Ma part de vérité, op. cit.*
2. *Ibid.*

Initié par la scolastique, mais égaré par le vocabulaire, je mis du temps à reconnaître dans leur dialectique les recettes du Moyen Age que l'on m'avait enseignées... J'étais gêné d'entendre la gauche marxiste parler un français traduit de l'allemand. Les mots en *ion* et en *isme*[1] m'écorchaient les oreilles. Je me flattais d'un classicisme qui me paraissait supérieurement révolutionnaire. »

Le jeune étudiant n'a pas l'admiration facile. Il ne se reconnaît pas de maître à penser. L'esprit critique se lie en lui à la volonté de choquer. Dans un article intitulé « la Chasse au grand homme[2] », il écrit :

« Sujet de méditation sur les multiples façons de faire marcher les sots : les partis, nos maîtres en ont touché le fond et leur étal exhibe des têtes manchettes, la langue pendante, parce qu'elles n'ont plus rien à dire, on a seulement redoré les cornes, pour faire plus riche.

« Du côté gauche, parmi bien d'autres, nous trouvons Romain Rolland, tout étonné de se voir soudainement tant apprécié spécialement, et pour cause, de ceux qui n'ont jamais feuilleté ses écrits. André Gide, qui, sachant la porte étroite, a choisi le neuvième passage, celui qui donne sur Moscou. Oh ! Nathanaël, te voilà naturalisé... Il arrive que le merle se prenne pour une grive... Ainsi, les merles Chamson, Cassou, Guéhenno, Aragon ont miré leur plumage dans la mare de leurs illusions et se sont déclarés satisfaits. Seul, parmi eux, Julien Benda ne doit pas croire encore que cela puisse être vrai. »

Ses goûts littéraires sont autant de choix mûrs et hautement revendiqués. A une enquête sur les auteurs favoris des pensionnaires du « 104 », il répond : « Valéry, Baudelaire, Mauriac et Claudel. »

— Quel est le rôle de la littérature ?

— Indispensable et dangereux, elle fait courir le risque de ne penser et sentir qu'en littérateur.

— Si vous partiez à la guerre, quels livres emporteriez-vous dans votre musette ?

— Les *Pensées* de Pascal et *l'Abbaye de Thélème* de Rabelais.

— Et si vous entrepreniez un long voyage ?

— *Eupalinos* de Paul Valéry, *Dieu et Mammon* de François

1. Maurras, aussi, était très germanophobe.
2. Dans la revue *Montalembert*.

Mauriac, *Aux fontaines du désir* de Montherlant [1], et *le Soulier de satin* de Paul Claudel.

Une sélection qui témoigne d'un sens de la qualité littéraire et d'un penchant sophistiqué pour ceux qui affichent une existence altière. Ne relève-t-il pas, dans le livre *Service inutile* de Montherlant, cette citation qu'il semble faire sienne : « Seule vaut l'idée qu'on se fait de soi-même pour se soutenir sur les mers du néant ; les seules couronnes qui vaillent sont celles que l'on se donne à soi-même » ? Il ne manquera pas, c'est vrai, de se tresser des couronnes et se fera de lui-même une certaine idée, élevée.

Ses préoccupations et ses idéaux s'expliquent peut-être par le climat de l'époque : « Nous sentions que la guerre se rapprochait inexorablement, et que si Hitler envahissait la France, nous ne serions pas prêts, se rappelle François Dalle. Je me souviens d'un voyage en Allemagne au cours duquel nous avons découvert l'armée allemande, ses panzers et ses athlètes qui plongeaient par milliers dans le Rhin au premier coup de sifflet. Nous avons vu défiler vingt mille soldats, et leur supériorité militaire évidente nous a plongés dans l'anxiété. »

François Mitterrand n'aime pas l'armée et sa hiérarchie, pourtant si présente dans l'environnement familial. L'un de ses frères prétend : « Cette hostilité participait sûrement de son esprit de contradiction. »

Une cousine raconte : « Quand je lui ai dis que j'épousais un officier de carrière, il s'est moqué de moi et m'a dit : " Tu vas épouser quelqu'un de bien ennuyeux. " »

Cause ou conséquence, il n'est pas reçu à sa PMS (préparation militaire supérieure). Il fera donc son service militaire comme simple seconde classe. François Dalle note : « Apprendre par cœur le manuel du soldat lui paraissait tellement idiot ! Quand moi-même j'ai échoué, François m'a envoyé une lettre de félicitations : " Bravo ! je vois que tu n'es pas plus doué que moi [2]. " »

Au même moment — 1938 — c'est l'Anschluss. L'Allemagne envahit l'Autriche et Hitler entre triomphalement dans Vienne.

1. Après le suicide d'Henri de Montherlant, François Mitterrand confiera à l'écrivain Gabriel Matzneff : « Drieu La Rochelle, Montherlant, les maîtres de ma jeunesse, sont morts. »

2. Dans une interview à Roger Priouret en 1972, François Mitterrand affirmait : « J'étais antimilitariste, j'ai refusé de faire ma préparation militaire. »

Les grandes démocraties ne bougent pas. Elles pratiquent, là aussi, la politique de non-intervention instaurée pour l'Espagne par Léon Blum, qui est à nouveau président du Conseil pour douze jours. François Mitterrand réagit. Il écrit un curieux texte, baptisé « Jusqu'ici, mais pas plus loin [1] » : « La France et l'Angleterre et l'Italie enregistrent l'Anschluss, plus ou moins sèchement, elles signifient leur agrément : " Cela suffit — ne touchons plus à l'Europe — assez de chantage — nos armées s'équipent et nos peuples s'énervent — attention, jusqu'ici mais pas plus loin ", c'est ce que l'on appelle de la mauvaise humeur. Mais la mauvaise humeur n'a jamais remplacé la colère... Il est peut-être vrai que la France serait folle de tenter une guerre pour sauver une paix perdue, la mort d'un homme est sans doute plus grave que la destruction d'un Etat. Tout démontre que rien ne justifie une révolte contre l'événement. Mais sous le faisceau de ces raisons, j'éprouve encore une inquiétude... Devant la venue triomphale du dieu de Bayreuth sur le sol de Mozart, je sais quel sacrilège se prépare et, malgré moi, j'éprouve une sorte de honte, comme si je m'en reconnaissais responsable. »

Un peu plus haut, il avait écrit : « En politique, deux attitudes sont seules concevables : ou l'abandon total, ou la force absolue. L'abandon, commandé par le sacrifice, serait pour un peuple le plus beau témoignage de sa grandeur. Les individus savent parfois se sacrifier, pourquoi les nations en seraient-elles incapables ? Ce genre d'héroïsme demeurerait-il interdit à cette masse mouvante et vivante d'individus qui composent un Etat, cette fiction ? »

Un texte ambigu, une pensée incertaine. Grossièrement, on pourrait la résumer ainsi : ayons honte, mais ne faisons rien. Une réaction très représentative du climat de l'époque, mi-pacifiste, mi-patriote.

Même quand les nuages s'amoncellent, même quand les dangers sont imminents, on ne peut pas se complaire du matin au soir dans le malheur, l'apostolat ou l'action. Quand on a vingt ans, une bonne santé, quelque talent, pour se divertir à la fin des années trente on fait du sport. Tennis, ping-pong,

1. Dans la revue *Montalembert*.

François Mitterrand marque une nette préférence pour les jeux individuels. Il était gardien de but à Angoulême, ce qui constitue le rôle le plus personnel dans une équipe de football. Plus tard, il pratiquera le golf, autre discipline éminemment individuelle[1].

Au « 104 », on l'admire autant qu'on le met en boîte pour son acharnement à battre l'adversaire sur un court. Henri Thieullent raconte encore amusé : « C'est seulement quand son partenaire de double était par trop maladroit qu'il manifestait une mauvaise humeur. » Pour un coquetier en aluminium, dérisoire trophée du tournoi, il n'hésite pas à courir le risque de l'insolation ou du claquage de muscle... jusqu'à ce qu'il gagne. Victoire que Jacques Marot relate[2] : « En poussant, geignant, bras recourbés et geste court, Mitterrand bat Perney 6/4, 3/6, 6/4, nos compliments[3]. »

S'il n'est pas un styliste, voilà du moins un combattant.

Après le sport, la musique. Elle ne sera jamais pour le futur président sa première distraction, mais Jean Roy lui fait aimer Eric Satie, Chopin. Louis Gabriel Clayeux, autre pensionnaire du « 104 », mélomane lui aussi, qui a réussi à faire partager à François Mauriac son amour de Mozart, l'entraîne même au concert, en une occasion mémorable en compagnie de l'illustre écrivain. Avec Henri Thieullent, dont la chambre au « 104 » s'enorgueillit d'une superbe collection de disques, il découvre le jazz New Orleans.

Il va beaucoup danser aussi : au cercle Interallié, au Bœuf-sur-le-toit. François Mitterrand a, dit-on, le sens du rythme et entraîne volontiers amies, sœurs et cousines.

Et puis, il aime... A cet âge-là, les timides sont parfois maladroits avec les jeunes personnes. « Il se montrait très agressif avec elles », prétend Jacques Benet.

Agressif ? Jusqu'au jour où la flèche de Cupidon l'atteint. Un soir de janvier 1938, au bal de Normale sup, qui se déroule en grande pompe sous la présidence effective d'Albert Lebrun, le

1. Depuis qu'il est président, François Mitterrand a repris ses parties de golf chaque mardi en compagnie d'André Rousselet.

2. Dans la revue *Montalembert*.

3. Ses proches se souviennent d'un match avec Félix Gaillard, un dimanche, chez Marcel Bleustein-Blanchet, beau-père de Robert Badinter, au temps de la IVe, où Mitterrand avait presque risqué l'accident cardiaque pour l'emporter sur meilleur joueur que lui.

chef de l'Etat, en habit et grand cordon de la Légion d'honneur en sautoir.

Dans la foule apparaît une jeune beauté, sagement chaperonnée par une tante âgée et son frère aîné, qui se révélera être un élève de la rue d'Ulm. Elle est blonde, radieuse et porte une robe d'organdi rose brodé de petite fille modèle (elle a été demoiselle d'honneur dans un récent mariage).

François Mitterrand, « encore un peu boutonneux », s'avance :

— Mademoiselle, voulez-vous danser ?

La demoiselle acquiesce : une valse, un fox-trot, un tango, un charleston. Toute la soirée, elle va rester prisonnière de ce danseur qui l'étourdit de mots, la noie d'un flot de paroles, la complimente, l'amuse, la pique, fait la roue. Bref, l'accapare jalousement, jusqu'à ce que la tante vienne annoncer que le carrosse de Cendrillon est avancé.

Comme dans le conte, le prince charmant ne saura rien de la belle inconnue déjà aimée.

— Comment vous appelez-vous ?

— Maman m'a interdit de le dire.

— Alors vous serez ma Béatrice. (Référence peut-être trop savante à l'héroïne de Dante, symbole d'amour éternel et de chasteté.) Quel âge avez-vous ?

— Seize ans. (Pieux mensonge, elle fêtera ses quinze ans aux premières pêches.)

— Et que faites-vous ?

— Je prépare mon bac au lycée Fénelon. (Autre rouerie de la demoiselle qui est en troisième.)

— Et où habitez-vous ?

— Avenue d'Orléans (future avenue du Général-Leclerc), tout près du Luxembourg.

— Vous reverrai-je ?

— Maman m'interdit de fréquenter les garçons.

Mais un limier amoureux possède là assez d'indices pour retrouver la piste de la belle. Chaque soir, aux heures de sortie du lycée, François Mitterrand va arpenter le quartier Latin. Un beau jour, c'est l'éblouissement. Boulevard Saint-Michel, devant la crêperie du Biarritz, elle est là, toujours aussi blonde, jolie et radieuse, en compagnie d'une amie.

— Chiche que j'aborde cette fille ! lance, faussement téméraire, à François Dalle, l'amoureux qui ne révèle pas que sa Béatrice, c'est elle.

Ainsi va commencer une idylle aussi passionnée (en tout cas pour François Mitterrand) que platonique avec Marie-Louise Terrasse (elle dit enfin son nom) ; toute la France la connaîtra plus tard sous celui de Catherine Langeais, première célébrité de la télévision. Chaque jour ils se donneront rendez-vous, et chaque jour il lui écrit aussi des lettres, toutes numérotées [1]. François Dalle et plus tard Georges Dayan (un ami qui prendra une place croissante) feront office de facteurs.

François est amoureux fou. Souvent, le soir, il entraîne ses amis sous ses fenêtres et leur lance dans un souffle : « Elle habite ici, elle dort là. »

Six mois se passent en rencontres, cœurs croisés, baisers volés et accordés. Un beau jour, boulevard Saint-Michel, Marie-Louise voit arriver François. Il est en bien singulière tenue. Alors que la coquetterie n'est pas sa marque habituelle, il a revêtu un complet bleu marine, un chapeau Eden à bord roulé (l'uniforme de Sciences po) et des gants beurre frais. Il tient une rose à la main... Il ne lui manque qu'un parapluie.

— Mais que faites-vous ainsi déguisé ? interroge Marie-Louise.

— Vous le saurez bientôt, rétorque François, mystérieux.

Frémissante de curiosité, en rentrant chez elle la jeune fille va enfin comprendre : sa mère en est encore tout estomaquée : « Figure-toi qu'un jeune homme est venu me demander ta main. Je lui ai répondu : " Ma fille est beaucoup trop jeune, elle n'a pas seize ans. " Alors il m'a rétorqué : " Deux de mes sœurs, Antoinette et Colette, se sont mariées à seize ans. " Je lui ai fait observer qu'il n'avait pas encore satisfait à ses obligations militaires. Il m'a lancé : " Eh bien, je vais les faire. " »

C'est ainsi que François Mitterrand, mettant fin à son sursis [2], se retrouve sous les drapeaux en octobre 1938, au lendemain des accords de Munich, au fort d'Ivry, au 23e régiment d'infanterie coloniale. Il est seconde classe.

Entre-temps, les familles ont fait prendre des renseignements. Les milieux s'accordent. M. Terrasse, professeur d'université, est secrétaire général de l'Alliance démocratique, la formation de centre droit de Pierre-Etienne Flandin. La famille vit dans une honnête aisance. Elle tient sa place dans l'un des

1. Elle les a précieusement conservées, enveloppées dans un lange de sa fille !

2. Il a quand même terminé son droit et Sciences po l'année précédente.

petits mondes parisiens, tout comme les Mitterrand sont honorablement connus dans leur province. François et Marie-Louise sont donc autorisés à se fréquenter officiellement. Ils se fianceront pendant la Drôle de Guerre, le 3 mars 1940.

Pour l'amour de sa belle, l'étudiant de Jarnac, qui aime si peu la hiérarchie militaire, va donc faire connaissance avec la discipline de la caserne. Un calvaire pour un jeune bourgeois individualiste et cultivé que de se retrouver au rang d'un simple matricule. Il lui faut apprendre à saluer, pour ne jamais être salué en retour, se lever à 5 heures du matin au son du clairon, pour ensuite passer sa journée à perdre son temps, attendre ordres et contrordres pour être soudain fouetté par les urgences, ne jamais savoir ce que décidera le chef, subir la morgue d'adjudants stupides, trop heureux de faire sentir leur férule à ces recrues venues d'un monde privilégié, être de corvée pour des tâches imbéciles, s'épuiser dans des marches sans objet, apprendre par cœur les manuels du parfait combattant, regarder les champs dits de manœuvre comme de futurs lieux de sépultures : voilà le lot quotidien du soldat Mitterrand, qui enrage d'être séparé de Marie-Louise. Souvent, n'y tenant plus, il fait le mur et, prenant le risque de sanctions sévères, enfourche le vélomoteur que lui a prêté François Dalle qui termine ses études, et vole vers le Luxembourg.

Triste époque ! On imagine aisément le jeune homme, brûlant et courroucé d'être ainsi traité en robot. Le besoin de voir la jeune fille est d'autant plus fort qu'il doit combler de grands vides affectifs. Sa mère est morte en janvier 1936 [1], son grand-père Lorrain en 1937. C'est la fin de sa jeunesse.

1. Le décès de sa mère le marque tant qu'à l'époque il lui arrivait de dire ainsi a ses amis : « C'est idiot d'aimer sa mère, non ? » Plus tard, dans les dîners, il lui arrivera d'interroger à brûle-pourpoint sa voisine de table : « Vous aimez votre mère, vous ? »

4

Ruptures et semailles

Que Pierre Joxe, ci-devant président du groupe socialiste de l'Assemblée, devenu ministre de l'Intérieur, ait un fichu caractère, la plupart de ses amis politiques en conviennent. Toutes tendances (pour une fois) confondues, ils seraient presque prêts à voter, sur ce thème, une motion de synthèse. Tous les hiérarques de la HSS (haute société socialiste) vous raconteront volontiers comment, alors qu'il présidait le groupe de l'Assemblée, il morigénait militants et élus, poursuivait Pierre Mauroy de sa rancœur et de sa vindicte. Il finit même, avec ses humeurs, par agacer le président de la République en personne, pourtant porté envers lui à une souveraine indulgence, comme il l'a montré depuis en l'admettant parmi ses ministres. Mais l'affaire que nous allons évoquer avait, à l'époque, fait grand bruit dans la petite cour. Elle privait en effet quelques élus de leur plus rare et plus envié privilège : le rituel petit déjeuner du jeudi à l'Elysée.

L'histoire remonte au 21 octobre 1982. L'Assemblée nationale avait inscrit à son ordre du jour un projet susceptible de réveiller passions et rancunes : le rétablissement dans leurs droits (pensions, retraites et même décorations) des militaires compromis dans les putschs et les complots d'Algérie. L'inspirateur du projet était le chef de l'Etat en personne. Il l'avait promis lors de sa campagne de 1981. Il entendait tirer un trait sur le passé et réconcilier la communauté nationale. Pour nombre de députés socialistes, la potion était amère. Ils avaient fait leur entrée en politique lors de la guerre d'Algérie et pas dans le même camp, bien sûr, que Raoul Salan ou Edmond Jouhaux. Pour leur faire approuver tant de mansuétude et voter la loi, leurs tuteurs au parlement — à commencer par le président de leur groupe — devraient montrer adresse et savoir-faire.

Le petit déjeuner de ce 21 octobre avait précisément pour but de préparer la manœuvre. Tous les convives étaient arrivés à l'Elysée en marchant sur des œufs, n'en disant pas plus mais n'en pensant pas moins. Ils goberaient cette couleuvre puisque le président de la République le voulait. C'était compter sans Pierre Joxe. A peine avait-il fait mine d'avaler sa première gorgée de thé qu'il explosait de façon fort peu britannique :

— Rendre leurs droits à ces militaires félons ? Tant qu'on y est, on pourrait aussi bien ramener les cendres de Pétain à Douaumont et le réhabiliter !

— Pourquoi pas en effet ? Il faudra y songer ! répondit, glacé, le président qui, de cet instant et jusqu'au départ de ses invités interloqués, n'ouvrit plus la bouche.

La semaine suivante, l'Elysée faisait savoir à ces messieurs que le président prendrait sans eux son café au lait. Point de carton d'invitation non plus la semaine d'après et point encore le jeudi suivant, le château boudait toujours. Chacun finit par se rendre à l'évidence : le rituel était suspendu ! Pierre Joxe, telle une mauvaise arête, était resté en travers du gosier présidentiel. Pierre Mauroy, Lionel Jospin, Jean Poperen, Louis Mermaz, Paul Quilès, Pierre Bérégovoy et quelques autres découvraient alors que les sentiments du président envers les messieurs de Vichy étaient sans doute plus complexes qu'ils ne l'avaient pensé [1].

Les années de la guerre, de l'Occupation et de la Libération ont tenu dans la vie de François Mitterrand un rôle capital. Ce fut le cas pour beaucoup d'hommes publics de sa génération. Mais bien plus encore pour lui. Ces années entraînèrent sa rupture avec une éducation, un milieu, un ordre social. Il connut le naufrage d'un amour, abandonna la pratique de sa

1. Leur surprise pourtant, ne se justifiait guère : pendant la campagne présidentielle de 1974, Valéry Giscard d'Estaing, interrogé sur le transfert à Douaumont de la dépouille de Philippe Pétain, avait répondu par la négative ; mais le candidat de la gauche, François Mitterrand, avait promis d'organiser après son élection, une table ronde réunissant des représentants du parlement, du gouvernement et des associations d'anciens combattants, afin de « proposer les solutions qu'appelle ce contentieux ». Les hiérarques socialistes n'avaient probablement pas pris garde à ce propos. A moins qu'ils ne lui aient réservé le triste sort fait d'ordinaire aux promesses électorales : l'oubli.

religion, fit ses premiers choix, audacieux et nécessaires — (l'évasion, la Résistance) —, essuya aussi ses premières rebuffades politiques — et lesquelles ! puisque la principale venait, du général de Gaulle lui-même. Tous ces événements n'ont pas marqué leur trace aussitôt, comme si certains étaient à « effet retard [1] ». Mais tous devaient le transformer en profondeur. Le temps des ruptures est aussi un temps de semailles.

Au terme de cette période, bien plus riche en aventures pour lui que pour beaucoup d'autres, François Mitterrand est très loin d'avoir rencontré la vocation socialiste, mais il songe à un grand destin et nourrit de vastes desseins. Il a pu vérifier que ses rêves d'enfant et d'adolescent n'étaient pas si fous, qui le plaçaient parmi les meneurs d'hommes et, peut-être, les grands de ce monde. L'ambition d'accéder au tout premier rôle ne le lâchera plus.

LA CAPTIVITE

Nous avions quitté en 1939 au fort d'Ivry un jeune intellectuel bourgeois pressé de se marier et accomplissant sans grand plaisir ses obligations militaires. Nous le retrouvons la même année à la caserne de Lourcine, boulevard de Port-Royal. Grâce à son ami Georges Dayan, il a pu se faire affecter comme secrétaire particulier du chef de corps et s'acquitte avec conscience de fastidieuses tâches administratives heureusement coupées parfois par une partie d'échecs avec l'officier supérieur. Finies les marches harassantes et les exercices pénibles : le soldat Mitterrand, dont le bâton de maréchal sera le ruban doré de sergent (il a refusé, dit-il, de préparer les EOR [2], bien qu'en fait, ayant échoué à la PMS, il ne pouvait y prétendre), retrouve un mode de vie mieux accordé à ses goûts. D'ailleurs, avoue-t-il, « mes nuits civiles équilibraient mes jours [3] ».

Il a loué en ville une mansarde dont il partage les frais avec Georges Dayan, qui ne le quittera plus et restera jusqu'à sa

1. Comme on le dit de certains médicaments.
2. Elèves des officiers de réserve.
3. François Mitterrand, *la Paille et le Grain, op. cit.*

mort (en 1979) l'ami des bons et des mauvais jours. Un personnage aussi. Grand, racé, de fort belle allure, aimant la vie et ses jeux, ce juif pied-noir, originaire d'Oran, montrait une vertu rare : la capacité de s'intéresser aux autres, mais surtout, surtout, à François Mitterrand. Il semblait né pour devenir son confident, son homme lige. Ce discret fut bien le seul à connaître tous les tours et détours de la vie publique et privée du futur président. A ses autres amis, celui-ci n'a jamais confié qu'une part de sa vérité. Pour préserver cette liberté qui lui est si précieuse, il n'a donné à chacun que la clé d'un seul tiroir à secrets. Georges Dayan, lui, eut les clés de tous les tiroirs.

Homme de coulisses, de contacts et quand il le fallait d'intrigues, il gardait des liens avec des milieux très divers. Pour François Mitterrand, il veillait au grain et osait quand il le fallait, mais non sans précautions, lui susurrer ce que l'entourage brûlait de dire sans jamais oser s'aventurer à le faire[1] !

Fut-il jamais socialiste, cet avocat, éphémère député du Gard puis sénateur de Paris ? C'est une autre question. Son engagement auprès de François Mitterrand a toujours été plus personnel que partisan. Si son ami était resté parmi les modérés éclairés, Georges Dayan — on peut le parier — n'en eût guère été chagriné. Mais il avait donné son amitié, ne s'en dédit point et ne le regretta pas.

En 1939, malgré l'imminence des périls, la vie de ces deux jeunes militaires privilégiés n'est pas trop rude. Peut-être pressentent-ils qu'il faut tirer profit au plus vite du répit qui leur est laissé. Chaque soir ou presque, François Mitterrand rejoint sa belle et blonde fiancée. L'été venu, la famille Terrasse s'exile dans sa maison de campagne à Valmondois, près de L'Isle-Adam. Le jeune militaire est toujours aussi assidu. Jusqu'au lundi 4 septembre. Le vendredi précédent, les armées allemandes ont franchi la frontière polonaise. La veille, à 11 heures, le gouvernement de Sa Majesté britannique a déclaré la guerre au Führer ; six heures plus tard, la France en faisait autant. Ce lundi, quand le sergent Mitterrand, mèche en bataille, rentre à la caserne sur la moto d'un ami, ses camara-

1. Ce fut lui qui amena au premier secrétaire du PS quelques forts en thème du Conseil d'Etat auquel il avait été nommé sous le règne du libéral VGE. Jacques Attali et Laurent Fabius comptèrent parmi ses protégés.

des sont sur le pied de guerre, harnachés pour le départ. Préparatifs hâtifs, paquetage, il se retrouve dans les rangs juste à temps pour gagner la gare de Pantin. Le régiment monte vers l'Alsace. Les chefs militaires de l'époque croient aux vertus de la marche à pied : débarqués du train, les hommes devront accomplir trois longues étapes avant d'arriver dans un secteur d'avant-garde près de Bitche. Et ceux qui croyaient se battre apprennent à attendre.

Commence la Drôle de Guerre. Le froid, l'humidité, ils creusent des tranchées antichars dans la boue, déroulent des fils de fer barbelés sous la pluie, s'ennuient, changent parfois de secteur : en janvier 1940, le régiment se déploie entre Sedan et Malmédy.

Le 3 mars, au cours d'une permission à Paris, François et Marie-Louise se fiancent officiellement. Dans la morne grisaille de cette guerre suspendue, voilà au moins une promesse de bonheur.

Promesse fragile car voici mai, le fracas des panzers, les sifflements des bombes. C'en est fini de l'attente. L'offensive commence par la Belgique. Mais le régiment doit se replier vers Stenay, près de Verdun. Surgissent bientôt les Allemands : le 14 juin, au lieu-dit Mort-Homme. Un nom qui éveille de sinistres et glorieuses résonances chez les anciens de 1916. François Mitterrand est blessé par les éclats d'un Minnenwerfer. Il en garde encore, dit-il, quelque fragment dans l'omoplate droite[1]. Cette blessure lui vaudra la croix de guerre[2]. Evacué sur Vittel, puis Bruyères (près d'Epinal), il sera fait prisonnier à Lunéville. Plus tard, il évoquera ces combats en quelques lignes :

« J'avais vu les officiers de mon régiment qui devaient se faire tuer vaillamment en mai jouer au poker en avril sans se soucier de leurs troupes qui payaient à leurs yeux le prix du Front populaire. Ils n'aimaient pas l'Allemagne, mais admiraient le IIIe Reich. Ils aimaient la France mais pas les

1. Evoquant sa captivité, en 1947, dans une conférence des ambassadeurs, il raconte : « Ne pouvant lever le bras droit, ayant un éclat d'obus mal logé du côté de l'épaule, j'avais été affecté dans une petite industrie où il s'agissait de fabriquer des jus de fruits. Mon rôle se limitait à séparer les pommes pourries des pommes pas pourries. »

2. Voir Annexes en fin d'ouvrage.

Français. Ils n'étaient rien d'autre que le résidu d'une société qui hâtait le pas vers sa fin[1]. »

Au cours de l'été, François Mitterrand se retrouve au stalag IX A, près de Cassel. Matricule 27716. Une situation qu'il supporte mal. Trois fois, il essaiera de s'évader. La première fois, dans l'hiver suivant, en mars 1941, il partira avec un prêtre, l'abbé Leclerc, marchera six cents kilomètres à pied dans la neige et le froid pendant vingt-deux jours pour échouer à quelques kilomètres de la frontière suisse. « Mon pauvre ami a eu une congestion pulmonaire. Moi, je n'ai même pas éternué ; ça m'a donné une certaine confiance dans ma capacité de résistance. Ce n'était pas rien... Plus tard, j'ai appris que la force intérieure est le fruit d'un long mûrissement », expliquera-t-il en 1973 dans une interview à Pierre Desgraupes (*le Point*). La deuxième fois, il parviendra à prendre le train et à rejoindre Metz, mais il sera « donné » par l'hôtelière chez laquelle il a eu l'imprudence de descendre[2]. La troisième fois — le 10 décembre 1941 — sera la bonne.

Une ? Deux ? Trois ?... Ces trois tentatives ne sauraient surprendre qui l'a connu petit garçon défiant ses parents et plus tard ses maîtres. Il ne peut accepter aucune chaîne. Il s'obstinera donc jusqu'au succès. (Lorsqu'en 1980 on s'étonnera de le voir se lancer à nouveau dans la course à la présidence, il répondra : « Je n'ai réussi mon évasion que la troisième fois », ou encore : « Le refus de renoncer, c'est le refus de la mort. »)

Sa hâte à fuir ses geôliers, pourtant, ne s'explique pas par ses seuls sentiments patriotiques. Des lettres alarmistes lui confirment que ses liens les plus doux sont en train de se distendre. Version guerrière et moderne de la fable des deux pigeons du bon La Fontaine : la tentation de s'envoler frappe surtout celui qui est à l'air libre. Si François s'évade, c'est surtout pour reconquérir une Marie-Louise dont les sentiments chancellent.

« Moi aussi je me suis échappé pour retrouver la fille que j'aimais et quand je suis arrivé à Paris, elle m'avait plaqué pour un type qui s'appelait Plat », raconte drôlement Patrice

1. *In la Paille et le Grain, op. cit.*

2. Curieusement, il a très peu raconté cette deuxième tentative, dont les récits varient suivant les biographies. Il est d'ailleurs toujours resté très discret sur les trois évasions et n'a jamais cherché à en tirer quelque avantage. Son beau-frère, Roger Hanin, l'a toujours regretté, à en croire Michel Picar et Julie Montagard, auteurs enthousiastes d'un livre consacré à Danielle Mitterrand.

Pelat, l'un de ses amis de captivité les plus chers, personnage haut en couleur, ex-ouvrier parisien qui avait fait grève en 1936 pour avoir des congés, ex-militant du PC (devenu colonel Patrice dans la Résistance) et plus tard industriel.

Juin 1940-décembre 1941 : ces dix-huit mois de captivité auront constitué un moment décisif dans la vie de François Mitterrand. Il convient ici de s'attarder. Et d'abord, de reconstituer le décor, ou plutôt le climat moral des camps.

Ces hommes sortent d'une tornade. Sans avoir eu le temps de comprendre, ils ont été capturés, entassés pêle-mêle dans des wagons de marchandises et jetés dans les camps. Tout a volé en éclats. Le pays s'est défait. L'armée s'est effondrée. Tous les liens, à commencer par les liens familiaux, sont brisés.

Ils sont un million huit cent quinze mille, (presque tous de vingt à quarante ans, le tiers de la population masculine des actifs selon le recensement de 1936) à connaître l'enfermement dans les stalags (sous-officiers et soldats) et les oflags (officiers). Cinquante et un mille n'en reviendront jamais.

D'abord, la stupeur domine. Puis la colère. Il faut des responsables ! Loin du pays, les prisonniers réagissent comme lui. Ils accusent pêle-mêle les hommes politiques, le Front populaire, le haut commandement militaire. « A plusieurs reprises, raconte Jean Védrine, ami de François Mitterrand et homme de confiance [1] du stalag VIII C, il fallut faire protéger des généraux français en transit dans notre camp contre les menaces dont ils auraient pu être les victimes [2]. »

La mode, dans les camps comme dans le pays, est aux examens de conscience. L'idée se répand vite que si la France est battue, c'est de sa faute (chaque Français traduit bien vite : de la faute de mon voisin). Weygand a donné le *la* de ce grand mea culpa national au cours d'un Conseil des ministres en juin à Bordeaux : « La France, a-t-il dit, a mérité sa défaite, elle a été battue parce que ses gouvernements depuis un demi-siècle ont chassé Dieu de l'école. » Pétain a suivi : « Notre défaite, a-

1. Les hommes de confiance étaient des prisonniers auxquels les Allemands laissaient certaines responsabilités dans la vie quotidienne du camp.

2. *In Dossiers PG rapatriés,* un ouvrage rare (tiré à trois cents exemplaires seulement) dont Jean Védrine fut le maître d'œuvre et qui rassemble une centaine de témoignages d'anciens prisonniers.

t-il dit le 28 juin, est venue de nos relâchements. » Et bien d'autres avec lui. Comme Félix Gaillard, futur président du Conseil radical-socialiste, alors jeune responsable des Compagnons de France, qui écrit en 1941 : « Nous avons perdu la guerre parce que nous avons voulu entreprendre une lutte nationale avec un gouvernement de partis. Dans un gouvernement démocratique, l'homme devient l'homme de son parti avant d'être l'homme de son pays. » En janvier 1942, dix-sept dirigeants du Centre d'action des prisonniers de guerre rapatriés écriront : « Le prisonnier a reconnu que la défaite était méritée, qu'elle n'était pas un accident imprévisible. La défaite militaire a hâté une décomposition déjà profonde mais non encore consacrée du tissu social français. En un certain sens, elle a heureusement mis fin à cette décomposition. »

A ces sentiments, s'ajoute, chez les prisonniers, l'anxiété. Les nouvelles des familles parviennent tard et mal. Des villes françaises ont été bombardées, l'exode a jeté sur les routes dans un désordre indescriptible des milliers de civils livrés à eux-mêmes. De savoir peu de chose, les hommes ont l'impression que beaucoup leur sont cachées.

Jean Védrine : « J'ai vu des camarades pleurer de douleur ou d'impuissance en imaginant l'évolution et les difficultés de leurs enfants, en apprenant la maladie ou le décès de l'un des leurs, l'infidélité de leur femme ou de leur amie. »

Dans les premiers mois, ils avaient cru à une libération prochaine puisque l'armistice était signé. Ensuite, ils ont connu le désespoir, l'amertume aussi. Ils se sont sentis les oubliés d'une France qui avait retrouvé la paix, les joies simples de la vie quotidienne. Un doute cruel s'insinue dans les esprits : avec eux, les Allemands tiennent un instrument de chantage irrésistible pour contraindre le gouvernement français à se plier à toutes leurs injonctions jusqu'à la victoire finale du IIIe Reich.

Seul réconfort : la similitude des destins, l'identité des sentiments qui engendrent des solidarités nouvelles, un sens communautaire. De petites sociétés se créent avec leurs lois propres où les hiérarchies du passé n'ont plus de sens. D'anciens clivages disparaissent. Chez quelques-uns, la solitude et les événements incitent à des remises en cause en des sens divers. Chez les moins croyants, on constate un regain de la foi, tandis qu'elle vacille chez certains des plus pieux. L'activité intellectuelle est intense. Ces hommes discutent du futur et ils en rêvent. Parmi leurs sujets favoris : les institutions politiques et sociales de la France nouvelle. Les principes qui semblent présider à la révolution nationale du maréchal Pétain — culte de la patrie, glorification et protection de la famille, esprit de communauté, respect du travail, régionalisme, retour à la terre — sont dans l'ensemble bien admis. Le vieux soldat est l'objet d'un respect quasi unanime. On ignore que le grand âge a singulièrement réduit ses capacités et son autorité (sinon son ambition). Il ne paraît pas porter de responsabilité dans la défaite. Il a gardé l'image d'un vainqueur, d'un chef qui avait le souci de ses hommes — il disait « ses enfants ». En 1940 il a gagné le cœur de l'armée captive : les prisonniers ont le sentiment qu'il est le seul à s'efforcer d'obtenir leur libération et à manifester quelque sollicitude envers eux. « Si l'ordinaire était amélioré, c'était bien grâce aux colis Pétain. Nous avions au moins la reconnaissance du ventre », note l'abbé Florin qui fut « homme de confiance » du stalag IXA. Enfin, c'est sous son couvert et devant son effigie que les prisonniers peuvent témoigner de leur patriotisme devant leurs gardiens allemands. Glorifier le vainqueur de Verdun est une manière de rappeler à l'ennemi qu'autrefois il fut vaincu et qu'une nouvelle défaite est toujours possible.

« Il y avait dans les camps peu de divisions politiques : une masse pour qui Pétain était, à la fois, le chef de l'Etat, le grand-père, le protecteur ; des gaullistes dont le nombre a augmenté avec les victoires alliées ; des giraudistes plus strictement combattants et de nombreux autres qui s'accommodaient bien d'une double allégeance à Pétain et à de Gaulle. Il y avait aussi une petite minorité de pro-nazis mis à l'index », raconte Jean Védrine. « Certains prisonniers croyaient même, du moins jusqu'en 1942, que de Gaulle et Pétain étaient de connivence[1] », écrit Gilbert Forestier.

Jean Védrine note enfin, et ce n'est pas le moins important : « Une fois libérés, bien des prisonniers se sont tout de même souvenus que de Gaulle n'avait guère songé à eux et qu'il ne s'était guère manifesté dans les camps. »

François Mitterrand, à ce qu'il semble, partage alors les sentiments de ses compagnons. Mais surtout il découvre un monde qu'il ignorait. Jusqu'à la captivité, il a mené une existence préservée en marge des angoisses matérielles et des

1. *In Dossiers PG rapatriés, op cit.*

vulgarités plébéiennes. Il n'a connu la misère qu'à travers les prismes déformants de la charité ou de la littérature. Derrière les barbelés, il découvre les privations, les souffrances morales et physiques, ces promiscuités incontournables qui pèsent fort à un individualiste comme lui. Ce qui le frappe, plus que la privation, c'est la rudesse des rapports sociaux. Voici comment il relate l'expérience de ce premier camp :

« A midi, les Allemands faisaient apporter des bassines de soupe aux rutabagas ou des boules de pain et. débrouillez-vous pour la journée. D'abord, ce fut le règne du plus fort, le gouvernement du couteau. Ceux qui s'emparaient des bassines se servaient par priorité et il convenait d'attendre de leur extrême bonté un peu d'eau sale pour la survie. Par l'effet de quelle prise de conscience la masse a-t-elle renversé ce pouvoir absolu ? Après tout, le couteau est le couteau. Il faut avoir vu les nouveaux délégués désignés on ne sait comment couper le pain noir en six tranches au millimètre près, sous le contrôle écarquillé du suffrage universel. Spectacle rare et instructif. J'ai assisté à la naissance du Contrat social. Je n'apprendrai rien à personne en notant que la hiérarchie naturelle du courage et de la droiture qui venait ainsi de s'affirmer plus puissante que le couteau ne correspondait que de loin à la hiérarchie d'autrefois, à l'ordre social et moral antérieur, à l'univers des camps. Dérision ! L'ordre ancien n'avait pas résisté à la soupe aux rutabagas [1]. »

Dans les stalags, François Mitterrand fait surtout cette découverte stupéfiante : les autres. Pour la première fois, il rencontre des mauvais garçons, mais aussi des ouvriers de gauche, des syndicalistes, des prêtres qui avaient été humiliés au séminaire parce qu'ils étaient pauvres [2].

Dans l'adversité, des hommes sans culture se révèlent parfois plus forts, plus énergiques, plus courageux, plus estimables que des fils de famille. Tout un système de valeurs tangue dans la tête du prisonnier [3]. Il n'est pas le seul. Bien des prêtres et des

1. *In Ma part de vérité, op. cit.*

2. Charles Moulin, *François Mitterrand intime*, Paris, Albin Michel.

3. « Et ceci, dira-t-il lors de sa conférence de 1947, a fait partie des leçons de choses de la captivité que de voir à quel point les classes sociales, les hérédités, les enseignements et les éducations donnaient des résultats tout différents mais non pas selon la catégorie d'origine, selon le réflexe personnel sorti de l'homme lui-même ; et l'on voyait des hommes dont rien ne permettait de croire qu'ils possédaient cette dignité, faire preuve de plus de courage que ceux dont on pouvait penser à l'avance qu'ils seraient des hommes dignes »

religieux — formés comme lui, issus du même milieu, partageant ses convictions et ses préjugés — connaissent alors le même choc de la découverte, qui contribuera beaucoup après 1945 à l'évolution de l'Eglise de France. Un grand jésuite, le père Dillard, parti comme clandestin en Allemagne avec les requis du Service du travail obligatoire, a raconté alors son étonnement : « Combien de jugements ouvriers sur les événements et sur les hommes sont au rebours des nôtres, souvent même choquants, dont on s'aperçoit à la réflexion qu'ils sont plus pénétrés que les autres de sens chrétien. Notre manière de vivre, nos cérémonies, les susceptibilités de notre protocole, notre culture littéraire, artistique, philosophique sont entachées de capitalisme, liées à une forme de civilisation bourgeoise. »

« Raconte-moi encore ta vie, j'ai peut-être des choses à t'apprendre mais toi tu en as plus encore », dit François Mitterrand à son compagnon Patrice Pelat, qui avait été magasinier chez Renault à quinze ans.

A Bernard Finifter, un juif fraîchement immigré dont la famille a été persécutée et auquel il enseigne le français, il demande sans relâche de lui conter ses traditions et son univers[1].

Il interroge et il s'interroge. La captivité, l'isolement, un mode de vie tout à fait artificiel incitent à tout remettre en cause. Ainsi la propriété : dans sa conférence du 16 mai 1947, au théâtre Marigny, il racontera qu'un prisonnier qui recevait des conserves dans un colis personnel retrouvait sur-le-champ des réflexes de propriétaire et se faisait moins partageux et moins courageux. « Retrouver des habitudes... car chaque Français porte en lui-même le souci du petit propriétaire, et tous ceux qui ne le sont pas rêvent de l'être, et tous ceux qui le sont voudraient bien le rester... Dans les stalags, chacun a d'abord ramené ses hardes et puis, lorsqu'il a pu recevoir les premiers colis, il a gardé tout ce qu'il a pu. Il a enregistré sans délai tout ce qui était comestible, mais tout ce qui ne l'était pas, il l'a gardé. Et tout ceci a constitué une sorte de prison supplémentaire où l'on pouvait, à la vue d'un objet, se remémorer les heures antérieures ou éprouver cette sensation de celui qui possède. On avait déjà un univers à soi, et rien qu'à

1. Lors de son voyage présidentiel en Israël, François Mitterrand conviera le fils de ce camarade défunt à l'accompagner.

soi, mais c'était aussi appesantissant, alourdissant, et combien d'entre nous n'ont jamais tenté l'évasion parce qu'ils étaient retenus dans leur univers d'habitudes. »

Ainsi encore les rapports entre les hommes : envoyé, après sa première tentative d'évasion, dans des baraquements où sont regroupés sous garde vigilante des prisonniers réputés intellectuels — prêtres, instituteurs, avocats, étudiants —, il est émerveillé, dit-il, de leur bonne entente. En 1969, il écrit : « Coupés du monde, nous nous appliquâmes à édifier notre propre société... l'ordre des premiers mois avait reposé sur la domination du couteau et de la hiérarchie de la jungle. Il fut vite balayé et le couteau, en divisant exactement la boule de pain, devint l'instrument même de la justice. Paris avait à peine décapé l'éducation reçue dans ma Saintonge en demi-teinte. J'avais peu voyagé. Je crois avoir davantage appris de ce commando refermé sur lui-même que des maîtres de mon adolescence. Je ne dirai pas que nous avons bâti le phalanstère idéal, mais je n'ai pas connu de communauté plus équilibrée que celle-là [1]. » L'empreinte est si forte que, quarante ans plus tard, l'un de ses proches dira affectueusement ironique : « François a cru que le modèle du stalag était transposable et que la société française pouvait s'en inspirer. »

Il faut pourtant se garder d'attribuer au jeune prisonnier tous les sentiments et les ambitions du candidat socialiste. En 1947, sa vision du camp était bien moins idyllique. Le temps, les rêves, l'opportunité ne l'avaient pas transformé encore. Il n'en avait pas tiré les enseignements — réels ou supposés — qu'y trouvera celui qui rêve d'incarner l'Union de la gauche. Dans la même conférence de 1947, en effet, il s'en prend à une formule très révérée à l'époque chez les anciens PG : l'esprit des camps.

« L'esprit des camps, je demande à voir et je me demande bien quelle forme il aurait s'il s'incarnait subitement. L'esprit des camps, la spiritualité des camps, oui, certes, cela a existé mais pas dans un seul sens, et si l'on voulait reprendre une boutade, l'esprit des camps, cela n'a pas été seulement de partager le pain, c'était aussi de voler le pain.

« Il ne faudrait pas idéaliser exagérément les phénomènes de la captivité et croire que les hommes qui ont traversé cette période sont des hommes rendus parfaits par les calamités,

1. François Mitterrand, *la Paille et le Grain*, *op. cit.*

blanchis de leurs fautes qui, au contact d'une dure réalité, en sont venus à se repentir de leur passé pour construire un avenir idéal.

« La captivité, ç'a été une guerre quotidienne, non seulement avec l'ennemi, mais le plus souvent avec son voisin, car il est beaucoup plus difficile de vivre avec ceux que l'on aime qu'avec ceux que l'on hait ; il est beaucoup plus difficile de vivre avec ceux que toutes les conditions du hasard mettent à votre porte qu'avec ceux dont on sait qu'ils sont vos adversaires. Et cela aussi a été une leçon de choses de la captivité.

« Plutôt que l'esprit de camp, ce fut plutôt l'esprit d'équipe, on dirait presque l'esprit de gang : une collectivité de trente mille à trente-cinq mille hommes se réduit à des centaines de collectivités de sept ou huit hommes au sein desquelles existait une solidarité vraiment totale : partage des colis, des corvées, le partage du travail, la division du travail, cette division du travail qui économise les forces de chacun et profite à tous ! »

Et parfois à un seul ! Le grain semé dans les stalags ne lèvera en fait que lentement, après trente années d'expérience et d'épreuves. Mais l'espérance d'une société nouvelle est à cette époque d'autant plus forte que tous ces prisonniers « intellectuels » ont le sentiment qu'un monde vient de s'écrouler : « Ce que j'avais vu de la IIIe République finissante m'avait enseigné qu'il n'y avait d'elle plus rien à aimer, rien à espérer non plus. Elle se nourrissait de sa décadence et puisait assez de force pour qu'on pût la croire éternelle. Un jour viendrait, pensais-je, où elle tomberait d'elle-même, sur elle-même, usée, vidée, mais quand[1] ? » Ce monde, ils ne le regrettent pas. François Mitterrand, lui, pense que cette armée de prisonniers constituera après la guerre une force politique nouvelle soudée par l'épreuve et avec laquelle tout nouveau pouvoir devra compter.

Patrice Pelat se souvient : « Il me disait : " Tu verras, plus tard il faudra bien que les hommes politiques nous écoutent. Nous allons faire beaucoup de choses tous ensemble. " » Un autre ancien prisonnier, mais qui ne rencontrera François Mitterrand qu'après sa libération dans la Résistance, le gaulliste de gauche Philippe Dechartre, a eu aussitôt le même sentiment : « Déjà le champion de l'électoralisme perçait en lui. Il avait mesuré quel levier politique les prisonniers de guerre pourraient constituer. »

1. *In la Paille et le Grain, op. cit.*

Espérer une société nouvelle, en 1940 ou 1941, ce n'est pas fatalement se situer à gauche. Ne parle-t-on pas à Vichy de promouvoir la révolution nationale, et à Paris la révolution national-socialiste ? Le François Mitterrand de ces années-là était considéré par ses camarades comme un homme de droite. « Tout à fait à droite », souligne même maître Biget, notaire en Vendée et natif d'Angoulême. « Royaliste », assure même Marcel Pierron, de Bordeaux. « Il nous farcissait les oreilles avec sa monarchie. »

Dans un éditorial de *l'Ephémère,* journal du camp, le prisonnier Mitterrand s'en prend vertement au socialisme et au collectivisme : « La mode est à l'esprit social. Articles, études, livres, nul n'économise les exhortations. Chacun paraphrase à sa manière la parole évangélique : Aimez-vous les uns les autres. Mais en général, on en reste à la paraphrase. Qui n'a lu jusqu'à satiété les termes solennels et parfois équivoques d'étatisme, de collectivisme, de socialisme, etc., qui ne sont en réalité que les divers modes d'envisager le même problème : comment empêcher l'homme de mordre son prochain (ou peut-être comment l'y encourager) ? Les mots en *isme* ne résolvent aucun problème. »

Dans un autre éditorial de *l'Ephémère,* le 15 novembre 1941 (à la veille de sa troisième tentative d'évasion, la bonne), il revient sur les thèmes de la responsabilité personnelle et de l'expiation nécessaire alors ressassés par les discours et la propagande de Vichy : « Qu'on ne nous imagine pas révoltés, prêts à soumettre nos revendications, nous savons trop les méfaits du système des doléances. Si nous avons reçu la tâche amère de représenter devant l'Histoire la génération prodigue des biens et des trésors de siècles fastueux, qu'au moins notre patrie blessée et qui souffre et qui, malgré sa peine et ses angoisses, refuse de mourir, puisse compter sur le soutien de ses fils exilés. Lorsqu'en juin 1940, la déchirure s'est consommée, qui à l'est et au nord nous séparait de la France, lequel d'entre nous n'a ressenti le poids de sa responsabilité personnelle ? Non, nous ne sommes pas des révoltés car ce vieux compte qu'il fallait payer, nous en attendions confusément la note. »

Ces thèmes de la faute commise par les Français, de l'expiation nécessaire étaient bien les antiennes rituelles des discours du maréchal Pétain, des homélies de la plupart des prêtres et de la quasi-totalité des évêques. Ainsi de Mgr Baudrillart, qui était fort écouté avant guerre au 104 de la rue de Vaugirard.

Paul Delouvrier, ami de Robert Mitterrand, explique les sentiments du jeune prisonnier : « J'avais souvent de ses nouvelles par Robert et je me souviens très bien que le ton général de ses lettres était très pétainiste. Pour un petit-bourgeois comme lui, le Maréchal défendait des valeurs familières. »

Et de Gaulle ? En 1971, François Mitterrand écrit : « C'est à Lunéville, dans le camp où nous attendions d'être transférés en Allemagne, que j'ai entendu le nom de Charles de Gaulle pour la première fois. Un camarade, jeune comédien de talent, qui lisait dans les astres, m'apprit qu'à Londres un général inconnu avait refusé la défaite et il ajouta : " Quel beau nom pour une belle histoire. " J'en convins et rêvais du présage[1]. » Quelques lignes plus loin, évoquant Schaala, camp où il fut envoyé après sa deuxième évasion il précise : « La voix du général de Gaulle nous était parvenue. Vieille patrie, vieille aventure, vieil avenir. Cette voix annonçait le printemps avec un amour neuf. Elle exigeait l'effort et la volonté du refus. Je n'eus pas de peine à comprendre que ce qu'elle me disait à moi comme aux autres était aussi simple que le miel, le lait et le pain... Voilà pourquoi moi, qui n'ai jamais été gaulliste, j'ai toujours refusé d'être anti. » Des mots qui en surprendront plus d'un de la part de celui qui harcela inlassablement de Gaulle, l'adversaire honni. C'est qu'à l'époque où François Mitterrand rédige cette jolie page, son vieil ennemi est mort depuis près d'un an. Tant qu'il fut un obstacle infranchissable, il convenait de l'attaquer. Au tombeau, il paraît enfin digne d'éloge ; François Mitterrand peut se donner les gants de le juger plus équitablement. Deux ans plus tôt d'ailleurs, à la fin de l'année 1968, après que le Général eut subi la contestation des barricades et vu se briser le lien secret qui l'unissait aux Français, François Mitterrand, devinant que la statue du commandeur allait être déboulonnée, avait commencé à nuancer ses souvenirs (sans se départir encore, les jeux n'étant pas faits, de toute animosité). Il écrivait : « Vus d'Allemagne, Pétain et de Gaulle n'incarnaient pas deux politiques contradictoires. Nous étions en 1941. Les voix de Londres n'entraient pas ou si peu dans nos baraques. Mais le romantisme de la

1. *In la Paille et le Grain, op. cit.*

passion était du côté du Général rebelle et j'avais vingt-cinq ans. Cela me suffit. Ce n'est cependant pas par rapport au Général que je me suis déterminé. Il était loin, il parlait beaucoup, il était général. La France me paraissait plus proche et plus grande que lui. Je l'admirais, mais j'avais autant d'orgueil pour nos actions que pour les siennes. On me pardonnera ce péché de jeunesse. »

Retour au camp et en 1941. Derrière les barbelés, ce ne sont pas seulement les idées politiques ou sociales qui se forgent. Les tempéraments aussi. Le futur chef de parti ne passe pas inaperçu parmi ses camarades. Ils l'ont connu « courtois, mais jamais familier », « altier et personnel », « insolent et quelque peu prétentieux », dira même Bernard Finifter[1].

Beaucoup décrivent son regard « fulgurant ». Tous reconnaissent l'empire qu'il savait déjà exercer sur les autres, soulignant sa volonté de passer le premier. « Je pense qu'il croyait déjà en son destin », dit l'abbé Florin. Et maître Biget raconte : « Un jour, un gars en blouson kaki, au regard singulièrement vif, m'a abordé pour me dire : " Nous sommes tous deux de la Charente, nous allons fonder une académie littéraire et j'en serai le chancelier. " » Comme dans tous les camps, et conformément à la Convention de Genève, les activités culturelles sont autorisées par les Allemands qui les jugent, si elles ne prennent pas trop d'importance, utiles au moral et donc à la discipline.

Ainsi se crée au stalag IX A de Zigenheim la ZUT (Zigenheim Université temporaire). Il y a là Yves Brainville, futur comédien, Robert Gaillard, qui publiera avec succès dans les années cinquante des histoires de flibuste et d'amour, Albert Baron, neveu de Mayol et employé des Folies-Bergère, Bernard Monsour, ex-secrétaire de Maurras. « Mitterrand nous faisait des cours sur Voltaire ou Rousseau ou sur la vie au quartier Latin, se souvient aujourd'hui François Château, notaire à Vichy. Il s'asseyait et parlait sans notes pendant des heures. Cela nous impressionnait beaucoup. »

La ZUT publie une brochure rassemblant les caricatures de ses honorables membres (une cinquantaine) accompagnées de quatrains. On y voit François Mitterrand le front ceint d'une couronne de lauriers et un profil d'empereur romain. Un petit quatrain, dû à maître Biget, le décrit ainsi :

1. *In* Charles Moulin, *Mitterrand intime, op. cit.*

Hautain, sensible et péremptoire
Temple incontesté de l'esprit
Il a le front nimbé de gloire
On dirait Dante Alighieri

C'est aussi la ZUT qui édite le journal *l'Ephémère*. François Mitterrand en est bien sûr le rédacteur en chef, ce qui satisfait son goût de l'écriture et sa passion du commandement. Un rédacteur en chef tolérant : il laisse publier le 1er septembre 1941, par un prisonnier qui signe Asmodée, un portrait étrangement pénétrant : « Tel Vautrin, François Mitterrand est l'homme aux incarnations multiples. Il a en effet le don d'ubiquité et je le soupçonne fort d'être en possession du secret redoutable du dédoublement de la personnalité. Nouveau Janus, on le voit ici, élégant rédacteur du journal, fin lettré, philosophe perspicace et subtil et on le rencontre là, Sanitaire [1], ponctuel et affairé, dévoué à la cause d'Hippocrate... Il ne faut pas oublier que Mitterrand a un culte intime pour l'aristocratie, c'est-à-dire qu'il est incessamment consumé par les flammes dévorantes du lyrisme, de la beauté, de l'élévation de la pensée. Il est au physique une créature simple et tranquille qui a l'air comme Marianne d'être conservé dans le miel. Qu'on ne s'y trompe pas, il a comme l'abeille le nectar et l'aiguillon. Il a l'esprit ironique et l'âme tendre, il a du cœur... cela permet à Mitterrand de traverser la vie avec des lunettes roses... Mais Mitterrand est un sage plein de scepticisme qui ne saurait avoir l'avilissante abnégation de l'esclave Epictète et à travers ses lunettes roses, ses prunelles bistre voient tout en noir. Pourtant comme il peut dire avec l'élégiaque latin : " Je suis doucement lié par une chevelure blonde et des bras délicats. " »

Une allusion finale qui renvoie à Marie-Louise. François Mitterrand ne cesse de vanter ses charmes : « N'est-ce pas qu'elle est belle ? » interroge-t-il en exhibant à chaque occasion sa photo. Cette attitude surprenante chez ce pudique s'explique sans doute par une inquiétude sourde, lancinante. Il a besoin de se rassurer. Le 15 août 1941, il écrit un article lourd d'amertume, sous le titre *Mélancolie :* « Un an s'est écoulé...

1. François Mitterrand travaillait au « Revier » du camp, c'est-à-dire l'infirmerie.

Automne, hiver, printemps, été, voici que le blé, le seigle et l'avoine sont de nouveau mûrs et avec eux toutes les choses soumises à la loi des saisons et du temps qui passe. Un an, et les êtres aimés grandissent, vieillissent loin de nous, un an, et le travail quotidien se fait sans nous, un an, et sur nos joies et nos amours s'étend l'oubli. »

Il lui faudra encore attendre quatre mois, quatre longs mois interminables pour s'évader et — enfin ! — réussir.

VICHY

Quelle aventure ! Il avait réussi à fuir le stalag IX A en dépit des barbelés, des projecteurs, des rondes, des sentinelles. Il s'est fait pincer à Metz. On l'a jeté près de Boulay dans un camp de triage pour évadés avant de l'envoyer en Pologne, histoire de lui apprendre à respecter le règlement. Et c'est de ce camp de fortes têtes qu'il s'enfuit, est recueilli par deux vieilles demoiselles tenancières d'un bar-tabac, elles le confient à la filière d'évasion d'une religieuse, sœur Hélène. Le voilà de nouveau à Metz. Il rejoint dans une église deux autres évadés. Ils prennent le train qui longe la frontière (la Lorraine annexée appartient alors au IIIe Reich). Ils savent que, quinze kilomètres plus loin, des travaux sur la voie obligent le train à ralentir. Ils pourront alors sauter en marche. C'est ainsi qu'ils se retrouvent de nuit, dans la tempête, en zone occupée. Le trio se sépare. A la mi-décembre François Mitterrand entre en zone libre par le Jura, près de Chamblay [1].

Il n'est pas passé là par hasard : c'est qu'il peut frapper à la porte de cousins par alliance, les Sarrazin, qui habitent Mantry, tout près de Lons-le-Saunier. Ils accueillent à bras ouverts et réconfortent à grandes louchées de cancoillotte celui qui ressemble alors à un « oiseau tombé du nid ». Il rattrape goulûment un immense retard de sommeil. Il redécouvre auprès de deux cousines de son âge les douceurs de présences féminines. Il conseille l'une d'elles, Guitte (qui épousera plus tard son ami de Résistance, un ancien du « 104 », Jacques

1. D'après le témoignage écrit par Jean Védrine — qui n'est pourtant pas un témoin direct —, approuvé par l'intéressé *in Dossiers PG rapatriés*.
Voir en annexes les témoignages de ces évasions fournis par l'Elysée.

Benet). Il lui recommande avec insistance de se procurer *Argile et Cendres* de Zoé Oldenbourg. Quelques mois plus tard, il lui confiera dans une lettre : « Je me sens capable de diriger les hommes. »

Pour les fêtes du Nouvel An, il est à Jarnac auprès de son père et de ses sœurs. Toute la famille attendait de l'évadé un récit homérique de ses aventures et de ses exploits : il ne dit rien. Le camp, la guerre ne l'ont décidément pas changé. Dans sa conférence de 1947, il expliquera : « La liberté aussi à cette minute c'était quand on croit avoir à se dire tant de choses, ce silence qui vous prend parce que tout cela est trop vaste, parce que tout cela dépasse la conscience d'un homme et que la liberté n'est peut-être, en fin de compte, pour chacun, que la simple possession du silence. »

De ces retrouvailles, il garde donc un souvenir doux-amer. Heureux de revoir les siens, il s'irrite du fossé d'incompréhension qui sépare les prisonniers de ceux qui sont restés au pays : « Les captifs me comprendront, écrira-t-il trois ans plus tard, si j'évoque la sorte d'agacement que je dus aux épanchements des miens lorsque après dix-huit mois nous fûmes réunis. J'avais besoin de vérité très simple et l'on m'offrait trop de mots, trop de gestes[1]. »

Il est peut-être encore à l'âge où les relations entre parents et enfants se compliquent de quelque exaspération. Surtout, il est très malheureux : durant son absence, Marie-Louise s'est éprise d'un comte polonais...

Mais il faut vivre. Donc, pour commencer, retrouver une existence légale : pour se nourrir, il faut des cartes d'alimentation et, pour les obtenir, avoir en poche une carte d'identité, un certificat de domicile, un autre de démobilisation. Tout individu sans papiers est présumé coupable de quelque méfait et court de grands risques. François Mitterrand se met donc en quête de papiers et de travail.

Sollicité de lui fournir les papiers nécessaires, le maire modéré de Jarnac se récuse par couardise. Ainsi se trouve confirmé le mal que, depuis quelque temps, le jeune prisonnier a pensé des notables. Mais tout s'arrange. Grâce au commandant Le Corbeiller, officier très lié au fils du général Giraud et camarade de promotion de son beau-frère, Pierre Landry, il finit par obtenir un emploi au Commissariat aux prisonniers de

1. *In l'Homme libre* du 6 septembre 1944.

guerre à Vichy, rue Hubert-Colombier. L'emploi est modeste, le traitement aussi : deux mille cents francs par mois.

Faut-il s'étonner qu'il ait accepté un tel poste ? Ou s'en offusquer ? Ses sentiments, on l'a vu, étaient plutôt maréchalistes, il n'avait guère le choix, et tous ceux qui travaillaient dans les administrations de Vichy ne partageaient pas les thèses et les ferveurs de la révolution nationale. En tout cas, Joseph Mitterrand s'en réjouit qui accompagne son fils à Vichy : le banquier Jean Bréaud, originaire de Jarnac, se souvient fort bien les avoir rencontrés ce jour-là dans les rues de la ville. Le jeune évadé s'installe dans une chambre, au 20 de la rue Nationale [1], et place sur la commode le portrait (peint par sa sœur Marie-Josèphe) de Marie-Louise, qui vit toujours dans la capitale et désormais en aime un autre que lui.

Débarquant dans cette ville de cure devenue pseudo-capitale, le jeune homme dut avoir le sentiment d'entrer pour la première fois dans son panthéon personnel : pour quelques mois encore, une bonne partie de l'élite intellectuelle apportait son concours au Maréchal. Certes, François Mauriac ne manifestait plus pour l'homme providentiel le même enthousiasme qu'en juin et juillet 1940. Claudel non plus. Mais bien d'autres entonnaient encore des refrains louangeurs : André Gide, Saint-Exupéry, Giono, Paul Morand, Jacques Chardonne, Drieu La Rochelle et Maurras évidemment. Autant d'hommes dont le talent l'avait ébloui avant-guerre. Plus tard, le général de Gaulle devait gouailler : « Tous les gens bien étaient pour Vichy. Nous n'avions avec nous que les juifs, les nègres, les bossus, les mal bâtis et les pauvres types [2]. »

Etre salarié au Commissariat général aux prisonniers n'avait encore rien de très compromettant. Son premier dirigeant, Maurice Pinot (un ancien prisonnier bien sûr), appartenait à la grande bourgeoisie. Sa mère était née Talleyrand-Périgord. Son père, l'un des fondateurs du Comité des forges, était le parrain de l'ambassadeur André François-Poncet. Journaliste économique, il avait aussi travaillé au cabinet du président du patronat, C. J. Gignoux. A son retour de captivité, ce grand bourgeois, « au tempérament plus social que socialiste [3] »,

1. Aujourd'hui siège du RPR local.

2. Cité par Georgette Elgey, *Histoire de la IVe République, 1. la République des illusions*, Paris, Fayard.

3. Selon l'expression de Georges Baud, un autre ancien prisonnier.

s'était convaincu de l'urgence d'une initiative en faveur de ses camarades captifs ou rapatriés. « En France, où l'on s'était habitué à vivre sans eux, on sous-estimait leur détresse, a-t-il expliqué. A leur retour, on les accueillait trop souvent comme des intrus, des gêneurs avec lesquels il fallait partager les emplois raréfiés ou des biens en quantité insuffisante. On les considérait comme des malchanceux ou des malhabiles qui n'avaient pas su se débrouiller pour échapper à la capture Sans se prendre pour des héros, les PG admettaient difficilement de se voir moquer par ceux qui s'étaient planqués ou avaient abandonné leurs unités ou qui s'étaient trouvés, par chance, à l'abri des emprises de l'ennemi[1]. »

Il urgeait donc de créer pour les aider des centres spécialisés Afin de plaider leur cause, Maurice Pinot s'était donc rendu à Vichy en compagnie de Pierre Join-Lambert, du Conseil d'Etat, et d'Henri Guérin, tous deux ex-prisonniers comme lui. Il raconte : « Le spectacle que nous offrit la zone libre nous surprit. Nous eûmes l'impression d'être submergés de drapeaux, de défilés et de musique militaire. Dans la ville, foisonnaient les généraux et les colonels qui paradaient sans gêne, à croire qu'ils avaient gagné la guerre. Toute la vie politique se situait dans quelques hôtels, quelques villas, voire quelques bars. Pour qui était habitué à l'ordonnance des ministères parisiens, le spectacle de ces hauts fonctionnaires installés dans des chambres d'hôtel, assistés de collaborateurs manipulant des dossiers dans des salles de bains, était déconcertant. Un pareil cadre donnait aux entretiens un caractère précaire et dérisoire[2]. » Mais la mission fut fructueuse : en septembre 1941, Maurice Pinot fut nommé commissaire au reclassement des prisonniers.

Le cas n'est pas unique de ces hauts responsables, hostiles à l'occupant et au régime du Maréchal (sinon au Maréchal lui-même), qui acceptèrent ou même revendiquèrent un rôle dans les institutions de Vichy afin de servir la cause de leurs compatriotes. Maurice Pinot, entre autres, craignait que les prisonniers libérés ou évadés soient utilisés par les mouvements collaborationnistes ; et l'on chuchotait que Pierre Laval, revenu au pouvoir en avril 1942, songeait à organiser les rapatriés en parti à sa dévotion.

1. *In Dossiers PG rapatriés, op. cit.*
2. *Ibid.*

C'est dans ce contexte que François Mitterrand entre au Commissariat général des prisonniers. Il s'intègre promptement à cette équipe.

Il a punaisé au mur de son bureau une affiche de la SNCF qui invite à découvrir Vézelay[1]. Il est chargé d'un secteur encore modeste mais bien dans ses cordes : l'information sur l'action du Commissariat et de ses filiales, les maisons du prisonnier et les centres d'entraide répartis sur tout le territoire. Mais son activité, dès les premiers jours, comporte une face cachée

A peine arrivé, il s'emploie en effet, aux côtés d'André Magne, autre responsable du Commissariat, à fabriquer des faux papiers. « C'était une véritable usine. On fabriquait de fausses cartes d'identité, de fausses cartes d'alimentation », se souvient Georges Baud, alors directeur du Commissariat en zone sud et fondateur des cercles Pétain dans les stalags et les oflags. « Faire de faux papiers, ça n'était peut-être pas héroïque, mais ça démontrait au moins son état d'esprit », souligne Jean Védrine. Il met aussi sur pied des filières d'évasion.

Qu'une activité de Résistance ait pu se développer ainsi dans une officine de Vichy n'est pas exceptionnel. Ailleurs, dans l'armée de l'Armistice, les Chantiers de jeunesse, etc., d'autres luttent comme ils le peuvent contre les Allemands ou se préparent à la lutte, tout en révérant le Maréchal. Les premiers journaux de la Résistance manifesteront souvent le même état d'esprit. Le fossé se creuse peu à peu, mais surtout après l'occupation de la zone sud, le 11 novembre 1942. « On travaillait contre les boches mais personne n'était franchement contre le régime de Vichy », résume Pierre Coursol, membre du Commissariat aux prisonniers.

François Mitterrand, lui, songe à s'engager plus activement encore dans la Résistance. Durant l'été de 1942, il se rend à Montmaur, dans les Hautes-Alpes, où s'implante, grâce aux subsides de Vichy, ce qui deviendra un maquis, peut-être le premier maquis de France.

Antoine Mauduit (qui mourra en déportation), ancien officier et ancien prisonnier, catholique et mystique, à la personnalité rayonnante, y a créé un chantier de travail pour les évadés et les clandestins. Là, Mitterrand rencontre des Lyonnais évadés : Etienne Gagnaire (futur maire de Villeurbanne), Jacques de

1. Plus tard, jeune ministre, il offrira une reproduction de l'affiche de Vézelay à tous les diplomates étrangers avec lesquels il sera en rapport.

Montjoye et le journaliste Marcel Haedrich. Celui-ci raconte[1] : « Montmaur était le fief d'un personnage fascinant et drôle, Mauduit, un jeune industriel du Nord un peu zinzin. Avant la guerre, à plus de trente ans, il avait quitté ses affaires et sa famille pour s'engager dans la Légion afin, expliquait-il, de retrouver l'homme. Passionné de Léon Bloy, très croyant, il parcourait à genoux les dernières grimpées du pèlerinage de Notre-Dame de La Salette. Mauduit était passé comme moi par un oflag. Il s'était fait libérer en se portant volontaire pour combattre les Anglais et les gaullistes en Syrie. Arrivé en France, il s'était bien entendu empressé d'oublier ses engagements, pour ouvrir un centre d'accueil où les évadés venaient se requinquer. Quand ils le méritaient, Mauduit les enrôlait dans son ordre de chevalerie qu'il appelait la Chaîne. Les chevaliers de Montmaur devaient former la chaîne pour le redressement national et la victoire. »

A peu près à la même époque, François Mitterrand prend contact à Vichy avec Suzy Borel (la future Mme Bidault, alors fonctionnaire aux Affaires étrangères), qui organise des passages d'évadés en Espagne. Il rencontre un autre diplomate, Bernard de Chalvron (membre du cabinet du Maréchal), qui commence à mettre en place pour la Résistance le NAP (Noyautage des administrations publiques). Il rassemble aussi des anciens du « 104 » : André Bettencourt, Pol Pilven, Jacques Benet.

Est-ce pour « se couvrir » ? Est-ce par fidélité amicale ? Dans le même temps, Mitterrand fréquente régulièrement d'autres proches du Maréchal. Gabriel Jeantet notamment. Ancien membre influent de la Cagoule[2], Jeantet avait choisi Pétain au moment de l'armistice, tout comme François Méténier. Appelé à Vichy par Raphaël Alibert, ex-cagoulard lui aussi, alors garde des Sceaux, il était devenu chargé de mission au cabinet du Maréchal. Violemment anti-allemand et franchement antigaulliste, Jeantet se montrait tout acquis aux thèses de la Révolution nationale. Afin de les propager, il avait fondé l'Amicale de France, destinée à rassembler des nationalistes réceptifs à l'idéologie maréchaliste. En juin 1942, il crée *France, revue de l'Etat nouveau*, un périodique dont la couverture s'orne sans équivoque d'une francisque.

1. *In Paris-Match.*
2. Nous l'avons vu au chapitre précédent.

Politiquement, Gabriel Jeantet ne travaille pas dans la nuance. Son premier éditorial, en juin 1942, est très explicite : « Précipité en guerre dans le camp des démocraties capitalistes par la faute inexplicable d'un gang de financiers internationaux, de prophètes talmudistes, de communistes à la solde de Staline, de politiciens incapables, mal préparé au choc par des années de déliquescence anarchique, déchiré par ses luttes sociales de la veille, mal défendu par des chefs sans valeur humaine, sans caractère et sans honnêteté, notre pays a subi la plus grande catastrophe militaire de son histoire. Et c'est dans l'épouvante de cette défaite que, par la voix pathétique du Maréchal, se révèle soudain, suscitée par l'instinct de la conservation qui habite les peuples comme les individus, la doctrine de la Révolution salvatrice opposée au libéralisme comme au communisme. Nous avons peur, pourquoi le cacher, de certains ralliements suspects : cette bourgeoisie ankylosée qui a parfaitement senti que le succès de la Révolution nationale signifierait la fin de son règne. Nous ne parlerons pas de son égoïsme féroce d'hier, l'absence de scrupules avec laquelle elle organisait la sujétion des entreprises, consommait la ruine de l'artisanat et plongeait la paysannerie dépouillée dans un désespoir mortel... Mais, parmi ceux qui n'hésitaient pas hier, suivant leurs intérêts du moment, à flatter les communistes, à ceindre le tablier des maçons, à livrer leur fille aux juifs, nous en connaissons aujourd'hui qui se proclament les fervents disciples du Maréchal, mais c'est à leur propos que le Maréchal a déclaré : " Je reprendrai contre un capitalisme égoïste et aveugle la lutte que les souverains de France ont engagée et gagnée contre la féodalité. J'entends que notre pays soit débarrassé de la tutelle la plus misérable : celle de l'argent. " »

Lutte contre l'argent, contre le libéralisme et le communisme, contre la bourgeoisie : ce sont des thèmes chers au catholicisme ; on croirait presque lire le Syllabus. Et il y a beaucoup, là, pour séduire le jeune catholique — modèle révisé 1940 par le passage dans les camps — qu'est François Mitterrand.

Il n'est pas seulement lié à quelques hommes de Vichy par l'amitié, il y a entre eux et lui une certaine communauté d'idées. Eugène Claudius-Petit, qui appartiendra après la guerre à son parti, l'UDSR, raconte par exemple : « En 1943, j'ai rencontré François Mitterrand sur les quais du Rhône pour le compte des MUR (Mouvements unis de Résistance), et il m'a expliqué que les lois corporatistes de Vichy étaient tout à fait intéressantes. Je me souviens lui avoir rétorqué plutôt vivement que cela menait au fascisme. »

Tous ces thèmes, Mitterrand les reprendra lui-même après la Libération dans le journal des rapatriés, *l'Homme libre* (à côté d'articles, également dus à sa plume, plutôt indulgents pour le maréchal Pétain).

— *L'argent.* Le 26 octobre 1944, il écrira : « Vous avez chassé des monarques dont certains étaient débonnaires. Mais vous n'avez pas compris que le plus puissant d'entre eux continuait à vous narguer. L'argent! L'argent roi... Nous aurons beau écrire démocratie et tolérance, solidarité et fraternité, tout cela tombera en poussière si nous ne discernons pas sous ces mots l'ennemi qui nous guette, l'internationale de l'argent. » Un texte qui annonce d'une manière frappante le discours prononcé par François Mitterrand en décembre 1972 lors du rassemblement national pour la signature du Programme commun à la porte de Versailles : « Nous n'avons pas besoin de monopoles, nous n'avons pas besoin des maîtres de l'argent, l'argent, les nouveaux seigneurs, les maîtres de l'armement, les maîtres de l'ordinateur, les maîtres des produits pharmaceutiques, les maîtres de l'électricité, des télécommunications... Nous ne ferons pas payer cher le malheur de tant de siècles. Mais, pour ce qui concerne l'argent, toujours l'argent, eh bien, oui, il faut que ce monde change ! » Et le 30 avril 1974, pendant la campagne présidentielle à la télévision, il rappellera l'hostilité ancienne de l'Eglise catholique au prêt à intérêts [1].

— *La bourgeoisie.* « Le dernier jour de l'insurrection, nous avons passé en revue quelques-uns de nos groupes francs. Mal habillés, mal équipés, sales, ils possédaient la marque d'une étonnante noblesse mais ils habitaient Courbevoie, Pantin, Bobigny, Montrouge. Les autres, ou, pour être juste, disons l'autre, la bourgeoisie, ils attendaient la treizième heure », écrit-il le 8 septembre 1944. C'était oublier que la plupart de ses amis de Résistance ne provenaient pas tous, tant s'en faut, de milieux populaires. Mais il fallait bien céder, aussi, au climat de l'époque.

— *Les partis.* En novembre 1944, le futur premier secrétaire du Parti socialiste s'en prendra — mais oui — à l'esprit de

1. Alors que le Vatican aujourd'hui ne vit pas autrement !

parti : « Chaque fois que la division s'installe, c'est que l'esprit de parti est déjà passé par là. C'est parce que l'esprit de parti a détruit notre unité et construit nos malheurs que les prisonniers de guerre s'acharnent tant à préserver leur propre unité. »

Dans son livre *Eglise contre bourgeoisie*[1], l'historien et sociologue Emile Poulat a montré comment le « virage à gauche » d'une partie du catholicisme français dans les années soixante pouvait s'expliquer par l'héritage du XIXe siècle : l'Eglise, alors, s'était arc-boutée farouchement dans la résistance au libéralisme, à la démocratie politique, à l'argent, au pluralisme (philosophique ou politique) et à la bourgeoisie qui avait fait la Révolution. Cette attitude était alors considérée comme ultra-réactionnaire et contre-révolutionnaire. Mais la gauche du XXe siècle devait reprendre les mêmes thèmes, en les parant de couleurs nouvelles. Les textes de François Mitterrand montrent combien il a accepté cet héritage. Et l'on se condamne à ne pas comprendre son évolution si l'on ignore cette filiation-là.

En 1942, d'ailleurs, dans un article de la même revue *France*, il ne prenait guère de précautions pour se situer dans la ligne contre-révolutionnaire, n'hésitant pas à parler des « cent cinquante années d'erreurs » qui venaient de marquer l'histoire de France[2]. Cet article intitulé « Pèlerinage en Thuringe[3] » évoquait les sentiments du prisonnier dans le train qui l'emportait vers l'Allemagne : « Notre convoi misérable me paraissait symbolique. Il marquait dans sa tragique réalité les conséquences de l'abandon progressif du réel. La France, en nourrissant l'Europe de ses ambitions fraternelles, en imposant son ardeur guerrière, en répandant son sang hors de ses frontières, et pour d'impossibles frontières, s'était épuisée et je pensais que nous, les héritiers des cent cinquante années d'erreurs, nous n'étions guère responsables. J'en voulais à cette histoire triomphale et qui précédait imparablement cette marche lente d'une génération dans des wagons à bestiaux. Je discernais la logique des événements et me demandais s'il était juste que notre misère fût le paiement de gloires mal compri-

1. *Eglise contre bourgeoisie. Introduction au devenir du catholicisme actuel*, Paris, Casterman.
2. C'est-à-dire tous les régimes politiques depuis la Révolution de 1789...
3. Décembre 1942.

ses, ou plus exactement s'il était juste que notre déchéance nous fût imputée, parce que si nous avions abandonné nos armes, tout le reste nous avait été antérieurement soustrait. Je songeais aux jugements qui condamneront notre débâcle. On incriminera le régime affaissé, les hommes nuls, les institutions vidées de leur substance et l'on aura raison. Condamnera-t-on les erreurs glorieuses ? »

Péché de jeunesse ? Peut-être. Mais deux autres articles du même numéro constituent un voisinage embarrassant. Sous le titre « la Science de l'homme », le Dr Alexis Carel, alors fort à la mode, tient des propos plus qu'ambigus sur la spécificité de la race française : « Moins de deux ans après la plus complète défaite de son histoire, la France affirme non seulement sa volonté de ressusciter, mais aussi celle de développer de façon optimum les qualités héréditaires qui sont encore intactes quoique assoupies dans sa population. Il faut s'attaquer au problème du modelage de la personnalité par les facteurs chimiques, physiques et psychologiques du milieu ! » Plus loin, sous le titre « la Condition des juifs à Rome sous la papauté », un certain Gérin-Ricard écrit froidement : « Peu d'exemples historiques font prendre une plus juste idée du péril sémite que la manière dont Rome dut traiter les juifs qui favorisaient la prostitution, le jeu, le recel, la pédérastie, selon les propres termes d'une bulle du pape Clément VIII. »

Les amis du président de la République rétorquent que cette pige occasionnelle dans *France, revue de l'Etat nouveau* était ruse de guerre et qu'en ces temps troublés, pour résister le soir, il fallait bien revêtir le jour un habit plus conforme. Sans doute. Mais peu de résistants ont écrit des textes de la même encre, et surtout pas dans un tel voisinage.

Le fameux épisode de la francisque a suscité bien plus de polémiques encore. D'autant que François Mitterrand s'est exposé aux coups de ses adversaires en refusant de faire front. Un fait est acquis : la francisque lui a été décernée, il l'a dit, en décembre 1943, au titre vague de « représentant des étudiants » qui ne paraît correspondre à aucun poste occupé par lui à cette époque, ou auparavant. Reste à préciser ce qu'elle représentait exactement et dans quelles circonstances il en fut le bénéficiaire.

A l'origine, la francisque n'avait pas d'existence légale. Dessinée par un lapidaire de chez Van Cleef, Robert Ehret, ancien officier de cavalerie qui travaillait dans les services de propagande de Philippe Pétain, ce petit insigne était donné par le vieux Maréchal, au gré de ses humeurs, à ceux qu'il rencontrait et qu'il appréciait. Beaucoup (qui devaient s'en repentir par la suite) étaient prêts aux manœuvres les plus hardies ou les plus basses pour obtenir le droit d'en parer le revers de leur boutonnière. Si bien qu'il fallut en réglementer le port, ce que fit un décret du 25 août 1942. Un ordre fut créé, dirigé par un conseil dont la première tâche fut d'en établir les statuts. Ce conseil, présidé par le général Bricard, comprenait — outre les membres des cabinets civil et militaire du Maréchal — diverses personnalités, dont Gabriel Jeantet et le journaliste Simon Arbellot[1]. Il se réunissait chaque mois pour décider des promotions. Deux conditions : avoir pratiqué avant la guerre une « action nationale et sociale » et avoir manifesté depuis un attachement actif à la personne et à l'œuvre de Philippe Pétain. Simon Arbellot a raconté drôlement[2] comment, lors des réunions de ce conseil, l'amiral Platon, « protestant rigide au cheveu ras et au monocle intransigeant », vaincu de Dunkerque le 4 juin 1940, récusait neuf sur dix des postulants en les qualifiant de « gaullistes », tandis qu'André Lavagne et Jean Jardel, membres du cabinet civil de Pétain, repoussaient toutes les propositions de l'amiral en disant : « C'est un collaborateur, je vote contre. »

A en croire Arbellot, « aussi invraisemblable que cela puisse paraître, le port de la francisque équivalait à Vichy à une sorte de brevet de Résistance ». Personne n'est obligé de le suivre aussi loin. Mais le petit insigne tricolore distinguait bien les féaux de Pétain de ceux de Pierre Laval.

François Mitterrand se rangeait-il parmi les féaux de Pétain ? Voire !

« Tous les cadres du Commissariat aux prisonniers ont reçu la francisque, explique Georges Baud. Le Maréchal, qui aimait les prisonniers, voulait nous remercier de ce que nous faisions pour eux. Il eût été dangereux de la refuser. Mais il n'y eut jamais de remise officielle, ni de réception en notre honneur. Elle me fut décernée en même temps qu'à Henri Guérin, Pierre

1. Un fidèle du Maréchal, ancien prisonnier. Pierre Limagne écrit dans ses *Ephémérides des quatre années tragiques* (Bonne Presse) en date du 9 mai 1942 : « Simon Arbellot, qui vient de se rendre en Allemagne non plus cette fois comme prisonnier, mais comme journaliste officiel, fait une conférence aux accrédités et leur dit sa certitude de la victoire d'Hitler. »

2. Dans la revue *Ecrits de Paris*, janvier 1966.

Join-Lambert, Van Batten, Laffond, Pierre Coursol, et même Maurice Pinot, qui en était bien embêté. » (Ce dernier point n'est pas si sûr puisque Maurice Pinot était entré en personne dans le conseil de l'Ordre de la francisque...) Mais le plus important n'est pas là. L'important, c'est que Georges Baud et ses amis ont été décorés avant la démission de Maurice Pinot, intervenue en janvier 1943. Tandis que François Mitterrand, Pierre Chigot et Jean Védrine l'ont été bien après, à la fin de la même année, alors que la zone sud était occupée de longue date, que le régime de Vichy battait de l'aile et qu'aucune équivoque n'était plus possible.

« Je n'ai jamais su exactement qui m'avait proposé pour la francisque, dit Jean Védrine aujourd'hui. Je ne l'ai pas demandée, on ne m'a pas consulté, on n'a exigé de moi ni serment ni engagement, je ne me suis connu aucun parrain. L'hypothèse la plus vraisemblable est que le Dr Ménétrel a voulu, par cette décoration, manifester son hostilité à la politique de Laval. » Il est vrai que le Dr Ménétrel avait dépanné Jean Védrine et Pierre Chigot au début de 1943, quand ils s'étaient trouvés sans emploi après avoir, eux aussi, démissionné du Commissariat aux prisonniers [1].

François Mitterrand avait démissionné également mais il eut, lui, des parrains pour la francisque : son vieil ami Jeantet et Simon Arbellot. Arbellot, qui présente Mitterrand comme un ardent résistant, écrit : « Il savait le patriotisme, allant jusqu'au sacrifice, qui animait le Maréchal et ses amis ; il connaissait le drame quotidien qui se jouait chez Pierre Laval, la résistance de ces deux hommes, si différente mais si constante. Il me demanda un jour, à moi et à Gabriel Jeantet, animateur des mouvements de jeunesse, de présenter sa candidature à la francisque. Il fut admis à l'unanimité du conseil de l'Ordre sous le feu approbateur du monocle de l'amiral Platon [2]. »

François Mitterrand ne nie pas ce parrainage [3] d'un homme qui, en 1966, jugeait encore Pierre Laval résistant. Mais il affirme que la francisque ne lui a jamais été remise... pour la

1. *In Dossiers PG rapatriés, op. cit.*
2. Dans la revue *Ecrits de Paris*.
3. Il a lui-même donné les noms de Jeantet et Arbellot à Franz Olivier Giesbert, auteur d'une de ses biographies, *François Mitterand ou la tentation de l'Histoire*, Le Seuil.

bonne raison qu'il se trouvait alors à Londres. Il est vrai, en tout cas, qu'il n'occupait plus d'emploi officiel à Vichy et consacrait le plus clair de son temps à des activités de Résistance... tout en conservant des liens personnels et amicaux avec quelques membres de l'entourage du Maréchal. Façon de se couvrir ? Le communiste Robert Paumier, qui le connut bien (il fut, comme tant d'autres, décoré de la Légion d'honneur en 1982 puis, comme quelques-uns, invité à accompagner en juin 1984 le président en voyage officiel en URSS) tranche : « Mitterrand louvoyait entre la légalité vichyssoise et la Résistance. » Tandis que Philippe Dechartre renchérit : « Mitterrand était vichyste, anti-allemand, très courageux et complètement engagé dans la guerre. » Le futur président de la République portera ensuite sa francisque comme une croix. Il esquivera toujours la question, contribuant ainsi à créer, puis à accroître le malaise.

Première station de ce chemin de croix : en avril 1945, lors du congrès constitutif de la Fédération nationale des prisonniers de guerre, une réunion où il joue un rôle décisif. Quand on relit la sténographie de ces séances de congrès, on est frappé de découvrir le professionnalisme et la capacité d'orienter les débats dont il fait preuve. Dès l'ouverture de la séance, le communiste Pierre Verrier (décoré de la Légion d'honneur en 1983) l'apostrophe : « Je vois à la tribune M. Mitterrand. Je serais heureux de voir lever l'hypothèque morale qui pèse sur ce camarade qui a obtenu du temps de Vichy la francisque d'honneur du Maréchal... M. Mitterrand avait peut-être ses raisons, mais je demande que tous les gens qui sont dans ce cas soient passés devant une commission d'épuration afin qu'il n'y ait plus d'équivoque sur leur compte. » François Mitterrand : « J'ai été désigné par le général de Gaulle, qui doit s'y connaître tout de même en hommes pour me confier le poste de secrétaire général aux Prisonniers de guerre parce que je suis celui qui a créé le mouvement de Résistance... Sur le plan du pedigree, Verrier, nous pourrions nous confronter. Lorsque le Général m'a désigné, au moment où c'était dur, où il y avait des risques, parce que enfin, quand je suis parti en novembre 1943 en avion à Alger et quand je suis revenu en février 1944 sur mon petit bateau à travers la Manche, on ne peut pas dire que tout était aisé, le général de Gaulle savait ce qu'il disait. »

Voilà une manière de répondre sans répondre et en utilisant largement un parapluie nommé de Gaulle.

Dix ans plus tard, en décembre 1954, François Mitterrand est ministre de l'Intérieur. C'est le député gaulliste de la Sarthe, Raymond Dronne, qui l'attaque : « Le grand républicain que vous prétendez être a un passé trop fluctuant pour pouvoir inspirer ce sentiment qui ne se commande pas, qui est en quelque sorte un élan instinctif et qui s'appelle la confiance. Je ne vous reproche pas d'avoir arboré successivement la fleur de lys et la francisque d'honneur. »

François Mitterrand : « Tout cela est faux. »

Raymond Dronne : « Tout cela est vrai et vous le savez bien. Je constate vos variations, vous avez toujours su orienter votre voile pour profiter des vents dominants. Je suis convaincu que vous vous intéressez beaucoup moins à la France qu'à la carrière de M. Mitterrand. »

Cette fois encore, le jeune ministre dédaigne de s'expliquer. Or, il n'a jamais porté la fleur de lys. A-t-il jamais arboré la francisque ? Pour confondre ses détracteurs, il aurait pu faire la lumière sur les conditions dans lesquelles elle lui a été attribuée. Mais il ne s'y résout pas. Orgueil ? Gêne ? Habileté excessive ? Goût du secret ? Belle indifférence ou trop adroite prudence ? Faux calcul à coup sûr.

Demeure cette certitude : l'homme n'a pas été insensible aux orientations de Vichy et à la séduction du maréchal Pétain. Au point qu'en 1944, lors de la publication du premier numéro de *l'Homme libre*, journal des anciens prisonniers résistants, ses compagnons durent lui demander de nuancer un article qui montrait beaucoup de mansuétude envers le vieux Maréchal[1].

Un an plus tard, envoyé comme observateur au procès Pétain pour le même journal, François Mitterrand produisait des articles ironiques et presque méprisants pour tous : juges, procureurs, témoins. Sauf pour un seul personnage : l'accusé. Ce qui n'était pas sans courage alors !

1. En échange de quoi, le communiste Pierre Bugeaud voulut bien nuancer de son côté un article enthousiaste qu'il avait écrit à la gloire de Staline.

LA RESISTANCE

Au moment où la francisque lui est décernée, François Mitterrand s'est depuis presque un an enrôlé sans retour dans la Résistance sous le nom de Morland. L'occupation de la zone sud, le 11 novembre 1942, semble avoir joué, dans cette décision, un rôle décisif. Toutes les équivoques ont volé en éclats.

Laval, empêtré dans la politique de collaboration, tente alors d'utiliser les prisonniers rapatriés. Maurice Pinot refuse d'user de son crédit auprès d'eux pour cautionner le projet. En janvier 1943, il est donc révoqué (selon de nombreux témoignages, le maréchal Pétain n'en aurait pas été informé). André Masson, plus docile, est désigné par Laval pour le remplacer. Par solidarité avec Pinot, tous les cadres dirigeants du Commissariat, à Paris et à Vichy, démissionnent. Ils sont quatorze à quitter ainsi leur emploi. Un exemple pratiquement unique de rébellion d'un organisme tout entier. Georges Baud, Jean Védrine, André Magne, Marcel Guénault, Pierre Chigot, Van Batten et François Mitterrand s'égaillent promptement dans la nature.

Quinze jours plus tard, au début de février 1943, six d'entre eux se retrouvent à Saint-Sylvain-de-Bellegarde (Creuse), dans la propriété de Pierre Chigot. Là, André Magne, François Mitterrand, Jean Védrine discutent à perte d'heures : comment noyauter le Commissariat, désormais dirigé par Masson ? Comment s'opposer à Laval ? Ils dressent des plans, élaborent des projets, imaginent des structures. La Résistance PG est née. Elle adoptera plus tard le sigle RNPG (Rassemblement national des prisonniers de guerre). Et des anciens du « 104 » — Mitterrand sait déjà rallier ses fidèles — viendront se joindre à l'équipe de départ : André Bettencourt, François Dalle et Jacques Benet : « Nous étions tous sur un pied d'égalité, raconte celui-ci. Il n'y avait pas de chef. L'homme clé, l'initiateur principal de cette action était Maurice Pinot. Bien qu'il fût très discret par prudence, et peu prolixe par pudeur, son crédit et son influence étaient considérables. C'est lui qui a obtenu du général Revers [1] le financement nécessaire à la prise en charge de plusieurs d'entre nous. Nos premiers moyens matériels et en armes sont venus de l'ORA. »

« François Mitterrand et Jacques Benet furent les deux éléments moteurs d'une équipe qui excluait toute hiérarchie, note de son côté Maurice Pinot. Chacun apportait sa contribution selon ses moyens, son caractère, ses méthodes, sa zone d'influence. »

Mais Mitterrand ne va pas tarder à imposer son ascendant. « Il m'est difficile d'analyser aujourd'hui comment François est devenu en quelques mois le premier d'entre nous, dit Jean Védrine. Je ne retrouve plus dans ma mémoire le titre de président accolé parfois à son nom dans les récits ultérieurs mais c'est de lui que je recevais des informations, des directives et, plus tard, des fonds. Il s'efforçait, avec une grande ténacité, d'entretenir des réseaux d'amitié avec les associations départementales de rapatriés. Ce qui devait s'avérer, au moment des choix importants, plus solide et plus efficace que les filières des partis. Il nourrissait une ambition politique, au sens noble du terme, pour lui et pour nous. » Certes, il en irritait plus d'un. « Il montrait trop d'assurance, d'ironie et parfois de désinvolture, avoue Jean Védrine. Il était trop politique pour ne pas être critiqué ici ou là. On le jugeait individualiste et froid, mais ce sont surtout ses fréquents retards aux rendez-vous et aux réunions qui agaçaient et inquiétaient ses amis. Il est vrai que cela trompait ses adversaires. »

C'est le moment, quoi qu'il en soit, où François Mitterrand émerge. Il devient un chef, sans doute parce qu'il se comporte en chef. La période s'y prête. Les résistants, tous volontaires, ne connaissent d'autre hiérarchie que celle qu'ils se créent, de titre ou de grade que ceux qu'ils se donnent. Les promotions seront foudroyantes. La guerre redistribue toujours les cartes, la guerre clandestine encore plus. Les occasions d'accélérer les évolutions s'offrent chaque matin à un jeune homme impatient qui situe déjà son action dans une perspective plus vaste. « Il était déjà en puissance un professionnel de la politique alors que ses amis n'entretenaient pas de véritable dessein, estime Philippe Dechartre. Que Pinot ait été plus un contemplatif qu'un homme d'action fut aussi une grande chance pour lui. »

1. Chef de l'ORA (Organisation de Résistance de l'armée), plus giraudiste que gaulliste.

Alors apparaissent les techniques qui préfigurent la manière Mitterrand. Il se fait connaître, noue des contacts tous azimuts avec les mouvements de résistance, par exemple le mouvement Combat, dirigé par Henri Frenay et Bertie Albrecht (qui se suicidera dans sa cellule pour échapper à la Gestapo) et auquel appartient, entre autres, Pierre de Bénouville. Il commence à sillonner les provinces. Il rameute la troupe et bat le rappel de ses fidèles, retrouve ainsi Pol Pilven, des camarades de camp comme Patrice Pelat, Jean Munier, Bernard Finifter. Plus tard, à l'UDSR, à la Convention des institutions républicaines, au Parti socialiste enfin, pour asseoir son autorité, François Mitterrand s'appuiera toujours sur une cohorte de proches tout à sa dévotion (les anciens prisonniers seront d'ailleurs nombreux parmi eux) et qui accepteront, sans manifester la moindre réserve, d'être ses hommes liges.

Charles de Gaulle était entouré de compagnons. François Mitterrand a des amis, qui éprouvent pour lui une sympathie personnelle, plus qu'ils ne partagent ses idées. « Tous, ils connaissent les frontières qui interdisent à l'amitié de devenir intimité[1]. »

Il est dans son tempérament de prendre des risques. Il continue. Il a toujours eu le sens et le goût des coups d'éclat spectaculaires qui ressemblent à des défis. En juillet 1943, déjouant les filtrages des services d'ordre, il s'introduit salle Wagram à Paris dans un meeting organisé par André Masson, nouveau commissaire aux Prisonniers, à la gloire de Laval et de la Collaboration. Perdu au milieu de la foule, François Mitterrand apostrophe les officiels qui paradent à la tribune : « Vous n'avez pas le droit de parler au nom des prisonniers. » La salle lui fait une ovation et des spectateurs protégeront sa retraite. Cet acte courageux conforte son prestige parmi ses camarades. Quelque temps plus tard, Maurice Schumann, porte-parole de la France Libre, vantera ce haut fait à la radio de Londres[2].

1. Jean-Marie Borzeix, *Mitterrand lui-même*, Paris, Stock.

2. « J'avais reçu ces renseignements du BCRA, note aujourd'hui Maurice Schumann. J'ai donc rapporté à la radio de Londres le courage du jeune Morland. Voilà pourquoi, un jour que Georges Pompidou avait lancé en plein hémicycle l'histoire de la francisque à la tête de François Mitterrand, je lui ai écrit pour lui dire que celui-ci avait été un grand résistant ! »

Max Fleury, chef de réseau gaulliste, se souvient : « J'étais salle Wagram, juste derrière lui, quand François Mitterrand a apostrophé Laval. Je me souviens avoir applaudi : son courage m'avait beaucoup impressionné. »

Sa plus jolie prouesse, qui consacrera son ascendant sur ses camarades, sera également décisive pour son avenir : il va se désigner lui-même comme émissaire du mouvement près du général de Gaulle. Quelques semaines après leur démission collective, en effet, Maurice Pinot et ses amis comprennent qu'il leur faudra se faire connaître et reconnaître du chef de la France Libre. Maurice Pinot explique : « En mai 1943, nous apprenions la création du CNR (Conseil national de la Résistance), présidé par Jean Moulin. Le CNR rassemblait, avec les mouvements de Résistance, des partis politiques, des syndicalistes hostiles à Vichy. Nous nous sommes dit que si la communauté des PG n'était pas représentée dans cet ensemble, elle risquait, au moment de la Libération, d'être à la fois dévalorisée, oubliée et exclue. Et puis, poursuivre la lutte contre l'occupant supposait des moyens que seul le général de Gaulle et ses hommes pouvaient nous fournir. Il importait donc de nouer au plus vite des contacts avec les différents courants du CNR. »

C'est pourquoi Maurice Pinot, seul ou en compagnie de François Mitterrand (Morland pour ses interlocuteurs) ou de Jacques Benet, rencontre plusieurs dirigeants du CNR : Claude Bourdet, Emmanuel d'Astier de La Vigerie, Jacques Baumel, Eugène Claudius-Petit. Ceux-ci ne leur cachent pas que le général de Gaulle ne nourrit pas à l'égard des prisonniers de guerre les meilleurs sentiments du monde. Ses griefs sont multiples. Et puis il ne comprend pas, d'ailleurs, pourquoi les évadés ou les libérés ont voulu se regrouper entre eux au lieu de se répartir dans les divers mouvements de Résistance.

« Soucieux d'établir son autorité, le Général se méfiait de ces corporatismes, de toutes les fractions qui pourraient contester son pouvoir », commente aujourd'hui Philippe Dechartre. Comme bien d'autres Français, le Général méconnaît les conditions et les conséquences de la captivité. De sa propre détention pendant la guerre, il a gardé une profonde amertume. Il pense que la plupart des PG se sont rendus sans se battre. De son temps, un prisonnier non blessé passait, après sa libération, en conseil de guerre. Quand Pierre de Bénouville évoquera devant lui la résistance des prisonniers de guerre, il gouaillera : « Mais il n'y a pas d'insurrection chez les moutons. » Maurice Pinot commente : « Le Général nous méprisait ouvertement et regardait les oflags et les stalags comme autant de petits Vichy minables. Il croyait que nous avions misé sur

Giraud alors que celui-ci n'était pour nous qu'un célèbre chef militaire évadé avec quelque panache. Il ne savait pas que nous lui portions un vif sentiment d'admiration pour sa clairvoyance militaire, son non-conformisme et son audace. Curieusement, il ne percevait pas l'atout que pouvait représenter pour lui l'armée prisonnière. Au lieu de se l'attacher par quelque attention, il l'ignorait avec superbe, la croyant au service de l'ennemi. »

A ce handicap s'en ajoutait un autre : l'existence d'un mouvement rival (le MRPGD), né lui aussi dans les stalags et qui avait à sa tête Philippe Dechartre, mais aussi le propre neveu du général de Gaulle : Michel Caillau — fils de Marie-Agnès de Gaulle. Caillau, qui se faisait appeler dans la Résistance Michel Charrette ou Michel Chambre, ne rencontrait évidemment pas de difficultés particulières pour entretenir des relations avec la France Libre. Mais, s'il était déjà difficile à Charles de Gaulle et au CNR de comprendre l'utilité d'une organisation de Résistance spécifique des PG, à plus forte raison leur était-il impossible d'en admettre plusieurs. Au RNPG de Pinot et Mitterrand, on comprend donc très vite qu'il faudra fusionner les deux mouvements. François Mitterrand et Jacques Benet rencontrent Michel Caillau. Des pourparlers s'engagent [1]. La méfiance est de règle.

Philippe Dechartre explique : « Entre le mouvement de François Mitterrand et le nôtre existait une différence fondamentale de mentalité. Pour nous, gaullistes, la captivité représentait un échec et, afin de nous laver de cette tache, nous voulions nous engager dans une action militaire. En revanche, aux yeux des gens du RNPG, que nous considérions comme des pétainistes, la défaite constituait une sorte de jugement de Dieu ; ils estimaient que les malheureux prisonniers ayant payé pour les autres étaient tout désignés pour apporter un élan purificateur au pays et lui permettre de se redresser. Nous les trouvions un peu pleurnichards et nous nous intéressions peu à ce qu'ils appelaient la " mystique prisonnier ". »

Les dirigeants du RNPG comprennent que leur image risque d'être définitivement compromise aux yeux du général de Gaulle, qui s'impose de plus en plus comme le seul chef de la Résistance française. Maurice Pinot envisage alors de dépêcher

1. Les uns et les autres ignorent encore l'existence d'un troisième mouvement, le CNPG, communiste celui-là.

à Alger le journaliste Marcel Haedrich. Il apprend que François Mitterrand s'est lui-même investi de cette mission. « En novembre, dit-il sobrement, François Mitterrand prit l'initiative de partir à Alger. Nous ne sûmes rien de ce voyage jusqu'à son retour le 26 février 1944. »

François Mitterrand s'y est préparé dès l'été 1943. Il a fait parvenir à Londres, on ne sait trop comment, des informations signées Morland qui l'ont fait connaître du BCRA (Bureau central de renseignements de la France Libre), mais aussi du général de Gaulle. Celui-ci, plus tard, devait écrire dans ses *Mémoires de guerre* : « Les rapports qui nous sont faits par nos chargés de mission allant et venant entre Alger et la métropole, Guillain de Bénouville, Bourgès-Maunoury, Gaston Defferre, Emile Laffon, François Mitterrand, mon neveu Michel Caillau, etc., nous tiennent à mesure au courant. »

Restait à trouver un moyen de transport pour rejoindre Alger. Ce n'était pas facile. D'autant que les Allemands commençaient à rechercher activement le prétendu Morland. Le 11 novembre 1943, le plus jeune membre de son équipe, Pol Pilven, qui passait la nuit à Vichy dans la chambre de François Mitterrand absent, fut arrêté au petit matin par la Gestapo et emmené en compagnie du logeur, M. Renaud. Ils furent tous deux déportés à Buchenwald. Le malheureux propriétaire n'en revint pas. François Mitterrand l'avait échappé belle. Par la suite, à plusieurs reprises, il devait éviter de justesse les filets des Allemands.

« En octobre 1943, Mitterrand m'a dit avoir des contacts avec l'ORA », se souvient Pol Pilven. La suite ne tarde pas. « En novembre, dit André Bettencourt, je l'ai accompagné près d'Angers, sur l'aéroport clandestin où il devait embarquer pour Londres. Auparavant, il avait eu — en ma présence — divers rendez-vous clandestins, notamment avec le général Revers, alors chef de l'armée secrète, qu'il a vu plusieurs fois. » L'avion était, comme dans la presque totalité des cas, un Lysander. Il emmenait aussi le général Deleplace, un des chefs de l'ORA [1].

L'arrivée ne fut pas très glorieuse. « Je connus Londres et les services français du Comité d'Alger, écrit François Mitterrand [2]. On soumit à ma signature un registre qui m'engageait

1. On notera que dans son livre sur l'ORA, le colonel de Dainville ne fait pas mention de ce vol.

2. *In la Paille et le Grain, op. cit.*

dans la France Libre. Comme je renâclais, on m'abandonna dans une chambre sans portes ni fenêtres[1] avec mes brodequins crottés de la boue angevine et ma chemise de trois semaines. » Façon de dire qu'il fut douché.

Après quelques détours, François Mitterrand atterrit enfin à Alger. Grâce à Henri Frenay[2], qui vient d'être nommé commissaire aux Prisonniers (autant dire ministre), Morland est reçu par le chef de la France Libre, au début du mois de décembre, à la villa des Glycines.

Une histoire d'amitié, ou du moins d'attachement mutuel, aurait pu commencer à cet instant entre deux hommes qui avaient les mêmes racines familiales et bien des affinités : le même tempérament littéraire, un sentiment barrésien de la partie, un catholicisme très profond, donc mâtiné d'animosité ou de suspicion envers la bourgeoisie et l'argent. On imagine l'émotion du jeune résistant — François Mitterrand n'a que vingt-sept ans — sur le point de rencontrer le chef et le symbole de la France combattante. On devine aussi son dessein : faire connaître les mérites de son mouvement et, plus encore, faire reconnaître les siens. Charité bien ordonnée commence par soi-même : François Mitterrand vient chercher à Alger l'adoubement du seigneur qui va le faire preux chevalier. Las, alors qu'il attend un : « Je vous ai compris », il va recevoir une manière de soufflet. Le Général se montre réticent, hautain, impérieux, à peine courtois.

A deux reprises, François Mitterrand a narré l'entrevue. De façon presque sereine en 1971 (le Général est décédé) ; de manière plus acide en 1969 (le Général est encore au pouvoir). Version 1971 (*la Paille et le Grain*) : « Voilà qu'il était devant moi avec sa drôle de tête, petite pour son grand corps, son visage de condottiere frotté chez les bons pères... Celui que j'avais tant imaginé... Il fut aimable. A ceci près que sa première remarque saugrenue fut pour observer, mi-figue, mi-raisin : " On m'a dit que vous étiez venu par un avion anglais[3]. " Pendant qu'il me parlait, sa belle main un peu

1. *Sic !*
2. Promu grand-croix de la Légion d'honneur en 1983.
3. Paul Paillole, chef du service de contre-espionnage de Vichy, commente : « Tous les avions qui faisaient le passage des résistants étaient anglais, nous étions à Londres tributaires des Anglais. Je crois que le Général a surtout voulu signifier à Mitterrand que celui-ci ne faisait pas partie des réseaux gaullistes, c'est-à-dire du BCRA. »

molle se balançait au rythme de je ne sais quelle berceuse. Il m'interrogea sur l'état de la Résistance, sur ses méthodes et son climat. Mais, bien que sa voix restât nonchalante, le ton durcit quand il aborda le vif du sujet. Il attachait une grande importance à la propagande dans les camps et l'action des évadés en France... Dès maintenant, il désirait que cessât la dispersion des réseaux concurrents. Après leur fusion, qu'il entendait voir se réaliser sous la conduite d'un certain Michel Charrette qui était son propre neveu, ils recevraient des armes et de l'argent. Pas avant. Quelle objection pouvais-je faire aux règles évidentes de la discipline nationale ? Je répondis qu'aussi utile que fût cette discipline, la Résistance avait ses propres lois qui ne pouvaient se réduire à la simple exécution des ordres venus de l'extérieur et que, pour ce qui concernait les réseaux en question, ses instructions restaient inapplicables. L'entretien était terminé. »

Autre version [1] (en 1969), autre climat : « Comme j'hésitais à accepter de fondre en une seule formation et sous l'autorité de l'un de ses neveux ainsi qu'il me l'ordonnait les trois organisations de prisonniers de guerre, il me donna congé froidement. J'eus par la suite de la peine à regagner la France... Beaucoup plus tard, un document m'apprenait que, pendant mon séjour à Alger, il avait été proposé au général de Gaulle de m'expédier sur le front d'Italie... Je ne saurai jamais si j'ai dû d'éviter cette inflexion du destin à la mansuétude du chef de la France Libre ou à la hâte que j'avais mise à rejoindre mes camarades de la Résistance intérieure [2]. Je gardais de l'aventure l'impression que mieux valait se taire lorsque à portée des services spéciaux d'Alger on affirmait que Résistance et gaullisme ne recouvraient pas exactement la même réalité. De cette méfiance, je n'ai pu, en dépit de louables efforts, me défaire. Ainsi s'amorça une incompatibilité d'humeur qui dure encore. »

Après un quart de siècle, la blessure d'amour-propre n'était pas cicatrisée.

François Mitterrand n'a pas apprécié la rudesse du général de Gaulle. Cette rencontre ratée a mis aux prises deux personnalités peu commodes. Son échec tient aussi à l'incompréhen-

1. *In Ma part de vérité, op. cit.*

2. Commentant l'épisode il arrivera même au premier secrétaire du Parti socialiste de s'écrier plus tard devant des journalistes : « De Gaulle a voulu me tuer ! »

sion qui séparait bien souvent alors résistants de l'intérieur et du dehors. Jean Moulin s'en fit l'écho dans nombre de ses rapports. François Mitterrand écrit, comme s'il était à lui seul le porte-parole, le mandataire des gens de l'intérieur : « Je considérais notre Résistance sur le territoire national, au contact incessant de la torture et de la mort, comme d'une autre nature que la Résistance extérieure et ne reconnaissais pas à celle-ci la prééminence dont elle se prévalait. Je contestais que le mot Résistance pût s'appliquer aux combats menés de Londres et d'Alger, épisodes d'une guerre traditionnelle. J'admirais cette poignée d'hommes qui, autour de Charles de Gaulle, affirmaient la présence française sur tous les fronts... Mais je me sentais différent et j'avais l'orgueil d'un combat dont je pensais que la gloire était confisquée au peuple dont j'étais. »

Mais les difficultés étaient presque de règle. La défaveur dont se plaint François Mitterrand ne lui était pas réservée. Le tempérament du général de Gaulle le poussait à ces manières abruptes. René Pleven se souvient de lui avoir entendu dire : « Il y a deux manières de dire les choses, l'agréable et la rébarbative, c'est plus fort que moi, j'emploie toujours la deuxième. » En fait, il n'avait pas toujours le choix : s'il n'avait affirmé de manière abrupte sa prééminence, il eût été englué dans les rivalités, les manœuvres, les visées et les menées de ses propres amis divisés en clans antagonistes.

Aux yeux de Charles de Gaulle, François Mitterrand portait une autre tare : il appartenait à une armée de vaincus envers laquelle le chef de la France Libre ne nourrissait pas de très tendres sentiments.

De cette entrevue ratée, Maurice Pinot a gardé quelques souvenirs indirects : « Quand je revis François Mitterrand en mars, il me raconta les péripéties de son voyage. Il rapportait l'accord du général de Gaulle contresigné par le général Giraud : nous étions reconnus, nous allions recevoir des finances et des armes. François Mitterrand ajoutait quelques précisions. Le Général l'avait mal reçu et ironisait sur la prétention d'anciens PG à se regrouper dans un mouvement de résistance spécifique. " Pourquoi pas les coiffeurs ou les cuisiniers ? " aurait-il demandé. Avant de conclure quand même : " On va vous aider, mais il faut une seule organisation. Elle comprendra la vôtre, celle des communistes et celle de Charrette. Vous vous regrouperez sous les ordres de celui-ci. " »

Voici l'autre raison de la discorde : Charrette, nom de guerre de Michel Caillau, neveu, on l'a dit, de Charles de Gaulle. Or, ce Caillau se défiait de François Mitterrand. Dans une lettre de décembre 1943, dont voici le texte, il avait mis en garde son oncle (document fourni par Pierre Bloch, qui recevait le courrier à Alger).

MRPGD 8/12/43
MIX/N°

... « Miteran, dans son camp d'Allemagne, après une brillante guerre, fut un des dirigeants du cercle Pétain, collabora au journal de son stalag, s'évada. Rentré en France, il entre au Commissariat aux prisonniers de guerre où il est chargé de la propagande. Dans quel sens, vous le pensez bien. A ce moment, il est un membre dynamique de la légion. Il fait partie du petit groupe des amis intimes d'Armand Petitjean, très Action française. Démissionnant avec Pinot lors du retour de Laval, après deux mois, travaille un moment avec nous, mais traite les services de renseignements d'idiots et d'inutiles, toute la Résistance d'enfantillage. D'où scission. Ensuite, Miteran évolue lentement, adoptant peu à peu, au moins en apparence, toutes nos idées, ou presque, et de son côté cherchant avec Pinot à les faire entrer en pratique. Je me demande qui a pu le faire passer à Londres.

VERGENNES (Michel Charrette).

Cette injuste et fâcheuse épître n'a évidemment rien, mais rien d'une lettre de recommandation. Pour comble de malheur, l'entourage du Général suspectait le jeune homme de sympathies giraudistes.

François Mitterrand a-t-il commis ce crime de lèse-majesté : rencontrer, après son arrivée, le général Giraud avant le général de Gaulle ? Plus d'un gaulliste le crut à Alger et le croit encore aujourd'hui. Certains indices incitent à le penser : Jacques Mitterrand, alors lieutenant dans une unité de bombardement basée au Maroc, devait apprendre l'arrivée de son frère à Alger par un télégramme signé Giraud[1]. Des témoins assurent que la sympathie de François Mitterrand pour le général Giraud était réelle. Un de ses compagnons, Jacques de Montjoye, se souvient l'avoir entendu dire : « Nous n'avons pas

1. Nous avons déjà signalé les liens entre celui-ci et la famille Mitterrand.

d'instruction à recevoir de Londres, le RNPG est plutôt d'obédience giraudiste, nous devons rester indépendants[1]. »

En réalité, l'affaire est sans doute simple. Deux hommes se sont rencontrés et ne se sont pas plu, victimes de cette alchimie mystérieuse qui, d'emblée, cristallise les sympathies ou les antipathies entre deux êtres. Deux fois, dans les deux années suivantes, les deux hommes devaient se revoir. Sans jamais se rapprocher.

Bien entendu, après cette aigre entrevue, Charles de Gaulle ne va pas faciliter le retour en France de François Mitterrand. « Quand il exprime, auprès des services compétents, son désir de regagner l'Hexagone, il s'aperçoit que l'on n'y tient guère, explique Jean Védrine[2]. On le préférerait éloigné de la Résistance intérieure. » Il finit par obtenir, grâce à un ami de sa mère, le commandant de La Chenelière, qui comme par hasard est membre du cabinet du général Giraud, une place dans un avion de transport militaire pour Marrakech. D'où, grâce à l'aide de Joséphine Baker, volontaire des Forces françaises libres, il peut rejoindre Londres dans l'avion du général Montgomery. Il séjourne quelques semaines dans la capitale britannique avant qu'on se décide à lui procurer les moyens de rejoindre ses camarades.

Il met à profit cet arrêt forcé pour rencontrer diverses personnalités. A commencer par le colonel Passy, patron du BCRA[3] de la France Libre, qui voit pratiquement tous les résistants de passage à Londres. Les deux hommes deviennent assez proches pour jouer ensemble au bridge chez des Français, M. et Mme Mamy. Une autre rencontre lui sera, vingt ans plus tard, très utile : celle du communiste Waldeck Rochet qui donne à François Mitterrand des informations sur le mouvement de Résistance des PG communistes, le CNPG.

« Quand j'ai revu François, dit son ami Jacques Benet, il m'a beaucoup parlé de Waldeck Rochet qu'il avait trouvé fort sympathique. Celui-ci lui avait même confié une lettre à poster pour sa mère. Il était très étonné qu'un communiste puisse être

1. *In Dossiers PG rapatriés, op. cit.*
2. *In Dossiers PG rapatriés, op. cit.*
3. Bureau central de renseignements et d'action.

un homme fréquentable. J'ai toujours pensé que cette amitié a joué un rôle quand, en 1965, les communistes ont décidé de soutenir Mitterrand aux présidentielles. »

François Mitterrand peut enfin quitter l'Angleterre le 24 février 1944. A Darmouth, en Cornouailles, il embarque à bord d'une vedette commandée par le capitaine David Birkin, le père de Jane Birkin. Il débarque sans incident sur les côtes de Bretagne, à Bec-an-Fry près de Guimaec, où il est recueilli par Louis Mercier (décoré de la Légion d'honneur en 1982) et sa femme Philomène. Celle-ci raconte : « Nous ne savions pas qui il était. Mais le lendemain, quand mon mari l'a emmené prendre le train à la gare de Morlaix, il a pensé qu'il transportait un personnage de première catégorie : en effet, sur la route, ils ont croisé deux Allemands en moto qui les ont dévisagés avant de poursuivre leur chemin. " Si ces deux-là savaient qui vient de leur échapper ", a dit alors François Mitterrand d'un air important[1]. »

Le voyageur Mitterrand ne rentre pas sans bagages. Aux yeux de ses camarades, son autorité est sérieusement confortée par ses rencontres d'Alger et de Londres. « Du fait de son intelligence politique et de ses entretiens avec le Général et avec d'autres personnalités, il avait pris du poids et du crédit, explique Maurice Pinot. Ma décision de me mettre en réserve avait aussi facilité son ascension. Sans compter qu'il s'était trouvé obligé de pallier l'absence de plusieurs autres dirigeants. » La guerre, souvent, se montre généreuse envers les ambitieux.

Mitterrand rentré, la fusion des mouvements de prisonniers que le Général avait expressément ordonnée, et dont chacun ressentait le besoin, se réalise. Mais le neveu du Général, Michel Caillau, n'en est pas le maître d'œuvre. « De lui-même, dit Philippe Dechartre, Caillau s'est retiré du jeu. Il n'a jamais admis de fusionner notre mouvement avec les pétainistes et les giraudistes. » Quand même, le 12 mars 1944, le MNPGD (Mouvement national des prisonniers de guerre et déportés) voit le jour dans un salon enfumé du 44 rue Notre-Dame-des-Champs. Il regroupe le RNPG de Maurice Pinot et de François

1. Philomène Mercier ajoute : « Il est revenu nous voir en 1952. Il était alors ministre. Sa femme était restée dans la voiture. Il nous a dit : " Un jour, je serai président du Conseil. " » (Entretien avec l'auteur.)

Mitterrand[1], le MRPGD de Philippe Dechartre, Charles Moulin et Michel Caillau, et enfin le CNPG (Comité national des prisonniers de guerre), taxé par Maurice Pinot de « création tactique et tardive du PC, soucieux d'avoir une représentation dans tous les secteurs d'activité ».

La fusion ne s'est pas faite sans mal. Certains responsables du MRPGD n'acceptaient pas si aisément de s'allier aux communistes (le souvenir du Pacte germano-soviétique de 1939 était encore très présent). Le communiste Robert Paumier (décoré en 1983) se souvient fort bien des heurts qui marquèrent les discussions. « Mitterrand était violemment anticommuniste et moi violemment antipétainiste. " Qui êtes-vous ? Qui vous finance ? " demandait Mitterrand. Et il ajoutait : " On ne peut jamais être sûr avec des gens comme vous. " Comme je n'ai pas bon caractère, je rétorquais : " Et vous, qui êtes-vous ? Nous pourrions avantageusement comparer nos curriculum vitae. " Tout cela au nez de Philippe Dechartre et aussi d'Antoine Avinin, le fondateur de *Franc-Tireur* qui représentait là le CNR. Tous deux comptaient les coups. »

Dans ses mémoires[2], Henri Frenay, qui, il faut le rappeler, ne se trouvait pas en France mais à Alger, donne de l'affaire une tout autre version : « François Mitterrand, écrit-il, affirmera, à son retour en France, qu'il avait reçu d'Alger des instructions pour faire entrer dans le mouvement fusionné un groupe très réduit dont j'ignorais jusqu'à l'existence et qui n'était autre qu'une émanation du Parti communiste français. Devant cette exigence présentée comme venant du Comité de libération nationale, ses camarades s'inclineront [...]. Cette initiative que j'ignorerai jusqu'après la guerre permettra le noyautage des prisonniers et déportés. Il aura de sérieuses conséquences. » Plus loin, Henri Frenay suggère que François Mitterrand aurait agi ainsi pour contrecarrer ses desseins personnels : « En effet, écrit-il, le hasard m'avait placé dans une position qui pouvait être importante sur le plan politique. » Cette thèse est contredite par tous les autres témoignages. En tout cas, le comité directeur du Mouvement prisonnier unifié comprendra deux communistes sur cinq membres. « Une fois la fusion réalisée,

1. Leurs partenaires appelaient ce mouvement le PINMIT, abréviation de Pinot-Mitterrand.

2. Henri Frenay, *La nuit finira. Mémoires de Résistance, 1940-1945,* Paris, Laffont.

dit Robert Paumier, les rapports avec Mitterrand ont toujours été loyaux, avec lui, on ne craignait jamais les coups en dessous. D'ailleurs, dès cette époque, j'ai écrit sur un petit bout de papier : " Mitterrand jouera plus tard un rôle de premier plan. " Et puis pour nous cette fusion a été tout bénéfice. Le CNR a donné cinq cent mille francs à Dechartre, un million à Mitterrand et deux millions pour nous le PC. »

Peu après, François Mitterrand est officiellement intronisé secrétaire général aux Prisonniers de guerre. « Quand j'ai proposé son nom en Conseil des ministres à Alger, le général de Gaulle ne s'y est absolument pas opposé », confie Henri Frenay. A vingt-sept ans, François Mitterrand devient donc le responsable désigné du ministère des Prisonniers (ou plutôt le ministre par intérim). Poste éphémère, certes, mais qui permet de mesurer l'importance prise par son titulaire. Allons ! Pour difficile qu'elle fût, l'entrevue d'Alger s'est révélée. en fin de compte, globalement positive.

LA LIBERATION

Passent les mois. Approche la Libération, le moment décisif pour qui rêve de pouvoir. Alors que les troupes alliées et celles de la France Libre sont aux abords de la capitale, l'insurrection gronde. Le 15 août 1944, les Allemands ont commencé à évacuer leurs services administratifs. Les anciens prisonniers devenus résistants piaffent d'impatience. L'un d'eux, André Pernin, raconte : « Nous avons libéré le Commissariat général aux prisonniers de la rue Meyerber le 18 août[1]. François Mitterrand conduisait notre groupe. Quand nous avons fait irruption dans le bureau de Robert Moreau (le successeur d'André Masson destitué en janvier 1944), celui-ci, en fonctionnaire très poli, s'est levé pour demander ce que nous voulions : " Que vous vous en alliez ", a répondu Mitterrand. Apparemment très maître de lui, le commissaire a tenté fort civilement de parlementer. Mais il n'en eut pas le temps. Mitterrand coupa : " Il n'y a pas à discuter, monsieur, il faut céder la place ; c'est la révolution, nous faisons la révolution. " Peu

1. La libération de Paris aura lieu le 24, une semaine plus tard.

après, un groupe de six FFI armés jusqu'aux dents, je n'en connaissais pratiquement aucun, prenait place dans le hall du rez-de-chaussée, revolver au poing, pour filtrer les visiteurs. Au premier étage étaient entreposées deux caisses de cocktails Molotov. Par la suite, nous avons compris que le mouvement insurrectionnel à Paris avait été déclenché trop tôt, sur l'insistance des communistes. »

François Mitterrand, devenu seul maître à bord (il va l'être jusqu'à l'arrivée d'Henri Frenay le 1er septembre 1944), a pour première préoccupation de regrouper les mouvements de prisonniers et les centres d'entraide de France et de Navarre. Il n'a qu'une consigne aux lèvres : « Nous devons nous unir et nous mobiliser pour préparer l'accueil du million et demi de camarades encore retenus derrière les barbelés. » Pour se fédérer dans les règles, quoi de mieux qu'un congrès (déjà) ? Il faut s'y préparer !

François Mitterrand déploiera bientôt d'autant plus d'énergie à rassembler les prisonniers qu'il va se trouver quasiment au chômage. Il refuse en effet le poste de secrétaire général du ministère des Prisonniers de guerre proposé par Henri Frenay. « Je lui offre, écrit celui-ci, de rester auprès de moi en qualité de secrétaire général, donc à un poste de responsabilité essentiel, coiffant l'ensemble de mon administration et coordonnant le travail de six directions. C'est le placer au plus haut niveau de la hiérarchie administrative. L'offre, me semble-t-il, est alléchante, presque inespérée pour un homme de son âge et de sa formation. Elle est cependant déclinée car les ambitions de François Mitterrand sont ailleurs et plus grandes encore [1]. »

Rêvait-il d'être immédiatement ministre ? En tout cas, François Mitterrand n'accepte pas de devenir le numéro 2, dans un lieu où il a été le premier, même à titre provisoire. D'autres n'auront pas ses réserves : au même moment, un jeune inconnu nommé Jacques Chaban-Delmas deviendra secrétaire général du ministère de l'Information.

La voie de l'Assemblée consultative à laquelle François Mitterrand a aussi songé lui échappe également. Les quatre sièges réservés aux prisonniers de guerre sont attribués à Jacques Benet, Etienne Gagnaire, le communiste Pierre Bugeaud et Philippe Dechartre qui raconte : « Cela a été une belle bataille. Mitterrand s'est fait avoir. Faute d'être ministre,

1. Henri Frenay, *La nuit finira, op. cit.*

il aurait bien voulu être député, car un poste administratif ne lui disait rien. »

Restait l'animation du mouvement des prisonniers.

En octobre 1944, François Mitterrand se fait élire président du MNPGD. Jean Védrine raconte : « A partir d'octobre 1944, François s'est consacré entièrement au mouvement et à son journal *l'Homme libre*. Alors que les camarades s'intéressaient surtout à la vie quotidienne et aux revendications des prisonniers rapatriés, lui se préoccupait des options, des programmes, c'est-à-dire de l'avenir et du rôle des anciens PG dans la nation. »

François Mitterrand veut accélérer l'unification des associations départementales. Il se déplace beaucoup dans la région parisienne et en province (sa connaissance de la géographie politique et des hommes de terrain commence là). Veut-il faire de ce mouvement un parti politique, comme le croient certains de ses camarades de l'époque ? Depuis la captivité, il était convaincu que les anciens PG pourraient constituer une force avec laquelle les hommes politiques devraient compter. Et tandis qu'à Londres il attendait l'occasion de rentrer en France, il avait adressé à Félix Gouin, président de l'Assemblée consultative d'Alger, un télégramme protestant « contre toute tentative d'éliminer d'une première élection populaire les prisonniers de guerre encore en captivité ». (On projetait alors de procéder aux élections municipales immédiatement après la Libération, sans attendre le retour des prisonniers.)

Mais, après tout, il s'agissait peut-être seulement de préserver les droits de ses camarades, pour qu'ils n'aient pas le sentiment d'être oubliés ou exclus de la nation.

Au congrès des prisonniers, en avril 1945, François Mitterrand adopte des positions quelque peu contradictoires. D'un côté, il demande aux représentants des fédérations de prisonniers tentés par l'action politique « de s'engager sur l'honneur à ne jamais représenter les prisonniers en tant que tels, dans des organismes politiques ». Mais, de l'autre, il affirme à la tribune : « Nous devons faire une politique prisonniers de guerre qui, dans tous les secteurs de reconstruction française, interviendra et représentera un million huit cent mille hommes de France. Nous avons à donner notre avis sur les réformes fiscales et monétaires ; nous avons à donner notre avis, nous qui avons souffert de l'absence de la patrie, sur la défense des droits et la grandeur de la patrie. »

En fait, ce qu'il souhaite, c'est peut-être moins la constitution d'une nouvelle formation politique que la mise en place d'un réseau d'influence. Il veut que les PG imposent leur façon de voir, sachent se faire entendre au sein des divers partis. Cela s'appelle un groupe de pression.

Cette espérance, celle de nombreux résistants aussi, sera déçue. « A l'intérieur des partis classiques, la génération de la Résistance aurait pu jouer un rôle déterminant, imposer sa propre conception de la société, moderniser les méthodes de l'action et de l'information politique. Elle préféra se couler dans les moules des cadres établis et plaire aux caciques », déplorera-t-il vingt-cinq ans plus tard[1].

La faute à qui ? Au manque de caractère, de confiance, d'ambition de tous ces hommes qui sortent de l'épreuve ? Réponse de François Mitterrand en 1968 : c'est la faute à de Gaulle. « Revenu à Paris, écrit-il, le Général avait eu pour règle d'écarter les dirigeants de la Résistance intérieure jugés par lui peu sûrs pour avoir aimé et servi leur pays hors de son contrôle et sans sa permission. Rien de plus dangereux à ses yeux que le patriotisme non estampillé par la croix de Lorraine[2]. »

L'ex-prisonnier Mitterrand prêtait peut-être un peu trop ses propres aspirations à ses amis. La majorité des anciens prisonniers songeaient alors plus à reprendre une existence civile et paisible qu'à s'engager sur le terrain politique. Et puis le Mouvement des prisonniers était déjà largement noyauté par le PC.

François Mitterrand en tirera très vite cette conclusion : il devra entrer sur ce terrain par la voie classique de l'élection dès qu'une occasion se présentera.

Mais en cette fin d'année 1944 et au début de 1945, la grande affaire pour le président du mouvement prisonnier et ses amis est encore de préparer le retour du million et demi de camarades encore détenus. Ils commenceront à rentrer en mars, à mesure de l'avance alliée. Le flux atteindra son maximum à la fin du printemps 1945 pour s'achever au début de l'été.

1. *In Ma part de vérité, op. cit.*
2. *Ibid.*

Ces retours posent d'énormes problèmes : accueil, hébergement, nourriture, habillement, papiers d'identité, argent. La plupart des prisonniers transitent par Paris. Il en arrivera jusqu'à quinze mille par jour. Dans une France détruite et ruinée, les difficultés matérielles sont immenses. « Ce que les prisonniers acceptaient le moins bien, explique Jean Cornuau, responsable PG de la région parisienne, c'était de ne pas recevoir à leur arrivée un costume, une paire de chaussures et un petit pécule. Il fut bientôt difficile de calmer les esprits, l'incompréhension était générale. » Autre version, celle du ministre Frenay : « Le mécontentement des prisonniers était largement entretenu par les communistes qui les attendaient à leur descente du train. Comme par hasard, il y avait toujours un communiste qui montait avec eux dans les camions qui les acheminaient vers les centres de rapatriement pour leur échauffer l'esprit. »

En tout cas, les communistes se préoccupent d'utiliser cette force. L'un d'eux, Pierre Verrier (décoré en 1983), révèle : « Pour faire pression sur le gouvernement et alerter l'opinion publique, j'ai eu l'idée d'organiser une grande manifestation : on allait réunir l'ensemble des associations départementales des prisonniers à la salle de la Mutualité et on inviterait le ministre Henri Frenay à venir s'expliquer. »

Chargé d'organiser le rassemblement fixé au 5 juin 1945, Jean Cornuau (décoré en 1983) raconte : « Je suis allé inviter le ministre mais, malgré mon insistance il a refusé. Ensuite je suis allé voir le préfet de police Luizet afin de lui demander l'autorisation d'installer des haut-parleurs à l'extérieur de la salle et de nous rendre en cortège à l'Arc de Triomphe pour déposer une gerbe. Nous étions convenus que la manifestation se disloquerait dans le bois de Boulogne après être passée devant le ministère des Prisonniers, qui était situé au bas de l'avenue Foch. Nous attendions vingt mille camarades, il en est venu au moins cinquante mille. Quand le ministre l'a su, il nous a fait savoir au cours de la réunion, par son collaborateur Jean d'Arcy, qu'il était prêt à venir devant nous. J'avoue avoir consulté mes camarades de manière un peu tendancieuse. Et à ma question lancée au micro, la foule a répondu : " Non, pas question de laisser venir Frenay. " Puis le cortège s'est constitué avec à sa tête Jean Bertin, François Mitterrand, moi-même et quelques autres. »

Commentaire de Pierre Verrier : « François Mitterrand s'est

mis en tête du cortège alors qu'il ne faisait pas partie des organisateurs de la manifestation. Il n'aurait pas dû y être mais, vous savez comment il est, il faut toujours qu'il se mette en avant ! »

« Nous partons vers l'Etoile, raconte encore Jean Cornuau. Au moment de déposer la gerbe, je me suis retourné et j'ai vu qu'il y avait des camarades encore loin derrière la Concorde. Puis nous arrivons devant le ministère. Au début, tout s'est bien passé, mais bientôt des cris hostiles ont fusé. »

Le communiste Pierre Bugeaud reconnaît que ses camarades du Parti ont tout fait pour provoquer ces débordements en criant : « Frenay au poteau ! » D'autres ont même brûlé son effigie devant les grilles du ministère.

« Mitterrand était blême de rage, se souvient Pierre Verrier. Il m'a dit : "Nous ne maîtrisons pas la situation, nous sommes complètement débordés." » Verrier ajoute cette précision : « A l'époque, sa belle-sœur, Christine Gouze-Renal, était la secrétaire particulière du ministre Henri Frenay, et tout ce tintouin le mettait en mauvaise position. J'ai alors proposé : "Puisque Frenay ne veut pas nous voir, il faut que nous soyons reçus par le général de Gaulle." " Montez sur le toit de ma voiture et prévenez vos camarades que je vais vous conduire en délégation chez le Général ", suggéra alors le préfet Luizet qui avait suivi la manifestation. Ce que je fis. Le tumulte s'est apaisé aussitôt, et nous sommes partis en délégation rue Saint-Dominique. Nous étions cinq : François Mitterrand, Jean Cornuau, Georges Thévenin, Jean Bertin et moi-même. Quand nous sommes arrivés au ministère de la Défense où siégeait de Gaulle, on nous a fait faire antichambre en nous regardant de travers. Au bout de vingt-cinq minutes, Mitterrand s'est levé et m'a dit, exaspéré : " Je veux m'en aller. Ma dignité m'interdit d'attendre plus longtemps[1]. " Je lui ai répondu : " Pour voir de Gaulle, je resterais bien vingt-quatre heures sur place. " Alors, il s'est rassis. Quelques minutes plus tard, l'amiral Ortoli venait nous dire que nous serions reçus ultérieurement. »

C'est seulement trois jours plus tard que le général de Gaulle recevra Jean Cornuau, Georges Thévenin (PC) et François Mitterrand. « Et pas moi ! se lamente encore aujourd'hui Pierre Verrier. Mitterrand a pris ma place. »

1. Une anecdote qui fera certainement sourire plus d'un visiteur de l'ex-premier secrétaire du PS contraint à l'attendre de longues heures.

Depuis leur rencontre d'Alger, les deux hommes ne se sont trouvés qu'une seule fois face à face. C'était en septembre 1944. On présentait au général de Gaulle les secrétaires généraux provisoires des ministères. « Encore vous ! » se serait exclamé le chef de la France Libre en apercevant François Mitterrand, très marri de la remarque. Mais ce 5 juin 1945, le Général est bel et bien courroucé. Il s'imagine que François Mitterrand est le meneur de la manifestation et il lui en veut. C'est à partir de ce moment qu'il lui arrivera de lâcher dans la conversation (René Pleven s'en souvient) : « Mitterrand ? mais c'est un communiste ! »

Jean Cornuau observe : « La manifestation des prisonniers avait tellement exaspéré le président du gouvernement provisoire qu'il a fait un compte rendu de notre entrevue faux, partial et de mauvaise foi. »

Dans ses *Mémoires de guerre*[1], le Général écrit en effet : « Les cérémonies auxquelles donne lieu le retour du captif sont autant d'occasions de faire paraître des équipes vociférantes. A Paris même, des cortèges se sont formés et défilent sous les fenêtres du ministre aux cris de : " Frenay au poteau. " [...] Les meneurs espèrent que le gouvernement lancera la force publique contre les manifestants, ce qui excitera l'indignation populaire ou bien que, cédant à la menace, il sacrifiera le ministre vilipendé. [...] Pourtant l'affaire est vite réglée. A mon bureau, je convoque les dirigeants du " Mouvement ". " Ce qui se passe, leur dis-je, est intolérable. J'exige qu'il y soit mis un terme. " [...] Je leur déclare : " L'ordre public doit être maintenu, ou bien vous êtes impuissants vis-à-vis de vos propres gens ; dans ce cas, il vous faut séance tenante me l'écrire et annoncer votre démission. Ou bien vous êtes, effectivement, les chefs ; alors vous allez me donner l'engagement formel que toute agitation sera terminée aujourd'hui. Faute qu'avant que vous sortiez d'ici j'aie reçu de vous soit la lettre, soit la promesse, vous serez, dans l'antichambre, mis en état d'arrestation. Je ne puis vous accorder que trois minutes pour choisir. " Ils vont conférer entre eux dans l'embrasure d'une fenêtre et reviennent aussitôt : " Nous avons compris. Entendu ! Nous pouvons vous garantir que les manifestations vont cesser. " Il en sera ainsi le jour même. »

On remarquera que le Général ne cite pas de nom.

1. T. 3, *le Salut, 1944-1946*, Paris, Plon.

Jean Cornuau, lui, conserve de l'entrevue un souvenir bien différent, même s'il confirme que l'atmosphère était très tendue et le Général très cassant : « D'entrée de jeu il s'en est pris à François Mitterrand et l'a accusé de " pisser du vinaigre " dans ses éditoriaux du journal *l'Homme libre* sur un ministre qui ne le méritait pas. Sans vouloir entendre nos raisons, il nous a critiqués pour avoir refusé la parole au ministre à la Mutualité. Je lui ai expliqué pourquoi. Et quand j'ai souligné que lui-même n'aurait pas cru devoir inviter Henri Frenay à cette entrevue, il n'a pas répondu. Quand nous tentions de lui faire comprendre les difficultés des prisonniers de guerre, il répondait en parlant de la grandeur de la France et de la nécessité pour les Français de se serrer la ceinture. Quand nous relevions devant lui qu'ayant été lui-même prisonnier, il devrait se montrer plus compréhensif, il s'emportait. Mais jamais le Général ne nous a demandé d'engagement par écrit et jamais il ne nous a menacés d'arrestation. Quand il écrit : " De ce jour, les manifestations ont cessé ", je réponds : " Faux, elles ont continué. " Vous n'avez qu'à vous reporter à la presse de l'époque. Et pourtant, le lendemain de l'entrevue, François Mitterrand avait lancé un appel à la radio pour qu'elles cessent. Je dirais même que notre entrevue a été fructueuse puisque, quelques jours après, le ministre a débloqué les fonds nécessaires. » Jean Cornuau conclut : « Je quittai navré son bureau. En novembre 1942, j'avais perdu mes illusions pétainistes. Le 5 juin 1945, mon admiration et ma confiance en de Gaulle se sont à jamais envolées. »

Curieusement, François Mitterrand ne fait nulle part de longues références à cette entrevue-là, bien qu'elle ait, semble-t-il, consacré la rupture psychologique entre les deux hommes. Mais, dans les milieux politiques, l'histoire courra longtemps. Surtout chez les gaullistes, sous une version venue, dit-on, du Général, par l'intermédiaire de Michel Droit[1]. La voici : « Je convoque le dénommé Mitterrand rue Saint-Dominique où il arrive flanqué de deux acolytes et je lui dis : " Qu'est-ce que c'est que ça ? Du tapage sur la voie publique en temps de guerre alors que si les hostilités ont pris fin en Europe, elles se poursuivent en Extrême-Orient ! Vous savez ce que ça vaut ? " Il me répond : "Mon Général, je n'approuve pas ces hommes, je les accompagne pour leur éviter de faire des bêtises. " Je lui

1. *Les Clartés du jour*, Paris, Plon.

dis : " Eh bien, vous vous désolidarisez d'eux, vous allez me l'écrire, voilà un bout de papier, un coin de table, une plume, allez-y. " Il me fait : " Mon Général, ça demande réflexion. " Je réplique : " Tout à fait juste, dans trois minutes, si vous n'avez rien écrit ni signé, vous sortirez de cette pièce et serez aussitôt mis en état d'arrestation. " Alors, il se lève avec ses deux acolytes, se dirige vers l'embrasure d'une fenêtre, leur dit quelques mots et revient sur moi : " Mon Général, nous avons compris, je signe. " Voilà ce que c'est que le dénommé Mitterrand. »

Cette version des faits, relatée par Michel Droit, Henri Frenay la lui confirmera : « Le Général, peut-être le lendemain même, me l'a racontée avec un certain détail. Je m'en souviens parfaitement : il m'a dit avoir exigé de ses interlocuteurs qu'ils se désolidarisent des manifestations de la Fédération, faute de quoi, ils seraient appréhendés. Ceux-ci, m'a dit le Général, se sont exécutés. »

Le général de Boissieu, gendre du général de Gaulle, retrace, lui aussi, dans ses Mémoires, cette version des faits[1] : « Au cabinet du général de Gaulle, il y avait parfois de la distraction. Un jour [...] l'huissier annonça le préfet de police Luizet. Celui-ci entra, au comble de la fureur, informant Gaston Palewski qu'une manifestation contre le gouvernement, en faveur des déportés soi-disant mal accueillis, se déroulait dans la rue. Elle avait à sa tête un certain nombre de fonctionnaires du ministère, dont un haut responsable [...] Gaston Palewski partit sur-le-champ en rendre compte au Général. Celui-ci donna l'ordre au préfet de police de se saisir de ce haut fonctionnaire et de ses adjoints et de les amener aussitôt au ministère où il leur dirait ce qu'il pensait de leur comportement. Quelques minutes plus tard, je vis des hommes jeunes, un peu pâles, gravir les escaliers, puis je vaquai à mes occupations. Rappelé chez Gaston Palewski pour une question de service, je vis dans le bureau attenant au sien notre chef des manifestants en train de faire une page d'écriture qui lui avait, paraît-il, été littéralement dictée par le Général, faute de quoi il serait arrêté. »

Tout comme le général de Gaulle, le général de Boissieu ne donne pas les noms des manifestants. Mais, en privé, il raconte que le Général n'aurait pas voulu laisser publier « cette page

1. *Pour combattre avec de Gaulle,* Paris, Plon.

d'écriture » de François Mitterrand, pour la raison qu'elle aurait comporté... des fautes d'orthographe !

Chez les anciens prisonniers, cette version fait pousser des cris d'orfraie, et l'on relève qu'une telle arrestation à la sortie d'une audience n'aurait guère eu de précédent, ni de base juridique.

En tout cas, c'est bel et bien la rupture. Après cela, « nous avons été, François Mitterrand et moi, barrés sur la liste des Compagnons de la Libération par le général de Gaulle, alors que Henri Frenay nous avait placés en tête, et François en a été très dépité », confie Patrice Pelat. Mais Henri Frenay ne se souvient guère de l'affaire.

A la chancellerie de l'Ordre de la Libération, on se montre sceptique. Il fallait être entré en Résistance bien avant l'année 1943 pour bénéficier de cette décoration prestigieuse[1].

Restent de cette troisième entrevue, décisive, les conclusions qu'en tirent les deux hommes : le général de Gaulle est persuadé désormais qu'il ne peut décidément faire confiance au jeune Mitterrand. François Mitterrand sait maintenant qu'il ne peut rien espérer du général de Gaulle.

DANIELLE

Les ambitions, les passions et les fureurs de la vie publique n'empêchent pas les sentiments.

François Mitterrand s'était évadé avec l'espoir de reconquérir Marie-Louise. La retrouver enfin, lui parler, la serrer dans ses bras, il en avait tant rêvé dans les camps, il en avait tant parlé à ses compagnons.

A peine revenu en France et dès que ses forces le lui ont permis, il s'est hâté de gagner la capitale. Prudent, pourtant, il a préféré ne pas aller sonner à la porte de sa fiancée. En cette veille de Noël 1941, il savait où pouvoir l'apercevoir : au sortir de la messe de minuit en l'église Saint-Dominique, rue de la Tombe-Issoire, où la famille Terrasse faisait habituellement ses dévotions. Il nourrissait l'espoir que ces retrouvailles

1. Seulement deux croix de Compagnons de la Libération ont été décernées au Mouvement de prisonniers : à Pierre Steverlinck et Pierre Lemorgen.

impromptues lui vaudraient un sursis, voire la renaissance de l'amour. On ne rompt pas le soir de Noël ! Mais au premier regard et aux premiers mots échangés, François a compris qu'il avait rêvé. Marie-Louise ne l'aime plus.

La rupture sera consommée au début de janvier, après un rapide déjeuner en tête à tête dans un restaurant des Champs-Elysées. Au terme d'une longue promenade exténuante et tendue à travers les rues de la capitale, Marie-Louise, qui a mal aux pieds et qui est fatiguée, lui signifie que son désamour est irrémédiable. Les mots, dit-elle, ne peuvent l'expliquer. Il faut comprendre, c'est tout. Comprendre... Elle en a de bonnes !

En cas de rupture de fiançailles, les demoiselles bien élevées rendent leur bague, ce qu'elle fait. A ce moment, les deux jeunes gens cheminent le long des berges de la Seine. Une légende veut que François Mitterrand ait jeté le diamant dans les eaux sombres du fleuve, avant de s'enfuir, désespéré, le cœur brisé.

Des proches assurent au contraire qu'il gardait encore précieusement le bijou au fond de sa poche lorsqu'il débarqua à Alger. Qu'importe ! Les deux versions sont également romanesques et jolies.

Au moins tous ses familiers sont-ils d'accord sur l'essentiel : il lui faudra de longs mois avant de surmonter son chagrin. Mais le fiancé éconduit ne montrera jamais de rancune à l'infidèle. Des années durant il lui enverra ponctuellement une rose rouge chaque 3 mars, le jour anniversaire de leurs fiançailles. Au temps de la Résistance, les amis de François Mitterrand expliquaient en partie son courage, sa témérité et parfois son inconscience dans le danger par cette désillusion-là.

Pierre Ordioni, un ami de captivité du frère de Marie-Louise, donne à l'épisode une conclusion littéraire étonnante[1] : « Au début de l'année 1941, écrit-il, je viens juste de m'évader et je passe le plus clair de mon temps auprès de Marie-Louise Terrasse qui me lit les contes qu'elle écrit pour tromper son attente. Contes d'une qualité telle que j'ai longtemps espéré qu'elle irait plus loin que Colette. " Mon fiancé, me disait-elle, est un être exceptionnel, il exige de moi autant que de lui, il n'est pas religieux, il est mystique. Le sens qu'il a de Dieu et de la mission de chacun de nous le met hors du commun. " » Et Ordioni poursuit : « Marie-Louise Terrasse est aussi un être

1. *Tout commence à Alger, 1940-1944*, Paris, Stock.

exceptionnel. Je devais la revoir près de trente ans plus tard un soir que ma concierge m'avait prié dans sa loge pour suivre sur l'écran de sa télévision le déroulement d'un événement politique. Etrange lucarne en vérité. Marie-Louise m'apparut soudain, le visage nu, que le masque de Catherine Langeais ne put me dissimuler. " Et maintenant, dit-elle avec ce charmant sourire que les ans n'avaient en rien altéré, dans le cadre de l'élection présidentielle, vous allez entendre M. François Mitterrand. " Puis lentement son visage s'effaça pour faire place à celui du rival du général de Gaulle. Reflets sur l'eau dormante d'un bras mort de la vie... »

Comment François Mitterrand passera-t-il de Marie-Louise Terrasse à Danielle Gouze ?

Leur rencontre pourrait nourrir les pages d'un roman de la collection Harlequin. On imagine presque la voix mâle et profonde de Michel Piccoli détaillant sur les ondes la bande annonce de leur romance.

Dans leur biographie pieuse de *Danielle Mitterrand*[1] et publiée avec son aval, les deux journalistes Michel Picar et Julie Montagard narrent avec luxe détails la première rencontre. La scène se passe au printemps 1944. François Mitterrand vient de rentrer de Londres, il a retrouvé ses amis, parmi lesquels Patrice Pelat. Celui-ci courtise assidûment une superbe jeune personne nommée Madeleine Gouze (connue plus tard sous le nom de Christine Gouze-Renal).

« Ils sont quatre ou cinq à se rendre chez Christine en ce jour de mars 1944, Patrice bien sûr, mais aussi Bernard Finifter, Jean Munier et François Mitterrand. Alors qu'ils conversent avec Christine, celui-ci s'approche d'un meuble sur lequel se dresse la photographie d'une jeune fille.

« — Qui est-ce ? demande Mitterrand.

« — Ma sœur.

« — Elle est ravissante, je l'épouse. »

Ce dialogue rapporté par Christine est désormais entré dans l'Histoire... Il chante comme les vers connus d'un sonnet ou les répliques culminantes d'une œuvre théâtrale.

Entre l'attrait que Morland exerce sur elle-même et le commentaire qu'il vient de lâcher devant la photographie de sa sœur, Christine est piquée au vif[2]. Pygmalion pour ceux qu'elle

1. *Op. cit.*
2. *Sic.*

aime, productrice avant de savoir qu'elle le deviendra, elle écrit à sa jeune sœur : « Un fiancé pour toi... Les vacances de Pâques ne sont pas loin, je t'invite à venir les passer ici pour faire sa connaissance... » Lorsque Christine découvre sa jeune sœur à la gare, elle mesure le chemin qui reste à parcourir pour que la jeune provinciale devienne une fiancée présentable. Danielle porte de petites socquettes blanches et une jupe plissée comme on les lui a toujours vues.

« Tu ne peux tout de même pas te présenter à ce rendez-vous avec des chaussettes ! Cet après-midi, nous allons t'acheter des bas. »

Danielle n'a pas l'intention de céder. Pourquoi lui ferait-on jouer un personnage ? Si elle doit plaire, c'est telle quelle.. L'accrochage est évité de justesse, Danielle s'exécute, mais elle remettra ses chaussettes le lendemain.

La rencontre a été fixée au restaurant Chez Beulemans boulevard Saint-Germain. Les deux sœurs se glissent au fond du restaurant, les yeux rivés au tambour de la porte. Elles sont en avance. Christine, plus émue que Danielle, propose : « Si c'est le coup de foudre, tu me feras un petit signe d'approbation, s'il ne te plaît pas, une moue. »

Soudain, Christine pousse Danielle du coude. Le voilà !

Il portait un grand chapeau, un chapeau mou qui lui mangeait le visage, l'accent de sa moustache venait contrarier le dessin de sa bouche comme une faute d'orthographe, il s'était enveloppé dans un manteau mastic.

« Il faisait Américain du Sud », dit Danielle comme si cette partie du monde, dont la civilisation lui est aujourd'hui si chère, ainsi qu'à François Mitterrand, transparaissait déjà en filigrane [1].

« A cette époque, François ressemblait à un danseur de tango », dira Patrice Pelat.

Danielle destine à Christine une moue éloquente. Le coup de foudre est différé ! On discute de choses anodines. L'intérêt de François pour Danielle est évident. Mais la manière de le lui montrer exaspère la jeune fille. Non, vraiment, il ne lui plaît pas. Cette forme d'esprit un peu acide qui vous égratigne tout en vous charmant l'irrite. A quoi bon lui parler de son bac alors qu'il n'a lieu que dans deux mois ? Que veut dire cet humour à double sens ? Danielle ne se sent pas armée pour répliquer.

1. Re-*sic*.

Seule avec Christine, elle explique : « Je ne peux pas être amoureuse de lui parce que c'est un homme. »

Christine ne comprend pas. Danielle s'écrie : « Mais ce que j'aime, moi, ce sont les garçons ! »

Cela ne s'invente pas.

Ils se marièrent donc et eurent plusieurs enfants[1] : six mois plus tard, le 28 octobre 1944, en l'église Saint-Séverin à Paris[2], Danielle Gouze, le jour de ses vingt ans, prenait pour époux François Mitterrand.

L'histoire de cette union, dont la rumeur s'accorde à dire que le chemin fut bordé de ronces, n'appartient qu'au président et à la première dame de France. Pourtant, Roger Gouze, le frère de Danielle, atteste publiquement qu'elle fut aussi un combat. Il écrit[3] : « J'ignore pourquoi la vie publique fait rarement bon ménage avec la vie privée. Je me suis assez vite demandé comment ma plus jeune sœur, dont je devinais le caractère un peu farouche, fille de la nature plus que de la ville (le plus bel exemple d'éducation à la Rousseau m'a dit un jour son mari), s'accommodait d'une existence aussi décousue. L'amour unit souvent des êtres dissemblables. C'est la source de beaucoup d'orages et d'immenses joies. Seule la difficulté enrichit : " Ce qui se fait facilement se fait sans nous ", dit Valéry. J'eus l'impression que dans leur cas rien ne se ferait sans eux... Où réside la perfection d'un couple ? Dans la sérénité partagée et prolongée ou dans les orages d'une passion qui ne sait ni unir ni séparer ? »

Laissons à Roger Gouze la responsabilité de ce diagnostic plutôt sombre. Ce qui importe, c'est qu'entrant dans la famille de Danielle, le bourgeois catholique de Jarnac fait la connaissance d'un milieu qui se situe aux antipodes du sien et symbolise très exactement ce que sera, trente années plus tard, le cœur même de son électorat.

« Je vous présente ma fiancée laïque et républicaine », aime à dire le jeune homme jadis si pieux. « Mon gendre est un calotin », plaisante souvent son beau-père.

Antoine et Renée Gouze, les parents de Danielle, sont tous les

1. Trois garçons, dont l'aîné, le petit Pascal, devait mourir à l'âge de trois mois.

2. Là même où Marie-Louise Terrasse et François Mitterrand faisaient leurs dévotions au temps de leurs amours.

3 *In les Miroirs parallèles,* Paris, Calmann-Lévy.

deux instituteurs, laïcs et francs-maçons. « Etre laïc et athée était chez eux un principe. L'école devant être publique, laïque et obligatoire », écrit leur fils Roger Gouze. Il explique : « Nous pensions qu'aussi longtemps qu'il y aurait deux écoles, donc deux cultures, il y aurait deux classes dont l'une opprimerait l'autre. Selon nous, les écoles privées s'adressaient à des enfants anormaux, soit par la prétendue supériorité de leur caste, soit par l'évidente infériorité de leurs moyens intellectuels[1]. »

« Devant l'or, le sabre et le goupillon, le peuple aura toujours une révolution à faire. » Telle est la maxime préférée du beau-père de François Mitterrand. Le beau-frère, Roger Gouze, est professeur. Voici comment il évoque le Front populaire : « J'appartenais à cette aile gauche du Parti socialiste qui tendit la première la main aux communistes. Pour les gens de gauche de mon âge, 1936 restera la lumière de leur vie. Quel lever de soleil !... Le 1er octobre 1936, j'arrivais, jeune professeur, à Chambéry. Tout de suite je fondai la première maison de la culture en province avec quelques collègues et l'appui de la municipalité. Il fallait aider le peuple à occuper les loisirs qu'il venait de conquérir... J'ai connu alors des joies qui m'interdisent aujourd'hui encore de désespérer tout à fait des hommes. J'ai enseigné l'écriture à un vieux terrassier analphabète avec lequel je creusais le dimanche les fondations d'une auberge de la jeunesse. J'ai découvert le mystère de la pêche au lavaret dans le lac du Bourget avec un ouvrier zingueur qu'un collègue, professeur de sciences naturelles, initiait aux mystères de la vie, celle qui frémit déjà dans la matière pour s'illuminer d'âme dans l'homme... Je me sentais le rouage d'une immense machine à fabriquer du bonheur. »

Fabriquer du bonheur... Un texte qui aurait pu être signé par des militants du PS aux beaux jours de 1981.

Dans le même livre, Roger Gouze évoque la découverte de son beau-frère François : « J'avais la tripe populaire et le cœur à gauche. Il ne me semblait pas que ce fût son cas. Il passait mieux que moi ses opinions au filtre, sans doute plus sélectif que le mien, de son esprit remarquablement ajusté... Je me rappelle lui avoir dit très tôt et sûrement l'un des premiers qu'en France il n'y avait pas de solution de la gauche sans les communistes : " Il faut les prendre comme ils sont, en sachant

1. *In les Miroirs parallèles, op. cit.*

ce qu'ils sont, avec leurs énormes défauts et leurs immenses qualités. " Beaucoup plus tard, je lui écrivais : " Je vous ai toujours dit qu'il n'y avait pas de solution de la gauche sans les communistes. Il n'y en a peut-être pas non plus avec... " »

Décidément, rien n'est simple à gauche !

François Mitterrand avait gardé de bons souvenirs de son éducation religieuse. A l'inverse, Danielle et son frère Roger auront été, à les en croire, presque martyrisés par les catholiques. Roger Gouze : « En m'inscrivant à Saint-Jean-des-Vignes, j'avais quatre ans, ma grand-mère n'avait pas parlé de mes parents ou plutôt de la concurrence laïque qu'ils leur faisaient. Comment les religieuses l'apprirent-elles ? Nous n'avons jamais pu expliquer autrement la transformation en fantômes tourmenteurs de ces anges aux cornettes blanches. Le bec amidonné de leur col se fit menaçant. On me reprocha des mains mal lavées, des ongles douteux, les oreilles me piquaient longtemps d'avoir été tirées, désourlées par des examens inquisiteurs[1]. »

De même, Danielle devait souffrir d'incroyables sévices au lycée de Dinan où la directrice, « verrouillée dans sa foi », lui aurait fait payer très cher les sentiments laïcs de son père, alors principal du collège de garçons. Elle raconte comment on lui mettait systématiquement de mauvaises notes, alors qu'elle était une excellente élève, comment on la privait de repas puisqu'elle ne savait pas réciter le bénédicité. Comment encore on lui refusait le tableau d'honneur. A tel point qu'elle perdit la santé et fit une dépression nerveuse. Et parce que Antoine Gouze avait transformé la chapelle en salle de gymnastique, on mit même, paraît-il, le feu à son collège.

« N'envoyez pas vos fils à Dinan, ce serait commettre un péché », chuchotait-on sur les parvis des églises bretonnes[2].

« Depuis, pour Danielle, tout ce qui arrive de mal, c'est toujours la faute aux curés », raille aujourd'hui une sœur de François.

Ces brimades ont peut-être incité, plus tard, le premier secrétaire du PS à écrire : « Savez-vous ce qu'a été la vie des instituteurs laïcs à l'époque où régnait l'intolérance de l'Eglise ? Qu'ils aient eu tendance à ériger la laïcité en dogme pour combattre un autre dogme, j'en conviens. Mais ce qu'ils

1. Roger Gouze, *les Miroirs parallèles, op. cit.*
2. Michel Picar, Julie Montagard, *Danielle Mitterrand, op. cit.*

défendaient, c'était la liberté de l'esprit. Si la laïcité paraît à certains d'un autre âge, n'est-ce pas parce qu'elle devait résister aux entreprises d'un autre âge [1] ? »

Antoine et Renée Gouze devaient connaître bien d'autres malheurs, très réels. Roger Gouze raconte : « Mon père fut révoqué par Vichy en 1940. Franc-maçon, idéaliste, écœuré par les règlements de comptes vichyssois, il refusa de remplir les formulaires qui recensaient les israélites (élèves et professeurs) dans son établissement. Alors, l'inspecteur découvrit un peigne malpropre sur une table de nuit et des urinoirs mal nettoyés. Il fut révoqué pour faute professionnelle et dut se retirer dans sa maison de Cluny. " Pendant des semaines, raconte maman, j'ai cru que ton père devenait fou. " [...] Alors, commença la vie d'un demi-solde laïc et républicain dans un régime fascisant et bien-pensant. [...] La vie matérielle se faisait de plus en plus difficile... Et puis, un jour de mars 1943, l'Histoire, la grande, vint comme on dit frapper à la porte. Léonce Clément, un de mes amis, professeur comme moi, venait proposer à mes parents d'accueillir Henri Frenay, son patron dans la Résistance, qui ne pouvait plus vivre à Lyon où les polices allemande et française rendaient impossibles son activité et son existence même. Sa plus proche collaboratrice, Bertie Albrecht, avait déjà été arrêtée une première fois et n'avait dû son salut qu'à son courage pour simuler la folie, se faire interner dans un hôpital psychiatrique d'où des amis l'avaient extirpée. »

Michel Picar et Julie Montagard notent : « Le mois précédant l'arrivée de Frenay à Cluny, celui-ci avait participé à une réunion avec un homme qui tentait de regrouper les prisonniers de guerre évadés dans un mouvement de Résistance. L'homme s'appelle Morland. On aura reconnu François Mitterrand. Cette accumulation de signes, ce tissage élaboré dans le secret des Parques fera dire à Danielle que leur rencontre était inéluctable. »

La famille Gouze aura donc pâti de l'injustice : celle des catholiques, celle des politiciens de droite. Ils auront connu le dénuement, le froid, et surtout un terrible sentiment d'exclusion. Comment ne pas en concevoir d'animosité, de volonté de revanche ?

Danielle Mitterrand a-t-elle poussé son mari vers la gauche,

1. François Mitterrand, *Ici et maintenant, op. cit.*

comme le pensent certains de ses proches ? Un mari qui se sent parfois coupable peut-il consentir à son épouse des concessions qu'il ne ferait à aucune autre femme : des concessions idéologiques ?

En tout cas, le premier secrétaire du Parti socialiste a souligné maintes fois que Danielle se situait plus à gauche que lui : « Elle me trouve beaucoup trop modéré dans ma vie politique », a-t-il confié à Hélène Vida en 1972[1].

1. Hélène Vida, *Mes hommes politiques,* Paris, Belfond.

5

La IVe République
La carrière

« La force au-dedans de moi-même et la tranquillité n'ont pas changé, parce que rien n'a jamais changé en moi de ce qui est profond. »

Le 28 juin 1983, le président de la République recevait à l'Elysée, pour un petit déjeuner radiodiffusé, trois journalistes d'Europe 1, Philippe Bauchard, Gérard Carreyrou et Ivan Levaï. Et comme celui-ci lui demandait s'il se sentait aussi fort, tranquille et serein qu'avant son ascension à la charge suprême, le chef de l'Etat répliquait en affichant la certitude de celui qui, ayant exploré les difficultés et les intérêts de sa fonction et des circonstances, éprouve un double sentiment d'unité et de paix.

Le cadre doré du palais élyséen ne prédispose certes pas au doute métaphysique. Mais pourquoi ne pas croire le président de la République quand il affiche une telle sérénité ?

Depuis qu'il est à l'Elysée, quels qu'aient été les obstacles et les désillusions, François Mitterrand a donné le spectacle d'un homme épanoui, jamais rebuté ni désemparé par les tracas quotidiens ou les traverses conjoncturelles. Il semble prendre un égal plaisir, un intérêt toujours renouvelé à déposer des gerbes, décorer des citoyens méritants, visiter nos provinces ou regarder les grands de ce monde — depuis 1981, enfin ses pairs — au fond des yeux.

Dans l'opposition, il faisait songer à un buste romain à la lippe maussade qui attend toujours de devenir une statue en pied. Au pouvoir, il paraît se mouvoir sur un coussin d'air. Pour un peu, on le croirait capable de marcher sur les flots. François Mitterrand semble vivre son mandat comme une assomption.

L'état de grâce, dissipé pour les autres, se perpétue chez lui : comment sa victoire ne serait-elle pas synonyme de bonheur fou puisqu'il la vit comme son accomplissement ? Il est enfin là où il devait être. Et y restera, si Dieu lui prête vie, jusqu'à l'ultime seconde accordée par ce bourreau nommé suffrage universel.

Le premier secrétaire du Parti socialiste s'est toujours senti taillé pour les habits de souverain, une certaine idée de lui-même qu'il a su faire partager à sa cohorte de fidèles. Pourtant, la sérénité qu'il affecte aujourd'hui est bien récente. Longtemps ses succès se sont teintés d'amertume et de dépit. Même quand il semblait être, parmi les jeunes premiers de la politique, l'un des plus comblés.

Durant les douze années que dure la IVe République, de 1946 à 1958, le député de la Nièvre amorce une ascension singulière qui sera bien la marque de son destin : un cheminement rapide dans les allées du pouvoir, traversé d'embûches et de chausse-trapes. Chemin de gloire. Chemin de croix.

Onze fois ministre, et à des postes de plus en plus importants — y compris l'Intérieur et la Justice qui, selon les canons de la hiérarchie républicaine, constituent les dernières marches avant la présidence du Conseil —, il ne parviendra pourtant pas à escalader cet ultime échelon. Des hommes de sa génération, pas plus doués et auxquels il ne se sentait pas inférieur — Maurice Bourgès-Maunoury, Félix Gaillard — arriveront au but. Pas lui. On le juge moins homme d'Etat qu'un Mendès France, moins époustouflant qu'un Edgar Faure, moins prometteur qu'un Félix Gaillard, moins représentatif qu'un Guy Mollet. Et surtout, moins sûr que tous ceux-là. D'instinct, on se méfie de lui.

Alors que certains hommes politiques, comme protégés par une grâce divine, volent de succès en succès sans qu'aucun ennemi y trouve en somme à redire, lui devra toujours presque s'excuser de réaliser son ambition. « Il sera celui qui réussit sans plaire, progresse sans séduire, se fraie une place sans jamais être accepté tout à fait. On lui trouve plus de précocité que de grâce, on admire davantage son impatience que son autorité [1]. »

Ce n'est pas qu'il laisse indifférent : dès les premiers jours, il suscite des fidélités qui ne se démentiront pas. Déjà, il

1. Jean Daniel, *le Nouvel Observateur*.

provoque aussi méfiance, allergies tenaces et suspicion. Sans doute parce qu'il est si personnel et si secret... Ses rivaux, ses ennemis expliquent volontiers son comportement par une ambition dévorante. Ceux qui l'aiment le décrivent plutôt comme un homme en quête d'unité intérieure, d'un projet, d'une idée.

On le sait habile (trop habile ?), adroit (trop adroit ?). Ses collègues apprécient en connaisseurs l'agilité de la manœuvre quand il prend le contrôle de l'UDSR, un groupe-charnière où se font et se défont alors toutes les majorités. Une prise de pouvoir qui préfigure étrangement, à une moindre échelle, l'OPA ultérieure sur le Parti socialiste.

Le François Mitterrand de la IVe République est une esquisse. Homme de gauche ? Certes pas. Sa trajectoire évolue entre centre droit et centre gauche avec une constante : un anticommunisme viscéral et militant. Il devance parfois les craquements de l'Histoire : sa politique africaine en témoigne. Mais il ne se bat pas en éclaireur : ses déclarations sur « l'Algérie française » le prouvent. Il n'est pas porteur d'une idéologie. Il ne s'impose pas à une majorité. Personne ne le prend pour un leader charismatique, même si l'on ne conteste pas son sens de l'autorité et un tempérament passablement consulaire. C'est un orateur de talent reconnu. Un juriste dont les arguties surprennent et désarçonnent souvent les adversaires. Mais, dans cette période de reconstruction de la France, il ne participe à aucun débat économique. Au total, on le catalogue plutôt, à l'époque, comme un très bon second rôle.

Un second rôle qui a le goût du monde et de ses jeux, qui s'enivre volontiers de succès parisiens, porte bien l'habit et la cravate blanche. On l'aperçoit lors du festival de Cannes en compagnie de starlettes au cabaret Milord l'Arsouille, en habit au mariage de Grace et Rainier de Monaco, à Florence, villa Varamista, chez Violet Trefusis [1], une lady anglaise, bâtarde du roi George V, qui tient salon et chez laquelle, dira-t-il plus tard, « se construisait l'Europe intellectuelle ». A Florence, le consul de France de Dampierre lui demande un jour comment se prononce son nom : *Mitran* ou *Mitterrand ?* Et l'intéressé de répondre : « Mitterrand, comme Talleyrand [2]. » Il passe ses week-ends chez Pierre Lazareff, directeur de *France-Soir*, ou

1. Elle lui léguera une collection de tabatières.
2. C'est Elizabeth de Miribel qui rapporte l'anecdote.

chez Marcel Bleustein-Blanchet. Il y rencontre le Tout-Paris. « C'était l'époque où Danielle s'habillait chez les grands couturiers et où François parlait de ses handicaps au golf », note Françoise Giroud. Ce Mitterrand-là ressemble, sous les regards admiratifs des dames, à un papillon ébloui par les lumières artificielles. Il n'est pas encore sorti de sa chrysalide.

L'ENVOL

Journaliste ? Avocat ? (Mais il n'a pas passé le CAPA[1], qui autorise l'inscription au barreau.) Homme politique ? En 1946, François Mitterrand présente toutes les aptitudes pour s'engager dans chacune de ces voies. Il a le goût des mots et une plume de polémiste, il aime jouer le redresseur de torts ou le défenseur des opprimés, il se sait capable d'organiser son emprise sur les autres. Il a donc sa place parmi la nouvelle élite qui s'installe avec la Libération.

Il vient d'occuper, à vingt-huit ans, le poste en vue de secrétaire général (provisoire) aux Prisonniers. Il s'est taillé quelque renommée au sein de la toute-puissante Fédération nationale des prisonniers de guerre. Il n'est donc pas inconnu dans la nouvelle classe dirigeante. Sans doute a-t-il, dès 1945, opté secrètement pour la carrière politique. Pour l'heure, le journaliste qu'il est encore s'est plus fait remarquer par la vigueur et le ton de ses éditoriaux que par son intérêt pour la diffusion du journal *Libres* qui, faute d'une gestion rigoureuse et même de lecteurs, mourra bientôt de sa belle mort, comme la plupart des publications nées de la Résistance.

En attendant des ouvertures politiques — une investiture et une circonscription —, ce jeune marié (bientôt père d'un petit Pascal qui décédera à l'âge de trois mois) doit entretenir sa famille. Il habite alors Auteuil, dans un appartement qui longe l'hippodrome. Danielle ne s'y plaît pas. « Je

1. Certificat d'aptitude à la profession d'avocat. Une loi votée en avril 1954 sous le gouvernement Laniel autorisera les titulaires d'une licence en droit, acquise avant 1941, à accéder à la profession sans avoir passé cet examen supplémentaire.

ne me sentais ni à Paris ni à la campagne[1] », dira-t-elle.

Eugène Schoeller, fondateur de la puissante firme L'Oréal (parfums et cosmétiques), un homme dont les amitiés politiques se sont toujours résolument situées à droite[2], lui offre le poste de P-DG des Editions du Rond-Point, dont l'un des fleurons est le magazine *Votre beauté*. Max Brusset, qui dirigeait alors la publicité du groupe, s'en souvient : « On lui avait donné un bureau, un traitement, une voiture et un chauffeur. »

François Mitterrand avait espéré, en entrant là, lancer un vrai journal politique. Mais le climat de la Libération et les ennuis personnels d'Eugène Schoeller ont incité celui-ci à ajourner le projet. Toujours épris de littérature, François Mitterrand aurait voulu donner à *Votre beauté* un ton plus culturel[3], mais ce n'est pas l'objectif fixé à cette publication féminine. Les projets du jeune journaliste n'auront point de suite. Déception sans importance.

Quelques mois plus tard, le 2 juin 1946, sont organisées des élections législatives. Il s'agit de désigner les députés de la deuxième constituante, chargés d'élaborer un projet de Constitution[4].

François Mitterrand est candidat dans la cinquième circonscription de la Seine (Neuilly, Asnières, Saint-Ouen, Clichy, Levallois, Courbevoie, Puteaux) sous l'étiquette RGR (Rassemblement des gauches républicaines).

Sous ce vocable résolument progressiste et certainement ambitieux se sont regroupés plusieurs petits partis, maigres débris des grandes formations d'avant-guerre. S'y cache surtout le Parti radical qui a encore honte de son ombre, le parti des deux Edouard : Daladier et Herriot.

Le RGR se propose de regrouper tous les adversaires du marxisme, de la majorité socialo-communiste et du cléricalisme. Bref, tous ceux qui ne veulent ni de la gauche ni du MRP. En son sein se retrouvent, avec les radicaux, des anciens de l'Alliance démocratique de Pierre-Etienne Flandin (président

1. Michel Picar et Julie Montagard, *Danielle Mitterrand, op. cit.*

2. Il fut l'un des protecteurs et des financiers de la Cagoule et attribua des postes importants dans son entreprise à de grands cagoulards : Corrèze, Harispe et aussi le fils d'Eugène Deloncle.

3. *In Danielle Mitterrand, op. cit.*

4. Une première constituante, élue le 21 octobre 1945, avait élaboré un projet qui, voté par les communistes et les socialistes, avait été repoussé par 53 % des électeurs lors du référendum du 5 mai 1946.

du Conseil d'avant-guerre, puis ministre des Affaires étrangères de Vichy), le Parti de la réconciliation française qui recueille les épigones du Parti social français du colonel de La Rocque, le Parti socialiste démocratique, enfin, qui regroupe les amis de Paul Faure, secrétaire général de la SFIO avant Vichy, que son pacifisme avait conduit jusqu'à Pétain. Philip Williams, universitaire britannique et spécialiste éminent de la IVe République, note que « l'objectif majeur de la plupart de ces groupes était de remettre en selle des dirigeants dont la carrière avait été interrompue par la loi d'inégibilité frappant les parlementaires qui avaient accordé, le 10 juillet 1940, les pleins pouvoirs au Maréchal ».

Curieux choix pour un François Mitterrand qui avait tant fustigé les partis d'avant-guerre et plaidé pour l'arrivée au pouvoir d'une génération d'hommes neufs. Un an plus tôt, il n'avait pas de mots assez durs pour Daladier et Herriot : « Herriot eut un mérite rare : il fut l'auteur de cette fameuse définition : le " Français moyen ". Comment les Français ne lui en seraient-ils pas reconnaissants ? Français moyens, France moyenne. Cela ne fatigue ni l'esprit ni les muscles... On avait bien appris dans les manuels d'histoire que la France était un grand pays. Voilà un adjectif bien fâcheux. Grand ? Comment veut-on que M. Herriot soit à l'aise à une époque où l'on ne parle que de grandeur ? A force de vivre dans une honnête moyenne, les Français sont allés à Munich avec l'autre Edouard, le petit... Et Vichy fut la récompense amère de tous ceux qui, pour avoir refusé la grandeur, devaient être les premières victimes des exactions de la bassesse... Et voilà qu'après tant de sottises moyennes, mères de tant de catastrophes grandioses, des paroles de grandeur sont venues jusqu'à nous. De Gaulle, Berthie Albrecht, Narbonne, Mederic, et puis tous ceux qui, dans leur prison, dans leur camp, ont su reconquérir l'âme même de notre peuple et sont devenus nos seuls amis, nos seuls maîtres[1]. »

Belle envolée, mais prompte volte-face.

Ce premier engagement qui ressemble à un petit reniement peut s'expliquer de diverses manières. François Mitterrand, qui n'aime pas jouer les seconds rôles, ne voulait sans doute pas être noyé dans un parti trop riche en personnalités de taille. Il n'était certes pas assez à gauche pour songer à la SFIO.

1. Dans le journal *Libres*.

Et le MRP, la nouvelle formation démocrate-chrétienne qui accueillait la génération de la Résistance et faisait coexister des sensibilités de centre gauche et de droite classique, était sûrement trop structuré, trop encombré aussi de dirigeants pour son goût. Enfin, il n'éprouvait aucune indulgence pour le tripartisme, cette alliance tumultueuse et contre nature qui rassemblait la SFIO, le MRP et le Parti communiste.

Les élections se faisant au scrutin de liste à la proportionnelle, le RGR arriva en cinquième position après le Parti communiste, le MRP, la SFIO et le Parti républicain de la liberté, formation de droite dirigée par Edmond Barrachin. Même si son score n'est pas infamant (21 511 suffrages), François Mitterrand n'atteignait pas le quotient électoral nécessaire pour obtenir un siège. Dans cette circonscription orientée à gauche, mais comprenant quelques enclaves de droite classique, le patronage du RGR n'était sans doute pas très favorable. Ce galop d'essai témoigne au moins de la couleur de la casaque du cavalier : François Mitterrand relève à l'époque de la droite. Sans contestation.

Six mois plus tard — entre-temps les Français ont fini par adopter sans enthousiasme la Constitution de la IVe République —, il faut organiser les élections à la première Assemblée nationale.

Cette fois, François Mitterrand se présente dans la Nièvre. Il n'y possède pourtant aucune attache. Il est parachuté quinze jours avant le scrutin. Le préfet contestera même la régularité juridique de cette candidature impromptue. La casaque n'a pas changé même si le cavalier mène cette fois la campagne sous le vocable vague d' « action et unité républicaine ».

Son irruption dans ce département, jadis réputé catholique et qui compte « trois ducs et pairs » (cette expression émerveillée est du leader socialiste lui-même), est patronnée par le richissime marquis de Roualle, directeur général des conserves Olida. « Vingt fois, relate plaisamment René Pleven, le marquis m'a raconté comment il avait été saisi par Edmond Barrachin d'une quasi-requête : " Il y a dans mon département un jeune homme trop actif qui vient chasser sur mes terres, vous m'aideriez fort si vous lui trouviez ailleurs une circonscription jouable. " »

Alain de Roualle, le fils du marquis, confirme : « Mon père, qui s'est toujours intéressé à la vie politique du département, cherchait un candidat de droite pour faire pièce au tripartisme.

Sur les conseils de son ami Edmond Barrachin, il devait prendre contact avec un jeune homme catholique et bien-pensant, qui s'appelait François Mitterrand. A l'époque, je l'ai aperçu au moins cinquante fois à la maison. Mon père l'a beaucoup aidé financièrement, il l'a présenté à qui il fallait. Il était pour nous le candidat idéal, tout à fait de notre bord. »

« Et puis, François a été très poussé par Emile Boutemy, le secrétaire général du Patronat[1], et son compère Brulefer, président de l'Industrie chimique et maire de Clamecy (Nièvre). François était très lié avec eux », se souvient Max Brusset.

Quand le leader socialiste narrera plus tard ses débuts dans le Morvan, il oubliera curieusement ces parrainages très actifs et cette introduction titrée. En revanche, il invoquera d'abondance l'appui et la bénédiction d'Henri Queuille, ministre de la IIIe République, qui avait rejoint à Alger le général de Gaulle avant de devenir un membre inamovible des gouvernements de la IVe République. « Je me suis présenté à la députation dans la Nièvre en 1946. Le bon Dr Queuille m'y avait envoyé avec pour tout viatique : on vous offre cette chance parce qu'elle n'existe pas, allez-y quand même. Vous réussirez si vous écoutez tout le monde et n'en faites qu'à votre tête[2]. »

Le nouveau venu ne plaît pas seulement aux châteaux. Le clergé de Nevers se félicite tout autant de son arrivée. En témoigne Léon Noël, ex-ambassadeur gaulliste et ex-président du Conseil constitutionnel : « Quand nous avons voulu faire bénéficier notre candidat RPF pour les élections de 1951 de la sympathie de l'Eglise et des fidèles, le chanoine Andriot, de Nevers, m'a répondu : " Mais nous avons François Mitterrand, c'est un jeune homme si pieux, si fervent, il est très bien, il défend nos idées. " »

Nanti de telles bénédictions, le parachuté, qui sent si bien la province, réalise cette fois un score très brillant : sa liste arrive en deuxième position, avec 25,5 % des voix, derrière celle du communiste (33,7 %), mais devant les socialistes de la SFIO dont le chef de file, le député Dagain, vouera à François Mitterrand — bien des parlementaires de l'époque s'en souviennent — une rancune inexpiable. La profession de foi, ce

1. Que l'on disait alors chargé de répartir ses subsides aux hommes politiques et aux partis favorables aux thèses du CNPF.

2. François Mitterrand, *Ma part de vérité, op. cit.*, dialogue avec Alain Duhamel.

document que tout candidat doit expédier à chaque électeur, de François Mitterrand (qui revendique alors la profession d'éditeur) mérite d'être intégralement citée. On jurerait qu'elle émane d'un actuel candidat de l'opposition :

« Vous direz non au déficit et à l'inflation. Non à la loi électorale bâtarde. Non à la faillite : le gouvernement a emprunté 650 millions de dollars, le total annuel de nos charges est de 140 milliards de francs, la totalité des revenus est engloutie par le budget. Non à la gabegie administrative : 276 000 postes de fonctionnaires ont été créés. Non aux nationalisations hâtives et coûteuses, qui alourdissent nos charges.

« Non à l'installation au pouvoir du Parti communiste, ce parti que Léon Blum appelait dans son livre ***A l'échelle humaine*** un parti nationaliste étranger.

« Pour faire cesser le désordre, il faut :

« — Défendre toutes nos libertés et au premier chef la liberté de l'enseignement, car l'enfant appartient à ses parents et non à l'Etat.

« — Combattre afin d'assurer le redressement économique du pays : en encourageant la production par la suppression des réglementations qui briment les libertés ; en exigeant le retour aux méthodes saines de gestion budgétaire ; en luttant contre l'Etat-trust qui se substitue partout à l'initiative privée ; en luttant pour la suppression des emplois inutiles.

« — Que le droit de propriété ne soit plus hypothéqué par le bon plaisir du législateur et soit respecté intégralement.

« — Que la paix religieuse soit maintenue dans un climat débarrassé de tout sectarisme. »

Et ainsi de suite[1].

Des propos fort actuels, on le voit, qui, à l'époque, sonnèrent agréablement aux oreilles des notabilités locales.

Elu au centre droit en 1946, c'est encore à cette place que François Mitterrand se situe lorsqu'il se représente en 1951. Le jeune député de la Nièvre (qui a déjà été plusieurs fois membre du gouvernement) dirige la liste de l'Union démocratique et républicaine des indépendants, laquelle regroupe l'UDSR (ce petit parti centriste auquel il appartient), le Parti radical, le RGR et le PRL. François Mitterrand revendique alors les

1. Ce document est devenu bizarrement introuvable : le *Barodet* de 1946, recueil des professions de foi des candidats, ayant disparu de la bibliothèque de l'Assemblée nationale.

amitiés d'hommes comme Michel Clemenceau (PRL), René Pleven (UDSR), en passant par Paul Reynaud et Roger Duchet, tous deux indépendants, et Martinaud-Deplat, radical.

Il s'agit bien d'une coalition de centre droit présentant une frange à gauche, radicale, et une frange à droite, conservatrice modérée. Il s'agit surtout d'une alliance obligée, dirigée à la fois contre les deux grands partis de gauche devenus adversaires déterminés et contre le RPF du général de Gaulle dont l'ascension inquiète François Mitterrand et ses amis. Ils n'ont pas tort : lors du scrutin, le RPF arrive en deuxième position derrière le PC, mais devant la liste de François Mitterrand.

Dans sa profession de foi, cette année-là, le jeune ministre fait état de son activité gouvernementale et des services rendus au département. Il se flatte surtout d'avoir appartenu aux gouvernements Ramadier et Schuman, qui « ont été marqués par l'éviction des communistes (mai 1947) et par la lutte efficace contre les grèves politiques ». Par rapport à certains de ses amis de l'UDSR, François Mitterrand fait toutefois presque figure de modéré. Dans la Loire, la liste Bidault, Pinay, Claudius-Petit pose aux électeurs la question suivante : « Voulez-vous ou refusez-vous que la France devienne un Etat soviétique ? »

Quant au RPF, François Mitterrand le dénonce en ces termes : « Vous direz NON au parti unique, fanatisé et militaire. »

Il se situe donc au cœur de ce que l'on nomme la « troisième force », alliance cahotique de la SFIO, du MRP et des petites formations du centre, qui combat sur deux fronts : à la fois contre le PC et le RPF.

Entre-temps, le parachuté de 1946, soucieux de s'implanter durablement, s'était fait élire conseiller municipal de Nevers (il le restera jusqu'en 1959). Il était devenu aussi, en 1949, conseiller général de Montsauche, haut lieu de la Résistance, en battant le communiste sortant, un dénommé Bigot. La campagne électorale — pittoresque semble-t-il — était ainsi décrite, le 19 mars 1949 dans *France-Soir*, par le journaliste Robert Danger :

« Dans ces réunions, M. Mitterrand qui déteste l'équivoque[1] commence d'abord par évoquer la situation : " Je me présente dans un canton très dur, je le sais, mais je l'ai choisi pour battre

1. Assure notre confrère...

un communiste. J'espère réussir car cela en fera un de moins... "

« Le jeune candidat a l'esprit très sportif puisqu'il n'hésite pas à provoquer en duel (au ping-pong) un militant communiste qui se dit à ce sport le meilleur du pays (comprenez du village). Sous l'œil passionné des Morvandiaux, François Mitterrand retire sa veste et écrase en bonne et due forme le champion local qui, beau joueur, conclut : " Je ne voterai pas pour vous, mais quand même vous n'êtes pas une cloche. " »

Conseiller général, conseiller municipal, député, par cette triple victoire, il se créait ainsi un bastion dont il ne négligera jamais l'entretien. Il aimera toujours y retrouver les usages rassurants de la province où l'on s'applique à recevoir en mettant les petits plats dans les grands, où les conversations sur un ton compassé se nourrissent d'un rien, où les rumeurs de la ville tiennent plus de place que les idées à la mode. Il y goûtera les longues promenades dans la forêt embrumée, les contacts détendus et naturels avec des électeurs qui le changent agréablement, assure-t-il, du clinquant factice de la vie parisienne.

Ses électeurs lui resteront encore fidèles en 1956 [1]. Pour eux, il est désormais le « beau François ». Epithète flatteuse, qui correspond sûrement à quelque réalité : les lectrices de *Elle*, priées en octobre 1951 de désigner les quatorze hommes les plus séduisants parmi cent célébrités françaises (acteurs exclus), faisaient figurer le jeune ministre en bonne place dans leur classement, où il était entouré, notamment, de Maurice Druon, Louison Bobet, Jacques Chaban-Delmas, Albert Camus, Hubert de Givenchy, Hervé Alphand.

1. Sa liste dite d'union démocratique et de défense républicaine bénéficiera alors d'un apport radical, mais point du soutien socialiste. C'est pourtant l'époque du Front républicain et de l'alliance avec les radicaux mendésistes, la SFIO de Guy Mollet et les républicains sociaux de Jacques Chaban-Delmas.

FRANÇOIS MITTERRAND, L'ANTICOMMUNISTE

Quand François Mitterrand embrasse la carrière politique, le Parti communiste, avec 26 % des suffrages, est le premier parti français et s'en vante bruyamment. Le romantisme de la Résistance n'est pas loin, le Parti, qui se targue d'avoir perdu soixante-quinze mille militants (ce qui est faux), est au plus haut de son prestige et fascine nombre d'intellectuels. Les grandes polémiques sur le goulag et les épurations sanglantes de Staline, les grands soulèvements des pays de l'Est n'ont pas encore entaché son image. Il fait peur pourtant, en raison même de sa puissance et de son infiltration dans les rouages du pouvoir. On craint sa capacité d'organisation, son mystère, les activités clandestines que l'on soupçonne, son intolérance, son esprit de revanche et ses liens avec les Soviétiques. On redoute aussi ses retournements brusques et — qui sait ? — ses tentations de provoquer un Grand Soir que certains de ses dirigeants prônaient à la Libération.

Dès lors, tout homme politique est contraint de se déterminer pour ou contre lui. Et François Mitterrand n'hésite pas un instant : il se range parmi ses adversaires résolus — et pas seulement dans ses déclarations électorales.

Il va le montrer aux Anciens Combattants, son premier ministère. Lorsqu'il prend ses fonctions (il a tout juste trente ans), il ne trouve pas une situation commode : « Quand je suis entré dans mon ministère, le personnel était en grève car les communistes ne voulaient pas accepter de l'abandonner[1]. J'ai été seul avec un collaborateur[2] autorisé à entrer dans les locaux. La secrétaire, la fille du député communiste Demusois, couchait dans le bureau du ministre. Zilbermann, le responsable CGT, et l'inspecteur général du ministère, qui était lui aussi communiste, avaient pris le contrôle des bureaux. Je ne pouvais pas téléphoner, sauf sous la surveillance communiste :

1. « En fait, corrige Max Lejeune, qui l'avait précédé pendant un mois à ce poste, les communistes s'étaient mis en grève car j'avais restitué au ministère des Armées les camions réquisitionnés en 1945 pour le rapatriement des prisonniers et qui ne servaient pratiquement plus qu'au transport des militants communistes dans les meetings politiques. »
2. En l'occurrence Georges Beauchamp.

ainsi je suis resté trois jours durant leur prisonnier. Heureusement, j'ai pu faire sortir mon ami et il a fait publier avec ma signature un arrêté révoquant tous les directeurs du ministère en grève et nommant à leur place des présidents d'associations de prisonniers résistants[1]. »

Une rude situation, à n'en pas douter.

Pierre Nicolaÿ, l'actuel vice-président du Conseil d'Etat, qui a appartenu à tous les cabinets ministériels de François Mitterrand, en est encore stupéfait : « Zilbermann disposait d'une telle puissance que lorsqu'il arrivait dans une réunion de fonctionnaires, tout le monde se levait comme s'il était le ministre, c'était impressionnant. »

D'emblée, François Mitterrand démontre ainsi qu'il n'est pas homme à se laisser intimider par le PC. La révocation des hauts fonctionnaires et leur remplacement provoquent un beau tohu-bohu. Dans les rangs communistes, on s'étrangle de surprise. Le ton monte. Zilbermann vient dire tout net au ministre qu'il n'est point question de céder. Il s'entend rétorquer aussi sèchement : « Je n'accepte pas que l'on me parle sur ce ton vous pouvez disposer. »

Réaliste, le Parti communiste s'incline. En échange, il obtient qu'après la reprise du travail certaines révocations soient ajournées. Mais, par la suite, le jeune ministre éliminera soigneusement de leurs postes, les uns après les autres, les communistes les plus influents de son administration. Et François Mitterrand de raconter avec une satisfaction peu dissimulée : « Lorsqu'au Conseil des ministres du 5 février 1947 j'ai revu mon collègue, Maurice Thorez, celui-ci, fort affable, s'est approché de moi pour dire : " Je vous comprends, il y a des choses que l'on doit faire quand on est ministre, vous avez bien fait[2]. " »

A la fin de cette même année, les premiers affrontements de la guerre froide se font de plus en plus visibles. En France, le PC, exclu du gouvernement en mai (Mitterrand avait soutenu sans hésiter cette décision du président du Conseil Ramadier), organise grève sur grève. Une vague de violence et de sabotages submerge les usines. On frôle l'épreuve de force. Pour faire face à la situation, Robert Schuman, dirigeant MRP devenu président du Conseil, décide le rappel de quatre-vingt mille soldats

1. *L'Expansion*, août 1972.
2. *Ibid.*

du contingent. Et il propose à l'Assemblée nationale un projet de loi garantissant la liberté du travail contre les piquets de grève. François Mitterrand l'approuve chaudement. Lorsque, en Conseil des ministres, un vif débat oppose les partisans de la conciliation à ceux de la fermeté, il se range ostensiblement parmi ces derniers. Alors que certains ministres socialistes hésitent à employer la manière forte, il demande, lui, à Daniel Mayer, ministre SFIO du Travail[1] : « Voyez-vous un autre moyen pour aboutir au même résultat ? » C'est Vincent Auriol qui, ayant relevé la résolution du benjamin du gouvernement, rapporte le propos dans son journal. Le lendemain, lorsque Robert Schuman annonce à la tribune les mesures arrêtées par le Conseil des ministes, il est vivement pris à partie par les communistes, à commencer par Jacques Duclos : « Le gouvernement ment. Le président du Conseil est un ancien officier allemand, c'est un boche... Chien couchant, salaud. » Florimond Bonte n'est guère plus amène : « Hitler n'a pas réussi à nous casser la gueule, personne n'arrivera à nous la casser. » Tel est le ton. On comprend que François Mitterrand vole au secours du président du Conseil et accuse l'extrême gauche de n'avoir qu'insultes à la bouche. Le 1er mai 1948, lors d'une réunion publique dans la Nièvre, il demandera l'union de tous les républicains pour barrer la route au communisme.

Devenu secrétaire d'Etat à la présidence du Conseil chargé de l'Information dans le gouvernement du radical André Marie[2], il ne change pas d'orientation. Lors de la discussion d'un projet de loi sur le budget annexe de la radiodiffusion en juillet 1949, François Mitterrand polémique vivement avec le député communiste de Nice Virgile Barel :

VIRGILE BAREL. — La direction du journal parlé de la radio est sous les ordres directs de M. Dayan, membre du cabinet de M. Mitterrand, n'est-il pas vrai, monsieur le ministre ?... L'un des rédacteurs en chef du journal est actuellement détaché au cabinet du ministre de l'Intérieur... Un autre est sympathisant RPF. Tout cela constitue un état-major résolument et violemment anticommuniste et hostile à la classe ouvrière. On l'a bien vu lors de la grève des mineurs, durant laquelle la radio s'est livrée aux diatribes les plus haineuses, les plus mensongères contre les travailleurs en lutte pour leur sécurité et le pain de leurs enfants.

1. Aujourd'hui président du Conseil constitutionnel.
2. La valse des ministères se poursuit, sur un tempo accéléré.

FRANÇOIS MITTERRAND. — J'ai dû veiller, monsieur Barel, depuis quelques mois, à ce que ne se glissent pas dans nos émissions un certain nombre d'informations orientées dans un sens qui vous aurait plu davantage et qui, jusqu'alors, avaient pu se développer dans l'ombre d'une façon que, pour ma part, j'ai jugée pernicieuse. Mais, à ce moment-là, vous ne vous en plaigniez point. Vous me pardonnerez si l'objet même de votre critique fait que je m'en félicite... En effet, je m'efforce autant que cela m'est possible d'éviter que la propagande du Parti communiste s'exerce à travers les ondes. Je reconnais que ce n'est pas toujours facile, mais en tout cas je m'y efforce.

VIRGILE BAREL. — Vous avouez : vous êtes obligé de taire la vérité pour ne pas faire de propagande communiste.

FRANÇOIS MITTERRAND. — Je pense que cette propagande, la vôtre, en particulier, est nuisible aux intérêts de mon pays, je n'ai donc aucune raison de la favoriser... La radiodiffusion française a quotidiennement à faire de la politique. Une politique nationale de défense des intérêts de la France. Elle doit choisir entre plusieurs thèmes, plusieurs directions, le gouvernement estime logiquement qu'il est le représentant qualifié de la nation française, puisqu'il a la confiance de la majorité de l'Assemblée nationale et que lui revient le devoir d'exprimer la volonté de la nation.

MARC DUPUIS (PC). — Vous êtes vomi par le pays et vous le savez bien.

FRANÇOIS MITTERRAND. — Parmi ceux qui ont autorité pour parler au pays et au monde, les premiers ne sont-ils pas normalement ceux qui représentent nos institutions démocratiques ? C'est pourquoi je dis que le gouvernement, chaque fois qu'il s'agit des intérêts du pays, a parfaitement le droit de dire à la radio la direction qu'il propose à l'ensemble de la nation française, c'est en tout cas la conception que j'ai et que je vous propose, il suffira à l'Assemblée nationale de dire ce qu'elle en pense.

MAURICE KRIEGEL-VALRIMOND (PC). — C'est l'aveu clair que votre radio n'est pas la radio nationale mais la radio du gouvernement [1].

Dans cette affaire, François Mitterrand n'agissait pas de son propre chef. Il avait reçu, entre autres, les consignes les plus

1. En 1953, alors que François Mitterrand est devenu président de l'UDSR, est fondée une association de journalistes UDSR, qui n'entend pas seulement rassembler les journalistes sympathisants, mais aussi attirer à ce parti les membres de la presse. On notera aussi que c'est un dirigeant de l'UDSR, Jean Marin, qui fut nommé par André Bettencourt, en 1954, directeur général de l'Agence France Presse. François Mitterrand s'intéressait assez à l'Agence pour avoir déposé en 1949 un projet de loi concernant ses statuts. Commentaire de l'un de ses anciens collègues du gouvernement : « Mitterrand n'avait pas son pareil pour entretenir ses relations avec la presse. »

strictes de Vincent Auriol, lequel note dans son Journal, le 9 octobre 1947 : « En ce qui concerne la radio, j'ai demandé à Mitterrand d'en éliminer les communistes qui dirigent et font le journal parlé. Et de supprimer la tribune libre. Et d'organiser une propagande quotidienne sur l'action du gouvernement. » (La tribune libre fut effectivement supprimée et des journalistes communistes, comme Francis Crémieux, ancien rédacteur en chef du journal parlé, licenciés.)

Après la grève de la radio du 11 novembre 1947, Vincent Auriol s'interroge, au Conseil des ministres : « Que se passerait-il en cas de guerre ou de troubles si les techniciens cégétistes et communistes empêchaient la radio de fonctionner ? Il faudrait placer les fils téléphoniques de l'interministériel dans un réseau clandestin, sinon il serait impossible au président et à ses ministres de communiquer. En m'entendant, Mitterrand opine du chef : " Ceci est grave en effet, dit-il, je vais m'en occuper. " »

Mais les espoirs de Vincent Auriol ne seront pas comblés. Un peu plus tard en effet, dans un entretien avec le président du Conseil Henri Queuille à propos des finances, il revient sur le problème : « Je lui dis : " L'opinion est désorientée car elle ne sait pas ce que fait le gouvernement. Vous n'avez aucun journal gouvernemental, personne ne fait un effort pour orienter l'opinion publique. Il faudrait faire appel à André Marie, qui a le sens de la publicité, à la place de Mitterrand qui paraît bien débordé dans son petit ministère. " »

Débordé ou non, François Mitterrand ne change pas de ligne : il reste irréductiblement opposé au parti de Maurice Thorez et il le restera tant que durera la IVe République. L'anticommunisme est l'un des dogmes de l'UDSR. Elle publie, en 1952, une brochure où l'on peut lire cette proclamation : « L'UDSR entend mener la lutte contre le communisme sur tous les plans : démasquer sans répit ses mensonges, utiliser contre lui les lois existantes, au besoin les compléter, en particulier prononcer l'incompatibilité entre l'appartenance au Parti communiste et l'exercice des fonctions administratives d'autorité et de sécurité. »

Tel est le climat au sein du groupe parlementaire de l'UDSR, dont François Mitterrand est alors le président. Les plus zélés des membres de ce groupe caressent même le projet de faire inscrire dans la Constitution l'incompatibilité entre l'appartenance au Parti communiste et les postes de responsabilité dans la fonction publique [1].

Personnellement, François Mitterrand n'est pas en reste. Plaidant en 1950 pour l'adoption d'une nouvelle loi électorale au scrutin de liste majoritaire à un tour, il affirme — et l'argument lui semble déterminant : « S'il était adopté, nous pourrions demander à tous sans exception de s'unir contre le Parti communiste et il sera difficile à quiconque de ne pas répondre favorablement à notre appel. »

Il s'agit pour lui de faire en sorte que le PCF « ne puisse plus continuer d'enrayer le jeu de nos institutions ». En 1954, l'UDSR prendra l'initiative de créer un Comité national pour le retour au scrutin d'arrondissement (depuis la Libération, la France vote alors à la proportionnelle au scrutin de liste départemental) et il sera placé sous la présidence de François Mitterrand.

Il a sur ce point de la suite dans les idées. Le 2 novembre 1955, lors d'un débat sur la réforme de la loi électorale, il s'en prend avec les mêmes arguments à Edgar Faure, président du Conseil : « Libre à vous, monsieur le président, de prêter la main au Parti communiste afin de lui permettre de sortir enfin de son isolement, comme le craignait si pertinemment M. Barrachin. »

A cette époque, dans les « Bloc-notes » politiques de *l'Express,* François Mitterrand plaide régulièrement pour le scrutin d'arrondissement. Le 23 novembre 1955, par exemple : « Que le gouvernement soit hostile au scrutin d'arrondissement, on le sait et, après tout, on le comprend : que deviendrait M. Edgar Faure sans le concours dévoué et persistant du MRP [2] ? Cependant, l'affaire du découpage des circonscriptions d'après un quotient national est si " hénaurme " qu'il faut bien s'y arrêter [3]... Depuis que le scrutin d'arrondissement a mis le nez à la fenêtre, un noble souci de justice embarrasse la conscience de ces messieurs, il leur faut désormais un découpage de la France à la règle à calcul... »

Deux jours plus tard, il revient sur ce sujet : « Le Parti

1. Eric Duhamel, *l'UDSR*.

2. Toujours partisan résolu de la proportionnelle.

3. Un projet de retour au scrutin d'arrondissement, qui n'eut pas de suite, avait alors provoqué un découpage hâtif — et bien sûr contesté — de nouvelles circonscriptions.

communiste et le MRP ont retrouvé un terrain d'entente, celui de la réforme électorale : ils sont favorables à la proportionnelle et unissent leurs efforts afin d'aboutir à ce mode de scrutin... C'est que le scrutin d'arrondissement présente à leurs yeux un inconvénient majeur : il donne aux électeurs le moyen de choisir librement leurs élus... »

Mais on n'en finirait pas de citer les déclarations anticommunistes de François Mitterrand. Celle-ci les résume toutes, qu'il publie à la fin de la IVe République, en juin 1958 exactement, dans son journal, *le Courrier de la Nièvre :* « J'ai toujours combattu le communisme. Je puis affirmer sous le contrôle des Nivernais que je l'ai fait reculer dans ce département. Je lutterai sans faiblesse pour épargner à la France les horreurs d'une dictature collectiviste. »

Cet anticommunisme avéré n'est pourtant pas sans nuances Que François Mitterrand soit totalement réfractaire à l'idéologie, aux méthodes et à l'appareil communiste ne fait pas de doute[1]. Mais cela ne signifie pas qu'il voue aux gémonies les millions d'électeurs qui détiennent d'aussi précieuses voix. En 1954, il le précise dans un article du journal *Combat :* « Nous ne confondons pas la lutte anticommuniste avec la brimade constante. Nous ne considérons pas que les millions de gens qui votent communiste soient définitivement perdus pour la nation. Le PC a connu une baisse d'effectifs lorsque l'on a agi sur le plan social. C'est sur le plan des idées et des réalisations qu'il faut combattre le communisme. »

Trois ans plus tard, il déclare à Georgette Elgey : « Le PC est de gauche si l'on considère les cinq millions d'électeurs qui votent pour lui. Il ne l'est pas si l'on retient ses méthodes d'action, son refus de la libre discussion, son sectarisme autoritaire. Sans les électeurs communistes, il n'y a pas de majorité de gauche. »

Autrement dit, bien avant que la nouvelle Constitution et le mode de scrutin poussent François Mitterrand à passer alliance avec le Parti communiste, il refusait de faire l'impasse en cas de besoin sur les électeurs du PC.

A l'en croire, c'est même l'éventualité d'une alliance avec les communistes qui aurait empêché René Coty de l'appeler à la

1. Pendant sa campagne électorale pour les élections législatives de 1956, il raillait souvent. André Rousselet s'en souvient : « Qui s'intéresse encore au marxisme, à part quelques vieilles Anglaises ? »

présidence du Conseil : « Au moment de la crise de 1958, René Coty me fit appeler et me demanda : " Accepteriez-vous les suffrages communistes ? " Je répondis : " Bien entendu et, si cela ne suffit pas, je les solliciterai. " Il me dit alors : " C'est impossible. "[1] »

Façon de prendre date rétroactivement et d'apparaître ainsi comme un pionnier de l'Union de la gauche ? Manière aussi d'enfreindre un tabou : les hommes politiques prêts à compter les voix des députés communistes dans leur majorité n'étaient pas nombreux à la fin de la IVe République (lors de son débat d'investiture, Pierre Mendès France avait par avance refusé de prendre en compte les voix des députés communistes). A l'en croire, François Mitterrand, cet anticommuniste si ardent, se serait donc trouvé, à la fin de la IVe République, en totale métamorphose, puisqu'il ne s'agissait plus pour lui, cette fois, d'accepter les bulletins des électeurs, mais bien les voix des députés communistes représentant pourtant un appareil honni !

L'AMBITION

Il ne doute vraiment de rien, le jeune député de la Nièvre qui s'installe à l'Assemblée nationale le 12 novembre 1946. Et pourquoi douterait-il de quelque chose, ce beau ténébreux à la moue hautaine, aux paupières qui battent comme ailes de tourterelle craintive ? Quelques semaines à peine après son élection, il accède, le 15 janvier 1947, au gouvernement (il en est le benjamin) comme ministre des Anciens Combattants. A peine a-t-il eu le temps de se familiariser avec l'Assemblée qu'il s'installe rue de Bellechasse, dans un palais officiel, et endosse un uniforme de ministre qu'il ne quittera pas pendant douze ans, week-end compris : costume bleu marine, chemise blanche et cravate noire. Au point qu'un photographe, voulant réaliser un jour un portrait plus décontracté du jeune homme politique, lui demandera en vain de changer de tenue : dans ses placards ne se trouvaient que des chemises blanches et des

1. Interview accordée à Paul Guilbert du *Quotidien de Paris* en 1977.

cravates noires[1]. Détail frivole ? Marcel Haedrich raconte : « Vincent Auriol se souvenait comme d'un haut fait de son septennat d'avoir imposé la cravate à l'Elysée. La première fois qu'il les avait accueillis, les " nouveaux messieurs " s'étaient présentés en maquisards n'importe comment, avec (c'était la mode) les pointes du col rabattues sur le veston[2]. »

En tout cas, le destin se montre bien disposé : les événements heureux s'enchaînent à un rythme grisant. A l'époque, les Anciens Combattants constituent un ministère relativement prestigieux. Mais surtout, ce débutant fait son entrée dans un club très exclusif, celui des cinq ou six petites dizaines de députés ministrables qui ne cesseront pendant les douze années de la IVe République de se partager le pouvoir en se succédant ou en se remplaçant. Une noria d'excellences formant un cercle magique, quasi inacessible au commun des députés et sénateurs, armada de quelque huit cents aspirants qui caressent l'espoir, presque toujours déçu, d'être admis un jour dans le club.

Pour François Mitterrand, les choses se passent le plus simplement du monde : après l'éphémère gouvernement Léon Blum (décembre 1946) et l'élection de Vincent Auriol, premier président de la nouvelle République, le socialiste Paul Ramadier, célèbre pour sa barbiche, sa culture hellénique et son esprit casanier, est chargé par le nouveau chef de l'Etat de former son premier gouvernement.

Eugène Claudius-Petit raconte : « Mon ami Ramadier m'avait fait venir pour m'offrir le ministère des Anciens Combattants. Je n'en voulais pas, cela ne m'intéressait pas d'aller inaugurer les chrysanthèmes. Moi, ce qui me passionnait, c'était la reconstruction, tout ce qui touchait à l'avenir ; je ne voulais pas apurer les comptes du passé. Pour ce portefeuille-là, ai-je dit à Ramadier, mieux vaut un homme qui connaisse bien les milieux ombrageux des anciens prisonniers et déportés. Il y a justement à l'UDSR un jeune apparenté à notre groupe parlementaire qui vient d'être élu dans la Nièvre, il ferait très bien ton affaire. »

Paul Ramadier prévoyait pour ce poste un autre candidat, franc-maçon et socialiste comme lui, son ami Albert Forcinal. Eugène Claudius-Petit sut pourtant se montrer persuasif. Et

1. Anecdote rapportée par l'avocat J. Ribs.
2. Dans la revue *Paris-Match*.

puis, l'UDSR était indispensable à la coalition. L'affaire se fit donc et dans un délai record : « C'est même moi qui ai conduit François Mitterrand à l'Elysée », confie aujourd'hui Claudius-Petit avant de soupirer : « Dire que je porte cette responsabilité devant l'Histoire ! »

Georges Beauchamp donne de l'affaire une autre version : « Si François est devenu ministre, c'est grâce à un groupe de jeunes résistants SFIO dont j'étais. Nous sommes allés voir Ramadier pour lui dire : " C'est Mitterrand que nous voulons. " Et je me souviens encore que lorsque je lui ai téléphoné pour lui annoncer qu'il était ministre, il refusait de le croire. »

Quoi qu'il en soit, le jeune député de la Nièvre entre au gouvernement. Fidèle à son personnage, il feint de trouver cette promotion toute naturelle. Il annonce quand même par lettre à Eugène Claudius-Petit, en guise de remerciements, qu'il a décidé d'entrer officiellement à l'UDSR pour y rejoindre tout à fait un intercesseur aussi efficace.

A peine a-t-il le pied à l'étrier que le nouveau ministre des Anciens Combattants, cédant à son penchant naturel, va s'entourer de fidèles et manifester son esprit de famille. Il fait venir à son cabinet son frère aîné Robert, qui en sera quelque temps le directeur, des amis de la Résistance comme Georges Beauchamp précisément et Jean Védrine, des intimes qui graviteront toujours dans son entourage. Une fois de plus, se manifeste son goût de régner sur une tribu amicale.

« Chaque soir ou presque, des anciens prisonniers de guerre venaient lui faire visite dans son bureau », se souvient Pierre Nicolaÿ. Ce n'est pas seulement par camaraderie ou amitié. En fait, François Mitterrand commence à appliquer un système qu'il avait pourtant dénoncé deux mois plus tôt à la tribune du Congrès des anciens combattants réunis à Clermont-Ferrand, le 15 novembre 1946. Il venait tout juste d'être élu dans la Nièvre. Et il disait : « Le parti politique qui détient, a détenu ou détiendra le ministère des Anciens Combattants et Victimes de guerre bénéficie d'un atout considérable dans le noyautage de la Fédération... Or, je l'ai dit, il faut que notre association se défende. Si nous ne prenons pas des mesures de défense, on verra bientôt l'association appartenir à celui qui tient le ministère, qu'il soit d'un côté ou de l'autre, aussi bien celui qui est là aujourd'hui [1] que ceux qui viendront plus tard... Il est

1. C'était alors le communiste Laurent Casanova.

normal qu'on me réponde que moi aussi je veuille m'en emparer. Mais alors là, c'est l'avenir qui jugera. » Paroles prémonitoires. L'avenir, en effet, a jugé. Deux mois plus tard, François Mitterrand, devenu ministre des Anciens Combattants, applique la leçon qu'il s'est donnée à lui-même. Il s'emploie à quadriller consciencieusement la Fédération en plaçant ses hommes à tous les points névralgiques. Par la suite, il puisera dans ce groupe-réservoir chaque fois qu'il aura besoin des renforts militants nécessaires à sa prise du pouvoir à la tête de l'UDSR. Et les mêmes militants lui apporteront encore leur concours quand il s'agira de mettre la main sur le Parti socialiste.

Mais s'il fait travailler pour lui ses camarades anciens prisonniers de guerre, en retour il roule pour eux. C'est ainsi qu'il fait voter un statut officiel définissant leurs droits et privilèges ou qu'il arrache des augmentations de pension « de 72 à 78 % », comme il s'en flatte pendant la campagne législative de 1951. Il aura été un bon ministre, si l'on entend par là qu'il s'est montré fort soucieux des intérêts de ses assujettis.

Seules les femmes déportées garderont un mauvais souvenir de son passage rue de Bellechasse. Elles lui reprochent encore aujourd'hui d'avoir joué les hommes-coucous et de s'être installé en leurs lieu et place. Une bien curieuse histoire en vérité. Plus d'une d'entre elles — Germaine Tillion, Anise Postel-Vinay, Geneviève de Gaulle, notamment — en font le récit. Quand les déportées sont rentrées, en 1945, elles obtinrent pour leurs associations la réquisition de plusieurs étages dans un immeuble cossu donnant sur les jardins du Luxembourg et sis 4, rue Guynemer. Pendant la guerre, il avait été occupé par les « souris grises » de l'armée allemande. A la fin de 1946, les femmes déportées apprenaient que l'homme d'affaires représentant les intérêts immobiliers du Vatican à Paris (le Saint-Siège était en effet propriétaire de l'immeuble) entendait les expulser et louer bourgeoisement les appartements pour un bien meilleur prix. Affolées à l'idée d'être mises à la porte et de perdre ainsi un centre d'hébergement et un atelier de rééducation professionnelle, elles cherchèrent des appuis autour d'elles et commencèrent de tirer les sonnettes. Le journaliste Alain Vernay — qui épousa la sœur de Simone Veil, elle aussi ancienne déportée — se souvient d'être allé demander pour elles l'aide de Léon Blum, éphémère président du Conseil, en décembre 1946. François Mitterrand, devenu ministre, fut aussi sollicité. En vain. Le gestionnaire inflexible du Vatican parvint à récupérer ses locaux et les dames déportées durent plier bagages. Mais elles furent très surprises — c'est le moins que l'on puisse dire — en apprenant quelques semaines plus tard que parmi les heureux locataires qui leur avaient succédé figuraient deux anciens ministres des Anciens Combattants : Henri Frenay et... François Mitterrand, lequel devait élire résidence pour de longues années dans les lieux. *Le Canard enchaîné* de l'époque ne se priva pas de révéler ce procédé pour le moins cavalier.

Il est vrai que le jeune ministre pense aussi aux autres : lorsqu'il est au pouvoir, il entend faire profiter famille, amis et subordonnés de ses bienfaits. Une tendance au népotisme qui se confirmera au fil des ans.

Le journaliste et romancier Marcel Haedrich raconte :

« Quand François est devenu ministre de l'Information, cela nous rapprocha. La radio lui créait des problèmes, déjà ! On lui téléphonait de Matignon : " C'est un scandale ! " On l'interpellait au Conseil de la République, ça l'amusait.

« — Que puis-je faire pour toi ? me demanda-t-il.

« — Rien, mais rien.

« (Que pouvait un ministre pour un rédacteur en chef de *Samedi soir ?*)

« — Une voiture, peut-être ? suggéra-t-il.

« Je roulais dans une traction d'avant-guerre, rafistolée, que je m'étais procurée à prix d'or. La production reprenait chez Citroën, Mitterrand me donna un bon pour une voiture neuve, superbe, gris métallisé, payée au prix imposé, deux fois moins cher que mon vieux clou que je pus revendre avec profit. Tels étaient les bienfaits de la pénurie et de la politique[1]. »

En revanche, le nouveau ministre se montrait insensible aux pressions. Il raconte : « Quand j'étais secrétaire d'Etat à l'Information, j'ai reçu un ami qui un jour m'a fait rencontrer le baron Ténard. Ce dernier était, je crois, un personnage très important de Saint-Gobain. Il était aussi propriétaire du journal *le Bien public* à Dijon et de *Paris-Centre* dans la Nièvre. Au cours de notre conversation, le ton du baron Ténard devint celui du commandement : " Voilà, vous êtes secrétaire d'Etat à l'Information, la signature dépend de vous, votre carrière

1. Marcel Haedrich, *Paris-Match*.

également, et vous avez quarante-huit heures." Je ne vous parlerai pas de l'incident qui a suivi. De la brouille à mort. J'ai été froissé au plus haut point, gravement. Comment pouvait-on se permettre de parler ainsi au représentant de l'Etat ? J'ai eu, toujours au ministère de l'Information, à connaître l'affaire de *France-Soir*. Et l'aventure déplaisante sous les auspices de Robert Salmon qui a placé le journal de la Résistance entre les mains d'un groupe financier. C'est moi qui ai signé l'autorisation de paraître de *Paris-Match*. Mais après une conversation édifiante avec Jean Prouvost, peu à peu j'ai été amené à cette conviction : que le grand capital agissait en France comme en pays conquis [1]. »

Il n'empêche. Sous cette République qui ne lui est point cruelle, François Mitterrand s'intéresse beaucoup à François Mitterrand et à son destin. Les caciques de la IVe lui ouvrent volontiers la voie. Pas un ministère qui se constitue sans qu'on lui propose un poste.

Ainsi, en 1948 (il a tout juste trente-deux ans), le président du Conseil, Robert Schuman, songe à lui pour le ministère de l'Intérieur. Le président de la République, Vincent Auriol, y est favorable. Dans son journal, il ne tarit pas d'éloges sur le jeune ministre : « L'Intérieur donne de grosses difficultés... Schuman me parle de Mitterrand, je lui dis que c'est un excellent choix, il est sérieux et intelligent. » Las, pour être flatteur, le poste est décidément trop exposé à l'impopularité en cette année de grèves violentes, fomentées par le Parti communiste. Aussi bien, l'UDSR ne veut rien entendre. Il n'est pas question que l'un des siens porte le fardeau de décisions dont les conséquences pourraient être redoutables.

« Mitterrand avait accepté [2], confirme Vincent Auriol, mais l'UDSR l'apprenant refuse. Il faut espérer que les journaux gaullistes crieront à la tyrannie des partis sur les hommes. Pitoyable ! Les radicaux n'en veulent pas. Le MRP non plus. Pourquoi ? Parce qu'ils redoutent les conflits sociaux, on veut laisser le poste aux socialistes... J'ai insisté auprès de Mitterrand qui avait accepté une première fois, mais il a dû refuser, malgré son désir, sur les injonctions de son parti. Il a voulu maintenir sa décision, on l'a menacé d'exclusion. Alors, il est venu, mais avec des demandes de garanties inacceptables. »

1. Interview à *l'Expansion*, août 1972.
2. Décidément, il ne doute de rien.

Il n'a pas tout perdu pourtant : l'offre était flatteuse, compte tenu des circonstances. Pour qu'on lui propose la place Beauvau, alors que la situation paraît si explosive, il faut que sa réputation de sang-froid et d'énergie soit déjà bien assise.

Plus baroque paraît aujourd'hui la suggestion faite par Léon Blum, le pape du socialisme, fort écouté à l'Elysée, lors de la constitution du ministère suivant — celui du radical Henri Queuille. Il songe à l'espoir de l'UDSR pour un portefeuille considérable mais tout aussi périlleux : les Finances. Vincent Auriol, décidément bon chroniqueur, rapporte : « Après le départ de Queuille, Léon Blum vient me voir. Et me dit qu'il doute que celui-ci réussisse à avoir Mendès aux Finances, ce qui serait d'ailleurs très bien et aiderait à la participation socialiste. Il suggère : " On pourrait peut-être prendre Mitterrand ? Après tout, Barthou et Poincaré étaient à peine plus âgés que lui. " »

La cote du député de la Nièvre ne cesse donc de monter. Car ce n'est évidemment pas son expérience des questions financières et budgétaires ni l'intérêt qu'il leur porte (en douze années de IVe République, il ne participe pas une seule fois à un grand débat économique) qui justifient l'appui de Léon Blum. Mais la signification politique de cette proposition vaut d'être relevée : bien que classé au centre droit et élu comme tel par les Nivernais, François Mitterrand est prisé par des socialistes aussi prestigieux que le symbole vivant Léon Blum ou que le président de la République Vincent Auriol. Lequel confiait pourtant à Marcel Haedrich : « Votre ami Mitterrand intervient tout le temps en Conseil des ministres. Je suis obligé de lui dire : " Monsieur Mitterrand, vous parlerez quand je vous donnerai la parole. " »

D'autres auraient sans doute été éblouis. Pas François Mitterrand : il voit déjà plus haut et plus loin. Et il l'écrira : « Au niveau de l'homme politique, il n'y a qu'une ambition : gouverner. Ceux qui nourrissent la seule ambition de devenir sous-secrétaires d'Etat ne sont pas des hommes politiques mais des gagne-petit. » C'est le temps où il aime répéter devant ses amis : « N'importe quel imbécile peut être président du Conseil à cinquante ans ; moi, je le serai à quarante... » Goût de la provocation ? Plaisir de choquer ? Sans doute. Mais ce projet n'a rien d'absurde. Quand on songe à vous pour la place Beauvau ou la rue de Rivoli alors que vous avez tout juste trente ans, vous pouvez légitimement penser que l'Hôtel Matignon n'est pas loin.

Seulement voilà : sous cette République-là, il ne suffit pas d'être considéré avec bienveillance par les grands, il faut aussi compter avec les appareils des partis, qui n'ont pas toujours les mêmes critères. Qui veut devenir chef de gouvernement ne doit pas seulement s'en voir reconnaître l'étoffe par les hiérarques institutionnels, il doit aussi — c'est plus rude — franchir les barrages dressés par les apparatchiks concurrents.

Aujourd'hui, le président Mitterrand n'a rien oublié des sentiments qu'il éprouvait à cette époque : « J'enrageais de me dire que je ne serais président du Conseil que lorsque les autres le voudraient bien et que je devrais partir lorsqu'ils le décideraient [1]. » Ainsi, dès cette époque, était-il présidentialiste sans le savoir.

A une journaliste amie, il confiera quelques années plus tard : « Pendant la campagne législative de 1956, tout le monde m'a cru fatigué, voire peut-être malade [2]. En fait, c'était la rage qui m'étouffait de n'être point encore président du Conseil. » La rage, pas moins : en 1956, François Mitterrand a tout juste quarante ans et il a perdu son pari. Pourtant, il n'avait pas ménagé ses efforts. Sachant qu'il lui fallait compter avec les autres, le jeune ministre avait notamment cru mettre toutes les chances de son côté en conquérant patiemment le pouvoir à l'intérieur de l'UDSR.

LA CONQUETE DE L'UDSR

L'Union démocratique et socialiste de la Résistance (UDSR) est née au lendemain de la guerre de la volonté de certains résistants de renouveler le jeu politique. Ils ne voulaient pas retomber dans les clivages droite-gauche, absurdes à leurs yeux, qu'ils jugeaient responsables de l'effondrement de 1940. Ils voulaient exorciser les démons des querelles stériles —

1. Entretien avec l'auteur en 1984.
2. François Mitterrand avait des éblouissements et s'évanouissait souvent. Jean Dayan, frère de Georges, médecin de son état, doit alors lui administrer des piqûres à travers son costume avant qu'il monte à la tribune des meetings.

guerre scolaire, lutte des classes, etc. — qui avaient déchiré la France. Ils voulaient éviter le retour des partis discrédités depuis qu'ils s'étaient prosternés devant le maréchal Pétain. Ils voulaient enfin rassembler dans un « travaillisme à la française » une génération d'hommes neufs, ouverts aux idées de progrès et souvent socialistes, rebelles au marxisme.

Tels étaient les espoirs des fondateurs de l'UDSR. La réalité s'est vite chargée de les décevoir. Dès la Libération qui vit la résurrection des formations politiques classiques et l'apparition d'un concurrent envahissant : le Mouvement républicain populaire (MRP), créé par des démocrates-chrétiens et des catholiques sociaux menés par Georges Bidault, qui avait prédit : « Avec les femmes, les évêques et le Saint-Esprit, nous aurons au moins cent députés. » Or, s'il était un monde où la jeune UDSR aurait pu espérer recruter, c'était celui-là : la nouvelle génération catholique. Le développement du MRP le lui interdit. Plus à gauche, le Parti communiste attirait bien des hommes issus de la Résistance et la vieille SFIO, toujours laïciste, se refaisait des forces neuves.

Faute de peser assez lourd, l'UDSR s'allie alors avec la SFIO, dont les orientations générales s'apparentent à peu près à ses rêves travaillistes : « Il faut lutter, dit-on alors dans ses rangs, contre les radicaux partisans de la conservation sociale. » Forte de cette alliance, l'Union obtient dans la première constituante vingt-sept sièges auxquels se joindront quatre apparentés. Pour ses débuts parlementaires, elle s'installe au centre gauche. Les grands hommes du mouvement se nomment : René Pleven, ministre des Finances du général de Gaulle en 1945, Eugène Claudius-Petit, Jacques Soustelle, René Capitant, Jacques Baumel... et même un rescapé de la IIIe République, Maurice Delom-Sorbé, l'un des quatre-vingts parlementaires qui avaient refusé de voter les pleins pouvoirs au maréchal Pétain. (Il sera décoré de la Légion d'honneur en 1981 par le président François Mitterrand.)

Très vite, dans cette Assemblée où les députés des trois grands partis — communistes, socialistes, MRP — évoluent comme des troupiers disciplinés, le groupe UDSR présente une originalité qu'il conservera toujours : la juxtaposition d'une mosaïque de personnalités d'humeurs très indépendantes et rétives à la discipline des grandes formations.

Mais les dures réalités électorales les contraignent chaque jour un peu plus à modérer leurs ambitions. Quelques mois plus tard, pour les élections de juin 1946, la SFIO, qui se défie de ce petit allié, essaie de limiter le nombre de ses sièges. Du coup, l'UDSR se trouve contrainte de faire alliance avec le Parti radical et la nébuleuse RGR qu'elle faisait profession, quelques mois plus tôt, de mépriser si fort. Seuls deux hommes s'offusqueront assez de ce cousinage pour quitter alors le parti : Henri Frenay, l'ancien chef du mouvement Combat, et Léo Hamon.

C'est à ces élections-là, on l'a vu, que François Mitterrand fait son entrée dans la vie politique. Quand il s'apparente à l'UDSR, elle est une structure d'accueil plus qu'un véritable parti. Ses dirigeants, surtout René Pleven dont personne ne conteste alors l'ascendant et le leadership, ont l'ambition d'y parvenir. Mais tout est encore en friche, les rapports de force sont encore fluctuants. Le lieu est donc bien choisi pour qui veut s'implanter et se tailler une place au soleil, à condition d'avoir de l'ambition, de la détermination et du savoir-faire. Trois qualités dont François Mitterrand n'est pas dépourvu

Son inscription à l'UDSR étonnera pourtant quelque peu ses maîtres d'Angoulême. Lors d'une inauguration au collège Saint-Paul au printemps 1947, l'abbé Perrinot interroge le tout jeune ministre :

— Que signifie exactement le sigle UDSR ?

— Union démocratique et socialiste de la Résistance, répond fièrement la nouvelle Excellence.

Alors le prêtre bondit :

— Comment ? Vous ? socialiste ?

François Mitterrand le rassure :

— Ne vous inquiétez pas, mon père, j'ai choisi la formation la plus à droite que j'aie pu trouver à l'Assemblée nationale[1].

Boutade, certes, mais les prêtres d'Angoulême ne sont pas les seuls étonnés. Les socialistes de l'Assemblée nationale le sont aussi. René Pleven témoigne : « Quand François Mitterrand s'est inscrit à l'UDSR, des députés de la SFIO sont venus me voir pour me dire : " Mais tu es fou de l'accepter dans tes rangs, c'est un type d'extrême droite ! " »

Paradoxe : la sensibilité dominante de l'UDSR est alors à forte coloration gaulliste. Les inconditionnels du Général s'y retrouvent en grand nombre : René Capitant, Jacques Vendroux (beau-frère du Général), Pierre Clostermann, Jacques

1. Témoignage de l'abbé Coudreau.

Soustelle, Michel Debré, Jacques Baumel. D'autres conservent une profonde admiration pour le chef de la France Libre : René Pleven, Eugène Claudius-Petit, Pierre Bourdan, Pierre Chevallier. François Mitterrand, toujours réticent, paraît assez isolé.

Or, en sept années seulement, il va prendre le contrôle du parti. Une opération qu'il mènera en trois phases.

D'abord, il va chasser les gaullistes. Personne n'eût parié beaucoup sur ses chances d'y parvenir. Mais trois années et les erreurs tactiques des intéressés le lui permettront. Voici comment.

Le retour sur la scène politique du général de Gaulle, le 7 avril 1947, déclenche les premières hostilités. Quand il s'adresse aux Français, en ce jour du lancement du RPF à Strasbourg, on remarque à ses côtés des membres éminents de l'UDSR : René Capitant, Jacques Soustelle, Antoine Avinin et Eugène Claudius-Petit. Et une semaine plus tard, le bureau politique du parti décide à l'unanimité d'autoriser la double appartenance UDSR/RPF : les membres de l'UDSR pourront adhérer au RPF, mais à titre strictement individuel. Cette unanimité cache en fait trois tendances bien dessinées : les uns sont prêts à suivre fidèlement le Général ; d'autres lui expriment leur attachement tout en nourrissant quelques doutes sur la pureté de ses intentions et sa volonté de respecter la Constitution ; la troisième tendance enfin, dont François Mitterrand se fait le porte-parole, se montre franchement opposée à une initiative qu'elle qualifie de « séditieuse ».

Dans les mois qui suivent, René Pleven, qui est né conciliateur, tente de provoquer un rapprochement entre la « troisième force » (socialistes et MRP) alors au pouvoir et le général de Gaulle, afin de faire face au péril communiste (la guerre froide, on l'a dit, se traduit en France par des heurts violents et de grandes grèves). Emissaires et intermédiaires divers sont à l'œuvre. Leurs propositions sont rejetées avec hauteur par le chef charismatique du RPF. Celui-ci n'entend pas composer avec des partis qui, dit-il, « cuisent leur petite soupe sur leur petit feu ». Et il n'en démordra pas. Si bien que les plus gaullistes des membres de l'UDSR proposent au congrès du parti, en 1948, par la voix de René Capitant, une mesure radicale : rien moins que la grève parlementaire des élus de l'UDSR afin de contraindre l'Assemblée nationale à se dissoudre elle-même [1].

François Mitterrand, bien sûr, ne l'entend pas ainsi et il prend la tête de l'opposition interne. Il se fait même le défenseur du régime en place qui a su « rétablir l'ordre républicain ». Il lance aux gaullistes : « Si les choses avaient été réglées plus tôt avec davantage de maestria [2], nous n'aurions pas tant de peine à remettre les choses en place. » Et, tourné vers les gaullistes, il ajoute : « On nous dit : " Vous n'avez pas envie de quitter vos places. " C'est peut-être vrai, mais moi je dirais plutôt : " Vous êtes un peu pressés de prendre les nôtres. " » Au total, conclut-il, « la IVe République est tout de même un bel édifice à construire ».

Comme à son habitude, René Pleven s'efforce de rapprocher les points de vue antagonistes. En vain. Certes, il est réélu par acclamations, ce qui prouve qu'entre tous les courants rien n'est encore joué. Le gaulliste de choc René Capitant devient vice-président ; il n'est donc pas si marginal dans le parti. Mais Joseph Perrin, un fidèle de François Mitterrand, accède aussi à la vice-présidence : cet instituteur, ex-président du MNPGD, dirige encore le journal des anciens prisonniers, *le PG*.

Une initiative provocatrice de René Capitant, que l'on sait doué pour ce genre d'exercices, va mettre le feu aux poudres. François Mitterrand pourra alors lancer enfin une offensive de grand style et avoir raison des gaullistes de l'UDSR. Capitant décide en effet, le 9 décembre 1948, de créer un groupe parlementaire gaulliste distinct de l'UDSR et baptisé Action démocratique et sociale. Treize députés de l'UDSR (soit la moitié des effectifs) le suivent dans son entreprise. Du coup, le groupe UDSR, lui-même ramené à treize membres, va perdre pour un temps toute vie administrative autonome. (Il fallait alors quatorze députés pour constituer un groupe parlementaire.) L'UDSR devra (suprême humiliation !) s'apparenter au groupe radical pour conserver sa représentation dans les commissions de l'Assemblée jusqu'au jour heureux où l'adhésion provoquée d'un député de Constantine, nommé Cadi Abdel

1. A l'époque, le RPF, qui avait remporté un net succès aux municipales réclamait — mais en vain — des élections législatives anticipées.

2. Autrement dit : par de Gaulle quand il était au pouvoir. C'est déjà la complainte de l'héritage...

Kader, lui permettra de retrouver l'indépendance. Autrement dit, la défection des gaullistes a bien failli entraîner la mort parlementaire de l'UDSR.

Le congrès de 1949 s'annonce donc très mal.

Il doit trancher un problème grave et d'autant plus difficile que les statuts sont imprécis. Peut-on se réclamer d'un parti tout en appartenant à un groupe parlementaire qui n'en est pas l'émanation ? Bien sûr, c'est moins l'affaire juridique que le problème politique qui va dominer les débats.

Le chef de la dissidence, René Capitant, quarante-huit ans, a choisi de passer le premier à l'attaque, considérant, en disciple fidèle de Charles de Gaulle, que c'est la meilleure défense : il accuse François Mitterrand, trente-trois ans, de rendre la rupture inévitable par son intransigeance. « Notre camarade Mitterrand, dit-il, a défini sa position avec une clarté parfaite. Elle consiste à fixer à son action politique comme objectif numéro un la lutte contre le Rassemblement du peuple français et même contre le général de Gaulle. Il considère, et il l'a dit, que le Général représente un danger de fascisme[1]. A partir du moment où Mitterrand juge que le RPF est condamné par celui qui le dirige et les méthodes qu'il emploie, il est évident qu'un devoir de loyauté et de clarté nous oblige à nous séparer. »

Et René Capitant de lancer un avertissement à ceux qui veulent rester dans l'UDSR : « Vous êtes destinés à être absorbés par la tendance Mitterrand et à vous fondre dans le Parti radical[2]. »

Il aura raison sur le premier point. Tort sur le second.

Fidèle à lui-même, René Pleven tente encore de retenir les gaullistes. Jugeant la rupture nécessaire et souhaitable, François Mitterrand au contraire les pousse vers la porte. Et voulant rassurer ceux qui demeureront en sa compagnie, il s'écrie : « Il n'y a pas de vainqueur ou de vaincu, mais un

1. La veille dans son discours, François Mitterrand avait en effet déclaré : « Un mouvement, aussi puissant soit-il, reposant sur l'autorité, l'intelligence ou le prestige d'un homme est déjà fragile... L'autre jour, Dussort me posait cette question : " Est-il exact que tu aies dit à Dijon qu'il fallait se méfier d'égale manière d'un fascisme venu de l'Est ou d'un fascisme qui aurait trouvé son expression dans un homme [autrement dit le général de Gaulle] ? Est-il exact que tu aies dit cela ? " A quoi je lui ai répondu dans le privé : " Ce n'est pas exactement ce que je disais, mais je me garderai bien de le démentir, car c'est un peu ce que je pense. " »

2. Eric Duhamel, *l'UDSR, op. cit.*

courant majoritaire qui entend faire respecter la discipline du parti. Nous allons pouvoir travailler avec de faibles moyens mais avec la certitude qu'il n'y aura plus de discorde ni d'ambiguïté jusqu'à ne plus savoir exactement où se trouvent l'ami et l'adversaire. »

Exeunt les gaullistes.

En dépit de tous ces apaisements, François Mitterrand apparaît bien comme le vainqueur. Il a obtenu ce qu'il cherchait. Et René Pleven, qui n'est pas parvenu à maintenir l'unité, se trouve en difficulté.

La deuxième étape de la prise de contrôle de l'UDSR par François Mitterrand commence avec le congrès de Marseille, en octobre 1951. Depuis le mois d'août, René Pleven est à nouveau président du Conseil. Mais François Mitterrand, qui était ministre de la France d'outre-mer dans le premier cabinet Pleven, ne fait pas partie cette fois de l'équipe gouvernementale. « Le MRP, explique Pleven, s'était opposé à sa présence en lui reprochant une politique africaine trop favorable au RDA », le Rassemblement démocratique africain, dirigé notamment par Félix Houphouët-Boigny et le Guinéen Sékou Touré, qui est jugé trop sensible aux thèses marxistes par les amis de Georges Bidault[2].

Bien entendu, François Mitterrand supporte mal cette exclusion. Elle va contribuer à le séparer de René Pleven et conforter sa volonté de lui ravir le contrôle du parti. « A partir du moment où il s'est senti exclu de l'équipe de Pleven, il a estimé ne plus rien lui devoir », confirme aujourd'hui Georges Beauchamp.

Le jeune député de la Nièvre, qui ne s'est jamais reconnu aucun patron politique et aucun maître à penser, est bien décidé, cette fois, à jouer sa propre carte. D'autant que, selon Louis Deteix, ancien prisonnier de guerre et ami de toujours de François Mitterrand, les manœuvres avaient commencé dès l'année précédente : « C'était juste avant le congrès de Lyon, en 1950. Nous nous sommes réunis chez François à Cluny. Nous étions sept ou huit et deux jours durant il nous a expliqué comment nous devions investir le parti en faisant adhérer des anciens prisonniers dans les fédérations. Il nous disait : " Voilà comment nous allons leur piquer l'UDSR. " Ensemble nous

1. Ceux-ci préfèrent au RDA les Indépendants d'outre-mer de Léopold Sédar Senghor.

avons beaucoup ri du bon tour que nous allions jouer aux “ vieux[1] ”. »

De fait, en 1950, plus du tiers des membres du comité directeur sortant ne furent pas réélus. Ils étaient remplacés par d'anciens PG. L'année suivante, plus de 35 % des membres sortants subirent le même sort. Ainsi les mitterrandistes devinrent-ils majoritaires. Et Joseph Lanet, secrétaire général du parti, devait déplorer à la tribune du congrès que « bien des nouveaux membres du comité directeur soient des néophytes, entrés de fraîche date au parti ».

François Mitterrand n'abandonnera pas de sitôt une procédure si efficace. Ses fidèles, Joseph Perrin et Louis Deteix, utiliseront le fichier de l'ex-MNPGD pour constituer des fédérations départementales, Mitterrand lui-même incitera à la veille d'un congrès un ancien PG de Vichy, Pierre Coursol[2], à prendre sa carte du parti, allant jusqu'à lui offrir de payer sa cotisation. « Nous appelions ces nouvelles fédérations des fédérations Bottin, car nous soupçonnions que les noms des militants avaient été pris sur des annuaires », expliqua René Pleven encore un peu marri. Tandis que l'ex-trésorier du parti, Pierre Raynal, P-DG de Presse-Océan, soupire : « Comme les cotisations étaient payées et que nous n'avions aucun moyen de contrôle, nous ne pouvions pas nous y opposer. »

François Mitterrand, qui rêvait de longue date de supplanter les « vieux » (en 1947 il disait déjà à Edouard Bonnefous : « Nous n'allons pas servir de marchepied à ces messieurs »), ne s'accorde, à partir de 1951, aucun répit. Il se démarque de René Pleven sur tous les grands dossiers, qu'il s'agisse de l'Indochine, de la CED[3] ou de l'enseignement libre. Ce qui l'amènera à se situer comme leader de l'aile gauche de l'UDSR. Que René Pleven n'ait pas obtenu la participation des socialistes à son gouvernement alors même qu'il en excluait François Mitterrand, voilà une coïncidence que le député de la Nièvre s'empresse de mettre à profit : « La vocation de l'UDSR, dit-il alors, est de rassembler les forces socialistes. En aucune circonstance, les représentants de notre parti ne peuvent accepter même la conversation avec le RPF. Nous sommes prêts à nous entendre avec les républicains qui n'acceptent pas

1. C'est-à-dire René Pleven et Eugène Claudius-Petit.
2. Témoignage recueilli par l'auteur.
3. Communauté européenne de défense.

de rayer d'un seul trait de plume les conquêtes de la Libération. » Mais celui-là même qui, dans les congrès, prêche ainsi le rassemblement des forces socialistes à des militants ébaubis vient de se faire réélire dans la Nièvre avec les voix du PRL !

Ce congrès de 1951 lui permet d'affirmer sa force. Certes, René Pleven est réélu à l'unanimité président du comité directeur. Mais cette fois François Mitterrand parvient à hisser son ami Joseph Perrin au secrétariat général. Il n'est pas sans importance de souligner que c'est un ancien prisonnier de guerre qui succède ainsi à Joseph Lanet à la tête de l'appareil du parti. Il n'est pas simplement anecdotique de souligner que la secrétaire de Joseph Perrin est la fille d'un ancien prisonnier de guerre : elle s'appelle Paule Moreau ; la future Mme Decraene est aujourd'hui l'une des secrétaires particulières du président Mitterrand à l'Elysée.

Le bureau politique lui-même prend une teinte nettement mitterrandiste. Georges Dayan, le compagnon le plus intime, est élu secrétaire général adjoint et deux des quatre vice-présidents sont des anciens compagnons du NMPGD : Bastien Leccia (décoré en 1982) et Louis Deteix (décoré en 1947 par François Mitterrand, qui lui donnera la rosette en 1981. Il participe depuis l'origine au pèlerinage annuel de Solutré). Il note : « A partir de ce moment, j'orientai les débats au comité directeur ou au congrès comme le voulait François. »

Pour que nul n'ignore sa toute neuve puissance, dès la première réunion du comité directeur qui suit le congrès, François Mitterrand demande un vote sur une question subalterne. Les « plévénistes » doivent immédiatement en convenir : sa majorité est écrasante.

Tous les procès-verbaux des réunions statutaires de l'UDSR de cette époque démontrent que rien ne se fait plus dans le parti sans lui : quand il est absent, on l'attend avant de décider. Si le savoir-faire c'est l'homme, le député de la Nièvre est déjà bien lui-même. Le dirigeant de l'UDSR annonce le premier secrétaire du Parti socialiste[1].

Pour l'heure, c'est (encore ou déjà) la question scolaire qui agite les partis. Le congrès a réaffirmé la position de l'UDSR favorable à la liberté de l'enseignement et son hostilité à tout monopole, mais en condamnant (notamment par la voix de

1. Cf. la thèse d'Eric Duhamel, *l'UDSR, op. cit.*

Jacques Baumel, futur secrétaire général de l'UNR) le principe de subvention de l'Etat à l'enseignement privé. Un mois plus tôt, pourtant, sans doute par fidélité envers le président du Conseil René Pleven, les députés du parti avaient voté les lois Marie et Barangé établissant certains dispositifs d'aide aux familles d'élèves de l'enseignement privé. Joseph Lanet et François Mitterrand n'avaient pas pris part au vote. Mais alors que Joseph Lanet allait réclamer au congrès l'abrogation de la loi Barangé, l'attitude de François Mitterrand serait « conciliatrice et apaisante[1] ». Jusqu'à un certain point seulement. Car le député de la Nièvre, dans le même temps, reprochait au MRP d'avoir, en proposant la loi Barangé, réveillé une querelle qu'il jugeait « périmée ». « Pour payer la pige de l'article de l'*Osservatore romano*[2], disait-il, le MRP a semé le désarroi pour de nombreuses années dans la vie politique française et repris sa place à droite. »

Ce n'est évidemment pas le sentiment d'un homme comme René Pleven. Mais le père fondateur de l'UDSR comprend bien que son parti lui échappe. Il ne se sent plus maître chez lui. Il n'accepte pas les critiques du nouveau secrétaire général qui déplore la participation de son parti à des gouvernements de droite : ceux d'Antoine Pinay et de René Mayer auxquels — coïncidence — François Mitterrand n'appartenait pas.

René Pleven déplore surtout d'avoir été lâché sur l'Indochine. Jusqu'au congrès de 1953, l'UDSR avait constamment appuyé la politique française en Indochine et toujours félicité René Pleven, ministre quasi inamovible de la Défense, pour son action à la tête du ministère. Et puis, peu à peu, la dégradation de la situation sur le terrain avait amené le parti à s'interroger et François Mitterrand à se désolidariser. Au congrès de 1953, il se prononce donc pour le désengagement et le cessez-le-feu en Indochine, condamnant ainsi implicitement l'action de René Pleven qu'il avait soutenue jusque-là. On peut y voir la nouvelle marque d'une évolution politique qui le fera passer, dans les dernières années de la IVe République, du centre droit au centre gauche. On peut y voir aussi l'illustration de son refus des solidarités obligées (l'impopularité submergeant bientôt l'ex-président du Conseil). Une attitude qui ne comptera pas

1. Selon René Puissesseau, envoyé spécial du *Monde*.
2. A la veille des élections précédentes, le journal du Vatican avait appelé en termes à peine voilés à voter pour les Républicains populaires.

peu dans la méfiance suscitée par François Mitterrand chez ses collègues du gouvernement.

De la méfiance, François Mitterrand en inspirera beaucoup autour de lui. Un ancien ministre de la IVe résume ainsi son comportement : « J'ai noté que dès que Mitterrand quittait le gouvernement et retrouvait son banc de député, il démolissait aussitôt tous les projets avec lesquels on savait bien qu'il était d'accord sur le fond. Seulement voilà : il admettait mal qu'ils soient présentés par un gouvernement assez sot pour se passer de lui. A la fin de ses interventions, où il faisait souvent preuve d'un machiavélisme redoutable, le projet et l'homme qui le défendait devaient être démolis. Il n'avait pas son pareil pour se saisir de quelque détail, le grossir, le caricaturer et ruiner ainsi l'ensemble de l'édifice. Lui faisait-on remarquer qu'au pouvoir il n'avait pas marqué d'hostilité envers le texte en question, il rétorquait alors sans se démonter : " Ce n'est pas le projet que je combats, c'est son application. " »

Technique meurtrière qu'Edgar Faure, président du Conseil, dénoncera en ces termes à la tribune de l'Assemblée, le 29 novembre 1955 : « Evidemment, on attend toujours avec intérêt, et aussi quelque sentiment d'appréhension, les interpellations de M. Mitterrand. Non seulement à cause de son talent et de l'intérêt de ses propos, mais aussi à cause du choix particulier des dates où il les manifeste. » Façon subtile et moqueuse de souligner que François Mitterrand décoche ses flèches dès l'instant où le ministère lui paraît vulnérable. C'est un sonneur d'hallali.

Dans sa profession de foi pour les élections de janvier 1956, François Mitterrand, qui vient d'être trois fois ministre, et parmi les plus importants dans la législature qui s'achève, osera écrire : « C'est une majorité que j'ai combattue qui a gouverné la France. Rien ne m'associe au bilan de cette législature que je condamne. » Comme ne disait pas encore le bon peuple : « Il ne manque pas d'air. »

Une attitude, bien sûr, qui n'améliorait pas son image. Un jour qu'il déconseillait à Edouard Bonnefous d'entrer dans un gouvernement pour lequel on ne l'avait pas sollicité, celui-ci lui rétorqua : « C'est bien simple avec toi : quand tu es au gouvernement, l'UDSR doit être dans la majorité ; mais dès que tu n'y es plus, elle doit entrer dans l'opposition. » René Pleven commente aujourd'hui : « Mitterrand était un homme avec lequel on ne serait pas parti seul à la chasse au tigre. » Et

André Monteil, ancien ministre MRP de la Marine, qui porte de l'amitié à François Mitterrand, remarque : « Sous la IVᵉ, François Mitterrand avait contre lui les imbéciles, les ambitieux et les hommes de trop grande foi. Les imbéciles, parce qu'il était intelligent, les ambitieux, parce qu'ils le trouvaient toujours sur leur chemin, et les hommes de foi parce qu'avec lui on ne savait jamais très bien à quoi s'en tenir. »

Le désaccord de François Mitterrand sur le projet de la CED est plus lourd de conséquences encore : il va entraîner la prise de contrôle total de l'UDSR, car cette idée fracassante a été lancée par Jean Monnet et Robert Schuman et appuyée par René Pleven lui-même en 1950 ; l'UDSR avait plébiscité ce projet de création d'une armée européenne intégrée.

Jusqu'en 1953, François Mitterrand, grand partisan de l'Europe en général, avait voté toutes les motions approuvant ce projet qui divisait la classe politique et les Français, provoquant des convergences et des clivages surprenants entre les partis et à l'intérieur des partis. Devant le congrès de l'UDSR à l'automne 1952, il déclarait même : « J'attends encore qu'on me cite un seul argument, un seul point, un seul élément d'appréciation qui me permette de penser sur l'aspect le plus réduit, le plus mince, le moins important de la politique générale, j'attends qu'on me cite une seule fois quel est le danger réel et que nous reconnaissons contenu dans la communauté de défense et qui aurait disparu sans cette communauté. »

Quelques mois plus tard, en janvier 1953, au cours du débat d'investiture de René Mayer, il précisera, toujours dans le même sens :

« Une autorité politique préalable à toute institution européenne, cela eût été préférable, cela continue d'être préférable. Tout ce qui pourra être fait pour donner à ces institutions politiques le pas sur les institutions fragmentaires sera aussi préférable.

« Mais enfin, il fallait commencer par le commencement, répondre à certaines menaces, aller vite, aller plus vite que les partisans de l'Europe ne le souhaitent de prime abord.

« Je me permets toutefois de vous signaler, monsieur le président du Conseil désigné, que si une autorité politique doit être préalable à l'armée européenne, on aurait pu tenir le même raisonnement pour le pool charbon-acier. »

En dépit de ces déclarations sans équivoque, les parlementaires et fonctionnaires très hostiles à la CED, rassemblés sous l'étiquette de Comité d'action pour l'indépendance nationale (parmi eux Michel Debré, Jacques Chaban-Delmas, Léo Hamon), ont toujours dit que, sur cette question au moins, François Mitterrand était de leur côté. Double langage ? « Même si on le voyait peu, note Jacques Chaban-Delmas, François Mitterrand nous faisait dire qu'il pensait comme nous. Il nous promettait toujours de venir à nos réunions mais, en fait, il ne venait jamais », tandis que Jacques Bloch-Morhange précise : « En fait, Mitterrand ne cessa d'hésiter quant à l'attitude qu'il adopterait le jour inévitable où serait enfin posé devant le parlement le choix de ses élus sur l'armée européenne[1]. »

Cette querelle s'éteindra sous le gouvernement Mendès France par le vote à l'Assemblée nationale d'une question préalable repoussant aux calendes l'examen du projet. Le gouvernement refusera d'engager sa responsabilité et de poser la question de confiance (procédure alors quasi routinière) sur ce projet qui en réalité le divise. Eugène Claudius-Petit, ministre UDSR du Travail, le reprochera à Pierre Mendès France et démissionnera bruyamment. François Mitterrand, ministre de l'Intérieur, ne bronchera pas, estimant que « la CED ne justifie pas la chute d'un gouvernement qui a tant à faire ».

Las de tant de critiques et de désaccords, René Pleven s'efface au congrès de Nantes en 1953. Il refuse même la présidence d'honneur du parti. François Mitterrand a mené à bien la troisième phase de sa prise de pouvoir. Il est élu président de l'UDSR par cinquante voix. Il y a onze abstentions. Aucune voix hostile. Il a gagné. Il a trente-sept ans. (Quand René Pleven et Eugène Claudius-Petit ayant perdu leur logistique, lui rendront visite au siège du parti, rue du Mont-Thabor, pour demander au moins quelques machines à écrire, le temps de se retourner, François Mitterrand refusera tout net : « Pas question, l'UDSR, c'est moi. »)

Le voici officiellement chef d'un parti et inspirateur d'un groupe parlementaire indispensable à toute coalition. Il peut légitimement penser avoir franchi une étape décisive dans la course pour le pouvoir. Il ne va pas tenter de donner à l'UDSR une dimension supplémentaire : 13 097 adhérents en 1952, à

1. Jacques Bloch-Morhange, *la Grenouille et le Scorpion*, France Empire

peine 14000 en 1957. Une progression modeste qui provoquera, lors d'un banquet à l'issu du congrès de 1957, cette raillerie de René Pleven : « Monsieur le président Mitterrand, vous avez permis à l'UDSR d'accomplir le rêve de toute femme : vieillir sans grossir. »

C'est à ce congrès que François Mitterrand se prononcera pour un regroupement des centres « entre une droite conservatrice et une gauche quelquefois entraînée à des promesses qu'elle ne peut tenir ».

Tout commentaire est inutile... Reste à évoquer plusieurs aspects importants de l'action de François Mitterrand sous la IVe République. Sa politique africaine pour commencer.

MITTERRAND L'AFRICAIN

Entrant au ministère de la France d'outre-mer en juillet 1950, François Mitterrand obtient son premier grand portefeuille. A trente-trois ans, il règne sur l'Afrique noire, Madagascar, les Comores, les établissements d'Océanie et Saint-Pierre-et-Miquelon[1].

La guerre froide bat son plein. Le conflit de Corée vient tout juste d'éclater. La France lutte en Indochine. Traversée de multiples courants et travaillée par des ferments d'instabilité, l'Afrique noire devient un grave sujet de préoccupation. En métropole, la plupart des parlementaires et des formations politiques ne comprennent goutte à ce qui s'y dessine.

Le Parti communiste favorise le séparatisme, une attitude que François Mitterrand ne manque pas de dénoncer : « Un nationalisme primaire privé de tout contexte historique naissait et se développait, nourri de déception et d'amertume, parfois de haine, qu'entretenait un racisme latent, qu'excitait la propagande communiste[2]. »

1. Un ministère des Etats associés vient d'être créé pour gérer l'Indochine. Le Maroc et la Tunisie, qui sont des protectorats, dépendent du ministère des Affaires étrangères. Le ministère de l'Intérieur a pleine autorité sur les trois départements d'Algérie (y compris le Sahara), la Réunion la Guyane et les Antilles.

2. *In Présence française et Abandon*, Paris, Plon.

Les autres formations, socialistes compris, réagissent d'instinct en prônant une répression sans faiblesse.

L'attitude de l'UDSR est plus originale : responsable des colonies dans le gouvernement provisoire du général de Gaulle, René Pleven avait proposé, lors de la conférence de Brazzaville, « l'avènement d'une ère nouvelle dans les relations entre la France et ses possessions africaines ». Il en avait gardé un esprit d'ouverture aux réalités africaines que le général de Gaulle avait, en 1947, ainsi défini et en même temps limité : « En Afrique française, comme dans tous les territoires où des hommes vivent sous notre drapeau, il n'y aurait aucun progrès si les hommes sur leur terre natale n'en profitaient pas moralement et matériellement, s'ils ne pouvaient s'élever peu à peu jusqu'au niveau où ils seront capables de participer chez eux à la gestion de leurs propres affaires. C'est le devoir de la France de faire en sorte qu'il en soit ainsi... Les fins de l'œuvre de civilisation accomplie par la France dans les colonies écartent toute idée d'autonomie, toute possibilité d'évolution hors du bloc français de l'Empire. »

Pour une fois, François Mitterrand suit René Pleven sans effort. Il n'a pas de mal à endosser cette politique qu'il fera sienne... au moins jusqu'en 1958. Après le vote de la loi cadre proposée par Gaston Defferre dans le gouvernement de Guy Mollet, il écrira en 1957[1] : « Proposée de son plein gré par le gouvernement, cautionnée par les élus des territoires d'outre-mer, et en particulier par M. Houphouët-Boigny et le RDA, votée par une importante majorité, appliquée loyalement, celle-ci concrétisera enfin la promesse de Brazzaville, vieille de treize années. »

Et quand, le 1er juin 1958, à la tribune de l'Assemblée, il dira sans ambages son hostilité au retour du général de Gaulle, il saluera pourtant « l'homme au prestige unique, à la gloire incomparable, aux services rendus exceptionnels, l'homme de Brazzaville qui plus qu'un autre signifie par sa seule présence à cette tribune une espérance pour les peuples d'outre-mer ».

Il est vrai que quelques années plus tard, il aura changé d'avis : « Admirable ironie de l'Histoire, écrira-t-il, qui a voulu que le gaullisme s'identifiât à la libération des peuples colonisés alors que, de la conférence de Brazzaville au " Vive l'Algérie française " de Mostaganem, il a été le procureur de

1. *Ibid.*

l'Empire contre la décolonisation. A Brazzaville, ce fut pour interdire à jamais l'espérance d'un self-gouvernement aux pays sous tutelle[1]. » Vérité en deçà de 1958, erreur au-delà... Le retour de De Gaulle au pouvoir par des moyens que François Mitterrand désapprouve suffira à entacher d'opprobre, à ses yeux, les actes antérieurs de l'homme du 18 Juin.

Mais en 1953 on n'en est pas là et François Mitterrand va s'employer à tout mettre en œuvre pour devancer et même tirer tous les bénéfices de cette politique définie à Brazzaville.

Durant l'année pleine qu'il passe au ministère de la France d'outre-mer, rue Oudinot[2], François Mitterrand a l'occasion de faire briller chacune des facettes de son caractère :

— *L'ambition*. Il ne se contente pas de gérer les affaires administratives et de couvrir les initiatives ou l'inertie des gouverneurs, à l'instar de son prédécesseur Alfred Coste-Floret. Il veut infléchir la politique coloniale française et lui donner sa marque.

— *L'individualisme*. Même si cette politique est inspirée par l'Hôtel Matignon avec les encouragements du président Auriol, il juge normal d'en être le premier bénéficiaire.

— *Le talent manœuvrier*. Grâce aux renforts des députés africains du RDA, qu'il saura s'attacher, il confortera son influence au sein de l'UDSR.

— *L'autoritarisme*. Les hommes qui lui résistent seront déplacés.

— *Le pragmatisme*. Il entend favoriser les évolutions, à condition de garder le plein contrôle des événements, au besoin en agissant sur les résultats des élections.

— *Le libéralisme*. En dépit des pressions coléreuses des colons et des gouverneurs, il soutient les leaders africains qui combattent pour l'émancipation de leurs peuples.

Mais François Mitterrand ne se montrera pas un grand visionnaire (au sens où on l'entend aujourd'hui). Pas un instant il n'imaginera une marche rapide des Etats africains vers leur indépendance. (Bien peu d'hommes politiques, il est vrai, et pas même le général de Gaulle, ne la prévoyaient.)

« Paris est l'authentique et nécessaire capitale de l'Union

1. François Mitterrand, *le Coup d'Etat permanent*, Paris, Plon.

2. René Pleven est président du Conseil de juillet 1950 à mars 1951, Henri Queuille lui succède jusqu'en août 1951, date à laquelle René Pleven retourne à Matignon.

française. Le monde africain n'aura pas de centre de gravité s'il se borne à ses frontières géographiques. Il se divisera, se morcellera, refera à son compte nos plus fâcheuses expériences. On y parle déjà de nationalisme. On s'y souvient encore du racisme irréductible. Lié à la France dans son ensemble politique, économique et spirituel, il franchira d'un coup quatre siècles et remplira pleinement son rôle moderne, à la fois original et complémentaire. Des Flandres au Congo, le troisième continent s'équilibrera autour de notre métropole[1]. » Tel est son credo.

Il ne résulte pas d'une conversion brutale et récente. En réalité, François Mitterrand a toujours été attiré par l'Afrique, sensible à ses difficultés et ses contradictions. Avant même ses premiers grands périples, il ne s'en faisait pas une idée simple. Ainsi, le 24 juin 1945, il écrivait dans *Libres*, le journal des anciens PG :

« Sans doute, est-il fort ambitieux de prétendre apporter à des peuples dits arriérés ce que l'on persiste à appeler notre civilisation. On croit communément que construire des routes, pratiquer des vaccins, installer des usines, rationaliser la production sont les signes majeurs des peuples de progrès. On devrait savoir d'expérience que les bienfaits matériels de la science aboutissent avec une régularité décevante à donner aux hommes des moyens supplémentaires de s'entre-tuer...

« On ne donne que ce que l'on a... Les Français adorent l'universel, mais ils ont oublié de demander aux intéressés leur avis. Et pourquoi échangeraient-ils leurs dattes et leurs bourricots contre la fumée des usines ? A chacun son plaisir. Ceci dit, essayons de voir les faits tels qu'ils sont : sous l'affreux aspect de l'utilitarisme, nos colonies nous sont nécessaires. Les abandonner serait s'abandonner. Changeons nos méthodes si elles sont néfastes. Mais évitons l'éternel complexe d'infériorité. Ne vantons pas exagérément nos vertus, ne daubons pas non plus éternellement sur nos fautes. Notre œuvre est imparfaite et mélange le bon et le mauvais, l'héroïsme et la cupidité, la générosité et la sottise. Mais qui donc a fait mieux ? »

Il y a peut-être plus de recul dans cet article que dans aucun de ceux qu'il écrira par la suite. En réalité, François Mitterrand ne découvrira ce continent qu'en août 1949 : invité par le haut-commissaire de l'Afrique-Equatoriale française, Bernard Cor-

1. *In Aux frontières de l'Union française.*

nut-Gentille, le jeune ministre de l'Information va visiter Radio-Brazzaville. C'est l'occasion d'un long voyage : Congo, Gabon, Tchad, Soudan, et retour par Le Caire, Damas, Jérusalem, Athènes et Paris. Il est accompagné de Danielle Mitterrand, de Claude de Kemoularia, jeune chef de cabinet de Paul Reynaud aujourd'hui ambassadeur au Nations Unies, et de Pierre Chevalier, député UDSR d'Orléans, qui sera assassiné l'année suivante par sa femme dans un accès de jalousie.

« J'étais revenu de ce voyage, écrit-il[1], brûlant du désir d'agir. J'avais vu une administration débonnaire mais fermée, désuète, entichée de formules toutes faites apprises de Gallieni et de Lyautey. J'avais vu le pacte colonial florissant après son abolition... J'avais vu l'Afrique au pillage, ses matières premières exploitées, expédiées, transformées au loin. J'avais vu des hommes humiliés, ou encore résignés... Or, en dépit de tout cela, j'avais vu la France aimée... J'éprouvais comme une peur de voir s'écrouler sous les décombres son empire si elle se révélait incapable d'aborder rapidement les temps nouveaux. Mais je ne concevais l'indépendance qu'au terme d'un long délai. Il me semblait que dans l'immédiat l'Afrique noire s'émietterait, qu'elle ne possédait ni les structures ni les cadres politiques aptes à former et à tenir des Etats, que ses territoires, dont les frontières avaient été tracées dans les chancelleries à la règle et au compas, n'avaient pas de réalités ethnique et géographique. »

Un peu plus tard, ministre de la France d'outre-mer et colonisateur sans illusions, il confiera à son ami Jean Roy, un ancien du « 104 », sous-préfet de Montbard : « Les peuples sont comme des enfants, ils grandissent, alors il faut les émanciper peu à peu. »

Les témoins de ce long voyage africain ne constatent pas seulement l'intérêt réfléchi du jeune ministre pour ce continent et peut-être la fascination qu'il éprouve (il y fait ses premières chasses au grand fauve). Ils notent aussi d'emblée son tempérament régalien. Il entend plier l'horaire de tous à son bon vouloir et à ses caprices.

En témoigne Alain de Boissieu, le gendre du général de Gaulle, qui se trouvait alors à Pointe-Noire et qui raconte dans ses mémoires[2] : « Au mois d'août avait lieu la visite du

1. *In Ma part de vérité, op. cit.*
2. *Servir de Gaulle,* Plon.

ministre de la France d'outre-mer, François Mitterrand. Il devait se rendre au club hippique à une certaine heure. N'ayant rien vu venir, ni ministre ni messager, au bout d'une demi-heure d'attente le président décidait de faire commencer le programme... Le cabinet du haut-commissaire faisait savoir un peu plus tard que le ministre viendrait dans la soirée, mais à titre privé. Le lendemain, François Mitterrand descendait à Pointe-Noire dans le train du haut-commissaire, Cornut-Gentille, mais en l'absence de celui-ci. On apprenait que le convoi, parvenu à la sortie de la plaine, était arrêté bien qu'il n'y eût aucun incident. Finalement, le train arriva avec une heure de retard, ce que les troupes chargées de rendre les honneurs avaient peu apprécié car il fait chaud en plein soleil, à midi, sous l'équateur. On sut rapidement que le retard était dû à une partie de cartes qui n'en finissait pas... Il sembla ce jour aux habitants de Pointe-Noire que si l'exactitude est la politesse des rois, elle n'était pas celle de certains représentants de la IVe République. »

Une autre histoire défraya fort la chronique en son temps. Pour le cinquantenaire du Tchad, le gouverneur, Henri de Mauduit, avait projeté de donner une fête et d'y convier tous ceux (industriels, fonctionnaires, journalistes) qui avaient aidé ou seraient susceptibles de contribuer au développement du territoire. Bien évidemment, le ministre devait présider la cérémonie. Invité, François Mitterrand fit répondre qu'il viendrait... accompagné d'une cinquantaine de bons amis.

Stupeur et consternation à Fort-Lamy où le petit budget local et les capacités d'hébergement ne permettaient pas de telles libéralités. Mais les cieux étaient avec l'Assemblée territoriale : Une saison des pluies particulièrement rude ayant endommagé l'aérodrome, le gouverneur crut se tirer de ce mauvais pas en prenant prétexte de l'état défectueux de la piste pour annuler la fête. Sans fâcher le ministre... qui se fâcha tout de même et arriva impromptu de Madagascar où il se trouvait en tournée d'inspection pour vérifier si l'atterrissage et le décollage étaient si perturbés. S'étant posé sur le terrain et rendu compte du subterfuge, il prit sur-le-champ des sanctions. Le gouverneur Mauduit fut remplacé dans les vingt-quatre heures par un certain Hanin (qui n'était pas comédien). Des sanctions en chaîne suivirent aux échelons inférieurs [1]. L'un de

1. Témoignages de Maurice Decisier, Jean-François Rives, alors chef de région dans le Sud, et Henry Verdier, inspecteur des affaires administratives, qui fut lui aussi mis à pied.

ces fonctionnaires, nommé Tailleur, fut si ulcéré de ces mesures que, dix ans plus tard, il allait se présenter dans la Nièvre contre François Mitterrand dans l'espoir de lui faire payer cet abus de pouvoir. En vain !

Mais le grand souvenir que François Mitterrand a laissé de son passage au ministère de la France d'outre-mer dépasse de loin l'anecdote. Le mérite que lui reconnaissent ses contemporains n'est pas mince. Il a, disent-ils, sûrement évité une guerre coloniale et dégagé les députés africains membres du RDA de l'influence communiste. Le futur leader de l'Union de la gauche se montrait déjà expert dans l'art d'embarrasser le PC ! L'affaire vaut d'être examinée de près.

Quand François Mitterrand arrive au ministère, l'Afrique française est mal partie. Des troubles y ont éclaté. Il a fallu sévir. Le pire est à craindre, y compris un bain de sang. « On envoyait des bataillons aux endroits sensibles, on doublait les garnisons, on remplissait les bagnes. Mais on gardait la conscience pure. On déplorait, la voix mouillée, cette situation et on en rejetait la faute sur les agitateurs que l'on disait payés par l'étranger. L'Africain, répétaient les colons, et en écho la plupart des gouverneurs, attendait, pour retrouver confiance en la France, qu'elle cessât de montrer sa faiblesse [1]. »

La population autochtone, dont le statut demeure peu enviable, dispose de quelques élus à l'Assemblée nationale française. Les jeunes, surtout, supportent de moins en moins bien la domination des colons, les dernières survivances du travail forcé et le paternalisme des missionnaires. S'il est vrai que l'administration coloniale fait de son mieux pour propager la scolarisation et améliorer l'hygiène et les infrastructures locales, les Blancs d'Afrique dans leur quasi-totalité regardent encore les Noirs comme des enfants et les peuples africains comme des vassaux de la France. Aux indigènes de l'Union française il est demandé d'obéir. Il est interdit de discuter.

Dans ce contexte, le RDA, qui regroupe une partie des élus africains, les plus radicaux, constitue pour la plupart des formations politiques une manière de diable. On le suspecte de vouloir conquérir l'autonomie par le désordre et la violence.

Or ce parti interafricain, qui a tenu son premier congrès à

1. *In Ma part de vérité, op. cit.*

Bamako en 1946, réclame seulement plus de liberté, des droits nouveaux et la participation aux affaires du pays. Mais il a commis un péché capital : six députés africains se sont apparentés au groupe communiste (qui comptait alors cent quatre-vingt-trois élus). Un engagement qui leur sera vivement reproché. « Et pourtant, note François Mitterrand[1], à l'époque de son apparentement parlementaire avec le groupe de Maurice Thorez, celui-ci était vice-président du Conseil et participait pleinement à la majorité. N'était-il pas illogique d'exiger d'élus autochtones qui entraient pour la première fois dans nos assemblées un discernement et une rigueur que n'affichaient pas des partis et des hommes parfaitement renseignés sur le danger que faisait courir à la France et à la démocratie la présence stalinienne aux leviers de commande[2] ? »

A vrai dire, la responsabilité du cousinage entre PC et RDA incombe d'abord à la maladresse des autres formations qui n'avaient pas su accueillir en leur sein les nouveaux élus africains. Tout comme elles avaient dédaigné d'envoyer des observateurs à leur premier congrès. Le parti de Maurice Thorez, plus avisé, avait reçu les premiers députés noirs à bras ouverts. Ses membres les avaient cornaqués à travers la capitale, leur avaient enseigné les dédales du Palais-Bourbon et de l'administration métropolitaine. Plus tard, les ministres communistes écartés du gouvernement, le RDA allait se trouver rejeté dans l'opposition avec le PC.

Son leader incontesté, Félix Houphouët-Boigny, député de Côte-d'Ivoire, médecin catholique issu d'une famille de chefs coutumiers, n'a rien du marxiste au couteau entre les dents. A la tribune de l'Assemblée nationale, il se fait d'abord remarquer par un discours mesuré mais ferme et insistant sur les libertés nécessaires. Dans le climat de l'époque, d'aucuns y voient aussitôt une déclaration de guerre révolutionnaire. Au Parti socialiste, au MRP, chez les gaullistes, nombreux sont ceux qui croient que le RDA est « l'échelon avancé de la cinquième colonne soviétique » en Afrique.

De violents incidents ayant éclaté en Côte-d'Ivoire, Félix Houphouët-Boigny tombe sous le coup de poursuites judiciaires. Plusieurs membres de son parti sont incarcérés. Lui-même

1. *In Présence française et Abandon, op. cit.*
2. *Sic.*

est en principe interdit de séjour à Paris, bien que l'on sache parfaitement qu'il ne cherche pas l'affrontement.

En arrivant à l'Hôtel Matignon, René Pleven, bon connaisseur de l'Afrique, a compris que, pour éviter un carnage, mieux valait renouer avec le RDA et sonder ses intentions véritables. « A peine désigné, raconte Eugène Claudius-Petit, Pleven m'a fait venir et m'a dit : " Il faut réfléchir, il faut absolument que nous nous rapprochions du RDA. " »

René Pleven sait bien que c'est avec Félix Houphouët-Boigny qu'il faut établir le dialogue. A l'Assemblée, celui-ci est affublé du sobriquet de « Thorez africain ». Mais le nouveau président du Conseil a compris depuis longtemps que cette appellation n'était pas justifiée : « Pour l'avoir maintes fois entendu à la tribune, je savais bien qu'il n'était pas communiste [1] », répète-t-il aujourd'hui.

Alors que René Pleven cherche le dialogue, le député ivoirien, homme de mesure et de sagesse, évolue dans le même sens. Il a compris que le PC se servait du RDA bien plus qu'il ne lui rendait service. Il sait que pour atteindre ses objectifs d'émancipation progressive, il lui faudra reprendre les relations avec le gouvernement de troisième force.

Quand un émissaire du cabinet du président du Conseil sonde discrètement Félix Houphouët-Boigny, il reçoit un accueil positif. Un rendez-vous à l'Hôtel Matignon est pris au milieu du mois d'août 1950. Paul Henri Siriex, membre du cabinet de René Pleven, raconte l'entrevue. Il y assistait : « Pendant plus d'une heure Houphouët-Boigny plaide sa cause devant un René Pleven attentif et silencieux. A l'issue de l'entretien, la religion du président du Conseil était faite. Comme je reconduisais le député ivoirien à la porte, le président me dit : " Appelez immédiatement Mitterrand sur l'interministériel, avertissez-le que je viens de recevoir Houphouët-Boigny et que je le tiendrai au courant de cette visite. Surtout ne tardez pas, il est susceptible comme une sociétaire de la Comédie-Française. " »

Et Siriex poursuit : « Il ne savait pas si bien dire, car je fus accueilli plus que fraîchement. " D'abord, qui êtes-vous ? m'apostropha François Mitterrand. Vous ne vous êtes jamais présenté à moi. Aujourd'hui, c'est le président du Conseil qui reçoit Houphouët-Boigny, demain ce sera le président de la

1. Conversation avec l'auteur.

République, alors à quoi sert le ministre de la France d'outre-mer ? " J'eus beau essayer d'expliquer l'impossibilité momentanée dans laquelle le président du Conseil se trouvait de l'appeler lui-même, lui dire aussi que je me considérais comme un trop petit personnage pour lui demander audience, je n'arrivais pas à me faire entendre. D'ailleurs, il avait raccroché. Il n'avait que trente-quatre ans.

« Comme tout cela semblait dérisoire et comme ce comportement jurait avec la réputation de courtoisie et de charme dont François Mitterrand jouissait déjà... René Pleven connaissait l'intérêt que François Mitterrand portait à l'Afrique où, en 1949, il avait effectué un grand périple. On savait que le maintien du statu quo colonial ne pouvait le satisfaire. Son hostilité déclarée à l'égard du PC était aussi connue que son opposition au général de Gaulle. On le savait également friand de jeux politiques et à ce titre l'opinion du commun était réservée à son sujet [1]... »

Mécontent d'avoir été doublé, le jeune ministre suit quand même les instructions de son président du Conseil. Il prend contact avec Félix Houphouët-Boigny. « Il était assez abattu, assez ému, raconte-t-il plus tard. Je l'ai traité un peu rudement. Je l'ai prévenu que j'allais doubler les garnisons en Afrique et que je le tiendrais pour responsable d'éventuels troubles. Je lui ai expliqué que les revendications humaines, sociales et économiques auraient mon plein appui si elles étaient justifiées. Mais que je n'admettrais pas qu'elles prennent un caractère politique. Il était prématuré de parler d'indépendance [2]. »

En fait, il ne semble pas que François Mitterrand ait dû se montrer si menaçant. En acceptant l'entretien, le leader du RDA avait déjà admis le principe d'un compromis. Deux collaborateurs de François Mitterrand, Pierre Nicolaÿ et Georges Beauchamp, assistaient à ce premier entretien entre le chef rebelle et le jeune ministre de la IVe République. Et les exigences du leader noir leur ont semblé, dès l'abord, bien raisonnables. « Elles portaient sur trois points, raconte Pierre Nicolaÿ : qu'un code du travail soit établi et respecté en AOF, que les Noirs puissent normalement accéder aux fonctions électives dans leur ville ou leur village et, enfin, que les

1. Paul Henri Siriex, *Félix Houphouët-Boigny. L'homme de la paix,* Paris, Seghers.

2. Georgette Elgey, *la République des illusions, op. cit.*

balances des intermédiaires européens ou libanais qui achetaient les récoltes des Noirs soient contrôlées par le service des Poids et Mesures, car il était de règle que le cours du café varie selon la couleur de la peau du vendeur. »

François Mitterrand prend l'engagement personnel d'accéder à ces requêtes à condition que le calme revienne en Afrique. Au terme d'un marchandage serré, Houphouët signe un pacte « Il s'engage, par un texte de deux feuillets, à mener dorénavant son action dans le cadre de l'Union française. Une lettre que François Mitterrand enfermera dans un tiroir au lieu de la livrer à la presse. Ainsi il ne paraît pas avoir dicté ses conditions, mais il conserve un secret avantage sur son interlocuteur[1]. » C'est vraiment à ce signe que j'ai vu qu'il était un homme d'Etat, note Pierre Nicolaÿ, qui assistait à l'entretien.

Félix Houphouët-Boigny adresse aussitôt une missive aux responsables du RDA qui sont sur le terrain pour leur demander de cesser la lutte ouverte contre l'administration coloniale. Pour le leader noir c'est un pari risqué : il met en jeu toute son autorité et sa réputation. Dans le même temps, il est vrai, sur ordre du ministre, plusieurs dirigeants du mouvement sont libérés. Un peu plus tard, le RDA rompt ses liens avec le PC et, en témoignage de reconnaissance, s'inscrit à l'UDSR. Six élus africains[2] vont y découvrir avec quelque étonnement les féroces rivalités de personnes qui y sont de règle. Félix Houphouët-Boigny, qui ne manque pas d'esprit, commentera : « L'UDSR est le seul endroit où des Noirs peuvent regarder des Blancs se manger entre eux. »

La voie ayant été ouverte par René Pleven, François Mitterrand a donc su transformer avec habileté des rapports de force en rapports de confiance.

Une évolution qui n'est pas du goût de tout le monde : « Il va sans dire qu'aussi bien dans la métropole que dans certains milieux européens d'Afrique, cette politique provoqua immé-

1. Paul Henri Siriex donne une autre version. Dans son livre réalisé avec la bénédiction du président ivoirien, il note : « Il n'y eut dans le dialogue ni menace ni rudoiement et pas davantage de protocole d'accord écrit dûment corrigé et signé. C'était bien mal connaître Houphouët. Non, vraiment, on ne le voit pas céder à une sorte de chantage, à une répression accrue, pas plus qu'on imagine le ministre s'y livrant sans démentir l'esprit qui inspirait sa démarche. »

2. Coulibaly, Félix Tchicaya, Hamari Diou, Houphouët-Boigny, Gabriel Lisette et Mamadou Konaté.

diatement de vives réactions. Les moins favorables daubèrent sur la naïveté du ministre. Les plus hostiles crièrent à la trahison du gouvernement. Le reproche d'avoir livré l'Afrique au communisme et au séparatisme fut élevé et des interpellations s'en firent l'écho à l'Assemblée nationale. Une presse véhémente et injurieuse alerta l'opinion sur l'abominable complot qui signifiait la fin de la présence française au bénéfice d'agitateurs qu'un régime sain, équilibré et fort aurait destinés à la prison ou à la mort[1]. »

Sept ans plus tard, sa vision des choses se modifiera sensiblement. Il écrit[2] : « Ministre de la France d'outre-mer, j'essayai d'amorcer une politique nouvelle, les élus du gaullisme en suffoquèrent d'indignation. Tendre la main aux réprouvés, libérer les emprisonnés, épargner la cour d'assises aux meneurs, c'était se rendre complice de l'anti-France. Les députés Bayrou, Malbrant, Castellani, gaullistes de stricte observance, vinrent rue Oudinot me sommer de mettre fin à mes folies. Ah, qu'ils incarnaient donc bravement la patrie! Selon les attendus de leur réquisitoire, j'éliminais la présence française. Je protégeais la contagion stalinienne. »

Une fois de plus, après 1958, François Mitterrand concentre tous ses coups sur les gaullistes. Oubliant de pourfendre ceux du MRP qui n'étaient plus ses adversaires prioritaires. Il est vrai que le RPF était hostile à sa politique libérale. Et qu'il fallut attendre la visite privée du général de Gaulle en Afrique en 1953 pour que les membres de la section ivoirienne du RPF, jusque-là adversaires irréductibles du RDA et de Félix Houphouët-Boigny, prêtent l'oreille aux conseils de prudence et de sagesse. Seulement les RPF n'étaient pas les seuls.

En 1951, comme pour bien souligner son dessein, le ministre de la France d'outre-mer allait emmener dans ses bagages (mais, sage précaution, pas dans le même avion que le sien) les députés africains du RDA à l'inauguration du nouveau port d'Abidjan. Et ce au grand dam de la société coloniale locale : « Celle-là même qui, quelques mois plus tard, donnera du " cher Félix " à Houphouët-Boigny », commente Georges Beauchamp.

Le ministre démontrait son autorité.

Une manifestation ainsi relatée par Paul Henri Siriex : « Ce

1. *In Présence française et Abandon, op. cit.*
2. *In le Coup d'Etat permanent, op. cit.*

voyage en grand style tranchait quelque peu sur l'orthodoxie des caravanes ministérielles habituelles : un jeune ministre, flanqué de son secrétaire d'Etat, M. Coffin, instituteur berrichon et socialiste, d'un grand bourgeois libéral, l'élégant Jean Fourcade, président de l'Assemblée de l'Union française. Deux vétérans l'accompagnaient : le général Legentilhomme, peu suspect d'opinion progressiste, et le gouverneur Pierre Chauvet, l'un et l'autre étant peu faits pour provoquer la méfiance ou l'antipathie des Européens d'Abidjan, encore marqués par une certaine nostalgie vychiste. Il y avait aussi un magistrat, fils d'un grand chef coutumier du pays baoulé, Alphonse Boni, ancien condisciple au collège d'Angoulême de François Mitterrand qui l'avait pris à son cabinet... Les instructions qu'il avait envoyées avant de quitter Paris étaient formelles : pas d'ostracisme à l'égard des élus du RDA, ceux-là mêmes qui avaient déclenché une campagne d'insubordination. Une foule considérable s'était rassemblée aux abords de l'aérodrome. Des incidents étaient inévitables dans le climat de tension et de surprise créé par une telle innovation. Il y fut mis bon ordre. Le ministre, dont la jeunesse était une sorte de provocation, le chef couvert du casque colonial d'antan, reçut de la part des Blancs un accueil aussi glacial que celui qu'il réservait à Félix Houphouët-Boigny, mais je crois qu'il devait en éprouver une secrète satisfaction... Le gouverneur Péchoux, ayant essayé d'empêcher le retour des élus du RDA et assumé la responsabilité d'une répression sévère, ne pouvait être celui qui présiderait à la réconciliation des colons et des Noirs. François Mitterrand allait donc le nommer à son cabinet... Mais tout cela, il fallait le faire, comme on dit aujourd'hui. Et cela fut fait. »

Réaliste, François Mitterrand comprend que cet accord avec le RDA ne doit pas contribuer à renforcer l'influence de ce mouvement. L'opinion parlementaire métropolitaine et les colons d'Afrique n'y étaient pas prêts. Les élections de 1951 allaient lui donner l'occasion de rendre la marée étale : « On ne prête qu'aux riches et, en la circonstance, on n'a pas fait mentir le proverbe en imputant à M. Mitterrand de savantes manœuvres tendant à rendre le succès du RDA aussi modeste que possible afin d'acclimater en douceur l'entrée du RDA dans la vie politique africaine. A vrai dire, les consignes formelles étaient superflues... Pour guider les suffrages des électeurs de brousse, il pouvait faire confiance à ses gouverneurs, naturellement soucieux de stabilité[1]. » Pierre Nicolaÿ, son directeur de cabinet à l'époque, affirme aujourd'hui : « Le ministre avait bel et bien donné ses instructions aux gouverneurs pour limiter le succès du RDA. »

Pour dire les choses crûment, François Mitterrand fait bourrer les urnes. Quelques caciques du RDA devaient ainsi mordre la poussière. Telles étaient alors les mœurs.

Un autre épisode, qui n'est pas seulement pittoresque, va ancrer chez les parlementaires de droite l'image d'un Mitterrand ambigu, cristallisant chez l'intéressé un vif sentiment d'injustice d'où naîtront un rejet et une rupture psychologique.

A première vue pourtant, l'affaire ne paraît pas considérable : au début de l'année 1951, Paul Bechard, haut-commissaire en AOF et ancien député socialiste, intente une action en justice contre deux pères blancs de Dakar : le père Paternos, procureur général de la congrégation, et le révérend père Rummelhardt. Leur journal, l'influente *Afrique nouvelle* (qui évoluera par la suite dans un sens très libéral et dont les alliés changeront du même coup), a rendu compte d'une façon désobligeante d'un procès en diffamation opposant le haut-commissaire à des détracteurs qui mettaient en cause son intégrité. Traduits en correctionnelle, les deux religieux étaient condamnés symboliquement à cinquante francs d'amende avec sursis. Scandale dans la petite société coloniale. Paris est aussitôt saisi. Le MRP s'agite et s'indigne. La hiérarchie catholique s'en mêle. Mais François Mitterrand couvre le haut fonctionnaire dont la réaction lui paraît légitime. Tempête à droite, lors du vote du budget de la France d'outre-mer, le 4 avril 1951. Par mesures de rétorsion, le député CNI Edouard Frédéric-Dupont[2] dépose un amendement visant à réduire de mille francs le traitement du ministre, façon de blâmer le gouverneur, qui « par sectarisme socialiste a traîné deux pères blancs en correctionnelle ». L'amendement est adopté par 241 voix contre 175. Mitterrand menace de démissionner. Le gouvernement s'oppose à l'adoption de l'ensemble du budget du ministère, ainsi amendé. Il est renvoyé trois semaines plus tard. Cette fois, ce sont les communistes qui veulent amputer le traitement ministériel pour cause de répression en Afrique.

1. Paul Henri Siriex, *Félix Houphouët-Boigny, op. cit.*
2. Membre du Centre national des indépendants.

Finalement, le budget est voté, le ministre conservant l'intégralité de ses émoluments.

En apparence, l'affaire en reste là. En réalité, François Mitterrand est devenu de ce jour un suspect pour la droite. Il a déjà été taxé d'esprit d'abandon. Le voici désormais presque rangé parmi les ennemis de l'Eglise, avec — circonstances aggravantes — un parfum délétère de traîtrise : comment cet ancien élève des bons pères a-t-il pu s'abaisser jusqu'à jeter deux des leurs, « même quelques minutes, sur un banc où figurent généralement des voleurs, des escrocs et des filles soumises » ? comme s'en indigne dans une irrépressible envolée l'honorable Edouard Frédéric-Dupont.

Ni l'épiscopat, ni le MRP n'oublieront. D'autant que le MRP est toujours au mieux avec les Indépendants d'outre-mer, rivaux du RDA dans le continent noir. Ils useront de leur influence conjuguée auprès de René Pleven, à nouveau président du Conseil pressenti en août 1951, pour écarter François Mitterrand du ministère de la rue Oudinot.

René Pleven l'admet : « J'avais besoin du MRP pour constituer mon ministère, et la condition sine qua non de leur participation était l'éviction de Mitterrand. »

Celui-ci devait en concevoir une grande amertume et un fort sentiment d'injustice (terrain sur lequel la sensibilité de François Mitterrand paraît toujours à vif, notamment lorsqu'il en est la victime).

Selon Georges Beauchamp, point de doute que de cette exclusion imméritée datent deux ruptures psychologiques. La première : « Que la hiérarchie catholique ait pu le faire saquer et à tort aussi froidement l'a éloigné de l'Eglise institutionnelle. » Les sentiments religieux de François Mitterrand ayant tendance à refroidir, ce déni de justice ne pouvait qu'aviver sa méfiance vis-à-vis des cléricaux. Deuxième rupture : « Simultanément, poursuit Georges Beauchamp, son départ du gouvernement l'a libéré de tout sentiment de déférence envers René Pleven, rien ne l'empêchait plus de briguer la présidence de l'UDSR. »

En vérité, nous l'avons vu, François Mitterrand était déjà engagé depuis près de deux ans dans la conquête du pouvoir à la tête du parti. Mais, désormais, il n'a plus de précautions à observer. Là où il procédait obliquement, il peut maintenant préparer l'offensive frontale. En le sacrifiant au MRP, René Pleven lui permettait de devenir son challengeur officiel.

Qu'il l'ait recherché ou non, François Mitterrand sort donc du ministère de la France d'outre-mer par une petite porte de gauche. Il se trouve dans une situation paradoxale et peu confortable. La droite n'abandonnera plus sa défiance à l'égard de celui qui n'est pourtant, pourrait-on dire, qu'un décolonisateur dans la colonisation[1]. A l'inverse, la fraction décolonisatrice de la gauche regardera avec suspicion ce ministre trop habile coupable à ses yeux de vouloir perpétuer l'Empire.

Lui-même avouera vingt ans plus tard : « J'avais tort de vouloir concilier les contraires. Il n'est d'émancipation coloniale comme il n'est de révolution sociale que globale et irréductible[2]. »

Concilier les contraires... Cet exercice, l'actuel président le sait bien, est ingrat et aléatoire, même quand le tempérament personnel y incline. A se montrer trop avancé aux yeux des uns, trop prudent au jugement des autres, on risque de perdre sur les deux tableaux.

Si le ministre de la France d'outre-mer s'est révélé un gestionnaire tout à fait convenable, l'homme politique en a été pénalisé. Une leçon que le futur leader socialiste se gardera dorénavant d'oublier. L'affaire algérienne, l'expédition de Suez le trouveront d'ailleurs beaucoup plus conformiste.

Seul bénéfice, mais qui représente un lot de consolation non négligeable : les Africains du RDA reconnaissants lui resteront fidèles. Jean de Lipkowski, alors jeune élu de l'UDSR, se souvient encore, ébloui, du congrès de Bamako en septembre 1957, auquel François Mitterrand l'avait convié en compagnie de Roland Dumas, un autre jeune élu UDSR. Il raconte : « J'ai vu tous ces Africains lui rendre un hommage personnel et vibrant. C'était très impressionnant. S'ils applaudissaient Pleven, ils aimaient Mitterrand. »

1. Et pourtant, le jeune ministre aurait dû rassurer ces ultras. Au printemps 1951, il avait approuvé à la tribune de l'Assemblée nationale la manière brutale dont le haut-commissaire Pierre de Chevigné avait rétabli l'ordre à Madagascar à la suite des violentes émeutes de 1947. Il assurait avoir visité les prisons malgaches où, disait-il, « les conditions de détention étaient très acceptables pour un pays démocratique comme le nôtre ».

2. *In Ma part de vérité, op. cit.*

RUPTURE : FRANÇOIS MITTERRAND QUITTE LE GOUVERNEMENT LANIEL

Le Maroc et la Tunisie, deux pays sous protectorat français, posent en 1953 de sérieux problèmes au gouvernement de la République. Depuis la Libération, les relations ont été à peu près bonnes, en dépit de certains incidents, mais les gouvernements successifs n'ont guère montré d'imagination politique, c'est le moins que l'on puisse dire. Et dès qu'éclatent les premiers troubles, on retrouve l'hésitation classique entre l'instinct de la répression et l'intelligence de l'évolution.

François Mitterrand participe à ce balancement et même l'illustre tout à fait. Il comprend, et le dit, que des changements sont nécessaires. Mais il ne les conçoit, comme la presque totalité de ses pairs, que pour mieux arrimer les Etats associés à la métropole. Il reproche vertement aux ministres qui se succèdent au Quai d'Orsay, responsables des protectorats, de ne pas savoir où ils veulent aller. Bien que de tempérament jacobin, il perçoit l'importance d'une démarche plus novatrice. Mais il n'est pas émancipateur, seulement partisan d'une évolution. Ce n'est pas assez pour qu'il fasse, en ce domaine, figure d'homme de gauche, mais c'est déjà trop pour qu'on puisse le ranger parmi les conservateurs. Il apparaît plutôt comme un centriste éclairé, habile aussi à utiliser les maladresses et les myopies des autres pour démontrer sa perspicacité.

Ministre d'Etat dans le premier gouvernement Edgar Faure (qui ne tient même pas trois mois, du 20 janvier 1952 au 8 mars), le député de la Nièvre prépare, à la demande du président du Conseil, un rapport sur l'évolution des relations franco-tunisiennes. Pragmatique, il suggère un retour à l'antique traité du Bardo (1881) qui confiait à la France la défense, la représentation diplomatique et l'équipement de la Tunisie.

Ces trois domaines exceptés, tout lui semble négociable. Autrement dit, il remet en cause la Convention de La Marsa (8 juin 1883) qui avait amené la France à administrer directement la Tunisie, ne laissant aux autorités locales que l'inauguration des fleurs de palmier. Il préconise, sans employer l'expression, l'autonomie interne, à condition toutefois que soient sauvegardés les intérêts des Français établis dans le pays. Pas question d'indépendance donc, mais des réformes assez profondes pour pouvoir espérer l'éviter. Une ligne que François Mitterrand exposera en ces termes à la tribune, en juin 1953[1] : « Quel est celui d'entre vous qui accepterait que la présence de la France en Afrique du Nord fût discutée ?... Il s'agit d'y rester. » C'est, alors, la position de bien de ceux qu'on appelle « libéraux », de la plupart des hommes de gauche. Ce sera aussi, à peu de chose près, celle de Pierre Mendès France, qui, devenu président du Conseil en 1956, proposera à la Tunisie, dans son discours de Carthage, la « souveraineté interne ». Il n'est toujours pas question d'indépendance. Celle-ci ne viendra que deux ans plus tard, sous le gouvernement du socialiste Guy Mollet, en partie comme une conséquence de la crise marocaine. (François Mitterrand, membre de ce gouvernement, approuvera cette décision, mais ressentira l'affaire comme un échec inévitable. Si les litiges entre les deux pays avaient été abordés plus tôt, et avec plus d'audace, les Français auraient pu rester en Tunisie : ce sera alors sa conviction et celle de bon nombre de libéraux.)

Ce refus de la passivité, d'une politique sans perspectives, de la faiblesse d'un gouvernement que ses proconsuls outre-Méditerranée placent trop souvent devant le fait accompli va provoquer le premier véritable acte de rupture de François Mitterrand : il quitte avec éclat le gouvernement Laniel, formé en juin 1953, dans lequel il était... ministre délégué au Conseil de l'Europe. Minée par la guerre d'Indochine et les difficultés qui s'amoncelaient en Afrique du Nord, la IVe République entrait alors en agonie. Le gouvernement de Joseph Laniel, un indépendant paysan affublé par François Mauriac de l'étiquette « dictature à tête de bœuf », rassemblait essentiellement le MRP, des radicaux et la droite ; en dépit des difficultés de toutes sortes, il allait tenir presque un an — la défaite de Diên Biên Phu devant lui porter le coup de grâce.

C'est l'affaire marocaine qui provoque la démission de François Mitterrand. Des troubles ayant éclaté dans ce pays, le résident général de France, Guillaume, appuyé par l'armée, la très grande majorité des notables européens, et certains

1. Lors du débat d'investiture de Pierre Mendès France. Mais celui-ci n'obtenant pas la confiance de l'Assemblée ne deviendra pas président du Conseil. La crise durera trente-six jours et se terminera par la formation d'un gouvernement Laniel.

notables marocains comme le Glaoui, pacha de Marrakech, en profitent pour déposer purement et simplement le sultan Mohammed V. Ils le remplacent par un honorable vieillard choisi pour sa docilité, Moulay Ben Arafa. Le ministre des Affaires étrangères, Georges Bidault, et le président Laniel, pratiquement mis devant le fait accompli, donnent leur aval à l'opération.

François Mitterrand, qui en est heurté, offusqué même, s'en expliquera par la suite : « C'est ainsi que la déposition du sultan du Maroc fut organisée par le résident général et par des fonctionnaires locaux avec la complicité de deux ministres sans que le gouvernement fût informé. Le nouveau sultan avait déjà pris possession du trône que l'on cherchait encore son nom à l'Elysée... Bref, l'Etat n'était plus l'Etat et les Français apprenaient de jour en jour à n'aimer plus leur République... Je démissionnais, un grand journal du matin salua ce départ sous le titre : " Un homme à la mer ". J'ai eu souvent droit à la suite à cet aimable diagnostic [1]. »

Le lendemain, le démissionnaire assurait dans une longue interview à *l'Express,* tout nouvel hebdomadaire : « Je crois aux vertus de la fermeté, à la vertu du prestige, mais il faut les mettre au service d'une évolution qui se fera contre nous si elle ne se fait pas avec nous. »

Les choses sont donc claires : François Mitterrand quitte le gouvernement parce qu'il n'en accepte ni la faiblesse ni le conservatisme. Une démission qui va renforcer auprès des militants de l'UDSR et de l'opinion son image d'homme réformiste et déterminé.

Reste à savoir pourtant pourquoi François Mitterrand, qui avait tant laissé brocarder René Pleven pour sa participation aux gouvernements de droite de René Mayer et d'Antoine Pinay, avait accepté d'entrer avec le même René Pleven dans le ministère Laniel, qui n'était certes pas plus à gauche et dont le prestige et la popularité n'égalaient pas celui du sage de Saint-Chamond. Compromission d'autant plus paradoxale qu'à en croire les comptes rendus du comité directeur de l'UDSR en date du 22 juin 1953, les conditions posées par François Mitterrand à Joseph Laniel (deux ministères et un secrétariat d'Etat) n'avaient pas été entièrement satisfaites, l'UDSR n'obtenant pas de secrétariat d'Etat. Quant aux assurances d'une

1. *In Ma part de vérité, op. cit.*

politique plus libérale et plus cohérente dans l'Union française, elles étaient bien vagues et ne furent pas respectées. François Mitterrand a-t-il accepté d'entrer dans ce gouvernement pour mieux en sortir ?

Certains de ses adversaires l'assurent. René Pleven au premier rang, qui était ministre de la Défense dans le cabinet Laniel et le resta jusqu'au dernier jour. « Mitterrand, dit-il, a démissionné parce qu'il a compris que l'heure de Mendès allait sonner. » Elle sonne, en effet, mais dix mois plus tard : le 12 juin 1954, la chute de Diên Biên Phu entraînait celle du gouvernement ; au cours du débat, Pierre Mendès France avait prononcé un réquisitoire en quoi certains virent une « déclaration d'investiture prématurée[1] ». Pierre Mendès France, en tout cas, devint effectivement président du Conseil. Au cours des mois précédents, ses contacts avec François Mitterrand avaient été, semble-t-il, assez nombreux.

Jacques Bloch-Morhange a raconté le rôle qu'a pris François Mitterrand pour faire tomber le gouvernement Laniel.

« En ce jour de juin 1954, nous nous retrouvâmes à l'heure du déjeuner dans un petit restaurant de la rue Surcouf où nous avions nos habitudes. A 15 heures, un débat s'ouvrait devant le parlement dont dépendait la survie ou la mort du gouvernement Laniel, selon le climat que l'on parviendrait ou non à créer ce jour-là. Etaient assis autour de la table : Robert Buron (MRP), Robert Lacoste (SFIO), Jacques Chaban-Delmas et Michel Debré, François Mitterrand, Joseph Lanet, Jacques Kosciusko-Morizet (UDSR), Raymond Valabrègue et Olivier de Pierrebourg...

« Nous avions le sentiment que pour longtemps la France avait perdu son ultime carte en Extrême-Orient. Nous avions aussi celui que le combat fondamental à mener contre le vote de la CED allait se trouver engagé très vite au premier plan, nous savions que les Américains y pousseraient, aidés par la démocratie chrétienne... Nous pensions qu'il fallait immédiatement provoquer la chute de Laniel, pousser Edgar Faure ou Mendès (Mitterrand pensait que Mendès était celui dont les chances étaient les meilleures), engager une négociation de paix sans quitter l'Indochine, faire obstacle à l'action qui ne manquerait pas d'être menée en faveur de la CED. Tel était, outre l'agrément du menu, l'ordre du jour de ce repas.

1. *L'Année politique*, 1954.

« Les hommes politiques autour de la table détenaient le sort de la majorité puisque aucune combinaison gouvernementale ne pouvait être construite ou survivre sans leur appui...

« Il nous fallut donc déterminer les arguments dont nous allions nous servir pour exiger immédiatement son départ. Chacun donnait ses idées que Mitterrand notait au dos du menu, jusqu'au moment où il proposa : " Si vous êtes d'accord, je veux bien accepter le risque de faire ce discours en notre nom à tous. " L'unanimité se fit aussitôt. Il nous dit alors comment, cet après-midi, il construirait son intervention, comment, de descriptif, son propos prendrait progressivement la figure d'un réquisitoire et comment il enfermerait le président du Conseil dans un cadre dont celui-ci ne pourrait désormais plus sortir que pour être battu. La vérité est de reconnaître que c'est exactement de cette manière que les choses se déroulèrent l'après-midi du 12 juin. Je compris à ce moment la technique de Mitterrand, elle est toujours la même aujourd'hui...

« Arithmétiquement, il manquait à une éventuelle majorité Mendès cinq ou six voix. Mitterrand allait les trouver sur les bancs qui étaient à l'époque peu ou prou considérés comme les adversaires du député de l'Eure. Il promit des secrétariats d'Etat, en fit donner par Mendès le 17 juin, constitua son gouvernement et transforma pour lui cinq adversaires en cinq partisans. »

Et Bloch-Morhange de conclure : « On ne saurait contester que Mitterrand, notre porte-parole, a réussi à faire battre Laniel, trouvé pour Mendès l'appoint nécessaire à la constitution de son gouvernement et permis le succès diplomatique tragique mais qui s'imposait de la paix en Indochine [1]. »

LA TENTATION MENDESISTE ET L'AFFAIRE DES FUITES

François Mitterrand n'a jamais voulu lier à personne son sort et son nom. Adolescent, à l'âge où tant d'autres recherchent des mentors ou des directeurs de conscience, l'étudiant pensionnaire du 104 rue de Vaugirard affichait, nous l'avons vu,

1. Jacques Bloch-Morhange, *la Grenouille et le Scorpion*, *op. cit.*

quelque désinvolture à l'égard des gloires du moment, comme s'il ne trouvait point de soleil assez brillant pour l'éblouir.

A Vichy, dans la Résistance, à la Libération, nul homme — pas même de Gaulle — n'eut assez d'ascendant sur lui pour se l'attacher. Henry Frenay — il veut bien en convenir — l'impressionna quelque temps. Pas suffisamment pour qu'il veuille devenir son second. A l'UDSR, il ne se résigna pas à accepter le leadership de René Pleven. S'il entretint des relations cordiales et différentes avec le président Vincent Auriol ou des caciques indéracinables et puissants comme Henri Queuille, Paul Ramadier, Robert Schuman, il ne tint pour son maître aucun d'entre eux.

En politique, il traite parfois ses collègues avec cruauté, avec indulgence jamais. Les compliments ne sont pas sa spécialité : lorsqu'il s'essaie à être aimable, sa plume soudain s'alourdit. Certes, il sait faire l'éloge d'autrui, il le fait même assez bien quand il s'agit de subordonnés qui sont ou seront bientôt des redevables. Mais flatter ses égaux ? Non ! L'exercice lui répugne.

Il existe à cette règle une exception, une seule : Pierre Mendès France.

« C'est la seule fois où François Mitterrand a montré un complexe révérenciel pour un homme », indique aujourd'hui Georges Beauchamp. Et tous ceux qui l'approchèrent alors le confirment. Pour celui que l'on appelle P. M. F., François Mitterrand sort de sa réserve, il multiplie même les éloges.

Cette insolite admiration participe, il est vrai, d'un mouvement général : P. M. F. incarne alors dans un milieu intellectuel, bourgeois et libéral le renouveau et la modernité, la rigueur et l'élan, la vision et la compétence. Depuis 1945, il s'était fait remarquer à l'Assemblée nationale par une impitoyable critique de la politique économique et financière, prônant le parler vrai, la réconciliation de l'imagination et du savoir, l'alliance nécessaire du secteur public et du secteur privé. L'air d'un hibou mélancolique, la mine chiffonnée, des mises de professeur étourdi et un prestige international croissant, il incarne dans le jeu des sept familles politiques le tonton chagrin de la nouvelle gauche. De jeunes journalistes brillants, Jean-Jacques Servan-Schreiber et Françoise Giroud, participent avec un enthousiasme avide à l'élaboration de son mythe. P. M. F. devient jour après jour le héros de la saga de leur nouvel hebdomadaire, *l'Express*.

Une grande partie de l'opinion les suit. La classe politique, qui commence à découvrir ce qu'est désormais la personnalisation du pouvoir, apprécie moins. Le nouveau président du Conseil, par la rapidité de ses décisions, ramène la confiance dans un pays désorienté et abattu par la faiblesse gouvernementale, les échecs coloniaux qui viennent d'être cruellement soulignés à Diên Biên Phu. « Toutes proportions gardées, écrit le politologue Jacques Julliard [1], le service que P. M. F. a rendu à son pays en cet été 1954 est de la même nature que l'action de Charles de Gaulle le 18 juin 1940 : il l'a sauvé de l'humiliation, il l'a empêché de désespérer de soi. »

Il est vrai que François Mitterrand n'a pas attendu l'été 1954 pour chanter les louanges de P. M. F. Au lendemain de la première tentative de celui-ci, en juin 1953, il écrivait dans *Combat :* « Ses propos, l'attitude, le ton du député de l'Eure exprimèrent si admirablement le besoin de renouveau de nos mœurs parlementaires que le climat de la crise en fut transformé. Son refus des intrigues et son dédain des à-peu-près firent le reste, la politique française changeait de style. »

Comme un train, une politesse peut toujours en cacher une autre. P. M. F. y va, lui aussi, de son compliment dans la préface qu'il donne au premier essai publié par François Mitterrand en 1953, *Aux frontières de l'Union française.* Il écrit : « Je veux vous dire combien j'apprécie la lucidité et la précision de votre exposé des grands problèmes de l'Union française. Combien j'admire le courage intellectuel et politique avec lequel vous recherchez des solutions. »

Qu'en termes exquis ces choses-là sont dites !

Mais si François Mitterrand et Pierre Mendès France ont eu de l'estime l'un pour l'autre, jamais ils n'ont été amis. Dans sa biographie de P. M. F., Jean Lacouture note : « Leur collaboration commune au Forum de *l'Express* les avait rapprochés sans faire d'eux des intimes. Mendès avait découvert chez son jeune collègue un zoologiste parlementaire d'une science incomparable. Nul ne connaissait mieux que lui les députés, leurs talents, leurs faiblesses, leurs performances passées, leurs aspirations secrètes et leurs accointances. Ce n'est pas lui qui aurait lâché comme P. M. F., voyant monter à la tribune au cours d'un débat indochinois un grand diable grisonnant : " Qui est-ce encore,

1. *In la IVe République,* Paris, Calman-Lévy.

celui-là ? — Mais c'est Frédéric Dupont, voyons ! L'inamovible député des concierges du VIIe arrondissement. " »

Paul Legatte, un mendésiste passé au service de François Mitterrand, aujourd'hui membre du Conseil constitutionnel, ajoute : « Mendès était fasciné par la facilité avec laquelle Mitterrand improvisait ou troussait ses discours. Quand lui devait s'échiner sur une page blanche, peser chaque mot et reprendre dix fois son ouvrage, Mitterrand jonglait avec les mots et les formules. Je crois même que Mendès était secrètement fasciné par les succès féminins que l'on prêtait au jeune ministre. » Réciproque : François Mitterrand a toujours admiré et envié l'autorité et le sérieux de P. M. F. en matière d'économie. Envié n'est peut-être pas le mot tout à fait exact : le futur président n'a jamais tenu l'économie ni ses experts pour des réalités et des autorités devant lesquelles il fallait capituler. Le FMI, l'OCDE, l'INSEE, autant de sigles qu'il faut connaître et citer, mais devant lesquels on ne s'agenouille pas. Quant aux docteurs ès équilibre budgétaire, ou ès réserve monétaire, ils ont toujours fait figure à ses yeux de médecins de Molière : « Tous les plans de redressement que j'ai connus se sont toujours soldés par l'augmentation de la vignette et des tabacs », a-t-il plaisamment répété des années durant.

En 1954, P. M. F. veut pouvoir profiter de la science parlementaire du député de la Nièvre. Conscient de son ignorance et de son ingénuité en ces matières délicates, il entend utiliser les talents de son cadet, qui a tant contribué, on l'a vu, à la chute du gouvernement Laniel et qui lui a permis d'entrer à Matignon. Sa connaissance du petit monde du Palais-Bourbon et du règlement de l'Assemblée, sa capacité de scintiller à la tribune et d'y prononcer des « philippiques aux arêtes de diamant ».

Dans la nuit du 17 au 18 juin 1954, P. M. F. convie François Mitterrand à rejoindre chez lui, rue du Conseiller-Collignon, Edgar Faure, le numéro 2 du futur gouvernement, chargé de l'Economie, et quelques collaborateurs personnels (Georges Boris, Paul Legatte, entre autres), afin de dresser la liste des ministères. Des travaux qui ne pourront commencer qu'après 23 heures. Mitterrand restant, selon son incurable habitude, introuvable jusqu'à ce stade avancé de la soirée.

« Ah, les retards de François Mitterrand ! s'esclaffe avec encore une pointe d'exaspération dans la voix Françoise Giroud qui, avec J.-J. S.-S., fut associée de très près aux grandes et petites péripéties de ce gouvernement des sept mois et dix-sept jours. Il fallait toujours l'attendre au moins deux ou trois heures. Et quand il arrivait enfin, c'était pour se lancer dans des justifications d'un compliqué et d'un rocambolesque qui démontraient à l'évidence qu'il racontait des histoires. Et plus il s'enferrait dans son récit, plus il s'irritait de notre incrédulité, alors qu'il aurait mieux fait, bien sûr, de se passer d'explications. Et si, d'aventure, il se trouvait à l'heure, avant de se rendre à un déjeuner par exemple, l'idée d'être ponctuel le déroutait tant qu'il s'inventait sur-le-champ un dossier urgent à consulter, un article à lire, afin d'être bien sûr d'arriver un tour d'horloge après tout le monde. »

Dans son entourage, les retards de François Mitterrand sont devenus proverbiaux. Un membre de son cabinet raconte que, quelques mois plus tard, devant recevoir, en pleine affaire algérienne, Ferhat Abbas au ministère de l'Intérieur, il fit patienter celui-ci. Une heure s'écoula, puis une heure et demie. Lorsque notre témoin, embarrassé, entrebâilla la porte ministérielle pour rappeler la longue attente du visiteur, que vit-il ? Un François Mitterrand paisiblement plongé dans la lecture des bandes dessinées de *France-Soir*.

Volonté de défier l'autre ? Goût d'éprouver la patience de qui dépend de vous ? Irrépressible besoin d'être le maître du temps qui passe ? Incomparable plaisir de se sentir le dieu horloger de sa propre existence ? Comment expliquer une attitude qui peut entraver la bonne marche des affaires de l'Etat et bouleverse en tout cas les règles de la plus élémentaire bienséance ou de la charité chrétienne ? Tel est mon bon plaisir, semble souvent signifier François Mitterrand à ses victimes, résignées ou consentantes.

Fermons ici cette parenthèse sur les retards du futur président et revenons rue du Conseiller-Collignon, en cette nuit de juin 1954 où P. M. F. forme son gouvernement.

Trente ans après, il est bien difficile de désigner ceux qui, dans cette nouvelle équipe — la plus prestigieuse de la IVe République —, doivent à François Mitterrand l'honneur d'avoir été choisis. Sans risque d'erreur, on peut pourtant avancer que la présence d'André Bettencourt (un ami du « 104 »), secrétaire d'Etat à la présidence du Conseil chargé de l'Information[1], et la nomination de trois autres membres de

1. Par lui sera nommé à la tête de l'AFP Jean Marin (UDSR), tandis que Jacques Marot, journaliste à l'AFP, autre ami du « 104 », sera notablement promu.

l'UDSR sont le résultat de ses bons offices. Il semble que la nomination de Jacques Chevalier, maire d'Alger, au secrétariat d'Etat de la Défense lui soit due également. Lui-même obtient, avec le ministère de l'Intérieur, le portefeuille le plus huppé qu'il ait reçu dans cette République. Il est considéré en tout cas comme le numéro trois du gouvernement, derrière P. M. F. et Edgar Faure. Mais fut-il réellement le troisième homme d'une troïka ?

Selon Jean Lacouture, qui bénéficia des confidences de P. M. F., il fallait plutôt le regarder comme le plus brillant des jeunes, celui dont personne ne mettait en doute qu'il parviendrait bientôt à Matignon. Mais Mendès, qui faisait si aisément confiance à Edgar Faure, ne laissait pas de se méfier de ce « trop brillant animal politique[1] ».

Dans ce cabinet prestigieux, marqué aussi par la présence de gaullistes notoires — Jacques Chaban-Delmas, Christian Fouchet et le général Koenig —, aucun socialiste ne devait entrer. L'oukase venait de Guy Mollet, qui n'avait pas admis que l'on puisse choisir des ministres sans lui en référer. Une absence qui n'a pas beaucoup chagriné François Mitterrand. Au congrès de son parti, à Aix-les-Bains en octobre 1954, il déclare en effet : « Les notions de droite et de gauche ont perdu beaucoup de leur sens, cette vieille division est emportée par le vent de l'Histoire parce que le talent et l'autorité du président du Conseil l'ont désigné pour être le catalyseur qui a permis à des éléments épars de se rejoindre. Et si ces éléments, hier séparés dans des formations rivales, se retrouvent aujourd'hui du même côté, c'est parce qu'ils appartiennent à la même génération politique... Il est donc bien certain que le gouvernement Mendès signifie, dix ans après la guerre, la jeunesse de la République. » Nous voilà bien loin encore du lyrisme qui chantera plus tard le rassemblement de la gauche.

L'encens qui embaume ce discours d'octobre du chef du gouvernement ne doit pas faire illusion. L'état de grâce entre

1. Dixit Jean Lacouture.

P. M. F. et François Mitterrand a cessé d'exister depuis quelques semaines. L'affaire des fuites y a mis fin.

Une fois encore, au moment où François Mitterrand franchit un échelon — et lequel ! — dans la carrière républicaine, il doit affronter une épreuve. Et le paradoxe dans cette affaire tient à ce que Mitterrand, le soupçonné, peut avoir la conscience tranquille, tandis que Mendès France, le soupçonneur, se sera au moins montré injuste, illustrant à sa manière la célèbre maxime du cardinal de Retz : « On est plus souvent dupe par défiance que par confiance. »

Voici l'histoire.

Au début de l'été 1954, une rumeur court Paris. Dans les couloirs du Palais-Bourbon, dans les salles de rédaction, on murmure qu'un traître assiste au Comité de défense nationale et en a communiqué les secrets au Parti communiste. Le nom de François Mitterrand est le plus souvent cité. Au début du mois de juillet, Christian Fouchet, ministre des Affaires marocaines et tunisiennes, est averti par un de ses anciens compagnons du RPF, le commissaire Jean Dides : un des indicateurs de celui-ci, introduit au PC, aurait révélé que la sténographie de la dernière réunion du Comité de défense avait été lue in extenso par Jacques Duclos au bureau politique du parti.

Participaient au Comité de défense, sous la présidence de René Coty, les principaux ministres du gouvernement : Edgar Faure, le général Koenig (Défense), François Mitterrand (Intérieur), plusieurs généraux et le secrétaire général de la Défense, Jean Mons.

« Dans quelle direction s'orientent vos soupçons ? » demande Fouchet. Dides répond : « Mon informateur pense à Edgar Faure, mais moi je crois plutôt que c'est Mitterrand. Voilà pourquoi je n'ai pas porté le dossier au ministère de l'Intérieur. »

Christian Fouchet alerte aussitôt P. M. F., lequel se garde bien de mettre au courant François Mitterrand. Il confie l'affaire à André Pelabon, son directeur de cabinet, un homme en qui il a toute confiance et qu'il connaît depuis vingt ans. Ce polytechnicien fut jadis un adjoint du colonel Passy au BCRA[1]. Il sait donc comment traiter ce genre de questions. Mais il ne se presse pas. Le 8 septembre seulement, il demande à Roger Wybot, le patron de la DST, de prendre l'enquête en main.

1. Services secrets de la France Libre à Londres.

Pierre Nicolaÿ, alors directeur de cabinet de François Mitterrand, raconte : « C'est à peu près à cette date que j'ai été averti par Jean Mairey, directeur de la Sûreté nationale [nommé à son poste par François Mitterrand], qu'une enquête ultra-secrète sur le ministre était en cours à la DST. Il me demandait de n'en rien dire à mon patron, vous imaginez que je l'ai au contraire averti sur-le-champ. Et que celui-ci n'a pas attendu une seconde pour interroger le président du Conseil. »

P. M. F. se trouvait alors en voyage officiel à Londres et François Mitterrand le joint au téléphone. Mais, alors qu'il attendait des assurances et des protestations de confiance, il éprouve la désagréable impression de se trouver en face d'un interlocuteur embarrassé et incertain.

En un mot comme en cent, P. M. F. s'interroge. Il a douté et peut-être à ce moment doute-t-il encore. Sa conception de l'homme d'Etat, son sens du devoir lui imposent de n'écarter aucune hypothèse.

Le ministre de l'Intérieur s'en montre ulcéré. Les témoignages sont unanimes. « Ce fut pour lui un grand choc », dit Pierre Nicolaÿ. Pierre Charpy, alors journaliste à *Paris-Presse* et qui dîna à cette époque avec le ministre au sortir d'une séance de l'Assemblée, confirme : « Il était complètement abattu par le lâchage de Mendès. »

Commentaire de Françoise Giroud : « Mendès était ainsi fait. Si on lui avait annoncé un vol commis par son fils, sa morale républicaine lui aurait fait répliquer : " Enquêtez et communiquez-moi les résultats. " Alors que n'importe quel père aurait commencé par protester de l'innocence de son rejeton. Et puis, il ne faut pas l'oublier, Mitterrand n'était pas l'ami de Mendès. »

En fait, l'affaire sera rapidement éclaircie, les vrais coupables reconnus et condamnés. L'enquête révèle que les fuites ne peuvent venir d'un membre du gouvernement, et moins encore de François Mitterrand. Les comptes rendus des Comités de défense nationale qui parviennent au Parti communiste sont en effet si détaillés et conformes à la chronologie des interventions qu'aucune mémoire humaine, fût-elle la plus exercée, n'eût pu se montrer à ce point fidèle. L'hypothèse de micros dissimulés dans la salle est écartée après vérification. On découvre alors qu'un homme, un seul, prend des notes : Jean Mons, le secrétaire général permanent de la Défense. Mais il est au-dessus de tout soupçon, personne ne met en doute son patriotisme et sa probité. Seulement voilà : ses collaborateurs ont, eux aussi, accès aux textes. Et deux d'entre eux, René Turpin et Roger Labrusse, entretiennent des contacts suivis avec le journaliste Baranès, lequel est justement l'informateur du commissaire Dides. Comme par hasard, il est également bien introduit auprès des hiérarques communistes. Dès lors, le scénario devient limpide pour qui veut comprendre. Les responsables des fuites sont les deux fonctionnaires, Jean Mons ayant fauté par manque de vigilance. Et le commissaire principal Dides a voulu profiter de l'affaire pour déconsidérer un gouvernement qu'il déteste, puisqu'il fait la paix en Indochine, et un ministre de l'Intérieur qu'il hait, puisqu'il l'a mis à pied.

François Mitterrand est d'autant plus étranger à l'affaire que les fuites avaient commencé sous le gouvernement précédent, alors que ses fonctions ne lui donnaient pas accès aux sources.

Pourtant — voilà qui ne manque pas d'intérêt —, c'est contre lui que les soupçons se sont portés tout naturellement. Au niveau des exécutants, cela se conçoit aisément : le préfet de police Baylot et le commissaire Dides, tous deux écartés de leurs postes par François Mitterrand, font courir le bruit qu'en les frappant il a voulu mettre un terme à la lutte contre le communisme international.

L'étrange vient de ce que la rumeur ait si aisément trouvé écho dans les milieux politiques et parfois chez des hommes de bonne foi. Tous ne l'étaient pas, certes, et certains faisaient volontiers feu de tout bois. Lors du débat parlementaire sur ce sujet, le 5 décembre 1954, le député indépendant de l'Oise Jean Legendre, anticommuniste fanatique, ira jusqu'à insinuer que la démission de François Mitterrand du gouvernement Laniel lui avait en réalité été imposée pour présomption de trahison. Sur les bancs de l'extrême droite on ira jusqu'à susurrer que la tragédie de Diên Biên Phu s'expliquait en partie par les informations que François Mitterrand aurait livrées aux amis des Viêt-minh... Un vrai roman, dont pas un seul mot ne correspondait à la réalité, mais auquel crurent bien des gens de bonne foi.

Au cours du débat, François Mitterrand en appela au témoignage de ses anciens collègues du gouvernement Laniel : avait-il démissionné de sa propre initiative ou avait-il était contraint de le faire ?

« De sa propre initiative », dut concéder à la tribune Georges

Bidault, ex-ministre des Affaires étrangères. Mais il le fit en termes assez sibyllins pour laisser planer un vague soupçon. Edgar Faure, lui, fut tout à fait net. Il témoigna avoir beaucoup insisté, à la demande du président du Conseil Joseph Laniel, pour retenir François Mitterrand dans l'équipe gouvernementale et le dissuader de démissionner.

De son côté, Jacques Chaban-Delmas se rendit à l'Elysée pour dire au président de la République qu'il se portait garant de l'innocence de Mitterrand : « Cette machination est odieuse ! » A quoi René Coty répondit : « Mais comment pouvez-vous vous porter garant ? »

Michel Debré aurait même à l'époque prodigué à François Mitterrand ses conseils et ses encouragements [1].

Tel était le climat. Dans cette rocambolesque histoire, les passions politiques — dues aux convulsions coloniales, à la guerre froide, au choc des ambitions dans une République où le pouvoir était à prendre — interdisaient que les règles normales soient respectées. Les prédécesseurs de P. M. F. et François Mitterrand — Joseph Laniel, René Pleven, ministre de la Défense, Martinaud-Deplat, ministre de l'Intérieur —, pourtant au courant des premières fuites, n'avaient pas jugé bon de les en avertir lors de la passation des pouvoirs. Curieuse conception de la continuité de l'Etat, qui n'eut pour effet que de retarder l'enquête et la découverte des coupables.

Dans son livre *la IVe République,* Jacques Fauvet porte ce jugement sur l'affaire : « La machination s'écroula et avec elle l'honneur de quelques hommes, hormis celui de M. Mitterrand. Elle avait illustré l'état de dégradation des esprits et des mœurs. Que des fonctionnaires eussent recopié des procès-verbaux secrets pour les remettre à des amis politiques était un crime que la justice devait punir tardivement. Que des faux eussent été fabriqués par des agents de haute ou de basse police pour déshonorer un homme, un gouvernement, une politique, c'était déjà une honte moins commune qui a pu briser la carrière administrative mais non politique de ceux qui l'avaient endossée. Mais que des politiciens de bonne foi se laissent aller à leur faire confiance afin d'obtenir d'eux l'arme et la preuve destinées à abattre leur adversaire, c'était une défaillance qui conduisit à s'interroger gravement. »

Que François Mitterrand se soit trouvé au cœur du soupçon

1. Jacques Bloch-Morhange, *la Grenouille et le Scorpion, op. cit.*

s'explique. D'abord, on l'a souligné, ses pairs se défient de lui. Ensuite, aux yeux d'une certaine droite fanatisée, il est déjà coupable d'avoir livré l'Afrique noire au communisme par RDA interposé : il est donc l'allié naturel des marxistes révolutionnaires à travers le monde. Il se trouve ainsi étiqueté très à gauche par la droite la plus extrême. Il va être déporté vers la gauche sans l'avoir vraiment cherché.

François Mauriac, qui voit loin et profond, note dans son « Bloc-notes » de *l'Express :* « La haine inexpiable de ses adversaires désigne François Mitterrand comme l'un des chefs — il en faut plusieurs — de cette gauche qu'il faudra bien reconstruire un jour. »

Sur l'heure, le futur leader socialiste retient surtout une leçon : on a bien peu d'amis en politique et la méfiance est donc la règle.

Bien peu d'amis... Pierre Mendès France n'a pris la défense de son ministre, usant de toute son autorité, qu'en décembre 1954, avec un trimestre de retard. « Jamais, s'écrie-t-il alors à la tribune de l'Assemblée, ni un jour ni une heure, je n'ai regretté d'avoir confié à François Mitterrand le poste de responsabilité et de courage qu'il occupe. Je suis fier d'avoir dans mon gouvernement un tel collaborateur. La liste est longue, hélas, des hommes politiques, des hommes de gauche surtout, qui ont été attaqués dans leur honneur. Je n'étais pas né quand on injuriait bassement Clemenceau, il y avait déjà des Legendre. »

Belle harangue et superbe défense. Malheureusement, le mal est fait. « Un soir je me souviens avoir vu arriver François Mitterrand chez moi, les yeux mouillés de larmes », raconte Françoise Giroud.

Entre P. M. F. et François Mitterrand, qui s'appréciaient sans s'aimer — « c'étaient deux âmes qui ne vibraient pas à l'unisson », dit, avec une pointe de lyrisme, André Monteil —, quelque chose désormais est cassé.

« Dès cet instant, d'alliés ils sont devenus rivaux. En dix occasions, leurs intérêts les opposèrent ouvertement ou obliquement », confie Paul Legatte.

« Ils se sont toujours trouvés du même côté et ne se sont jamais entendus », dit aujourd'hui Claude Estier. Et, de fait les incidents seront fréquents.

« Pour les investitures du Front républicain [1] aux élections de 1956, on aurait cru des marchands de tapis, se souvient André Rousselet. Mendès n'a rien fait pour favoriser l'UDSR, qui a perdu du coup beaucoup de députés. »

Pour l'élection présidentielle de 1965, Pierre Mendès France refuse d'être candidat, et c'est François Mitterrand qui se présente. L'ancien président du Conseil le soutiendra — comment eût-il pu en être autrement ? —, mais de loin.

« Je me souviens, raconte Claude Estier, qu'entre les deux tours de l'élection nous avions pensé organiser une grande réunion, les premiers résultats de Mitterrand étant encourageants. Nous avons appelé Mendès au téléphone. Il était à peu près minuit : il s'est habillé et il est venu. Jean Daniel lui a expliqué alors tout l'intérêt d'un grand meeting où lui, Mendès, appellerait à voter pour Mitterrand. Le choix des dates était limité, évidemment, par la proximité du scrutin. Nous avons indiqué que le meeting pourrait se tenir le mercredi ou le jeudi. Alors, Mendès de sortir calmement son agenda et de dire, paisible : " Ah ! désolé, mais ces deux soirs-là, je suis pris. " Après son départ, Mitterrand nous a dit : " Vous voyez, Mendès, il ne faut rien lui demander. " »

Trois ans plus tard, c'est 1968, les barricades, les étudiants enfermés dans les universités et les ouvriers dans les usines. François Mitterrand, alors, se porte candidat au pouvoir (nous y reviendrons) et dit qu'il formera un gouvernement dont Pierre Mendès France sera le Premier ministre. Mais celui-ci, qui n'a pas été consulté, ne cachera pas sa colère.

François Mitterrand, de son côté, enrage de la différence de traitement que leur réservent l'opinion et leurs pairs : préjugé toujours défavorable pour lui, toujours favorable pour Pierre Mendès France. Françoise Giroud raconte [2] : « Alors que Lily Mendès, la première femme du président, était déjà très malade, celui-ci, que nous appelions entre nous " Augustin ", était parti en week-end avec des amis chez Marie-Claire de Fleurieu, qui allait devenir sa seconde épouse. Et tout le monde de dire : " Le pauvre Mendès, comme ce doit être dur pour lui ! Il est vraiment très malheureux. " Ce que François Mitterrand

1. Alliance électorale dont les leaders étaient, avec Pierre Mendès France, le socialiste Guy Mollet, le gaulliste Jacques Chaban-Delmas et François Mitterrand.

2. Conversation avec l'auteur.

commentait ainsi : " Si je partais en week-end chez une amie pendant que ma femme se meurt, tout le monde dirait : Quel salaud ! " »

Cette tension, ces réciproques irritations ne devaient jamais cesser. Pour les élections présidentielles de 1981, Pierre Mendès France resta encore sur la réserve, ne tenant aucun meeting commun avec le candidat Mitterrand. Certes, le peuple de gauche s'est beaucoup ému des larmes versées par Pierre Mendès France, déjà bien malade, lors de l'investiture de François Mitterrand dans les salons de l'Elysée. Larmes de joie, après la victoire, tant attendue, de la gauche ? Larmes de regret au crépuscule d'une existence plus riche en prestige et en gloire qu'en puissance et en pouvoir ? En tout cas, ce n'était pas le bonheur qui faisait pleurer Pierre Mendès France au moment du triomphe d'un rival plus habile à saisir sa chance et plus opiniâtre.

Le peuple de gauche s'est ému aussi du bel hommage rendu par le président socialiste au grand homme qui venait de disparaître. Remarquable discours, en effet. Belle cérémonie. Mais la pâleur du chef de l'Etat était-elle provoquée par les frimas du jour, la fatigue ou l'émotion en cette heure où disparaissait un concurrent après trente années de jalousie réciproquement admirative ?

Plus sincères, en tout cas, paraissent ces propos de François Mitterrand[1] : « On a toujours fait de Mendès une statue intouchable. Jean Daniel a un jour écrit un article intitulé " le Juste et le Cavalier ". Le juste, c'était lui, évidemment ; moi, j'étais le politicien, le joueur. Pourtant, faut-il faire de la politique pour être incapable de rester plus longtemps au pouvoir ? Mendès n'a même pas été capable de tenir le Parti radical. Il s'est beaucoup trompé sur les hommes... »

Un silence. Ensuite : « Et puis, il m'a trahi. »

1. Lors d'une conversation avec l'auteur en 1983.

L'ALGERIE

« Quand de Gaulle est arrivé au pouvoir, grâce aux colonels d'Algérie, moi, j'avais pris depuis longtemps position pour la décolonisation. »

Ainsi s'exprimait François Mitterrand en 1972, dans une interview où il exposait notamment les raisons de son hostilité au retour du Général [1].

Cette revendication d'antériorité dans les prises de positions décolonisatrices prend de grandes libertés avec l'Histoire. Certes, pour l'Algérie comme pour l'Afrique noire, le futur président s'est montré prudemment libéral et réformiste. Toutefois, ministre de l'Intérieur sous Mendès France, puis garde des Sceaux sous Guy Mollet, il dut donner la priorité au maintien de l'ordre. L'Algérie, pour lui comme pour la plupart, c'était la France. Il fallait qu'elle le reste et les trublions n'avaient qu'à bien se tenir. Le rétablissement de l'ordre devait obligatoirement précéder toute évolution. Pas question de négocier avec les « terroristes », pas question de solution fédérale dont on craignait qu'elle entraîne en fin de compte l'indépendance. Seule tactique donc, au moins dans un premier temps : sévir, et François Mitterrand, ministre de l'Intérieur, a sévi sans troubles de conscience apparents ; et François Mitterrand, garde des Sceaux, ne s'est pas insurgé publiquement contre la torture.

Si, à partir de 1956, sous la pression des événements — et celle de l'UDSR —, il veut bien envisager du bout des lèvres et du bout du cœur une solution comme le fédéralisme, qui, au départ, lui répugnait, c'est plus affaire de réalisme que de doctrine ou d'intuition prophétique. Le futur leader socialiste, comme la quasi-totalité de la SFIO — à commencer par son secrétaire général, devenu chef du gouvernement, Guy Mollet [2] —, a découvert la vérité en marchant lentement. Et jusqu'au

1. *In l'Expansion*, août 1972.

2. Celui-ci déclarait en mars 1956 à l'Assemblée nationale : « Nous maintiendrons des liens indissolubles, mais ils seront librement négociés et acceptés. » Autrement dit : Déposez les armes et vous pourrez ensuite choisir librement la seule solution que nous vous proposons.

retour aux affaires du général de Gaulle, il n'avait, du moins publiquement, qu'un objectif : que l'Algérie reste française.

Dès la formation du gouvernement Mendès France, pourtant, le député de la Nièvre avait compris qu'un nouveau drame menaçait. « Il va falloir s'occuper très vite de l'Algérie », disait-il au président du Conseil. Lequel n'est qu'à demi convaincu. Si Pierre Mendès France avait, bien avant beaucoup d'autres ténors de la politique, senti où menait inexorablement le drame indochinois ; il n'avait pas encore compris que l'Histoire s'apprêtait à se répéter ailleurs. « A cette époque, a-t-il reconnu devant Jean Lacouture[1], où je ne pensais pas que c'était brûlant et que ça exploserait, Mitterrand, lui, le sentait. Il avait flairé tôt que ça risquait de tourner mal. » C'est pour cette raison, entre autres, que Mitterrand avait fait nommer au poste de secrétaire d'Etat à la Guerre le maire libéral d'Alger, Jacques Chevalier.

Comme celui-ci, François Mitterrand sait que des mesures doivent être prises, d'urgence. Mais lesquelles ? En 1954, le comble de l'innovation et du libéralisme consiste pour lui et pour beaucoup d'autres à mettre en œuvre le statut élaboré par Edouard Depreux, ministre de l'Intérieur socialiste en 1947. Ce texte, jamais appliqué et d'inspiration libérale, tendait à organiser une intégration limitée des musulmans algériens au sein de la République française. Limitée, puisque les départements algériens ont un statut particulier et que leurs habitants d'origine nord-africaine ne jouissent pas des droits égaux aux habitants d'origine européenne. Ils forment des collèges électoraux distincts. Le texte envisage pourtant d'accorder le droit de vote aux femmes, l'élection de musulmans à la tête de leur commune, une réforme agraire. Ces mesures, soumises par deux fois à l'Assemblée algérienne, avaient été repoussées, à la suite de votes frauduleux, à l'instigation des notables français d'Algérie.

En prônant l'application effective d'un statut resté lettre morte, la démarche du ministre de l'Intérieur pouvait paraître audacieuse puisque les colons français avaient tout fait jusqu'alors pour en bloquer l'exécution. (Leur mot d'ordre implicite n'était pas : « Egaux mais séparés », mais : « Inégaux et séparés. »)

En fait, François Mitterrand semble plutôt très légaliste. Il

1. *Op. cit.*

ne veut rien donner de plus que ce qui figure déjà dans les textes. De la même manière que, pour la Tunisie, il jugeait excellent le traité du Bardo, vieux de soixante-dix ans, il pense que, pour l'Algérie, le statut de 1947 est encore la meilleure chose.

Lors de son premier voyage en Algérie, il exprime ainsi sa philosophie politique devant l'Assemblée algérienne : « Qu'est-ce que la République française ? C'est selon notre Constitution le territoire de la métropole, ce sont les départements d'Algérie, ce sont les départements et territoires d'outre-mer... Où se trouve l'Algérie dans ce vaste ensemble ? Au centre même, là où les forces se rassemblent. » Et il ajoute ce qui est bien le fond de sa pensée : « Il faut que la démocratie s'instaure davantage, il faut que le plus grand nombre trouve plus de joie, plus de bonheur et plus de volonté de participer à la collectivité nationale, sans quoi ce que vous dites, ce que je dis, ne signifie plus rien. Songez à cette masse qui ne sait pas toujours et qui espère en nous. » A l'époque où il parle ainsi, les « événements », comme on va d'abord appeler pudiquement l'insurrection, n'ont pas encore commencé.

Hélas, ces « événements » vont lui imposer des choix plus drastiques. Et rapidement. Il vient tout juste de quitter l'Algérie en s'écriant : « J'ai trouvé trois départements français d'Algérie en état de calme et de prospérité, je pars empli d'optimisme », quand les premiers attentats sont commis, dans la nuit du 31 octobre 1954. Postes de police attaqués, bombes, embuscades : au total il y aura huit morts, une quarantaine de blessés et d'importants dégâts matériels. Le jour de la Toussaint, les Français de métropole découvrent avec surprise qu'il existe en Algérie une opposition à la présence tricolore et des partisans de l'indépendance. Mais ils ne prennent guère la mesure de l'événement. Les hommes politiques non plus. La réponse du gouvernement est double : châtier les auteurs des attentats et engager des réformes économiques et sociales.

Des renforts sont aussitôt envoyés. D'abord seize compagnies républicaines de sécurité, bientôt renforcées par des parachutistes rapatriés d'Indochine, lesquels, en mal de revanche, commenceront par appeler Viets les fellaghas. A la fin du mois de novembre, le bilan s'établit ainsi : 1 188 individus appréhendés, 750 écroués, 42 rebelles tués, 28 blessés, 490 engins esplosifs saisis, 417 armes à feu découvertes. Pas grand-chose, comparé à ce qui va suivre.

Devant l'Assemblée nationale, Pierre Mendès France et son ministre de l'Intérieur tiennent des propos étrangement semblables, le 12 novembre 1954.

Pierre Mendès France : « La répression doit être limitée mais sans faiblesse. Qu'on n'attende de nous aucun ménagement à l'égard de la sédition, aucun compromis avec elle. On ne transige pas lorsqu'il s'agit de défendre la paix intérieure de la nation et l'intégrité de la République. Les départements d'Algérie sont français depuis longtemps... L'Algérie, c'est la France, et non un pays étranger que nous protégeons. »

François Mitterrand : « Le bruit s'était tout à coup répandu que l'Algérie était à feu et à sang, fermant ainsi la boucle d'un cercle passant par la Tunisie et le Maroc. Cela ne sera pas, parce que l'Algérie c'est la France et que, des Flandres au Congo, il y a la loi. S'il y a quelques différences dans l'application, partout la loi s'impose, et c'est la loi française. Une seule nation, un seul parlement, c'est la Constitution et c'est notre volonté. Personne n'a le droit de penser que le gouvernement en ait douté. Préserver le domaine français en Afrique, comme nous le permet le triste règlement de nos affaires en Asie, voilà la volonté du gouvernement. »

Et voilà une formule que l'on n'a pas fini d'entendre : « L'Algérie, c'est la France. »

La semaine précédente, le ministre de l'Intérieur a fait approuver en Conseil des ministres la dissolution du MTLD (Mouvement pour le triomphe des libertés démocratiques), le plus avancé des partis algériens. Aussi bien, lorsque s'ouvre le débat, René Mayer, habituel porte-parole des colons, qui vient d'entendre ces propos si jacobins, félicite François Mitterrand pour « sa promptitude et son énergie à réagir ». Cette interdiction, qui plaît tant aux colons, va avoir une fâcheuse conséquence : le MTLD, dirigé par Messali Hadj, n'était pour rien dans ces premiers attentats. Ses membres, pourchassés, traqués, se trouveront de ce fait rejetés dans le camp du FLN, c'est-à-dire une opposition plus brutale.

Le 4 février 1955, quelques jours seulement avant la chute du gouvernement Mendès France, François Mitterrand répétera à la même tribune : « Ceci est le dogme même de notre politique : l'Algérie, c'est la France. »

Il est d'usage aujourd'hui de reprocher à François Mitterrand son manque de clairvoyance. Mais il était largement partagé, et un ministre de l'Intérieur ne pouvait, à l'époque, sérieusement tenir un autre langage sans être aussitôt accusé de brader trois départements français. Au petit jeu des citations, bien peu d'hommes politiques de ce temps sortiraient vainqueurs. Un intellectuel de gauche, Jacques Julliard, définit bien le climat : « Pas plus que la France du XIXe siècle n'avait eu de doctrine coloniale, les pouvoirs responsables ne se montrèrent soucieux de parer au plus pressé, de sauver les apparences en improvisant des solutions qui ne devaient rien à l'expérience. Les mieux disposés, les plus clairvoyants étaient pris de court par cette décolonisation tournante. A peine le problème indochinois était-il réglé qu'il fallait s'occuper de la Tunisie ; à peine la Tunisie avait-elle trouvé le calme que le Maroc s'agitait ; à peine le Maroc obtenait-il son indépendance que l'insurrection embrasait l'ensemble de l'Algérie. Personne aujourd'hui ne songerait à s'étonner de cette contagion. Mais qui alors se contentait de la prévoir était accusé de la susciter. Un certain patriotisme exerçait un chantage au refus de la lucidité. »

A tel point que François Mitterrand, qui propose pourtant de concentrer au Maghreb toutes les forces nécessaires pour éviter une défaite comparable à celle du Viêt-nam, se voit presque accusé de mener une politique d'abandon. Qu'a-t-il donc fait ? Quarante-huit milliards ont été débloqués pour construire des routes, des barrages, des canaux. Une plus grande ouverture de la fonction publique aux Algériens, y compris à des postes de responsabilité, a été décidée : d'où la création d'une école d'administration destinée à former des cadres, dont les élèves pourraient servir ensuite aussi bien en Algérie qu'en métropole. L'augmentation des bas salaires est aussi programmée afin de réduire peu à peu l'écart des rémunérations avec la métropole. Mais quand François Mitterrand propose en Conseil des ministres, le 5 janvier 1955, de mettre en œuvre effectivement le statut de 1947, son projet est reçu comme une déclaration de guerre. Les ministres Jacques Chevalier (secrétaire d'Etat à la Défense), pourtant réputé libéral, et Henri Fouques Duparc (secrétaire d'Etat à l'Air) menacent de démissionner.

Des députés français d'Algérie enragent à la tribune.

François Quilici (député indépendant d'Alger) : « On aurait dû savoir que la population souhaite le maintien des communes mixtes et qu'elle considère l'égalité entre Algériens et métropolitains beaucoup plus comme un problème économique et social que comme un problème politique. »

Le général Aumeran tempête « contre les initiatives du ministre de l'Intérieur, néophyte métropolitain et réformateur qui apporte la division des cœurs et des esprits ».

Roger de Saivre (ancien vichyssois, député indépendant et paysan d'Oran) assure que « les fellaghas qui souhaitent du pain et des logements n'ont que faire des droits politiques ».

Une réforme d'apparence plus technique menace elle aussi de mettre le feu aux poudres. Peut-être alerté par les premiers articles qui dénoncent des sévices, François Mitterrand arrête le principe d'une fusion des polices métropolitaine et algérienne. La seconde, jusqu'alors indépendante de la première, employait des méthodes plus violentes et ses cadres étaient très compromis avec les plus intransigeants des colons et des notables. Certains libéraux d'Alger ne manquaient pas de le faire savoir à Paris. Mais cette mesure va mécontenter les deux corps : les policiers français ne veulent pas aller en Algérie, les policiers algériens n'entendent pas être mutés en métropole. Pour les élus d'Algérie, l'effet est désastreux. C'est bien le signe de la faiblesse du gouvernement.

A la veille du grand débat qui verra la chute du gouvernement Mendès France, le sénateur radical Henri Borgeaud fait savoir au président du Conseil que, si les projets sont maintenus, ses amis et lui voteront contre le ministère. Ce qu'ils feront.

Les réformes proposées par François Mitterrand ont donc joué un rôle non négligeable dans la chute du gouvernement Mendès France. Aux yeux des ultras d'Algérie, il passe pour un libéral irresponsable. Une fois encore, comme dans l'affaire des fuites, c'est la droite la plus droitière qui, en lui collant une étiquette de gauche, le pousse dans cette direction. Pourtant, à y regarder de près, il reste bien orthodoxe : s'il a compris la nécessité d'une évolution juridique et d'une promotion sociale des musulmans, il tient plus que jamais à arrimer l'Algérie à la France et n'éprouve aucun goût pour les solutions fédérales prônées par ses propres amis de l'UDSR (Eugène Claudius-Petit en tête). Il le dit sans ambages en juillet 1954 : « Proposer un système fédéral à l'Algérie représente un danger car, demain, elle réclamerait la diplomatie et l'armée. » Il le répétera le 5 février 1955 : « Au milieu d'un monde qui peut parfaitement, lui, connaître cette évolution vers le fédéralisme, l'Algérie doit rester le pivot central sur lequel doit s'exercer le pouvoir central de la République. Ceux qui en Algérie se réclament d'une évolution vers le fédéralisme sont dans l'opposition. »

Il faudra attendre le congrès UDSR de 1956 pour l'entendre déclarer : « Si nous réussissons en Algérie ce qui avait été promis en Tunisie, c'est-à-dire l'autonomie interne, et si nous sommes sûrs d'en rester là, alors il faudrait tenter l'expérience. » C'est que les militants de l'UDSR viennent de voter à l'unanimité une motion en faveur de la thèse fédérale (c'est-à-dire contre leur président). Et pour la première fois depuis qu'il a pris le contrôle de son parti, François Mitterrand s'est trouvé mis en minorité : ses positions algériennes ont été jugées trop droitières par des hommes qui ne sont pourtant pas d'extrême gauche. Il a cependant été soutenu dans cette affaire par le jeune député Roland Dumas, qui a rejeté, lui aussi, la formule fédérale. Le futur défenseur des Français membres du FLN met alors en garde le gouvernement contre toute capitulation devant les extrémistes, mais aussi, il est vrai, devant les immobilistes : « Il faut mettre fin, dit-il, à l'humiliation et au complexe d'infériorité des populations musulmanes. »

En fait, jusqu'à la chute de la IVe République, François Mitterrand a tenu un langage qui s'accordait à la sensibilité de l'époque. A la seule exception des communistes et d'une poignée d'hommes de gauche ou de libéraux, hommes politiques, intellectuels ou journalistes, peu suivis par l'opinion dominante, l'idée que l'Algérie c'est la France est reçue partout comme une sorte de dogme. Le Parti communiste lui-même (qui ne perçoit pas plus qu'un autre l'importance de la partie qui s'engage) n'ose pas déclarer clairement le contraire dans les premiers temps. François Mitterrand est donc accordé au sentiment dominant.

L'autre aspect de son action, c'est la répression. En 1955, alors qu'il est encore ministre de l'Intérieur, il déclare : « Tout sera réuni pour que la force de la nation l'emporte en toutes circonstances. C'est vers les leaders, vers les responsables qu'il faudra orienter notre plus rigoureuse répression. Tous ceux qui essaieront d'une manière ou d'une autre de créer le désordre et qui tendront à la sécession seront frappés par tous les moyens mis à notre disposition par la loi. »

Puisque toute réforme passe par le préalable de l'écrasement du FLN, François Mitterrand, devenu garde des Sceaux du gouvernement Guy Mollet, signe avec Maurice Bourgès-Maunoury, ministre de la Défense, et Robert Lacoste, ministre résident en Algérie, le décret (n° 56258) qui le dépossède et donne aux militaires les pleins pouvoirs en matière de justice. Surprenant de la part d'un homme qui ne cessera de se déclarer farouchement hostile aux mesures d'exception. Dans ce décret, qui autorise les perquisitions de jour et de nuit au domicile des citoyens, la plupart des historiens voient aujourd'hui l'une des sources d'un drame qui va marquer la conscience nationale pendant toute cette guerre : l'importance des exactions et des sévices imputables aux forces françaises.

C'est à partir de cette époque, en tout cas, qu'ils vont se multiplier. La bataille, il est vrai, prend de l'ampleur. L'adversaire ne manifeste pas de respect pour les lois de la guerre : on enregistre deux mille six cents actes terroristes par mois. Les hommes politiques se montrent de plus en plus désemparés et la répression se fait de plus en plus brutale.

Or, durant les dix-sept mois que dure le gouvernement de Guy Mollet, François Mitterrand, qui ne peut être soupçonné de vouloir couvrir la torture, ne trouve cependant aucun mot pour la condamner, au moins publiquement. Et sa plume, habituellement si alerte et si féconde, cesse soudain de courir. Solidarité gouvernementale oblige ? Mais il eut pu démissionner. Il ne le fit pas.

Gaston Defferre a certes témoigné [1] qu'en Conseil des ministres le garde des Sceaux s'est élevé souvent avec véhémence contre de telles pratiques. D'autres ministres du même gouvernement n'en ont pas conservé le souvenir. Entre autres, Jacques Chaban-Delmas, pourtant toujours loyal avec François Mitterrand. « Une seule fois — sous le gouvernement Guy Mollet — René Coty demandera aux ministres de lui donner leur avis sur des exécutions capitales [2] de militants algériens : guillotiner des hommes qui, si atroces qu'aient pu être les actes de certains, se battent pour l'émancipation de leur pays est un geste qui ne peut qu'aggraver les haines. Trois ministres — Robert Lacoste, Max Lejeune et Maurice Bourgès-Maunoury — estimeront que les décisions de justice doivent être appliquées. Pierre Mendès France, Alain Savary et François Mitterrand se

1. Auprès de Franz Olivier Giesbert.
2. Du 30 octobre 1954 au 31 janvier 1961, deux cent vingt-deux prisonniers politiques ont été exécutés pour cause de rébellion.

prononceront, eux, pour la grâce que René Coty accordera cette fois-là[1]... »

De même on enregistre une réserve en avril 1957 : le général Jacques Paris de Bollardière, commandant un secteur en Algérie, demande à être relevé de ses fonctions. Dans une lettre rendue publique, il se solidarise avec Jean-Jacques Servan-Schreiber, inculpé pour atteinte au moral de l'armée en raison de ses articles sur la torture dans *l'Express*. Au Conseil des ministres qui suit, Gaston Defferre, ministre de la France d'outre-mer, soutient que le geste du général, qu'on l'approuve ou non, est désormais un symbole pour une fraction de l'opinion qui désapprouve les excès de la répression en Algérie. François Mitterrand soutient le même point de vue[2]. Encore limite-t-il l'importance de ces excès : quelques jours plus tard, devant la commission de la justice au Palais-Bourbon, il souligne que si les rapports des procureurs généraux font effectivement état de faits très regrettables, ceux-ci sont beaucoup moins nombreux qu'une partie de la presse le dit. Mais il ajoute qu' « il ne peut s'engager que pour ce qui dépend de son autorité : la justice civile ». (Se lave-t-il les mains du reste ?)

Il semble craindre le scandale même lorsqu'il s'agit de s'élever contre une violation des droits de l'homme.

Résistante, déportée, ancien membre du cabinet de Jacques Soustelle à Alger, Germaine Tillion[3], qui se battait pour obtenir la grâce des condamnés à mort, témoigne : « Je suis allée plusieurs fois plaider leur cause auprès du président Coty. En vain. Mon ami le professeur Louis Massignon est allé rendre visite à François Mitterrand pour lui dire, vu l'importance de ses responsabilités, le retentissement qu'aurait dans ces circonstances sa démission. Visiblement, l'excellence n'était pas disposée à l'entendre. » Le climat politique, celui de l'Assem-

1. Jean Lacouture, *Pierre Mendès France*, Paris, Le Seuil.
2. *In l'Année politique*, 1957.
3. A l'époque, elle ira aussi voir de Gaulle :
— Pourquoi font-ils cela ? demande-t-elle.
— Ça donne des résultats sur le moment, répond le Général.
— Mais cela va se retourner contre nous à la longue.
— Ils ne sont pas assez intelligents pour s'en rendre compte.
Germaine Tillion supplie le Général de faire quelque chose, un geste, une déclaration. Il répond :
— Quoi que je dise, cela sera pris à contresens par les uns et par les autres.
« Ce n'était pas alors un homme qui pensait revenir au pouvoir », commente-t-elle dans *Jeune Afrique* en 1957.

blée étaient tels, il est vrai, qu'en démissionnant dans ces conditions, sur cette question, il se condamnait à rester pour longtemps écarté des allées du pouvoir. Eugène Claudius-Petit, pas toujours tendre avec son ex-collègue, surenchérit : « Mitterrand était un répressif. Je me souviens être allé lui demander une grâce pour un pauvre type, il m'a envoyé balader. »

Pour dire le vrai, à l'époque, presque tout le monde jouait au sourd. « Consentante ou chloroformée, la nation prend son parti de l'usage systématique de la torture », note Jacques Julliard[1].

Il faudra attendre mars 1958 pour que François Mitterrand, qui n'est plus ministre, se décide à prendre position publiquement. Et encore avec des prudences de présentation. A propos du livre *la Question* d'Henri Alleg[2], ex-directeur du journal communiste *Alger républicain*, qui relate les tortures auxquelles l'ont soumis les parachutistes. Pour avoir publié un article de Jean-Paul Sartre commentant ce document, *l'Express* est saisi. Dans le numéro suivant, François Mitterrand écrit alors : « Si la France est en guerre, chacun de nous a-t-il le droit d'écrire sur cette guerre ce qui lui plaît ? Et autant qu'il le veut ? Non, sans doute, si, comme on le dit, le moral de la nation en souffre. Encore est-il ardu de connaître par quoi ce moral est plus sûrement atteint : par celui qui dénonce les tortures ou par celui qui les tolère ? Par celui qui refuse l'exploitation coloniale ou par celui qui l'accepte ? Sartre aura-t-il le droit de commenter à sa manière *la Question* d'Alleg ? Alleg a-t-il le droit d'écrire *la Question* et de lui procurer ainsi la matière d'un livre qui portera atteinte au moral de la nation ? Jugez vous-même. Le gouvernement semble avoir fait son choix : le coupable, c'est la liberté de la presse. »

François Mitterrand fait lui aussi son choix : le coupable, c'est le gouvernement, mais après quelques détours...

Libéral avec circonspection, François Mitterrand se montre pour le reste d'un réformisme encore prudent.

Quand *Paris-Presse* lui demande en juin 1957 quelle politique il préconise en Algérie[3], il répond :

1. *In la IVe République, op. cit.*
2. Minuit.
3. Il n'appartient plus au nouveau gouvernement formé par le radical Maurice Bourgès-Maunoury.

« — Le maintien des liens indissolubles entre la France et l'Algérie.

« — L'égalité réelle entre les musulmans et les Français nés sur le sol algérien et les Français nés en métropole.

« — La gestion des intérêts communs par un exécutif et un législatif fédéraux installés à Paris.

« — La gestion autonome de chacun des Etats au sein d'institutions originales pour les affaires qui leur sont propres.

« — Le suffrage universel. »

Il s'est donc rallié au fédéralisme de l'UDSR, mais le mot négociation n'est pas prononcé une seule fois alors qu'il devient un leitmotiv de la gauche non socialiste et des communistes.

Et quand on lui demande ce qu'il pense du livre de Raymond Aron, *la Tragédie algérienne,* qui juge inéluctable l'indépendance de l'Algérie, François Mitterrand répond : « Je le trouve personnellement trop pessimiste et trop sceptique sur les chances d'un ensemble politique franco-algérien homogène. »

Quelques semaines avant l'effondrement de la IVe République, François Mitterrand, immuable, écrit en mars 1958 dans *le Courrier de la Nièvre :* « La solution communiste dictée par l'impérialisme russe est inacceptable. L'abandon de l'Algérie serait un crime. L'intégration pure et simple de l'Algérie préconisée par les Républicains sociaux est une utopie. Quel Français acceptera un parlement constitué par des élus musulmans dans la proportion du quart, voire du tiers ? Quel Français consentira à ouvrir la fonction publique aux Africains dans la même proportion ? Les socialistes, eux, demeurent enfermés avec obstination dans leur triptyque cessez-le-feu-élection-négociation. L'UDSR, d'accord sur la présence de l'armée en Algérie quand elle a pour mission de protéger les populations, les personnes et les biens, estime, par contre, que l'emploi de la force n'a de sens que si les buts politiques de la France sont clairement déterminés, que si la fin des combats doit déboucher sur l'amélioration du climat social, économique et politique. »

Un peu plus audacieux que la SFIO, ce qui n'était pas très difficile en la matière, François Mitterrand ne se montre pas plus réaliste et moins encore prophétique.

La raison de cette prudence peut s'expliquer. En 1957, François Mitterrand vient d'assister au congrès du RDA à Bamako et il est certain d'avoir désamorcé la bombe des indépendantismes africains. D'où sa conviction renforcée que l'avenir des pays du tiers monde doit se dessiner dans le cadre de grands ensembles rattachés à l'Occident plutôt que dans l'utopie des nationalismes sans racines. C'est l'époque où il ironise sur la « poignée des idéologues nationalistes ». Il écrit [1] : « Désormais, l'Afrique noire encore préservée, l'Algérie toujours déchirée n'échapperont au désastre que si la métropole comprend qu'il y a plus de petits moyens, de réformes fragmentaires, d'accommodements provisoires qui puissent convenir. Hésiter davantage entre l'intégration et le fédéralisme serait parier pour l'indépendance. Un pouvoir central fortement structuré à Paris, des Etats et territoires autonomes fédérés au sein d'une communauté égalitaire et fraternelle dont les frontières iront des plaines des Flandres jusqu'aux forêts de l'Equateur, telle est la perspective qu'il nous appartient de préciser et de proposer, car sans l'Afrique il n'y aura pas d'histoire de France au XXIe siècle. »

Il faudra attendre 1959 et l'arrivée au pouvoir du général de Gaulle pour l'entendre prononcer, prudemment, le mot de négociation. Il dira alors [2] : « Quand on veut réussir une politique, on ne se met pas dans une situation qui vous conduit implacablement à faire le contraire. Nous constatons une volonté d'aboutir par petites touches à une solution du conflit. Vouloir le cessez-le-feu, c'est, quoi qu'en dise M. Debré, préparer le terrain pour la négociation politique. Sans doute a-t-on raison de vouloir cela, mais il faudra alors accepter l'hypothèse qu'un jour on négociera avec Ben Bella, député de Tlemcen ou de Sétif. »

Rallié en 1960 à l'idée d'une solution négociée de la guerre d'Algérie, François Mitterrand ne se privera pas, dès lors, de condamner l'incohérence de la politique algérienne du gouvernement, ses contradictions et ses brusques évolutions : « Que de variations dans les déclarations gouvernementales, que de formules, que d'hypothèses, que d'espérances abandonnées au bord de la route : la francisation, la fédération [3]. »

En novembre 1961, il ira jusqu'à accuser le gouvernement de « chercher un accord avec le GPRA plutôt qu'avec les Français [4] ».

1. *In Présence française et Abandon, op. cit.*
2. Au congrès de l'UDSR à Paris, en février 1959.
3. Débat au Sénat.
4. *L'Année politique*, 1961.

A posteriori — ce qui est toujours facile —, il a expliqué que, fût-il resté au pouvoir, il aurait sans doute fini par donner l'indépendance à l'Algérie : « Nous avons échoué car le temps n'était pas venu. De Gaulle avait retardé l'heure mais fut présent au rendez-vous. Je n'essaierai pas d'avoir raison contre le calendrier. J'ajouterai seulement qu'on ne peut juger 1954 sur les données connues de 1977 et dire : " Comment se fait-il que des hommes de gauche au pouvoir en 1954, comme Mendès ou Mitterrand, n'aient pas décrété tout de suite l'indépendance de l'Algérie ? " C'est tout ignorer des réalités et raccourcir imprudemment la maturation de l'Histoire[1]. »

En tout cas, l'Algérie indépendante, la communauté africaine disloquée lui arrachent en 1961 de lourds regrets et le laissent inconsolé : « Il fut un temps où certains d'entre nous imaginaient que si le gouvernement avait conçu une politique africaine dans son ensemble, de la Méditerranée jusqu'au Congo, il eût été possible de placer l'évolution de l'Algérie dans un cadre durable[2]. »

Elevé dans le culte de l'Empire, comme tous les enfants de la bourgeoisie, celui qui aspirait à devenir chef du gouvernement trouvait assurément dans ces vastes espaces une ambition pour la France plus digne de ses espoirs que le pré carré hexagonal.

Une ambition conforme aux rêves du petit collégien d'Angoulême devant le planisphère, qui s'endormait le soir avec le *Grand Atlas* Vidal-Lablache sur sa descente de lit.

En 1962, à la veille du référendum final qui allait donner l'indépendance de l'Algérie, il écrit encore dans *le Courrier de la Nièvre :* « Quel Français n'éprouverait pas l'impression d'un déchirement ? Nombreux sont ceux qui, comme moi, ressentent aujourd'hui presque chaudement le chagrin de ce grand départ... Oui, l'Algérie s'en va... Qu'elle nous épargne ses reproches si un instant nous détournons la tête pour cacher à ses regards cette peine qui nous étreint. »

1. Interview au *Quotidien de Paris* (Paul Guilbert).
2. Débat au Sénat, 5 juillet 1961.

L'EXPERIENCE SOCIALISTE

Le paradoxe veut qu'aujourd'hui aucun socialiste digne de ce nom n'ose glorifier le temps du gouvernement Mollet, qui établit au moins un record sous la IVᵉ République, celui de la longévité : dix-sept mois. Bien loin d'être ressenti comme un succès, ce record est subi comme une épreuve et nombre des amis de François Mitterrand regrettent ouvertement que leur héros n'ait pas lui-même, et très vite, cessé, comme Pierre Mendès France, de participer à une expérience compromettante.

Les élections de janvier 1956 voient en effet la victoire du Front républicain. Victoire très relative : la peu homogène coalition constituée autour du député de l'Eure, avec le bonnet phrygien pour emblème, obtient 170 sièges (le PC a 151 députés, la droite moins de 200). Reste que depuis 1946, jamais l'opinion n'a été aussi nettement orientée à gauche. Le cartel constitué par la SFIO de Guy Mollet, les radicaux mendésistes, l'UDSR de François Mitterrand et les républicains sociaux de Jacques Chaban-Delmas a gagné son pari. Mais avec quelles équivoques ! C'est largement le prestige personnel de Pierre Mendès France qui a séduit une fraction des Français et créé un mouvement d'opinion autour d'un halo flatteur : l'ancien président du Conseil passe pour déterminé. Il a démontré son aptitude à régler à chaud des problèmes épineux. Il a réveillé l'estime du peuple français pour la politique. Il incarne une forme de modernisme, un désir de voir la France vivre désormais avec son temps.

Mais, à peine cette courte victoire acquise, les ambiguïtés éclatent au grand jour. Le leadership de Pierre Mendès France est loin d'être admis sans arrière-pensées par ses alliés. Notamment par Guy Mollet, à la tête d'un parti structuré et encore bien implanté, qui juge que Mendès lui fait indûment de l'ombre.

François Mitterrand, lui, est fort dépité d'un « succès » qui le voit revenir à l'Assemblée nationale à la tête d'une cohorte cachexique de six députés métropolitains (sans les treize élus d'outre-mer et d'Afrique, il n'aurait pu constituer un groupe). Il a perdu dans la bataille le plus gros de ses troupes. Un seul nouvel élu vient témoigner par sa singularité du renouvellement de l'UDSR : Roland Dumas. Ce jeune avocat brillant à la crinière de lion va devenir un ami proche de François Mitterrand. Il réussira une curieuse carrière politique à éclipses : toujours élu et jamais renouvelé. Selon les saisons, selon les années, il tentera sa chance successivement en Haute-Vienne, en Corrèze, en Gironde, en Dordogne enfin. Tel un fusil à un coup, maître Dumas, qui fait mouche, réussit, se fait élire puis battre la fois d'après ; et, plutôt que de s'entêter à reconquérir des électeurs boudeurs, il préfère émigrer et tenter une nouvelle percée dans un autre département. « Je t'aime, moi non plus », semble être sa devise.

Georges Dayan, recruteur en chef de François Mitterrand, va devoir déployer des prodiges de persuasion pour rallier quelques élus supplémentaires à l'UDSR. Ainsi parvient-il à convaincre le jeune gaulliste Jean-Noël de Lipkowski, très mendésiste, de s'inscrire dans ce groupe[1].

L'ancien ministre de l'Intérieur reproche à Pierre Mendès France ses arbitrages électoraux. Plus d'une fois, celui-ci a poussé son candidat contre celui de François Mitterrand, favorisant souvent des ambitions moins justifiées que celles des militants de l'UDSR. Après coup, l'entourage de Pierre Mendès France reconnaîtra que François Mitterrand avait quelques raisons de se sentir maltraité dans ce marchandage pré-électoral. Pierre Mendès France lui-même dira : « Tout a été vraiment bâclé, on a improvisé des investitures dont, après coup, je n'étais pas tellement fier[2]. » Un petit cactus de plus entre les deux hommes.

Faut-il y voir une mesure de rétorsion (en outre l'affaire des fuites n'est pas loin) ? Quand il s'agit, au lendemain de l'élection, d'opter entre Guy Mollet et Pierre Mendès France pour la présidence du conseil, les responsables de l'UDSR, plévénistes et mitterrandistes pour une fois rassemblés, choisissent sans hésiter le secrétaire général de la SFIO. De fait, celui-ci est appelé par René Coty à former le nouveau gouver-

1. Celui-ci se souvient d'un déjeuner chez sa mère, elle-même député boulevard Saint-Germain. Y assistaient François Mitterrand, Roland Dumas, Georges Dayan et Patrice Pelat. En arrivant dans l'élégant appartement de madame mère, le député de la Nièvre qui, pourtant, n'habite pas exactement dans une banlieue ouvrière, s'exclame, mi-figue, mi-raisin : « Ah, les beaux quartiers ! »

2. Jean Lacouture, *Pierre Mendès France, op. cit.*

nement et investi par l'Assemblée le 27 janvier 1956. Pierre Mendès France a compris que la majorité est trop courte pour que ses chances soient suffisantes. Et puis il n'aime pas se battre. A défaut, le portefeuille du Quai d'Orsay lui aurait convenu. Il doit se contenter d'un ministère d'Etat sans attribution, ce qui ne fait qu'aviver sa mélancolie. François Mauriac décrira — regret et raillerie mêlés — ce Mendès France entrant au gouvernement « avec son petit bouquet de garçon d'honneur ».

Mendès ayant gagné les élections, c'est donc Guy Mollet qui empoche les bénéfices. François Mitterrand a perdu des sièges, il est récompensé par une promotion. Il devient garde des Sceaux, c'est-à-dire le deuxième personnage du gouvernement selon le protocole. Il n'a pas quarante ans.

Font également partie de l'équipe : Christian Pineau (SFIO) aux Affaires étrangères, Gaston Defferre (SFIO) à la France d'outre-mer, Alain Savary (SFIO) aux Affaires tunisiennes et marocaines, Jacques Chaban-Delmas aux Anciens Combattants et Maurice Bourgès-Maunoury (radical socialiste) à la Défense.

Voilà une équipe en principe orientée à gauche. D'emblée plusieurs mesures de justice sociale sont adoptées, en faveur des personnes âgées notamment, et bientôt la troisième semaine de congés payés. Mais, pour l'essentiel, la gauche non communiste va mener une politique que la droite ne peut qu'approuver et qu'elle n'est sans doute même pas mécontente de voir endosser par ceux qui, habituellement, la combattent. Paradoxe : la gauche, qui se veut par nature émancipatrice mais qui est aussi jacobine, va mener en Algérie une politique de plus en plus répressive. La gauche, qui se veut par doctrine si respectueuse du droit et de la morale internationale, va tolérer sans trop de peine la torture et « couvrir » un détournement d'avion organisé par des militaires — le plus célèbre de l'Histoire, celui de Ben Bella. La gauche, qui se veut par tempérament pacifiste, va pratiquer contre l'Egypte, et avec le gouvernement du conservateur anglais Anthony Eden, la politique de la canonnière. Or, sur chacun de ces points, François Mitterrand, bien loin de prendre ses distances, manifestera la plus grande des solidarités.

Pierre Mendès France démissionne rapidement, dès le 23 mai, en raison de la politique algérienne, ce qui renforcera son image de décolonisateur [1]. Alain Savary, lui, claque la porte après l'arraisonnement de l'avion marocain dans lequel avaient pris place les leaders de la rébellion algérienne, ce qui confortera sa stature d'homme de gauche exigeant. François Mitterrand, lui, restera en place jusqu'au bout. Dans ces épisodes, il se sera montré plus molletiste que mendésiste. Il s'en est expliqué en 1977 [2] : « J'avais démissionné trois ans plus tôt du gouvernement Laniel. Par refus de sa politique en Afrique du Nord, je ne voulais pas m'installer dans la position du démissionnaire perpétuel. Je croyais aussi pouvoir peser sur sa décision. » L'affaire vaut d'être considérée de plus près.

Dès son arrivée au pouvoir, Guy Mollet donne la priorité à la pacification sur la négociation. C'est-à-dire à la répression sur la diplomatie. Ses amis comme ses adversaires s'attendaient pourtant à un changement de cap. Durant la campagne électorale, le Front républicain, s'il restait assez vague sur les moyens, se montrait déterminé sur les intentions : il fallait rendre à la France son rang de grande puissance et faire la paix en Algérie. Or, alors qu'on croyait voir le chef du gouvernement chercher à nouer des contacts, on s'aperçoit bien vite que le maintien de l'ordre et l'éradication du FLN sont devenus ses priorités. Et personne en France, à l'exception de quelques intellectuels, ne s'oppose vraiment à cette politique-là.

Le secrétaire général de la SFIO avait pourtant bien inauguré sa prise de pouvoir en nommant le général Catroux, un militaire habile et libéral, comme résident général en Algérie à la place du gaulliste Jacques Soustelle (qui, après avoir proféré des idées réformistes, s'était vite converti, et avec quelle passion, aux thèses de l'Algérie française).

Or, quelques projectiles en forme de tomates et beaucoup de sifflets auront suffi à détourner Guy Mollet de ses intentions premières. Sérieusement chahuté lors de son premier voyage à Alger, et par un petit peuple blanc qui a si peur d'être abandonné et ressemble tant à ses électeurs du Nord, il leur lance un : « Je vous ai compris » implicite en remplaçant aussitôt le général Catroux par le socialiste proconsulaire

1. Et pourtant, dans sa lettre de démission, il écrit à Guy Mollet : « Il était indispensable de provoquer par des actes qui eussent été autant de témoignages de la renaissance, de la confiance et de l'espoir à défaut desquels notre éviction d'Algérie se produira tôt ou tard. Cette éviction que nous avons le droit d'empêcher coûte que coûte. »

2. Interview au *Quotidien de Paris* à Paul Guilbert.

Robert Lacoste qui met en garde les Français contre « la croyance magique dans la négociation[1] ». C'en est fini du libéralisme. Personne ne proteste. A l'Assemblée nationale, ils seront même quatre cent cinquante députés (communistes compris) à voter les pouvoirs spéciaux civils et militaires à Robert Lacoste. Pour la droite, la surprise est heureuse. Au MRP, on se congratule d'autant plus que, depuis l'aube de la IVe République, on n'a jamais cessé de chanter la sérénade sous le balcon de la belle SFIO, qui a le plus souvent feint l'indifférence. Au Parti socialiste, il n'est pas question de ne pas approuver un leader qui tient si bien la machine en main. Au PC, pour une fois, on veut bien donner sa chance à la gauche. On n'imagine pas encore qu'un gouvernement socialiste se caractérisera par la prise de pouvoir des parachutistes à Alger. Le seul à s'insurger, Pierre Mendès France, ne convainc pas François Mitterrand d'en faire autant.

Les biographes pieux du président de la République font silence sur un autre épisode : l'expédition de Suez.

En juillet 1956, le colonel Nasser nationalise le canal de Suez jusqu'alors contrôlé par une compagnie à capital franco-britannique. Ce coup de force fait à Paris l'effet d'une provocation. D'autant que le raïs, qui ne cesse de menacer Israël, proclame dans sa radio qui enfièvre les souks sa sympathie pour les fellaghas. Le 16 octobre, la marine française intercepte même au large d'Oran un bateau, l'*Athos*, bourré d'armes en provenance de l'Egypte : non seulement Le Caire aide le FLN par la propagande mais, en plus, il lui expédie des armements soviétiques pour tuer nos soldats. Dans tous les milieux, on réclame la plus grande fermeté. Dans *le Monde*, Maurice Duverger, grande conscience de la gauche, écrit : « L'exemple de 33-39 est clair. En face de la mégalomanie d'un dictateur, il ne faut pas répondre par des procédures juridiques inefficaces qui ridiculisent le droit, mais par la force. »

On retrouve la même tonalité martiale dans les propos de François Mitterrand qui compare « la mainmise de l'Egypte nassérienne sur le canal à celle de l'Allemagne nazie sur la

1. De lui on dira : « Alger est terrible : on y entre à gauche, on en sort à droite. »

Tchécoslovaquie » (autrement dit, la nationalisation d'une grande société capitaliste entraîne le futur leader socialiste à comparer un leader du tiers monde au dictateur nazi).

Quand la France et la Grande-Bretagne déclenchent conjointement, au début de novembre 1956, l'expédition de Suez préparée depuis de longues semaines de connivence avec les Israéliens, toute l'opinion française et la classe politique applaudissent (communistes et poujadistes exceptés). A l'heure où Guy Mollet annonce l'expédition devant l'Assemblée nationale, François Mitterrand la défend en termes vigoureux devant le Conseil de la République (le Sénat d'aujourd'hui). Le largage des parachutistes au-dessus du Canal est approuvé par 289 voix contre 19.

On sait comment l'affaire se termine : sous la pression de l'Union soviétique, et surtout des Etats-Unis, les deux puissances européennes doivent piteusement décréter le cessez-le-feu et plier armes et bagages. La belle promenade militaire se solda par un aller retour sans gloire pour les « soldats de la paix », comme les appelait Guy Mollet [1].

Dans ce triste épisode, largement approuvé par des Français alors saisis d'une fièvre d'exaltation chauvine, François Mitterrand ne marque nulle propension à prendre ses distances. Il le dit au palais du Luxembourg : « Agir vite, c'est agir dans l'intérêt de la France. »

Il manifeste le même conformisme (au moins apparent) dans la célèbre affaire de l'arraisonnement de l'avion des cinq leaders du FLN.

Le 22 octobre 1956, les généraux d'Alger intiment l'ordre au pilote français de l'avion officiel marocain (il transportait Ahmed Ben Bella, Mohamed Khider, ancien député MTLD, Hocín Ait Ahmed, Mohamed Boudiaf et Mostafa Lacheraf) d'atterrir à Alger. L'appareil en provenance de Rabat se dirigeait,

1. Pour les socialistes, tout corps expéditionnaire, qu'il agisse à Suez ou, plus récemment, au Tchad et au Liban, a droit au titre de « force de paix » s'il est envoyé par un gouvernement de gauche. De même était-il peu recommandé de parler de « guerre » d'Algérie ; il ne s'agissait officiellement que de « pacification ». La guerre redevient la guerre et les forces de paix se transforment brusquement en troupes au service de l'impérialisme dès que la droite est revenue au pouvoir.

en passant hors de l'espace aérien français, vers Tunis, où Habib Bourguiba organisait une conférence sur l'Algérie. Le sultan du Maroc — au grand courroux des Français — avait tenu à emmener dans sa suite (mais dans un autre avion que le sien) les principaux dirigeants du FLN qui furent donc à leur grande stupeur arrêtés et incarcérés.

L'opinion française se réjouit de ce bon tour et la presse applaudit. Dans les capitales arabes, la fureur et la consternation dominent. Par mesure de rétorsion, des magasins français sont pillés à Tunis et à Meknès une trentaine d'Européens égorgés.

La France avait humilié deux Etats musulmans auxquels elle venait d'accorder, bon gré mal gré, l'indépendance. Mais surtout, elle piétinait le droit international le plus élémentaire. Cette logique de la force, enfin, mettait un terme aux premières tentatives de dialogue avec les nationalistes algériens.

En réalité, le gouvernement français a été mis devant le fait accompli. Mais le ministre Robert Lacoste et le président du Conseil ont couvert l'opération. Les ministres qui blâment le procédé peuvent toujours démissionner après coup. C'est ce que fait Alain Savary : le secrétaire d'Etat aux Affaires tunisiennes et marocaines, scandalisé par le procédé et par ailleurs en conflit permanent avec Robert Lacoste, se refuse à cautionner plus longtemps une politique qui tourne le dos à toutes ses convictions. Pierre de Leusse, ambassadeur de France à Tunis, démissionne lui aussi de son poste.

François Mitterrand ne bronche pas. Or, il se trouve presque exactement dans le même cas de figure que sous le gouvernement Laniel, quand la déposition du sultan avait eu lieu sans que les ministres en soient informés : ce qui avait déclenché sa colère et son départ volontaire du gouvernement. Cette fois-ci, il reste et se tait.

Comme pour se justifier, il s'écrie quelques mois plus tard devant ses amis de l'UDSR : « J'aime mieux travailler avec des démocrates que pratiquer une opposition stérile contre des gens qui ne m'entendraient pas. »

Argument tout de circonstance et qui ne trompe personne : dans l'affaire, Robert Lacoste et Guy Mollet se sont-ils comportés en démocrates ? C'est, pour le moins, discutable.

Mais, en plus petit comité, devant ses proches, le garde des Sceaux laisse percevoir son malaise. Son directeur de cabinet,

Pierre Nicolaÿ, a noté : « Il était devenu taciturne, on ne pouvait plus lui parler, nous aurions dû partir[1]. »

Dans ce gouvernement de gauche, François Mitterrand se sent peut-être en porte à faux. C'est en tout cas l'avis de Claude Estier, alors journaliste à *France Observateur* : « Il m'a semblé qu'il était prêt à démissionner, mais s'il ne l'a pas fait après Mendès et Savary, c'est que Guy Mollet l'a adjuré de rester[2]. » Et François Mitterrand voulait surtout éviter de se brouiller avec l'indispensable patron de la SFIO : il est persuadé que ses chances de devenir enfin président du Conseil vont se concrétiser, que son heure est proche. Jacques Kosciusko-Morizet, alors représentant de l'ONU à New York, membre de l'UDSR, témoigne : « Il bouillait d'impatience, il se croyait capable de dénouer le drame algérien. Il m'avait fait dire de me tenir prêt, car s'il était appelé à la présidence du Conseil, je devais sur-le-champ le rejoindre pour travailler à ses côtés. »

De fait, le gouvernement Guy Mollet finit par tomber. L'entourage du ministre de la Justice, qui s'attendait à sa promotion, guette chaque matin les signes annonciateurs d'une bonne nouvelle. Georges Dayan, toujours sardonique, raille : « Allons nous enquérir des intentions de l'auguste vieillard[3] » (le président Coty).

En réalité, le manège tournera mais ne s'arrêtera jamais devant lui. Maurice Bourgès-Maunoury, Félix Gaillard, Pierre Pflimlin enfin se succéderont à Matignon à un rythme accéléré. Tout le monde sent bien que la machine se dérègle. Que les institutions de la IVe sont trop faibles pour régler un problème aussi aigu. Chacun pressent que quelque chose peut se produire... Mais ce quelque chose n'est pas l'arrivée à Matignon de François Mitterrand. Quand il s'agit, au printemps de 1958, de décider de la formation de l'ultime gouvernement de la IVe République, beaucoup de rivaux de François Mitterrand sont appelés à l'Elysée. Pas lui.

« Il a été barré par le général Ganeval, conseiller militaire du président de la République, qui voulait préparer le retour au pouvoir du général de Gaulle », avance un bon connaisseur, Jacques Kosciusko-Morizet.

« Il y avait deux clans chez les collaborateurs de René Coty :

1. Entretien avec Franz Olivier Giesberg.
2. Entretien avec l'auteur.
3. Entretien de Jean-Noël de Lipkowski avec l'auteur.

les pro-Mitterrand avec Friol, et les anti avec Ganeval », ajoute André Rousselet.

Francis de Baecque, qui appartenait à l'équipe élyséenne, note en revanche : « Le président Coty était assez grand garçon pour choisir tout seul son président du Conseil, il n'avait pas besoin de l'autorisation de ses conseillers. »

Et René Pleven renchérit : « Si René Coty n'a pas appelé François Mitterrand, c'est qu'en son âme et conscience il ne se décidait pas à en faire le responsable suprême de la politique française. »

Plus tard, François Mitterrand préférera croire que c'est Guy Mollet qui l'a barré auprès de Coty et il le répétera souvent autour de lui.

Mais il a cru en ses chances jusqu'au bout. Son amie Guitte témoigne : « Quand de Gaulle est revenu au pouvoir, François m'a confié : " Dire que j'allais enfin être président du Conseil ! " »

Cela ne se pardonne pas et s'ajoute à son contentieux avec le général de Gaulle. Dès lors vont s'exaspérer en François Mitterrand la déception et l'indignation.

Il donnera à l'affaire cet épilogue : « Le 1er juin, quand René Coty m'a reçu en compagnie de Roger Duveau pour me demander d'accorder l'investiture au général de Gaulle, comme il le fit avec tous les représentants de tous les groupes parlementaires, il retint un moment ma main dans la sienne et me dit dans un grand soupir : " Ah ! j'ai voulu souvent vous appeler pour régler la crise mais c'était impossible, il y aurait eu des incidents à Alger. " C'était le 31 mai. L'émeute, la sédition, le coup d'Etat étaient vieux de quinze jours. Pour le président de la République, gardien de la société établie, il ne s'était rien passé. Pour moi, si ! »

6

La Ve République
Le destin

Le dira-t-on jamais assez ? La Ve République a été la grande chance de François Mitterrand.

Sans de Gaulle, l'ambitieux jeune ministre aurait sans doute fini par « décrocher » Matignon et devenir l'un de ces éphémères présidents du Conseil investis par une coalition disparate toujours promise à la dislocation... Il aurait fait carrière.

Grâce à Charles de Gaulle, François Mitterrand a eu un destin ! En disant non dès le départ, en prenant une fois pour toutes figure d'irréductible alors que toutes les prudences et tous les calculs auraient dû le pousser dans la direction inverse, il a fait le bon choix. Ainsi est-il entré dans l'Histoire. Ainsi est-il devenu le champion, puis le prophète, bientôt le pape du socialisme à la française. Ainsi est-il devenu le contre-président, puis le chef de l'opposition et enfin le premier socialiste élu président au suffrage universel direct. Il aura, il le sait, un paragraphe dans les livres d'Histoire.

Mais cette chance ne lui a pas été donnée. Il l'a conquise de haute lutte. « Il aura mené une vie de chien », note, admiratif, Jacques Chaban-Delmas. Il lui aura fallu batailler tout au long, au très long, de vingt-trois années. En se gardant toujours sur trois fronts : contre le pouvoir en place — de Gaulle et ses successeurs — ; contre la gauche socialiste elle-même et ses leaders, qu'il fallait d'abord séduire, apprivoiser, pour mieux les réduire ; contre les communistes enfin, alliés indispensables et dangereux qu'il fallait utiliser tout en les surveillant et avec qui la coalition restait en permanence un combat.

De même que sous la IVe République, son parcours durant ce quart de siècle dessinera une succession de sommets et de gouffres. Comme s'il était écrit que toute sa vie ce chrétien devrait payer chaque succès d'une épreuve.

— Les gouffres :

1958. Ses électeurs et ses troupes l'abandonnent pour le gaullisme triomphant.

1959. L'affaire de l'Observatoire manque bien ruiner à jamais sa réputation.

1968 Le rejettent ceux-là mêmes qu'il venait de convaincre et de rassembler.

1974. La victoire lui échappe sur le fil et chacun déjà programme sa retraite.

1977. La trahison du PC éloigne la victoire qui paraissait acquise pour les législatives de l'année suivante et remet en question son autorité même au sein de son parti.

— Les sommets :

1965. La première vraie rencontre avec la popularité et le peuple de gauche.

1967. Il s'impose comme chef unique de la gauche.

1971. Il conquiert de haute lutte le Parti socialiste et en devient le patron incontesté le jour même de son adhésion.

1981. Le triomphe final et la suprême revanche de l'éternel perdant qui entre enfin à l'Elysée.

D'autres que lui n'auraient pas supporté une telle succession d'épreuves. Beaucoup n'auraient jamais transformé tant d'échecs en succès. Si François Mitterrand y a réussi, c'est qu'il a un secret. Ou plutôt deux. D'abord une opiniâtreté quasi anormale. L'autre secret le place un peu plus encore hors du commun. Son personnage, il ne le construit que devant un péril, face à un défi ou un rival. Menace : de Gaulle, qui l'avait rejeté et dont il n'a rien à attendre et tout à craindre. Menace : Michel Debré, qui tentera, dans l'affaire de l'Observatoire, de le mettre hors jeu. Défi : Pierre Stibbe, une conscience de la gauche, qui veut le rendre suspect lors de sa première candidature à la présidence. Menace : ses partenaires de la Fédération de la gauche, qui ne se résignent pas à sa prééminence. Rival enfin, plus tard : Michel Rocard, qu'il accuse de vouloir récupérer dix ans de travail à son seul profit.

Chaque fois l'adversaire le réveille, le stimule, le hisse au-dessus de lui-même. Cette capacité-là est rare. Elle distingue l'homme politique ordinaire de celui qui a un destin. Et elle le marque, pour toujours.

Reste que le parcours de François Mitterrand sous la

Ve République pose une question grave : celle de sa sincérité. Son entrée en socialisme est tardive. Sa conversion coïncide à quelques mois près avec sa prise de pouvoir à la tête de la gauche non communiste. Comme si la gauche valait non pas une messe mais un chapelet d'oraisons et d'invocations aux pères fondateurs du socialisme. Cet homme d'intuition, de sensibilité, d'indignation, de manœuvre, de ruse et de dessein supportera d'autant mieux ce corset doctrinal qu'il lui est indispensable dans ses relations avec le PC, dans la direction du PS (qui lui doit — et doit à lui seul — son essor), dans sa conquête du « peuple de gauche ».

Mais ces jongleries doctrinales le temps de son séjour dans l'opposition auront pour lui un effet pervers, très pervers : il prendra bientôt l'habitude de parler et d'écrire sans trop se soucier des réalités, comme si tout était possible, comme s'il suffisait de dire pour que les choses soient. Et arrivé au pouvoir, il le paiera cher. Très cher.

LE NON AU GENERAL

« Le mois de mai est fou », constatait, dans une de ses chroniques les mieux tournées [1], le premier secrétaire du PS, qui n'imaginait sûrement pas que ce joli mois serait quelques années plus tard celui de son sacre.

Il ne pensait plus qu'à la folie de Mai 68 (qui l'avait tant pris de court) et à celle de 1958 qui avait, pour tant d'années, ruiné ses espoirs et disloqué ses plans les mieux agencés.

C'est vrai qu'il fut fou, fou, fou, ce mois de mai de l'an 1958. Assez pour donner le tournis à beaucoup et chavirer la tête à quelques-uns.

François Mitterrand a des raisons tout à fait personnelles de s'en souvenir. Après la chute du gouvernement Félix Gaillard le 15 avril, il attendait près de son téléphone qu'un appel de l'Elysée vînt combler ses grandes espérances. Mais rien ne se passa selon ses vœux. Il est vrai que toutes les règles du jeu avaient été tournées ou abolies. Rien de plus déprimant pour qui veut construire méthodiquement une grande carrière.

1. In *la Paille et le Grain, op. cit.*

Pendant plus d'un mois la France resta sans gouvernement. Alors précisément qu'elle en avait à ce moment le plus urgent besoin. Tout se défaisait. La IVe République se mourait. Les majorités se délitaient à peine constituées. Le pouvoir était à prendre, mais il ne pouvait plus tenter grand monde. Certes le bon président Coty ne restait pas les deux pieds dans ses charentaises ; il consultait, il sondait, il testait. Comme au spectacle de marionnettes — trois petits tours et puis s'en vont —, il appelait le MRP Georges Bidault, l'UDSR René Pleven, éternels « matignonables » trop avisés pour accepter une mission qu'ils jugeaient parfaitement impossible. Tout comme les trois radicaux — pas un de moins — qu'il pressentit, dont aucun jusque-là n'avait accédé à la présidence du Conseil : René Billères, Fernand Berthouin et, surtout, le subtil Maurice Faure. La proposition était flatteuse, mais la fonction périlleuse : aucun ne se laissa fléchir. Les trois espoirs se montrèrent aussi réalistes que les deux caciques. Non, trois fois non.

Bref, c'était le blocage total. Et, pendant ce temps, un homme piaffait de dire oui, rêvait de tenter sa chance, mais on ne le sollicitait pas. Le téléphone de la rue Guynemer restait silencieux. Désespérément.

Cette vacance trop visible du pouvoir ne pouvait qu'aggraver l'agitation des Européens et des militaires d'Algérie, hostiles à tout compromis avec les nationalistes, voire à toute ouverture, et étendre cette agitation en métropole. Des gaullistes habiles et entreprenants comme Léon Delbecque, un nordiste au physique de cowboy, membre du cabinet du ministre de la Défense Jacques Chaban-Delmas, mais aussi d'autres personnages travaillant pour d'autres fins noyautent déjà consciencieusement les mouvements ou les groupes civils qui, légalement ou pas, militent à la fois pour l'Algérie française et contre le régime.

Le 24 avril à Alger, une manifestation impressionnante demande à cor et à cri (à cri surtout !) la formation d'un gouvernement de salut public.

A Paris, on sent bien que cette fois-ci il faut aboutir, sinon la situation deviendra vite incontrôlable. Les rapports que l'on reçoit d'Afrique du Nord sont de plus en plus alarmants. Le 8 mai, enfin, un homme dit oui au président Coty : le MRP Pierre Pflimlin. Sollicité de former le gouvernement, il accepte de tenter sa chance. Il a une réputation de bon ministre, d'Européen fervent, de gestionnaire avisé et ouvert, de pragmatique surtout... Ce dernier trait inquiète fort Alger et l'aile droite de l'Assemblée. A peine le maire de Strasbourg est-il pressenti que la rumeur se répand, irrésistible : ce démocrate-chrétien serait un mendésiste d'une autre espèce, un partisan discret d'une négociation avec les rebelles algériens.

Fureur à Alger, décuplée lorsque le socialiste Robert Lacoste donne crédit à la rumeur en dénonçant sans barguigner le « Diên Biên Phu diplomatique » qui menace.

Cette fois, tout ce que la ville blanche qui « sent la chèvre et le jasmin » compte d'activistes se mobilise. Les chefs militaires se consultent et, dans une mise en garde collective au chef de l'Etat, évoquent une « réaction de désespoir de l'armée ». Autrement dit, une rébellion.

La désignation de Pierre Pflimlin, survenue trop tard et dans de mauvaises conditions, ne peut plus être un frein à la fureur de ces flots-là.

Dans son journal *l'Echo d'Alger,* Alain de Sérigny, qui, depuis deux ans — Jacques Soustelle et Michel Debré aidant —, s'est mis à fréquenter beaucoup les gaullistes, lance un appel retentissant au général de Gaulle : « Parlez, mon Général ! »

Le 13 mai, alors que Pierre Pflimlin se présente devant l'Assemblée, la foule prend d'assaut le bâtiment du gouvernement général d'Algérie. Un Comité de salut public se constitue le soir même sous la présidence du populaire général Massu, idole des pieds-noirs.

L'Histoire bascule. François Mitterrand, qui ne sait pas tout ce qui se trame, a cependant conscience que le sort du régime est en train de se jouer. Ce même jour, il est allé soutenir à Enghien, dans la banlieue de Paris, son ami Jean-Noël de Lipkowski. Pendant la réunion, celui-ci s'en souvient, on fait passer un mot au président de l'UDSR. Il blêmit et, se tournant vers son voisin de tribune, lui lance en hâte : « Notre place est à l'Assemblée nationale. » Tous deux se précipitent en voiture vers le Palais-Bourbon.

« Si de Gaulle revient au pouvoir, je me rallierai à lui », prévient Lipkowski. François Mitterrand, rageur, rétorque sans hésiter : « Je ne travaillerai jamais avec ces gens-là, jamais ! »

Réaction d'instinct.

Dans la nuit, l'Assemblée nationale investit Pierre Pflimlin par 274 voix contre 179. Le PC choisit, à la suite des événements d'Alger, une abstention qui accrédite l'idée que Pierre Pflimlin est favorable à la négociation.

Tout le monde comprend qu'il s'agit là d'un gouvernement de la dernière chance. Mitterrand, logique avec lui-même — tout plutôt que de Gaulle —, vote l'investiture.

Dans cette folle nuit, et par réflexe de défense républicaine, comme on dit, les socialistes ont accepté de participer à ce gouvernement à direction MRP. Symboliquement, Guy Mollet en accepte la vice-présidence ; non moins symboliquement, Jules Moch, homme à poigne réputé depuis qu'il est venu à bout des grèves de 1947 et s'est heurté aux gaullistes du RPF, retrouve le ministère de l'Intérieur ; Albert Gazier prend avec énergie l'Information en main. François Mitterrand, lui, n'est même pas sollicité : quoi qu'il arrive, le MRP le tient dans sa ligne de mire. Mais son vieil adversaire René Pleven occupe un des premiers postes gouvernementaux.

Peu importe, au demeurant il est trop tard. D'Alger, les chefs militaires et bientôt la foule multiplient les appels à de Gaulle.

L'homme de Colombey, qui n'est pas sourd, se hâte de publier une déclaration, tenue en réserve depuis plusieurs jours dans ses tiroirs : « Aujourd'hui, dit-il dans son style inimitable, devant les épreuves qui montent de nouveau vers lui, qu'il sache [le peuple] que je me tiens prêt à assumer les pouvoirs de la République. »

C'est clair. Et net. Comme le roi barbu d'Offenbach, le Général s'avance... à pas de géant. L'armée a déjà fait vers lui plus de la moitié du chemin, poussée plus que suivie par les Français d'Algérie. Le gouvernement a cessé de contrôler la situation. L'Assemblée peut bien voter l'état d'urgence pour trois mois, l'initiative échappe aux hommes du pouvoir.

Le 17 mai, déjouant la surveillance dont il était l'objet en se cachant dans le coffre d'une voiture, le gaulliste Jacques Soustelle parvient à quitter le territoire de la métropole et à rejoindre Alger. Il devient aussitôt le conseiller du général Salan. La jonction symbolique des militaires et des gaullistes est ainsi réalisée.

Le 19 mai, le Général tient au palais d'Orsay une conférence de presse au cours de laquelle il refuse de condamner ce que la gauche appelle la « sédition militaire » et conclut en lançant un martial : « A présent, je vais rentrer dans mon village et m'y tiendrai à la disposition du pays. »

Le Général a bougé, maintenant il chemine. Les politiques

les plus prestigieux vont bientôt, l'un après l'autre, lui rendre hommage. Quand, le 22 mai, Antoine Pinay se rend à Colombey, chacun comprend que le ralliement des principaux leaders de la IVe République au Général commence...

Le 24 mai, des parachutistes venus d'Algérie débarquent en Corse où des Comités de salut public prennent le pouvoir. Des CRS expédiés en toute hâte de métropole pour leur barrer la route se laissent prudemment désarmer et pactisent avec les soldats d'élite. Les forces de l'ordre n'entendent pas résister aux centurions.

Volontiers entretenues par les gaullistes, des rumeurs de coup d'Etat militaire en métropole circulent de Dunkerque à Marseille. Partout, on chuchote fiévreusement que les parachutistes sont sur le point de débarquer. Certains s'en réjouissent bruyamment. Mais les Gaulois, c'est bien connu, redoutent par-dessus tout que le ciel leur tombe sur la tête. Et ils se convainquent peu à peu qu'un seul homme pourrait empêcher cette catastrophe naturelle : de Gaulle.

Le 26 mai, alors même que Guy Mollet suggère en catimini à Pierre Pflimlin d'entrer en contact avec le Général, ce que le président du Conseil se hâte de faire le soir même, les députés socialistes déclarent (par 117 voix contre 3) avec de mâles accents républicains que jamais, en aucun cas, ils ne se rallieront à une candidature qui est et restera un « défi à la légalité ».

Peu importe ce que pense la troupe. Guy Mollet, qui pourtant n'aime guère les voyages, se rend lui-même trois jours plus tard à Colombey et en revient plein d'aise, soupirant : « J'ai vécu là un des plus grands moments de ma vie[1]. »

La IVe République n'est pas encore enterrée, mais elle est déjà morte. Le 28 mai, Pierre Pflimlin, qui détient pourtant à

1. Illustration de ce mois décidément fou, l'attitude du secrétaire général de la SFIO, ainsi décrite par Serge et Merry Bromberger, dans leur livre *les 13 Complots du 13 mai* (Paris, Fayard) : « Pendant ces vingt et un jours de crise, Guy Mollet a été le plus français de tous les Français. Il était de toutes les opinions à la fois, il menait toutes les actions en même temps. Il prenait en secret des contacts avec le cabinet du Général après le 13 mai, comprenait les Français d'Algérie, prêchant la fermeté contre les généraux rebelles, était en relation avec les collaborateurs de De Gaulle, organisait avec la gauche la défense républicaine. Il manœuvrait pour ouvrir la voie au Général tout en encourageant Pflimlin à se maintenir, il cumulait tous les sentiments qui agitaient la nation. L'honneur de sa vie fut d'être reçu à Colombey. »

l'Assemblée une majorité qui aurait fait rêver beaucoup de ses prédécesseurs (mais ce n'est plus à l'Assemblée que la partie se joue : pour avoir abusé longtemps de leur pouvoir, les députés l'ont perdu), démissionne de lui-même. Chacun comprend qu'il entend céder sa place au Général.

Le même jour, une grande manifestation de la gauche s'étire de la Bastille à la Nation aux cris mille fois répétés de : « Le fascisme ne passera pas. » Qui, le fascisme ? Les parachutistes ? L'armée ? Le Général ? « Il y eut deux cent mille à trois cent mille personnes. Son caractère massif signifie que la moitié au moins de la population parisienne en approuve l'initiative. Cette même population qui, dans une proportion de quatre cinquièmes, votera oui quelques mois plus tard. Qu'est-ce à dire, sinon que beaucoup de ceux qui y prirent part n'étaient pas foncièrement hostiles à de Gaulle[1]. »

François Mitterrand était, lui, dans cette manifestation. Il voit les choses un peu autrement... au moins onze ans plus tard[2] : « Durant le défilé de la Bastille à la Nation, j'avais remarqué le visage morne des manifestants. Je m'étais irrité de la pauvreté des slogans. Personne ne pleurait sur le régime déchu et moi non plus je ne pleurais pas. Je me sentais débiteur de ce peuple délaissé. Je me sentais coupable de son indifférence. S'il regardait la mise à mort de la démocratie comme un spectacle qui ne le concernait pas, à qui la faute ? sinon aux mandarins qui avaient usé les mots et vidé la substance des choses ! J'avais participé à l'entreprise, j'avais respecté les usages, je n'avais pas crié assez fort pour déranger le cérémonial. Allais-je continuer d'agir comme tant d'autres pour qui le changement de République importait peu dès lors qu'il garantissait l'immutabilité des structures, des privilèges et des bénéfices ? Quand je rentrai au Palais-Bourbon, ma décision était prise : garder l'honneur était le seul moyen d'attendre en paix avec soi-même la fin des contradictions. »

L'homme qui bat sa coulpe avec tant de ferveur est un cacique de la IVe République. Mais ce républicain hugolien de l'espèce intransigeante, qui commence à dénoncer le péché originel de l'usurpateur, n'est pas encore un socialiste, à peine un homme de gauche. Mitterrand réagit en juriste et en moraliste. Du moins, c'est ce qu'il écrira.

1. Jacques Julliard, *la IVe République, op. cit.*
2. *In Ma part de vérité, op. cit.*, dialogue avec Alain Duhamel.

René Coty, en tout cas, ne partage pas ces états d'âme ! Le président de la République, pourtant parlementaire chevronné et fort soucieux des formes, comprend que l'heure n'est pas à l'analyse de textes et aux arguties réglementaires, mais au changement et même au risque. Il n'hésite pas à faire lire un message au parlement en forme de chantage : si les Assemblées n'en appellent pas au général de Gaulle, il démissionnera, lui ! En fait, il ne court pas grand risque. Les dés sont en train de rouler. Le général de Gaulle se rend à l'Elysée, accepte de former un gouvernement. Un communiqué précise qu'il demandera des pouvoirs exceptionnels et constituants.

L'homme du 18 Juin devient ainsi le dernier président du Conseil pressenti de la IVᵉ République en même temps qu'il s'apprête à en fonder une cinquième.

A l'hôtel de la Trémoille, sa résidence parisienne (où quelques mois plus tôt ses fidèles avaient tant de peine à drainer quelques visiteurs), les chefs de parti se pressent. François Mitterrand, président de l'UDSR, y est comme les autres convié. On imagine qu'il dut s'y rendre avec des pieds de plomb. « Je crois avoir été le seul à dire que je ne pourrais pas me rallier à cette candidature tant que de Gaulle ne désavouerait pas publiquement les Comités de salut public et l'insurrection militaire... Je lui ai dit également qu'on ne pouvait fonder un régime sur la toute-puissance d'un homme [1]. »

Son ami Roger Duveau, président du groupe parlementaire UDSR à l'Assemblée et député de Madagascar, qui assistait ès qualité à la rencontre, a relaté ainsi le dialogue [2] :

« — Vous êtes ici, mon Général, à la suite d'un concours de circonstances peu ordinaire, mais vous pourriez tout aussi bien ne pas être là. Vous auriez pu ne pas naître, ou encore mourir plus tôt.

« — Que voulez-vous dire, Mitterrand ? interroge le Général.

« — Vous comprendrez, mon Général, si vous voulez bien me laisser parler, voilà, nous sommes entrés depuis peu dans la voie insolite et périlleuse des pronunciamentos, réservés jusqu'ici aux républiques sud-américaines. Or, d'après vous, nous n'aurions pour faire face à ce genre de tragédie, qui risque d'entraîner la ruine de la France, qu'un seul recours · vous-même, mon Général, mais vous êtes mortel.

1. *In Ma part de vérité, op. cit.*
2. Interview par Franz Olivier Giesbert.

« — Je vois où vous voulez en venir, interrompt le Général. Vous voulez ma mort, j'y suis prêt. »

Sur ce, le Général lève la séance et s'en va.

Dialogue surréaliste. D'un côté, les spirales allégoriques de François Mitterrand devant un sauveur qu'il refuse, de l'autre, les ripostes à la hache de l'homme du 18 Juin à un cadet qui l'irrite au suprême degré... Une fois de plus, la rencontre des deux hommes s'achève par un court-circuit.

Le 1er juin 1958, devant l'Assemblée nationale, de Gaulle abat son jeu. Il veut les pleins pouvoirs pour six mois et mandat de l'Assemblée pour proposer au pays, par voie de référendum, les changements indispensables à la Constitution.

François Mitterrand dit non. Mais, à y regarder de près, son discours sonne presque comme un « non, mais ».

Non : « Au moment où le plus illustre des Français se présente devant nous, je ne puis oublier que le général de Gaulle fut appelé d'abord et avant tout par une armée indisciplinée... En droit, le Général tiendra ce soir ses pouvoirs de la représentation nationale, en fait il les détient déjà du coup de force. »

Mais : « Quelqu'un vient de dire : " Dans quelque temps, vous vous rallierez ? " Eh bien oui, mesdames et messieurs, si le général de Gaulle est le fondateur d'une forme nouvelle de démocratie. Si le général de Gaulle est le libérateur du peuple africain, le mainteneur de la présence de la France partout au delà des mers, s'il est le restaurateur de l'unité nationale, s'il prête à la France ce qu'il lui faut aussi de continuité et d'autorité, je me rallierai, mais à une condition... »

Cette condition, on ne la connaîtra jamais. François Mitterrand est à ce moment-là interrompu, ses propos sont couverts par le brouhaha de ses collègues. Il ne les achèvera jamais. Le mystère de l'ultime condition restera entier. De ce qu'il a dit, on retirera cependant qu'il pose, outre un faisceau de préalables (tous acceptables en réalité par le général de Gaulle), cette question en forme d'ultimatum : « Sauriez-vous garantir la présence de la France partout au-delà des mers ? » Ce qui est d'un démocrate, sûrement. Mais pas d'un partisan avéré de la négociation en Algérie.

Ce « non mais » ou ce « non si », voire ce « non sauf », signifie-t-il que François Mitterrand se soit vraiment interrogé et qu'il ait balancé au fond de sa conscience entre l'acceptation et le refus ? Il ne le semble pas. Tous ses amis en témoignent.

Lui-même écrit : « Ainsi cet après-midi du 29 mai où j'ai marché seul de longues heures sur les quais de la rive gauche, c'était un jour de soleil, clair et fragile. L'eau du fleuve scintillait sous les lumières changeantes du ciel. Je m'interrogeais, angoissé. Fallait-il défendre un système fou, incapable de rendre à la France son rang ? ou fallait-il prêter la main à la conspiration qui allait le détruire ? Je cherchais dans les enseignements des années d'autrefois la leçon dont j'avais besoin. Tout m'invitait à consentir à la liquidation de la IVe République, de ses rois fainéants, de ses maires du palais. Cette grisaille pour agonie. Tout m'éloignait de cette dictature visible à l'œil nu, sous son masque bonasse[1]. »

Une dictature, le mot est lâché. La dictature, il ne va pas cesser de la guetter, de la pressentir, de la dénoncer, même lorsque le régime aura cent fois montré le contraire et se sera fait légitimer à plusieurs reprises par le suffrage universel.

Alors que Pierre Mendès France est partagé entre des fidélités contradictoires, le non de Mitterrand est coléreux, teigneux même. Jean Lacouture note à propos de l'attitude de Pierre Mendès France : « Tout autant qu'un refus déchiré, c'est un appel. Il n'évoque pas cet instant de sa vie sans parler de chagrin, sans observer que lui qui votait contre de Gaulle avait le sentiment très profond d'être infiniment plus proche de lui que bien de ces hommes — Tixier-Vignancourt par exemple — qui se ralliaient à l'homme à poigne en daubant sur lui. »

François Mitterrand ne partage ni ses doutes ni ses hésitations. Si en mai 1958, une fois de plus, ils se retrouvent côte à côte, ce n'est pas avec les mêmes sentiments : Pierre Mendès France se rétracte par déchirement intime ; Mitterrand bande ses forces comme on tend un arc pour décocher la flèche de la mise à mort.

Le 1er juin 1958, le Général devient, à une confortable majorité, président du Conseil. Il avait attendu douze ans avant de revenir au pouvoir. « Ce qui lui a permis de résister aux tempêtes, c'est la maîtrise de soi », reconnaîtra, plein d'admiration cette fois, François Mitterrand devant Pierre Desgraupes[2].

De ce jour, pour François Mitterrand, le décor change. A quarante-deux ans, il entre dans l'opposition. Son existence se

1. *In Ma part de vérité, op. cit.*
2. Interview du *Point*, 1973.

métamorphose. Adieu cocarde, palais officiels, haies d'honneur et bureau ministériel. Il n'appartient plus aux princes qui nous gouvernent. Il sait qu'il en a pour dix ans au moins. « Il va falloir réfléchir, voyager, écouter de la belle musique », lance-t-il, faussement enjoué, à ses fidèles, Georges Beauchamp, Georges Dayan, Louis Mermaz, Roland Dumas, André Rousselet.

Cette traversée du désert, il ne l'aborde pas de gaieté de cœur. Sur quatorze députés UDSR, dix ont rejoint de Gaulle (René Pleven, Edouard Bonnefous, Eugène Claudius-Petit, notamment). Il a perdu le contrôle de sa formation. Son lot de consolation ? Un cas aberrant : Roland Dumas. Au printemps 1957, celui-ci était allé avec d'autres jeunes parlementaires (Valéry Giscard d'Estaing, Christian Bonnet, entre autres) demander à René Coty d'appeler de Gaulle. Mais son vœu exaucé, il ne votera pas l'investiture. Il a choisi définitivement François Mitterrand contre l'homme de Colombey. Ce qui sera porté à son crédit pour toujours. On s'étonne presque que ce compagnon exemplaire et brillant n'ait point encore atteint, ne serait-ce que pour cette raison, les sommets de la hiérarchie.

Si partis et familles spirituelles, même les plus structurés, volent en éclats pendant ce mois fou, les Français se partagent beaucoup moins. Le 28 septembre, un référendum constituant plébiscite les nouvelles institutions par 79,25 % des suffrages exprimés. Piètre consolation pour François Mitterrand : les oui n'ont recueilli, dans sa Nièvre (où il s'est aventuré à expliquer aux Morvandiaux ébaubis qu'un vote positif mettrait en place un régime comparable à ceux des généraux d'Amérique latine), que 75 % des voix.

Voilà pourtant l'ancien député (l'Assemblée est dissoute du même coup) presque seul dans l'opposition. Pas tout à fait seul pourtant : on y trouve aussi ses adversaires éternels, les communistes.

Il ne va pas tarder à en tirer les conséquences.

LES ANNEES NOIRES
LA TRAGI-COMEDIE DE L'OBSERVATOIRE

Tout va mal. En novembre 1958, Mitterrand est battu aux élections législatives. Pour la première fois depuis 1946, ses électeurs l'abandonnent. Et lui qui avait tant plaidé pour l'instauration du scrutin uninominal à deux tours figure parmi ses plus célèbres victimes. Pourtant, le Parti communiste, en reconnaissance de son antigaullisme, a fait voter pour lui au scrutin de ballottage (le socialiste s'est maintenu). Mais cela n'a pas suffi. La vague l'emporte. Un gaulliste anonyme prend sa place.

Le raz de marée des partisans de la Ve République emporte beaucoup de victimes éminentes : Pierre Mendès France, Edgar Faure, Gaston Defferre, notamment. Un proche du général de Gaulle, Léon Noël (il sera bientôt président du Conseil constitutionnel), raconte qu'à la veille de ces élections le Général avait interrogé :

— Dans l'opposition, qui donc risque d'être battu ?

— Pierre Mendès France, lui fut-il répondu.

— C'est très dommage, aurait estimé le Général.

— François Mitterrand aussi, ajoutent ces experts.

— Ça, c'est une autre affaire, aurait laissé tomber l'homme du 18 Juin d'un ton presque gourmand.

A présent il faut vivre, gagner de quoi faire bouillir la marmite familiale. François Mitterrand va devoir débuter dans la vie professionnelle (où son passage, soyons justes, sera bref : six ans environ). Quittant malgré lui la scène politique, il va passer sans joie des palais nationaux au Palais de Justice. S'étant inscrit au barreau en 1954, il avait accompli son stage dans des conditions très spéciales : alors ministre de l'Intérieur, puis garde des Sceaux, il lui avait fallu s'excuser chaque semaine et par écrit auprès du bâtonnier d'absences répétées dues aux obligations ministérielles. Un cas unique dans les annales, que Roland Dumas relate encore en s'esclaffant.

L'aventure, à l'époque, ne plaît guère à l'ancien ministre. Il lui faut se mettre au droit, s'organiser, trouver des causes et des clients. Il s'associe avec Irène Dayan (la femme de son ami Georges), elle-même avocate. A Charles Moulin, elle a raconté :

« Je lui préparais les dossiers de façon toute classique, sur le plan de la procédure, de l'établissement des faits et des régimes juridiques. Je dois avouer que tout n'était pas facile avec lui. Il n'avait pas l'esprit maison. Rien ne l'agaçait plus que le langage stéréotypé du Palais. Celui des références ou des attendus[1]. »

Sans compter que les premiers pas du nouvel avocat allaient provoquer une curiosité goguenarde. Les magistrats guettaient avec ironie les débuts de cet ancien ministre, ministre de la Justice de surcroît : une occasion rare de se distraire. D'autant que le débutant célèbre ne pouvait être rompu à toutes les subtilités sémantiques et à la liturgie des milieux judiciaires. Pourtant, il gagnera plus d'un procès au civil (seul ou comme assistant, un rôle bien secondaire pour lui). Au pénal, il lui arrivera de plaider pour le docteur Schwing, chiropracteur connu, accusé d'exercice illégal de la médecine. Il défendra également la société des Films Marceau et le metteur en scène Roger Vadim pour leur adaptation à l'écran d'un ouvrage réputé licencieux, les *Liaisons dangereuses* de Choderlos de Laclos.

Admirative, Irène Dayan estime qu'il eût pu entamer là, s'il l'avait voulu, une grande carrière de ténor du barreau. Telle n'est point, évidemment, l'intention de François Mitterrand. Il sait que le barreau mène à tout à condition d'en sortir. Et il veut en sortir le plus vite possible. Il n'a qu'une idée en tête : prendre sa revanche politique. Comment ? Et avec qui ?

Certes, il lui reste l'UDSR... mais dans quel état ! Quand, le 31 janvier 1959, sa formation tient congrès, ne survivent que vingt-sept fédérations et une seule tendance : la sienne (les autres ont rejoint le Général). Dans ce désert, il ne peut plus compter que sur une poignée de fidèles, toujours les mêmes : Louis Mermaz, Roland Dumas, Georges Dayan, Georges Beauchamp, André Rousselet.

Ce jour-là, déjà, il prédit : « Il arrivera un moment où de la droite indépendante à la gauche socialiste, avec la somme des déceptions et des colères, des ambitions déçues mélangeant le pur et l'impur, nous devrons être tous réunis autour d'un programme d'action. L'entente n'est possible qu'avec ceux qui veulent combattre et ceux qui sont décidés à engager le fer contre le noyautage de l'Etat. »

1. Charles Moulin, *Mitterrand intime*, Paris, Albin Michel.

Et de poursuivre : « J'englobe dans cette expression tous les républicains d'action, de volonté, de décision, tous ceux qui ont souffert depuis 1944, oui, souffert, quelquefois jusqu'au désespoir, de voir la France manquer toutes ses chances et qui en éprouvaient une sorte de rage. Vous verrez un jour, si les faits continuent à aller dans le chemin qu'on a tracé, vous qui êtes fidèles aux notions mêlées de la civilisation chrétienne, de la libération de l'esprit et de la grande révolution, ayant manqué une fois de plus au destin des hommes d'action mais toujours spectateurs angoissés, vous verrez le communisme rassembler les décombres et bâtir sa maison... On a voulu vous démontrer qu'avec la carence de la IVe République il ne restait plus qu'une route, celle du communisme. C'est cette démonstration que nous voulons, nous, précisément contredire. »

Fidèle à lui-même, le futur leader socialiste s'emploie avec éloquence à fustiger à la fois ce à quoi il n'a pourtant pas été étranger (la IVe République) et ce qui se fait sans lui (la Ve). Comme au temps de la troisième force, il retrouve des accents également courroucés pour dénoncer les forces mauvaises réveillées par le gaullisme et l'alternative tout aussi perverse que représente le communisme. D'où le rêve d'un rassemblement des forces qui s'étagent du socialisme démocratique à la droite indépendante.

En attendant, il faut commencer la reconquête. A peine évincé de l'Assemblée nationale, François Mitterrand retrouve coup sur coup deux sièges. Non sans éclat : en mars 1959, il conquiert la mairie de Château-Chinon, au cœur de cette circonscription de la Nièvre qu'il entend refaire sienne à la première occasion. En avril, bénéficiant du patient travail d'implantation départementale qu'il a mené depuis des années, il entre au Sénat. Il est en fort bonne compagnie. Jamais (sauf peut-être après 1981) la Haute Assemblée n'aura été aussi brillante. Les vétérans et les vaincus illustres — Gaston Defferre, Edgar Faure et bien d'autres — s'y groupent en nombre.

François Mitterrand va s'affirmer là un talentueux opposant de pointe. Son intransigeance à l'égard d'un régime qu'il abhorre, il la définit alors dans un article de *la Nef*, une revue intellectuelle chic à sensibilité aimablement progressiste, dirigée par Lucie Faure (épouse d'Edgar). Il écrit en ce printemps 1959 :

« L'histoire des démocraties populaires montre à l'évidence

comment l'association au pouvoir du Parti communiste et d'une poussière de formations démocratiques voue ces dernières à l'anéantissement. De la création d'un rassemblement des forces socialistes et républicaines fortement structuré dépend l'équilibre futur de la démocratie.

« Mais vous ne souderez pas ce rassemblement en composant avec les ennemis du peuple, avec les profiteurs d'un système social périmé, avec les ambitions anachroniques du clan technocrate et du clan militaire. La tâche prescrite consiste à lutter bec et ongles en compagnie de ceux qui le voudront contre les groupes qui le 13 mai se sont emparés des leviers de commande. La conjuration du 13 mai doit savoir que son triomphe insolent, que son intolérance, que ses privilèges, que son appétit dévorant des places et des honneurs dressent et dresseront plus encore contre elle les démocrates et les républicains, les libéraux. Ceux-ci restent les adversaires de l'idéologie et des méthodes du communisme, mais ils constatent que le danger qui menace les libertés et le progrès provient actuellement d'un autre côté. A chaque jour suffit sa peine. Tout ce qui permettra d'abattre la coalition politico-économique sans âme et sans vraie grandeur qui nous gouverne et qui tient l'Etat dans ses rets sera bon. »

Autrement dit, de Gaulle étant le représentant des privilégiés, des technocrates et du clan militaire, tout semble bon pour les battre. S'il faut, pour y parvenir, s'allier avec le diable communiste, François Mitterrand y est disposé. Non qu'il se fasse la moindre illusion sur le PC. Mais après le triomphe des gaullistes, « ce clan insolent », il pense que le rapport des forces va fatalement changer dans l'opposition. Le Parti communiste vient d'être très éprouvé par la naissance de la Ve République (il ne compte plus que onze députés). Si les républicains, socialistes ou non, savent s'unir et s'organiser, ils représenteront bientôt une force assez solide pour se risquer à des aventures dangereuses en sa compagnie. Un calcul que le nouveau sénateur n'oubliera pas. Lorsqu'il songe à la reconquête du pouvoir, il voit les communistes dans le rôle du cheval, ses amis et lui dans celui du cavalier.

Pense-t-il déjà qu'il sera le fédérateur, le leader de ces forces socialistes et républicaines ? Il est à cent lieues d'y parvenir

Certes, il n'est pas tout à fait seul. Dès juillet 1958, à gauche, une opposition nouvelle tente de s'organiser. Le 10 juin, François Mauriac avait écrit dans son « Bloc-notes » de *l'Ex-*

press : « La gauche est à reconstituer. » Pierre Mendès France, les socialistes Daniel Mayer et Edouard Depreux, Gilles Martinet (brillant journaliste à *France Observateur*) décident de s'unir pour le meilleur en créant l'UFD (Union des forces démocratiques). François Mitterrand, avec ce qui reste de l'UDSR, est de l'entreprise. Mais il n'y apparaît que dans les seconds rôles. De l'UNEF, de la CFTC (future CFDT), de la Fédération de l'Education nationale, des groupes opposés à la guerre d'Algérie, viennent encouragements et soutiens. Ceux qui à gauche n'ont rien à voir avec le communisme et ne veulent pas se reconnaître dans une SFIO dévalorisée par sa politique nord-africaine se retrouvent là.

A la table du festin, François Mitterrand, on l'a dit, fait figure de parent pauvre. Habitué à être le premier chez lui, il se retrouve presque le dernier chez les autres. Il débarque sur une planète qu'il ne connaît pas. Il découvre même de drôles de gens : des chrétiens de gauche, des syndicalistes ouvriers, des socialistes purs et durs. Gilles Martinet, témoin attentif, l'observe en souriant, « cherchant à tisser des liens, à explorer le terrain, se faire de nouveaux amis, à jeter discrètement les fondations de nouveaux réseaux ». Mais le leader naturel et incontesté de l'UFD s'appelle Pierre Mendès France. Dans cet aréopage, l'ancien président du Conseil est tout à fait chez lui. Il ambitionne de transformer cette petite mosaïque en véritable parti (à condition que d'autres s'occupent de la logistique). François Mitterrand n'y joue qu'un rôle marginal. En somme, le nouvel élu au palais du Luxembourg doit s'habituer à un train nouveau dont il n'est pas la locomotive : le train de sénateur.

Il n'a pas le choix. Philosophe, il se résigne.

Voici comment, dix ans plus tard, il se décrit : « J'ai travaillé, rêvé, flâné, réappris à aimer les choses et les êtres. Je connais des houx de la forêt des Landes qui donnent au temps sa densité, et rien ne parle mieux de l'esprit et de la matière que la lumière d'été à 6 heures de l'après-midi au travers d'un bois de chênes. J'ai voyagé aussi. Je suis allé dans la Chine de Mao Tsé-toung, en Iran. " Tant qu'il y aura du monde dans les mosquées nous serons tranquilles ", a claironné le Premier ministre perse au moment du dessert [1]. »

François Mitterrand était-il aussi serein qu'il veut le laisser

1. *In Ma part de vérité, op. cit.*

entendre ? Françoise Giroud, qui le connaît bien, le croit : « C'est un cas exceptionnel, dit-elle, car l'ambition n'a pas tué chez lui le goût des choses de la vie. »

Cette sage philosophie, en tout cas, ne lui était pas venue d'un coup. Jacques Kosciusko-Morizet se souvient qu'au cours d'une rencontre chez Jean-Claude Servan-Schreiber durant l'été 1958, François Mitterrand s'était exclamé, rageur : « Il n'y aura jamais assez de lampadaires place de la Concorde pour pendre tous ces usurpateurs ! »

Tandis qu'il rêve, flâne et parfois plaide, et parfois écrit ou discourt, tandis qu'il goûte aux charmes pour lui inconnus de la quasi-oisiveté, une tempête se prépare qui va le laisser pantelant, blessé, humilié. L'affaire de l'Observatoire, dont il traîne le souvenir comme un boulet.

Le vendredi 16 octobre 1959 au matin, la classe politique est en émoi. On vient d'apprendre que, dans la nuit, des inconnus ont tenté d'assassiner François Mitterrand, sénateur de la Nièvre et ancien ministre.

Une étrange histoire qui surprend et effraie même, en ces jours où les difficultés algériennes exacerbent les passions et lèvent dans quelques cervelles folles des rêves d'assassinat : François Mitterrand dit avoir été suivi en voiture à travers le quartier du Luxembourg où il réside ; il s'est inquiété ; il a laissé son propre véhicule, une 403 bleu foncé, rue Auguste-Comte (exactement là où il avait coutume de donner rendez-vous à Marie-Louise Terrasse, alias Catherine Langeais, au temps de leurs tendres amours) ; pressentant qu'on ne lui voulait pas de bien, il a réussi à sauter par-dessus la grille du square de l'Observatoire, un obstacle de plus d'un mètre de haut. Ses agresseurs ont alors tiré sur sa voiture. Pièces à conviction : la porte droite présente sept points d'impact de balle, un projectile est même allé se loger dans le siège du conducteur. Il l'a échappé belle. « Il est probable que seule sa présence d'esprit a sauvé la vie de M. Mitterrand », écrivent en chœur les journaux, toutes tendances confondues. Ses agresseurs, eux, se sont aussitôt enfuis à vive allure. Après quoi, l'ancien ministre a sonné chez le concierge du n° 5 de l'avenue pour téléphoner à la police. On y avait déjà songé avant lui :

ayant entendu les coups de feu, les voisins avaient alerté Police secours. Il était plus de minuit.

Le commissaire Clot, chef de la brigade criminelle, arrive rapidement sur les lieux. Hélas, François Mitterrand ne peut donner que de bien maigres précisions : il a été suivi par une auto de petit gabarit et de couleur sombre ; il lui semble que les agresseurs étaient au nombre de deux ou trois. Et à la presse bientôt accourue tous micros ouverts, l'homme qui vient d'échapper à un odieux attentat ne veut apporter aucune autre information : « Je suis, comme mes amis politiques, un patriote. Je ne lutte que pour le meilleur service de la France. Il est triste que des campagnes d'excitation aient pu dresser à ce point des Français contre des Français. »

Encore sous le coup de l'émotion, il ne veut pas en dire davantage. Indignation et commisération mêlées, on admire partout cette sobriété de propos. Et comme François Mitterrand est désormais répertorié parmi les partisans d'une solution libérale en Algérie, on soupçonne les ultras de l'Algérie française, l'extrême droite, les contre-terroristes.

Beaucoup relient cet attentat à de mystérieuses déclarations du gaulliste Lucien Neuwirth, député de la Loire. Celui-ci, qui a joué un rôle capital à Alger dans les journées de 1958 — il y a gardé des accointances, mais il n'y est plus persona grata en raison de sa fidélité au général de Gaulle —, n'a-t-il pas dit dans les couloirs du Palais-Bourbon : « Des commandos de tueurs ont franchi la frontière espagnole, des personnalités à abattre sont désignées » ?

A gauche, l'indignation est générale et prompte. Le Parti communiste exige du gouvernement qu' « il prenne séance tenante les mesures nécessaires pour mettre les comploteurs et les terroristes hors d'état de nuire ». La CGT condamne « cet acte inqualifiable et appelle les travailleurs à redoubler d'efforts pour que s'engagent rapidement les pourparlers en vue d'un cessez-le-feu en Algérie et d'un libre exercice du droit à l'autodétermination ». *L'Humanité* titre : « Exigez la dissolution des bandes fascistes. » Affectivement commotionnée, l'UFD « demande à tous les démocrates de redoubler de vigilance ». La SFIO exprime sa solidarité.

Tout le week-end, le rescapé François Mitterrand reçoit de la France entière, et par centaines, des messages affectueux et vibrants. Il fait figure de héros.

Le lundi soir, le bureau de l'UFD se réunit à 17 heures pour mettre au point la réplique politique et orchestrer la protestation. Il y a là, entre autres, Pierre Mendès France, Daniel Mayer, Gilles Martinet, Edouard Depreux. Mais à 18 heures François Mitterrand n'est toujours pas arrivé. A 18 h 30, sa secrétaire a l'obligeance de téléphoner pour avertir ces messieurs que son patron ne pourra malheureusement pas venir. Le bureau décide néanmoins d'organiser une conférence de presse pour le mercredi et demande aux forces syndicales de se joindre à la protestation. Tous sont graves. Ils craignent des opérations fascistes. Pierre Mendès France, par tempérament et parce qu'il a toujours redouté une fin tragique pour ce régime né à la faveur d'un mouvement de l'armée, entrevoit déjà le pire.

Comme prévu, la conférence de presse a lieu le mercredi à 17 heures à l'hôtel Moderne, place de la République. Il y a foule. Comme à son habitude, François Mitterrand est en retard. A 17 h 30, un tonnerre d'applaudissements surgit du fond de la salle : il arrive enfin, il est là. Dans l'émotion générale, le héros laisse entendre que la tête qui a armé le bras est peut-être plus proche des milieux du pouvoir que des ultras d'Alger.

Ce jeune ancien ministre est-il donc un si redoutable adversaire pour le régime ? Et celui-ci est-il dans un si triste état qu'il doive se résoudre à une telle extrémité ? On n'a pas le temps de se poser longtemps ces questions : le vendredi, coup de théâtre !

Un certain Robert Pesquet, qui a été secrétaire administratif du groupe RPF à l'Assemblée nationale et député poujadiste du Loir-et-Cher, personnage gris, curieux et agité qui n'a pas laissé un grand souvenir dans les couloirs du Palais-Bourbon, publie un article à sensation dans l'hebdomadaire d'extrême droite *Rivarol*. L'attentat, assure-t-il, a été monté de toutes pièces et c'est François Mitterrand qui a tout « machiné » !

La veille, dans les couloirs de l'Assemblée, Jean-Marie Le Pen avait claironné goguenard que le lendemain on allait voir ce qu'on allait voir, une vraie bombe ! C'est une bombe, en effet. Stupéfaction partout. Rires ici, sourires là, émotion et incrédulité ailleurs. Mais ce Pesquet (dont on apprendra plus tard qu'il a eu plus d'un démêlé avec la justice) persiste et signe. Dans une conférence de presse, il affirme avoir rencontré François Mitterrand à trois reprises pour mettre au point le scénario du faux attentat. Ils se sont entendus sur l'itinéraire et les modalités.

Bien entendu, on se récrie, on a peine à le croire. Ce que dit cet homme est trop gros, proprement incroyable. Mais voilà qu'il avance des éléments de preuves, solides : quelques heures avant le faux attentat (les cachets de la poste en font foi), il s'est adressé à lui-même deux lettres, l'une à son domicile, l'autre poste restante à Lisieux, dans le Calvados. Elles ont été ouvertes par huissier; or, elles décrivaient par le menu la machination ! Tout s'est déroulé comme prévu, explique Pesquet, à ceci près qu'il avait dû faire trois fois le tour du square avec sa Dauphine en raison de la présence intempestive d'un couple d'amoureux, puis d'un taxi. Après quoi, s'étant assuré que François Mitterrand avait bien quitté son véhicule et s'était dissimulé dans les fourrés comme convenu, il avait donné ordre à son jardinier, Abel Dahuron, de tirer, afin que l'attentat ne fît aucun doute. Et le lundi 22 à 18 heures (à l'heure même où ses amis de l'UFD l'attendaient en vain), François Mitterrand serait venu le remercier dans un bar du XVIe arrondissement, le Cristal.

Après cette conférence de presse, concert de ricanements et de sarcasmes. A gauche, beaucoup sont gênés, voire atterrés. Le doute s'insinue dans les esprits les mieux disposés envers le sénateur de la Nièvre : s'il n'a pas menti, du moins a-t-il caché l'essentiel [1].

Qu'il s'explique ! Qu'il se justifie, si c'est encore possible ! A nouveau interrogé par les policiers, François Mitterrand admet avoir rencontré Robert Pesquet avant l'attentat. Il affirme avoir été abordé par lui le 7 octobre au Palais de Justice où il se trouvait en compagnie de Roland Dumas : à l'invitation pressante de celui qui le dénonce aujourd'hui, il aurait accepté d'aller prendre une consommation au café d'en face. Bavardages. Pesquet tient à régler l'addition. Mais dès le départ de Roland Dumas, il annonce à François Mitterrand qu'il est en réalité chargé de l'exécuter. Voici le discours de Pesquet, selon Mitterrand : « Je suis pris dans un engrenage, les gens d'Alger

1. Parmi les plus vexés figurera Henri Frenay, lequel habite le même immeuble que François Mitterrand : celui-ci, le soir même de l'affaire, lui en a donné une version évidemment différente. Intime du couple et parrain de Gilbert Mitterrand, Henri Frenay décide alors de rompre avec celui qui fut son ami.

me tiennent, ils veulent abattre aussi Mendès, Mollet et Pflimlin. Je ne veux pas être leur complice. Je vous avertis au péril de ma vie, vous n'allez pas me dénoncer et me livrer à la police. » Mon erreur, conclut François Mitterrand, aura été de faire trop confiance à un homme qui ne le méritait pas, d'avoir eu pitié d'un ex-collègue en perdition et d'accepter la petite comédie qu'il me proposait pour le sauver. Et l'ancien garde des Sceaux proteste de sa totale bonne foi.

Sa thèse, pourtant, ne répond pas à toutes les questions. Pourquoi s'être montré si confiant envers un personnage aussi étrange ? Pourquoi, en revanche, n'avoir rien dit aux intimes (Georges Dayan au premier rang) ? Pourquoi n'avoir pas prévenu la police ni la justice, ce qui devrait être le premier réflexe d'un ancien garde des Sceaux, ancien ministre de l'Intérieur ? Quand on se nomme Mitterrand, on ne manque pas d'expérience, on aurait dû apprendre à se défier des machinations, on a gardé assez d'amitiés dans la haute administration pour savoir à qui se confier. Bref, les amis de François Mitterrand eux-mêmes en viennent à regretter qu'il n'ait rien de plus précis à révéler pour démontrer sa bonne foi. « Vu de loin, ce cerf aux abois fait plutôt mauvaise impression », note François Mauriac qui cependant va bientôt le défendre.

La presse, bien sûr, a viré de bord. Le socialiste Claude Fuzier écrit dans *le Populaire* : « Supposons que Pesquet mente, comment le qualifier ? Supposons qu'il dise la vérité, M. Mitterrand ne vaudrait alors pas cher, mais M. Pesquet n'en recevrait pas pour autant un brevet de vertu pour le seul fait de s'être prêté à cette comédie. » Autrement dit, l'organe de la SFIO admet comme une hypothèse admissible que M. Mitterrand ne vaille pas cher.

Dans les couloirs de *France Observateur*, les journalistes organisent un curieux test : on dispose des chaises jusqu'à la hauteur des grilles de l'Observatoire et chacun saute ou tente d'enjamber l'obstacle à vive allure afin de mesurer s'il est possible de passer les haies comme le sénateur. La rédaction tout entière, bien sûr, rit à gorge déployée et conclut qu'il est urgent de douter. Tel est le climat du moment. La radio et la télévision, contrôlées par le pouvoir, la presse de droite sont moins tendres encore.

Bien seul, François Mitterrand se défend âprement. Il veut protéger son honneur. Dans *l'Express*, le 30 octobre, il écrit :

« Oui, j'ai été leur dupe, voilà cinq ans qu'ils me guettent, voilà cinq ans que j'avance entre les pièges et les traquenards. Et le jeudi soir 15 octobre, je suis tombé dans le guet-apens. Cela ne cesse maintenant de tourner dans ma tête et d'oppresser mon cœur... parce qu'un homme vient à moi, me prend à témoin de son hésitation à tirer, me demande de l'aider à se sauver lui-même. Cinq ans de prudence, d'analyses, de patience cèdent soudain et me laissent devant la solitude et l'angoisse de questions posées. »

Ce désarroi sonne juste.

L'homme traqué va trouver enfin des défenseurs illustres. D'abord François Mauriac, on l'a dit, qui écrit dans son « Bloc-notes » : « Mitterrand aura payé cher d'avoir été moins fort que ses ennemis eux-mêmes n'avaient cru. Et moi je lui sais gré de sa faiblesse. Elle témoigne qu'il appartient à une autre espèce que ceux qui l'ont fait trébucher et qui, sans doute, avaient deviné en lui cette faille secrète... Mitterrand demeure capable de faire confiance à un homme taré qui feignait de se livrer à lui... Il aurait pu comme nous-mêmes être un écrivain, raconter des histoires au lieu de vivre des histoires. Il a choisi de les vivre. Mais ce choix impliquait un durcissement de sa nature. Il s'est endurci, j'imagine, autant que l'eût exigé une époque autre que celle-ci. Mais aujourd'hui, c'est le temps des assassins[1]. »

Dans le numéro suivant du même hebdomadaire, Pierre Mendès France à son tour jette son autorité et son prestige dans la balance. Il raconte que jadis un homme, chargé de l'assassiner, l'en avait averti sous le sceau du secret : « J'admire l'assurance de ceux qui affirment, jugent et condamnent avec tant de sévérité et qui expliquent ce qu'ils auraient fait à sa place. Peut-être seraient-ils moins sûrs d'eux s'ils avaient, comme lui, comme moi, reçu à longueur d'année d'horribles lettres de menace et de chantage, si leur femme, leurs enfants avaient été eux aussi harcelés, s'ils avaient été poursuivis tantôt par l'invective grossière dans la rue, tantôt par la

1. Même quand il se veut amical, François Mauriac ne parvient pourtant jamais à se montrer tout à fait indulgent. La semaine suivante, prenant à nouveau la défense de Mitterrand pour répondre à Robert Lazurick — celui-ci a écrit dans *l'Aurore* : « Aux yeux de ses amis politiques, l'auteur de pareilles palinodies demeurera définitivement disqualifié » —, le romancier catholique ajoute *in fine* à propos de l'ancien ministre : « Je ne l'ai jamais pris pour un petit saint. »

lâcheté d'un message téléphonique anonyme, tantôt dans les colonnes d'un journal spécialisé dans la diffamation. S'ils avaient aussi éprouvé la fureur et la haine d'hommes réfugiés dans l'ombre et leur promettant jour après jour le sort de Jaurès et celui de Jean Zay, à moins que ce ne soit celui de Salengro. Ceux qui tranchent avec tant d'assurance, qu'ils réfléchissent un instant et en conscience, ils accueilleront alors les affirmations et les insinuations que l'on répand ces jours-ci avec moins de crédulité et moins de complaisance. »

Voilà qui est net et bien dit. Si, lors de l'affaire des fuites, Pierre Mendès France avait choqué et peiné François Mitterrand par ses hésitations, voire ses soupçons, il ne ménage pas cette fois son soutien ni ne mesure son engagement. Il est vrai — c'est une loi du monde politique — que l'opposition, surtout au creux de la vague, rapproche les hommes, ceux-là mêmes que le pouvoir sépare parce qu'il en fait des rivaux.

Après les attaques de la presse et de ses adversaires, un autre péril menace le sénateur de la Nièvre. Michel Debré, Premier ministre, convoque en effet le procureur de la République et, le 27 octobre, le parquet demande la levée de l'immunité parlementaire de François Mitterrand, accusé d'outrage à magistrat pour avoir « caché des éléments valables qu'il possédait ».

En clair, le pouvoir gaulliste entend bien exploiter contre l'homme politique de l'opposition ses silences et ses omissions à propos de ses relations avec Robert Pesquet. Mais pour qui connaît la psychologie de François Mitterrand, cette attitude est une grossière manœuvre : en voulant lui enfoncer la tête sous l'eau, Michel Debré fournit, au contraire, à celui qui allait se noyer la perche qui lui permettra d'émerger.

Jusqu'alors, François Mitterrand, encerclé par les risées et l'opprobre, ne savait à qui s'en prendre, sinon à lui-même. Robert Pesquet ? Quel intérêt aurait-il eu à polémiquer avec un homme qu'il n'aurait jamais dû fréquenter ? La presse ? Comme si on pouvait interdire le rire sans faire redoubler les lazzis ! Mais un Premier ministre qui ose prétendre vous traduire en justice alors qu'il était venu en personne implorer votre mansuétude et protester de sa bonne foi dans votre bureau de garde des Sceaux, place Vendôme, voilà qui est trop fort, voilà qui est impardonnable !

Car ce même Michel Debré était lui aussi en janvier 1957 en position d'accusé. On prétendait qu'il comptait parmi les inspirateurs de l'attentat au bazooka qui visait le général

Salan, commandant en chef en Algérie, et avait coûté la vie à l'un de ses officiers, le commandant Rodier. Deux hommes de main, Kovacs et Castille — ces deux hommes étaient de la même trempe que Robert Pesquet —, avaient mis en cause le sénateur Michel Debré, gaulliste et opposant virulent, en même temps qu'un jeune député inconnu nommé Valéry Giscard d'Estaing. Or, qu'avait fait François Mitterrand lorsque les magistrats lui avaient conseillé de demander la levée d'immunité parlementaire de Michel Debré ? Il avait convoqué place Vendôme son adversaire pour lui demander de s'expliquer. Et, l'ayant écouté, il avait décidé de ne pas donner suite à la demande des magistrats.

Pierre Nicolaÿ, alors directeur de cabinet de François Mitterrand, raconte : « Michel Debré était un ami, j'ai mis huit jours à le joindre pour qu'il vienne s'expliquer devant le ministre ; quand il y fut, il a fait une grosse colère et pourtant nos intentions à son égard étaient les meilleures du monde. Nous avons été avec lui d'une totale correction... Pour me remercier, il m'a barré dans ma carrière durant toute la Ve République... »

Près de trois ans après ce grave incident, François Mitterrand a des raisons de penser qu'on ne lui rend pas la monnaie de sa pièce. Du coup, il retrouve la fraîcheur de son indignation. Et un adversaire à sa taille, n'est-ce point la meilleure des thérapeutiques ?

Quand, le 18 novembre, le rapporteur, un républicain indépendant nommé Delalande, conclut à l'acceptation de la levée d'immunité parlementaire tout en soulignant que « la décision du Sénat ne saurait par elle-même en rien entacher l'honneur de François Mitterrand », celui-ci se précipite à la tribune pour y prononcer une plaidoirie enflammée qui est un réquisitoire contre le pouvoir en même temps qu'une défense de sa propre cause. En effet, il assène deux rudes coups à ses accusateurs. En révélant d'abord que, dans l'après-midi du 22 octobre, le jour même où Pesquet le chargeait devant la presse, Maurice Bourgès-Maunoury, ancien président du Conseil, qui ne comptait pas parmi ses amis personnels, avait tenu à faire savoir au directeur de la Sûreté nationale qu'il avait fait l'objet lui aussi de menaces identiques un mois plus tôt. Et le haut fonctionnaire en avait sur-le-champ informé son ministre. Or, ajoute François Mitterrand, « du 22 octobre au 3 novembre, soit pendant douze jours entiers, le gouvernement gardera le silence, empêchant la justice, la police, moi-même et aussi l'opinion et vous-mêmes de contredire le principal reproche qui m'est fait, à savoir que j'aurais été l'instigateur d'un simulacre d'attentat ». Et le sénateur de la Nièvre de préciser, soudain triomphant : « Or, Bourgès a subi le même scénario, la même technique, le même agent provocateur car, vous l'avez reconnu, celui-ci c'est Pesquet. »

Et comme la meilleure défense c'est l'attaque, François Mitterrand se met à raconter par le menu, provoquant soudain un silence abasourdi, l'affaire du bazooka. Il décrit un homme politique en position peu confortable qui reconnaît « l'existence, dans le dossier, de pièces accusatrices et d'aveux troublants ». Mitterrand, à la tribune, raconte la scène de la place Vendôme, montre le personnage qui lui fait face et qui doit subir ces accusations : « Il s'en expliquera plus tard, dit-il. Il lui faut seulement du temps. Or, le temps lui manquera si, en accélérant la machine judiciaire, je lance tout de suite sans autre examen des noms en pâture à l'opinion publique [...] si je demande des levées d'immunité parlementaire. L'opposant d'hier n'hésitait pas à réclamer les garanties de la loi — et il les obtenait, quoi de plus normal ! —, l'homme qui arpentait nerveusement la pièce où nous nous trouvions n'hésitait pas à réclamer la protection du pouvoir lorsqu'il estimait son droit en péril, et le pouvoir le protégeait. [...] Cet homme, c'est le Premier ministre, c'est Michel Debré. *(Mouvements divers sur les bancs.)* Mesdames et messieurs, il y a certaines choses qu'on n'a pas le droit de faire : jouer ou laisser jouer avec l'honneur d'un adversaire politique et tenter de disqualifier l'opposition en la mêlant abusivement à des faits criminels. »

François Mitterrand vient de marquer un point. Un très grand point. Les sénateurs estourbis et soudain incertains décident qu'il devient urgent d'ajourner leur décision et de renvoyer le dossier devant la commission *ad hoc*. Un gaulliste comme Jean-Louis Vigier, qui n'avait pas ménagé François Mitterrand au moment de l'affaire des fuites, fait même amende honorable. Il interroge à la tribune les parlementaires : « Acceptez-vous les procédés dont on a usé envers lui ? On a voulu atteindre son équilibre et je voudrais être certain que l'on n'y soit pas parvenu. »

L'émotion, pourtant, retombe vite. Interrogé à la sortie du Conseil des ministres, le chef du gouvernement laisse tomber un laconique : « M. Mitterrand a menti une fois de plus. »

Dans le climat de l'époque — alors que le gaullisme et ses

leaders triomphent — cela suffit. Les sénateurs se reprennent. La corrida n'est pas finie. Ils avaient failli se laisser séduire par l'éloquence. Ils ne voient plus que l'adversaire : le 25 novembre, à une large majorité (175 voix pour contre 12 abstentions, 77 sénateurs ne prenant pas part au vote), la levée d'immunité parlementaire de François Mitterrand est votée. Si le groupe communiste, quelques socialistes comme Gaston Defferre ou Emile Aubert et quelques individualités comme Edgar Faure, Pierre Marcilhacy ou Edgard Pisani le soutiennent, toute la droite, depuis Jean Lecanuet jusqu'aux gaullistes, et la plupart des sénateurs SFIO se sont prononcés contre lui.

Ainsi, le 8 décembre, l'affaire de l'Observatoire s'achève-t-elle par l'inculpation de François Mitterrand. Elle s'achève parce que, paradoxalement, il n'y aura pas de suites judiciaires. Comme si le gouvernement, satisfait d'avoir ébranlé un adversaire, cherchait à éviter la controverse et les ennuis d'un procès.

Lorsque, pendant la campagne présidentielle, les gaullistes voudront exploiter l'affaire de l'Observatoire pour embarrasser le candidat Mitterrand, le Général refusera : « Il ne faut pas atteindre dans son honneur un homme qui peut être un jour président de la République », aurait-il répondu. Léon Noël rapporte ces propos.

En fait, le but recherché était déjà atteint. L'ombre d'un doute allait désormais planer — elle plane toujours — sur un leader de l'opposition[1]. Certes, on ne croit plus guère que François Mitterrand ait été l'instigateur du faux attentat. Mais beaucoup s'interrogent encore sur son rôle exact dans cette ténébreuse affaire. Sans doute a-t-il cru qu'un complot se tramait contre lui. Un mois avant l'histoire de l'Observatoire, son ami Bernard Finifter était allé réclamer, sans dire à qui il était destiné, un gilet pare-balles à Jean Verdier, le directeur de la Sûreté nationale. Et durant l'été précédent, il avait dit : « Je suis obligé de changer chaque soir de domicile car de Gaulle veut me tuer[2]. » Sans doute aussi — c'est l'opinion de beaucoup de ses amis — a-t-il voulu utiliser à son avantage et au

1. Un homme comme Pierre Viansson-Ponté, alors chef du service politique du *Monde*, qui se présentait comme « politiquement sympathisant et se croyant l'ami de François Mitterrand », a eu le sentiment d'être joué : le soir du pseudo-attentat, celui-ci, la main sur le cœur, ne lui avait livré que la moitié de la vérité.

2. Témoignage de Jean-Claude Servan-Schreiber.

détriment du pouvoir une menace à laquelle il a vraiment cru. Et en s'empêtrant dans les mailles d'un filet trop étroitement tissé, il aura payé cher d'avoir voulu se montrer trop habile.

Quelques-uns de ses fidèles, aujourd'hui encore, avouent ne pas avoir compris exactement ce qui a pu se passer. Ils avancent même que plus leur chef de file a voulu les éclairer, plus opaque leur est apparue l'affaire.

Elle a laissé, en tout cas, chez le principal intéressé de profondes traces. Et sans doute a-t-elle contribué, de manière décisive, à son évolution politique.

Ses proches, à l'époque, ont observé chez lui deux attitudes successives. Très différentes : après les révélations de Pesquet, il était abattu, désemparé, presque effondré. Plusieurs lui ont vu des larmes aux yeux. Certains redoutaient même un geste désespéré. Et puis, Michel Debré est arrivé. Immédiatement, François Mitterrand est remonté sur sa bête, comme pour illustrer ce mot fameux (et optimiste) d'Hemingway : « Un homme, ça peut être détruit, ça ne peut pas être vaincu. »

Dès lors, il pouvait armer sa volonté de retrouver un rôle et une autorité. Contre l'adversaire gaulliste, il va reconstruire pierre par pierre sa carrière. « Entre en jeu devant l'obstacle réputé infranchissable l'amour-propre, cette terrible envie d'être soi-même, de se prouver avant de prouver aux autres que tout est toujours possible pour peu qu'on en décide[1]. » Tout Mitterrand est là.

Désormais, il n'est plus le même. Il voue aux gaullistes (qu'il n'aimait déjà guère), à ceux qui soutiennent le régime (parmi lesquels il ne veut voir que ces bourgeois qui aujourd'hui le moquent) une haine inexpiable. La haine contre les bourgeois revient dans ses écrits comme une rengaine : « A Jarnac, à Nevers, dans ma rue de Paris, dans ma ruelle de stalag, je les avais déjà rencontrés. D'une certaine manière j'étais l'un des leurs parce que nous étions de la même souche, parce que nous prononcions les mêmes mots de la même façon, parce que nous avions reçu les rudiments de la même culture, parce que nous portions les mêmes vêtements ; ils me traitaient comme un complice ou un associé. Jusqu'au jour où je sus que nous n'avions rien à nous dire, que je ne pouvais supporter de les entendre plus longtemps[2]. »

1. *In Ma part de vérité, op. cit.*
2. *Ibid.*

Et encore : « J'ai approché pendant dix ans, dix ans de trop, ce milieu du Tout-Paris qui répète indéfiniment les mêmes choses sur le même ton sans se lasser de son ennui, persuadé qu'il exerce un gouvernement sur les mœurs alors qu'il n'inspire même plus les modes. J'étais séduit, eh oui, par ce qui maintenant m'exaspère, le cocktail de petites drogues que s'administre à longueur d'existence une société qui croit apaiser ses pressions quand elle n'a que des besoins[1] ! »

« L'Observatoire a été pour lui une rupture sociale, il s'est isolé, puis il s'est reconstitué un personnage », note André Rousselet.

« Danielle a été formidable pour lui, elle lui répétait : " Tu n'as rien à faire avec ces gens-là [les bourgeois] ", raconte Georges Beauchamp[2]. »

Il sait aussi sur qui il peut compter. Or, les amis sont toujours là. Il le vérifie quand, une semaine après sa levée d'immunité parlementaire, Georges Dayan et André Rousselet l'entraînent à l'hôtel Moderne, alors haut lieu des réunions de gauche, où ils ont rassemblé une cinquantaine de fidèles. François Mitterrand arrive, très pâle, très tendu, dans une ambiance qui ne l'est pas moins. Et puis il se met à parler. Ceux qui sont là entendent un flot saccadé de mots où il est question de dignité, d'injustice, d'honneur. Il parle, parle et, miracle, telle l'alouette grisée par son chant, il se décontracte, retrouve des couleurs. L'atmosphère subtilement change et se réchauffe. Quand il a fini de parler, on l'applaudit, on l'entoure. Tout n'est pas perdu puisque les amis sont là.

Des camarades communistes de la Résistance viennent alors le voir dans son bureau. A Robert Paumier il fait cette confidence : « Notre péché serait de laisser de Gaulle se donner un successeur. »

Il est bien loin pourtant de pouvoir l'en empêcher. Mais il sait plus que jamais qui est son adversaire et dès lors retrouve son destin.

1. *In l'Abeille et l'Architecte, op. cit.*

2. Mme Mitterrand ira voir Pierre Lazareff, chez qui le couple passait volontiers ses week-ends sous la IVe République, pour lui reprocher, véhémente, les gros titres peu aimables de *France-Soir* et lui signifier la fin de leur amitié. Dans les dîners en ville, Pierre Lazareff ironisait : « Il a voulu jouer les Gambetta. »

LE MAL ABSOLU

Après l'affaire de l'Observatoire, pas abattu mais sérieusement blessé, François Mitterrand médite. On l'imagine, promeneur solitaire arpentant les forêts embrumées du Morvan, ruminant des griefs contre ce régime né de l'équivoque, en marge de la légalité, contre le Général qui accapare tous les pouvoirs sans que le peuple y trouve à redire et contre ce Michel Debré donneur de leçons qui prend des mines d'homme d'Etat. Pestant surtout contre un destin mauvais qui contrarie sa carrière et un sort malveillant qui lui réserve tant d'épreuves.

Heureusement, l'instinct est là qui le pousse à se battre et à dire non. Non au conservatisme, mais aussi aux réformes de la Ve, non à la bourgeoisie, à ses hommes, à ses pompes et à ses œuvres. L'homme de la Nièvre devient le monsieur niet de la Ve République. Il ne se contente pas de s'opposer, il fait bien davantage : il refuse par avance, il combat par système, il contrarie par principe. La République du général de Gaulle étant à ses yeux le mal, il va devenir le saint Georges du bien qui le poursuit sans relâche.

Plus tard il écrira : « Chef du RPF, le général de Gaulle s'est comporté à l'égard de la IVe République avec une extrême démagogie, aveuglé qu'il était par l'ambition de récupérer un pouvoir imprudemment abandonné. Un maître en vérité dans l'art de l'opposition inconditionnelle[1]. » Mais songera-t-il que cette définition pourrait sans difficulté lui être appliquée ?

De fait, si l'année 1960 le voit étonnamment silencieux (*l'Année politique* ne mentionne pas une fois son nom, il lui faut laisser passer un peu de temps avant de repartir à l'assaut). Dès 1961 il va multiplier les philippiques et les mercuriales et, contre le régime, faire flèche de tout bois. Rien ne trouve grâce à ses yeux.

Dans un article de *l'Express* daté de juillet 1961, qu'on ne lit pas aujourd'hui sans un certain sourire, il écrit : « Personnellement, je considère que les aspirations au régime présidentiel correspondent en France à une démission. Le régime présiden-

1. *In Ma part de vérité, op. cit.*

tiel penche du côté du pouvoir personnel. » Et voici une déclaration du 17 juillet 1962 au Sénat : « Eh bien, oui, ce régime dont on dit qu'on ne connaît pas son nom, qui se situerait, prétend-on faussement, entre le régime présidentiel et le régime parlementaire, il n'a jamais porté qu'un seul nom à travers tous les temps, il s'appelle la dictature. » Et encore, le 5 juillet 1961 au Sénat : « Un régime, monsieur le Premier ministre, qui préfère les ovations populaires aux votes de confiance du parlement, un régime qui tient compte de la menace des foules plus que de la loi violée n'est pas la République. »

Lorsqu'en août 1962, après l'attentat du Petit-Clamart qui faillit coûter la vie au Général et à Mme de Gaulle, le président annonce son intention de proposer par référendum l'élection du chef de l'Etat au suffrage universel direct, le futur leader socialiste s'indigne. Toujours dans *l'Express*, sous le titre « Tarte à la crème », il écrit : « Cette réforme ne vise pas à doter la France d'institutions stables. Elle tend à faire durer l'aventure présente. [...] Le temps viendra où l'on pourra discuter des mérites comparés de la démocratie parlementaire et de la démocratie présidentielle. Alors, nous dresserons la liste des avantages au regard de la liste des inconvénients présentés par cette tarte à la crème qu'est devenu le régime présidentiel. »

La méthode utilisée (le référendum) n'a pas davantage son aval. Il ironise : « On s'étonne déjà de l'ingénuité de certains professeurs de droit qui voient poindre par la grâce d'un référendum truqué et d'un grossier manquement à l'article 89 le régime présidentiel de leur rêve. »

C'est un double non à la forme et au fond.

Les Français ne partagent pas son opinion. Ils ratifient le projet par 62,5 % des suffrages exprimés.

Cette fois, les électeurs de la Nièvre ne lui feront pas grief de son hostilité au référendum qui, un mois plus tard, le 18 novembre, l'élisent de nouveau au Palais-Bourbon. En plein raz de marée gaulliste (l'UNR obtient 31,9 % des suffrages et 233 députés), l'opposant pur et dur retrouve son siège et une tribune mieux adaptée à la férocité polémique de son talent.

Tous les sujets sont bons pour exciter sa verve : la force de frappe en particulier et la politique de défense en général, la politique étrangère, la politique africaine, la politique sociale, la nouvelle loi électorale municipale...

La force de frappe ? Le 24 janvier 1963, il s'écrie à la tribune de l'Assemblée nationale : « Sur la base de la force atomique autonome et nationale, pas plus à l'intérieur de l'Europe qu'à l'intérieur de l'Alliance atlantique, il n'y a de solution constructive possible [...] parmi nos partenaires de l'Europe des Six. Etes-vous si sûrs que notre force atomique nationale ne suscitera pas dans les années, sinon dans les mois qui viennent, de graves difficultés ? Par exemple, que ferez-vous si l'un des Six demande, comme il serait normal à son allié doté de cette force, le partage des secrets, l'usage de l'armement atomique ?... »

La diplomatie ? Il brocarde « l'irritation boudeuse à l'égard de l'ONU » et s'en prend vivement à plusieurs reprises au traité franco-allemand que le chancelier Adenauer et le général de Gaulle mettent sur pied. En janvier 1963, il lance : « Vous considérez que la réconciliation des peuples français et allemand est bonne et nécessaire en soi. Mais rien ne nous empêchera de vous demander s'il était urgent de souligner à ce point l'entente particulière des deux Etats. Rien ne nous empêchera de poser la question de l'opportunité de cet accord franco-allemand[1]. »

La politique africaine ? Le 10 juin 1964, il accuse : « On a voulu substituer à la communauté les accords de coopération mais [...] la politique d'aide aux pays en voie de développement, la politique de leadership du tiers monde n'est que le résultat d'une somme incroyable d'échecs sur tous les terrains de la politique extérieure. » En 1966, il écrit dans *Combat républicain* : « Le contenu profond de la politique étrangère gaulliste est essentiellement négatif... » Ou encore il lance à Georges Pompidou : « Votre politique est une sorte de poujadisme aux dimensions de l'univers. »

La politique intérieure ? Rien n'est bon, tout est à jeter. Le gouvernement veut-il, comme en juillet 1963 (après une série de grèves spectaculaires dans les transports parisiens), en réglementer le droit — c'est-à-dire instituer un préavis obligatoire de cinq jours ? Celui-là même qui, en 1947, approuvait chaudement la fermeté des gouvernants en de telles occasions dénonce cette fois « l'entreprise qui s'est d'abord attaquée au

1. En février 1958, le même François Mitterrand confiait à Jean-Noël de Lipkowski : « La réconciliation franco-allemande est très importante, l'Europe doit passer par l'axe Paris-Bonn. »

droit individuel reconnu depuis l'avènement de la démocratie [...] et s'attaque maintenant aux droits collectifs du droit syndical et au droit de grève. D'excès de pouvoir en manquements constitutionnels, d'actes arbitraires en dénis de justice, vous tentez de donner au pouvoir absolu la caution de la loi. »

La justice ? Les juridictions d'exception (Cour de sûreté de l'Etat) suscitent son courroux : « Cela contredit à mes yeux, dit-il, les principes de base de l'Etat républicain. »

L'Education nationale ? Il juge qu'elle ne profite qu'aux « classes privilégiées, celles de la petite et de la grande bourgeoisie française, parmi les " bêtes à concours " de nos grandes inspections et de nos conseils ».

L'administration ? Il condamne l'élargissement des pouvoirs des préfets de région (les premiers temps de la Ve République, il refusera même de se rendre à la préfecture de la Nièvre pour ne point avoir à saluer un représentant de ce régime honni). Ce qu'il juge être « la mainmise du pouvoir central et de l'administration sur les libertés locales ». Voilà qui constitue une cible familière.

La politique économique l'inspire moins. Il la blâme, bien sûr, et plaide pour une « planification démocratique, des plans régionaux mieux équilibrés », fustige les « hésitations de la décentralisation industrielle », réclame la « municipalisation des terrains à bâtir ». Mais toujours, il pose les questions les plus clairement économiques en termes institutionnels. Car là il est plus à l'aise. Là, il peut mieux critiquer.

Il truffe ses interventions de références au coup d'Etat du 2 décembre (1852) et utilise à satiété la comparaison entre le régime gaulliste et le despotisme de Napoléon III (le petit !).

Le gouvernement veut-il, le 20 mars 1964, modifier la loi électorale municipale (pour les villes de plus de trente mille habitants), introduisant le principe majoritaire de liste bloquée ? Voilà que François Mitterrand se fait presque le champion de cette proportionnelle qu'il fustigeait naguère avec tant de force.

Tant et si bien que Marius Durbet, maire modéré de Nevers, jugeant qu'il y a des limites à ne pas dépasser, interrompt l'orateur pour lui rappeler quelques souvenirs personnels : « Vous dites que la représentation proportionnelle avait beaucoup de vertus. Certes, elle est équitable. Mais je l'ai vécue avec vous comme conseiller municipal. Dois-je rappeler qu'à cause de ce système aucun de mes budgets primitifs, de mes budgets supplémentaires ni de mes comptes administratifs n'a été voté par la majorité de l'opposition dont vous faisiez partie et qui a tout fait pour que je ne puisse pas administrer ma cité ? »

Ainsi interrompu, François Mitterrand ne va pas baisser la garde, il redouble au contraire d'agressivité : « Ce projet électoral, lance-t-il, est dans le droit-fil des textes arbitraires qui ont récemment été imposés aux HLM, dans le droit-fil des abus révélés par la composition des communes et des structures régionales, dans le droit-fil du pouvoir napoléonien accordé aux préfets dont vous attendez qu'ils exécutent avant le premier tour partout où cela sera possible vos consignes... Il s'agit d'ajouter un ustensile de plus à la panoplie du pouvoir personnel. » Et de conclure : « Le gaullisme, il y a longtemps, était une mystique, vous en avez fait un peu plus tard une politique, maintenant vous en faites une cuisine. »

Dans le climat de l'époque, un planteur de banderilles aussi zélé s'expose évidemment à l'ire des gaullistes. Chaque fois que François Mitterrand prend la parole, monte à la tribune, ceux-ci se déchaînent et lui rappellent « la francisque et l'Observatoire ».

Par exemple, le 21 mai 1964. Deux d'entre eux, Gabriel Kaspéreit, député de Paris (IXe arrondissement), et son collègue Pierre Bas — prononcez Basse — (VIe arrondissement), se distinguent et l'apostrophent tour à tour. Ce qui va provoquer un gros incident. Pierre Bas lance, alors que François Mitterrand vient de vilipender le ministère de l'Intérieur : « M. Frey, lui, n'a pas sauté les grilles de l'Observatoire. » Le ton monte et François Mitterrand prend la mouche : « Nous nous connaissons depuis longtemps, M. Bas et moi-même, depuis le temps où, ministre de la France d'outre-mer, je fus obligé de le sanctionner. »

Tempête dans l'hémicycle. A la fin du débat, Pierre Bas, ancien fonctionnaire de la France d'outre-mer, demande la parole et met au défi François Mitterrand d'expliquer quand, où, comment et pourquoi il a commis une faute administrative et quelle sanction il a reçue. L'accusateur va se montrer bien vague dans ses réponses. Mais il propose la constitution d'un jury d'honneur. Las ! On ne parvient même pas à se mettre d'accord sur cette procédure.

Le lendemain, Pierre Bas, dont le courroux n'a pas diminué, croise François Mitterrand dans la bibliothèque de l'Assemblée nationale. Il se précipite sur le député de la Nièvre et lui administre sans même avoir fait les sommations d'usage... rien moins qu'une gifle.

Petit scandale au Palais-Bourbon. Petits échos dans la presse. Episode vite oublié sauf pour le député de Paris qui en fait presque aujourd'hui son premier acte de résistance contre le socialisme. Sauf pour le député de la Nièvre qui y voit là une preuve supplémentaire de la violence larvée de cette « dictature à masque bonasse ».

La pugnacité de François Mitterrand se prête à tous les échauffements. Peu à peu, elle va en faire l'orateur d'opposition le plus redouté, même si ses adversaires feignent de ne pas le craindre. Interrogé un jour à son sujet, le Premier ministre Georges Pompidou laisse alors tomber, excédé : « Toutes ses paroles n'ont aucune portée, Mitterrand est l'image même de ce que la France ne veut plus revoir, en un mot, il n'est plus qu'un fantôme [1]. »

Vue de Sirius, une opposition aussi systématique (on dirait presque mécanique), qu'elle soit le fait des hommes d'hier ou d'aujourd'hui, peut sembler bien stérile, bien agaçante et, pour tout dire, bien puérile. Encore faut-il tenter de se mettre à la place de qui l'on veut comprendre. Lorsqu'on entre en opposition, passés les premiers temps de frustration — la perte du pouvoir, du prestige et des commodités, l'humiliation de la défaite —, il devient bientôt assez doux de représenter un contre-pouvoir, une forme nouvelle d'influence. On se sent sûrement moins puissant, mais dans une situation ô combien plus confortable. Eloigné du tracas quotidien, du gouvernement, de la complexité des arbitrages, des pesanteurs contradictoires, des ingratitudes de la gestion, deux attitudes sont possibles : ou bien l'on se convainc de son inutilité et l'on baisse les bras : c'est la résignation sereine. Ou bien, à dire toujours non, on finit par se prendre pour Jeanne d'Arc, pour un sauveur de la France... François Mitterrand, lui, « doit son salut personnel et politique à l'insolence de son refus [2] ».

Dire toujours non, n'est-ce point se situer du côté du juste, puisque l'on refuse toute compromission, puisque l'on substitue le souhaitable au possible et l'idéal au réel, puisque l'on peut rêver, au nom de la morale, du bon droit, de la justice

1. Georges Suffert, *De Defferre à Mitterrand*, Paris, Le Seuil.
2. Jean-Marie Borzeix, *Mitterrand lui-même*, *op. cit.*

envers les faibles et les opprimés, à toutes les utopies auxquelles l'homme qui est aux affaires n'a pas le loisir de songer ?

En François Mitterrand, le catholique moralisateur peut se laisser aller à son penchant favori ; le lyrique qui a le goût des mots se laisser emporter par sa verve ; le littéraire se repaître de formules ; le politique théoriser à loisir.

Comme pour fixer son personnage et se justifier, le député de la Nièvre prend sa plume. En publiant dans l'année 1964 *le Coup d'Etat permanent*, il confirme sa place, la première, parmi les adversaires les plus résolus du régime. Le livre est un pamphlet bien tourné et de la meilleure encre.

Un pamphlet : car il ne s'agit pas d'être juste ni lucide, mais de blesser, de se venger (notamment de Michel Debré). Il s'agit aussi de rappeler que l'on a du talent et que l'on est disponible pour tous les combats contre le gaullisme.

Tout le monde, dans ces pages, « reçoit son paquet » : le gaullisme bien sûr, mais aussi les institutions, et les notables, et les bourgeois, décidément devenus des ennemis.

« J'appelle le régime gaulliste dictature parce que, tout compte fait, c'est à cela qu'il ressemble et parce que c'est vers un renforcement continu du pouvoir qu'inéluctablement il tend parce qu'il ne dépend plus de lui de changer de cap. Je veux bien que cette dictature s'instaure en dépit de De Gaulle. Je veux bien par complaisance appeler ce dictateur d'un nom plus aimable : podestat. Roi sans couronne, alors elle m'apparaît plus redoutable encore. »

Mais c'est peut-être à propos du Conseil constitutionnel que François Mitterrand se laisse emporter par ses mouvements les plus polémiques : « Cour suprême du musée Grévin, chapeau dérisoire d'une dérisoire démocratie, il n'est défendu par personne. Créé pour répondre à la nécessité de faire respecter par le législateur les limites de sa sphère d'attribution [...] il n'a jamais eu d'autre utilité que de servir de garçon de courses au général de Gaulle chaque fois que ce dernier a cru bon de l'employer à cet usage. » Et de citer en renfort de sa thèse cette phrase du sénateur Pierre Marcilhacy qui, le 22 février 1960, avait écrit dans *le Figaro* : « Il me semble que son rôle [du Conseil constitutionnel] est de faire souffrir le droit pour servir le pouvoir[1]. »

1. La petite histoire retiendra que, devenu président de la République, François Mitterrand fera nommer le susdit Pierre Marcilhacy parmi les neuf sages du Conseil constitutionnel. Et que celui-ci ne refusera point.

Et François Mitterrand de conclure ce livre de combat si bien tourné : « Le pouvoir d'un seul, même consacré pour un temps par le consentement général, insulte le peuple des citoyens... L'abus ne réside pas dans l'usage qu'il fait de son pouvoir, mais dans la nature même de ce pouvoir. [...] Il n'y a d'opposition qu'inconditionnelle dès lors qu'il s'agit de substituer un système de gouvernement à un autre. Retoucher, aménager, corriger le pouvoir absolu, c'est déjà composer avec lui. C'est mimer l'opposition de sa majesté qui autant que la majorité participe au régime et le soutient. »

Les lecteurs de François Mitterrand étaient prévenus. S'il parvenait un jour au pouvoir, ce serait pour détruire ses institutions et bâtir un autre régime. Du moins, c'est ce qu'il disait.

LA PREMIERE CANDIDATURE

Personne n'aurait envié la situation du sénateur de la Nièvre au lendemain de l'affaire de l'Observatoire. Certes, il a gardé une poignée d'amis fidèles et son implantation locale. Mais pour le reste... L'UDSR est en miettes, sa réputation personnelle fort altérée et les perspectives d'avenir bouchées. Le gaullisme, son adversaire absolu, triomphe toujours. Et l'opposition non communiste lui fait grise mine.

Ses efforts pour s'intégrer dans ses regroupements (comme l'UFD), patiemment entamés dès l'arrivée du Général au pouvoir, sont brusquement freinés. Les partis qui se créent de ce côté le préfèrent dehors que dedans. Charles Hernu, un nouvel ami, ex-député du Front républicain balayé par la vague de 1958 et animateur du très mendésiste Club des Jacobins, va tester pour lui les intentions des dirigeants du tout nouveau PSU [1], qui rassemble des personnalités de la « petite gauche » (Gilles Martinet, Jean Poperen, Edouard Depreux, Pierre Bérégovoy, Pierre Mendès France, Michel Rocard) : si François Mitterrand sollicitait son adhésion, quel serait l'ac-

1. Né en 1960 de la fusion de l'UGS de Gilles Martinet avec le Parti socialiste autonome, créé l'année précédente par des dissidents de la SFIO comme Edouard Depreux.

cueil ? La réponse est rien moins qu'encourageante. C'est non ! Pas un seul oui ! Le PSU ne souhaite pas le renfort de François Mitterrand. Le plus véhément est Alain Savary.

Comment exister dès lors ? Et comment peser ? Comment sortir de l'isolement ? Avec une patience et une obstination d'alpiniste, François Mitterrand va entamer une de ces remontées dont il a le secret. Aidé de Charles Hernu qui lui sert d'introducteur, il démarchera le moindre club, la moindre association : tout ce qui porte, fièrement ou frileusement, les couleurs de la gauche non communiste mais qui se situe hors des appareils traditionnels (SFIO et Parti radical) sera pour lui terrain de chasse.

Par bonheur, la période s'y prête. 1958 a cassé bien des appareils traditionnels. On voit éclore, à Paris mais aussi en province, des dizaines de cercles, de sociétés de pensée, de clubs fréquentés par des hauts fonctionnaires, des syndicalistes, des universitaires, des jeunes patrons qui ne se trouvent à l'aise nulle part, jugent archaïques les idéologies et les structures des partis, se méfient encore des gaullistes (la fin de la guerre d'Algérie va en rapprocher bon nombre) et s'agitent de concert pour renouveler le centre et la gauche.

Tous ces groupes occupent beaucoup François Mitterrand. Comme le furet, il y passe et repasse chaque week-end, histoire de trouver un auditoire en marge des forces institutionnelles. Toujours entreprenant, il fonde avec des personnalités indépendantes mais proches du radicalisme, du socialisme (et du Grand Orient ?) la Ligue pour le combat républicain, où se retrouvent le journaliste Joseph Barsalou, éditorialiste de la puissante *Dépêche du Midi,* le fidèle Louis Mermaz et Ludovic Tron, un inspecteur des finances à sensibilité de gauche et qui ne manque pas de moyens. En mai 1963 — l'union fait la force —, la Ligue s'associe avec le Club des Jacobins de Charles Hernu. Ainsi naît une nouvelle association, le Centre d'action institutionnelle, le CAI, qui se propose de « faire triompher l'idéal démocratique en France ». (Un programme vague, on le voit [1].)

François Mitterrand en devient — comme par hasard — le-

1. Bientôt le CAI s'associera à différents clubs (Jean-Moulin, le Cercle Tocqueville de Lyon, etc.). Ce mouvement aboutira à la naissance de la Convention des institutions républicaines qui sera en fait le parti des amis de François Mitterrand.

président. Le bureau du CAI comprend Charles Hernu, Georges Beauchamp, Louis Mermaz et le bâtonnier Thorp. Le paysage ne change guère. On prend les mêmes et on continue. Histoire de se faire connaître et d'occuper la scène, ce petit aréopage organise le 15 septembre 1963, à Saint-Honoré-les-Bains, dans la circonscription de François Mitterrand, un « déjeuner des mille » auquel participent huit cents élus locaux. Il s'agit de renouer avec l'antique et grande tradition des banquets républicains. Charles Hernu rappelle les objectifs de la réunion : confédérer la gauche démocrate et socialiste car, explique-t-il, « seul un organisme où se retrouvent des hommes des anciens partis et ceux des clubs serait susceptible de sortir la gauche de l'ornière où elle est enlisée depuis 1958 ».

Un objectif peut en cacher un autre : l'autre grand dessein, plus lointain, consiste évidemment à désigner un candidat unique pour l'élection présidentielle. François Mitterrand pressent l'importance de cette innovation constitutionnelle à laquelle il s'est opposé. Ce prochain rendez-vous est pour 1965. Il est urgent de rassembler la troupe. Il s'exclame alors : « Pourquoi ne pas nous rapprocher le plus tôt possible ? Demain, rien ne sera comme hier si nous le décidons. »

Désormais, le président du CAI peut légitimement avancer qu'il n'est plus seul ni marginal. Il ne se prive d'ailleurs pas de le dire et de le répéter. Pas un discours, pas une intervention qui ne commence par ces mots : « Mes amis et moi pensons que », « Mes amis et moi considérons que », etc. Quand on s'est senti abandonné et même rejeté, comme il est doux de parler au pluriel ! Du moins pour un temps : lorsque François Mitterrand aura pris le contrôle du PS — et encore plus lorsqu'il sera à l'Elysée —, il passera au Je souverain dont il usera d'abondance, abusera presque !

Bien entendu, on se garde bien, au « déjeuner des mille » qui sont huit cents, d'évoquer une candidature à la future élection présidentielle. François Mitterrand, pourtant, a sa petite idée en tête : « Depuis 1962, c'est-à-dire depuis qu'il a été décidé que l'élection du président de la République aurait lieu au suffrage universel, j'ai su que je serais candidat. Quand ? Comment ? Je ne pouvais le prévoir, j'étais seul. Je ne disposais de l'appui ni d'un parti, ni d'une Eglise, ni d'une contre-Eglise, ni d'un journal, ni d'un courant d'opinion. Je n'avais pas d'argent et je n'avais pas à en attendre des sources de distribution aussi classiques que discrètes que tout le monde connaît... Autant de raisons pour ne pas être candidat. A moins que ce ne fussent autant de raisons pour l'être[1]. »

Cet adversaire farouche de l'élection du président de la République au suffrage universel direct ne pense donc plus sa stratégie qu'en fonction de sa candidature. Avec son habituelle opiniâtreté, sa rare capacité à concevoir des plans subtils, complexes et secrets, il s'est attelé à la tâche dès le début de 1963.

On peut le comprendre : ayant décrété où est le mal : dans le gaullisme, il lui est aisé de trouver le bien dans la gauche non communiste. Pour un homme pétri comme lui de nostalgies et de sentiments chrétiens, quoi de plus naturel que de vouloir en être le bon pasteur ? Encore faut-il se faire admettre dans la communauté de gauche.

S'il lui était relativement facile de s'imposer parmi les « clubistes », ces amateurs un peu brouillons qui ne sont ni des obsédés de la hiérarchie ni des forçats de la candidature, l'entrée officielle au sein de la gauche non communiste sera plus rude. Là, des appareils opposent aux nouveaux venus leurs deux forces principales : l'inertie et le copinage. Là, on demande des comptes du passé, là, on exige des brevets. Là, on guigne les places.

Par chance, dans ces premières années soixante, la situation n'est pas bloquée. La SFIO est en piteux état (elle vient d'obtenir aux élections législatives de 1962 son plus mauvais score — 11 % — depuis près d'un demi-siècle) ; son chef titulaire, Guy Mollet, est depuis la guerre d'Algérie l'homme de gauche le plus contesté. Les radicaux se survivent depuis la guerre. Les arrivistes regardent vers le gaullisme.

Puisque toute issue n'est pas fermée dans la gauche non communiste, François Mitterrand va utiliser son habituelle tactique d'investissement par les marges. A cette époque, justement, Georges Brutelle, secrétaire général adjoint de la SFIO, multiplie les tentatives de rénovation. Il organise des colloques, des journées d'études où revient cette question obsessionnelle : comment rendre vie à la gauche et la renouveler ? « J'avais le feu vert de Guy Mollet, explique-t-il, mais à une condition : ne pas inviter des personnalités qui pourraient lui porter ombrage. » Il s'abstient donc de convier François Mitterrand. Mais celui-ci, une fois de plus, envoie un de ses

1. *In Ma part de vérité*, *op. cit.*

amis en éclaireur : au PSU c'était Charles Hernu, cette fois c'est le très fidèle Beauchamp. Lequel suggère d'inviter l'ancien ministre. « Je me suis interrogé, raconte Georges Brutelle, je craignais les réactions de Guy Mollet... et puis je me suis décidé. Au début il était très discret. Mais très assidu, toujours présent. »

François Mitterrand doit se contenter des maigres temps de parole qui lui sont dévolus. Il n'est pas à la mode ; il est un nouveau venu, il doit faire ses classes. Patient, imperturbable, il s'incline. Et comme il est bien meilleur orateur que la plupart des autres, il emporte souvent l'adhésion. Peu importe si on lui mesure chichement la longueur de ses interventions ; en quelques minutes tout peut être dit — et surtout son appartenance à la gauche à vocation socialiste.

Devant des aréopages où se mêlent (à titre personnel) des hommes de la SFIO, du Parti radical, du PSU, de l'UDSR, des clubs, des syndicats ouvriers, de l'UNEF, des Jeunes Agriculteurs, il répète inlassablement : « Je dis tout de suite à nos amis socialistes organisés : il n'y a pas de divergence entre nous... Lorsqu'il s'agit de choisir ses amis, ses ennemis, son combat, l'avenir que l'on imagine pour son pays, je le crois vraiment, le choix socialiste est la seule réponse à l'expérience gaulliste. Telle est ma position de principe et je n'accepte pas d'avoir à passer tous les six mois mon certificat d'études dans ce domaine. »

Voilà qui est clair. Celui qui chantait enfant : « Je suis chrétien, voilà ma gloire », entonne désormais avec la même ferveur : « Je suis socialiste, voilà ma vocation. » Mais s'il chante si fort, c'est qu'on lui impose un long catéchuménat. Beaucoup le voient venir avec un petit sourire. Il sent les réticences, connaît les méfiances. Néophyte du socialisme, il doit encore faire ses preuves.

Il y parviendra. Les préjugés finissent par céder. Ils sont chaque jour plus nombreux ceux qui veulent bien admettre qu'un opposant si résolu, qu'un adversaire si farouche du gaullisme, qu'un membre du groupe du Rassemblement démocratique de l'Assemblée[1], qu'un ancien ministre du Front républicain qui est resté fidèle jusqu'au bout à Guy Mollet est, sinon un frère ou un parent, en tout cas un allié convenable.

D'autant que, soulevé par la foi des convertis de fraîche date,

1. Présidé par Maurice Faure.

il avance désormais à pas redoublés. Ne va-t-il pas jusqu'à écrire le 10 décembre 1963 dans *le Courrier de la Nièvre* : « Mon attitude à l'égard du PC est simple : tout ce qui contribue à la lutte et à la victoire contre un régime qui tend à la dictature d'un homme et à l'établissement d'un parti unique [1] est bon. Quatre à cinq millions d'électeurs qui sont du peuple, qui sont des travailleurs, votent communiste. Négliger leur concours et leurs suffrages serait coupable ou tout simplement stupide. »

Voilà donc que François Mitterrand s'en prend bel et bien au plus grand tabou de la gauche non communiste qui refuse régulièrement à cette époque l'alliance électorale avec le PC. Autrement dit, il commence à tourner la SFIO sur sa gauche.

Malheureusement, il n'est pas seul à songer à l'élection présidentielle. Pendant qu'il s'impose cette préparation accélérée pour entrer en socialisme par le tour extérieur, avec l'idée de rattraper bien vite et même de dépasser tous ceux qui y progressent à l'ancienneté, d'autres, plus anciens justement, prennent le départ.

Le 18 décembre 1963, Gaston Defferre, maire de Marseille et éternel rival de Guy Mollet au sein de la SFIO, déclare son intention d'être candidat. Il y est poussé par de petits groupes rassemblés notamment au sein du Club Jean-Moulin, et des journalistes brillants de *l'Express*. Ils ont, comme on dit, une sensibilité de gauche et ils ont compris avant les autres que l'élection présidentielle serait désormais l'événement déterminant de la vie politique française. Ces modernistes ont même fait effectuer un sondage pour définir le type de chef d'Etat que les Français aimeraient voir succéder un jour au général de Gaulle. Ainsi ont-ils appris que les Hexagonaux rêvent de calme, de sécurité de l'emploi, de décrispation politique, qu'ils adhèrent sans états d'âme aux institutions de la Ve République (contrairement à une bonne partie de la classe politique qui les hait), mais qu'ils souhaitent un président plus proche et plus humain, moins héroïque en somme. *L'Express* a publié ces résultats qui ont fait grand bruit. Reste à dénicher le candidat adéquat et idoine.

Pour tenter d'approcher les 50 %, ce personnage de rêve devrait rassembler les voix de toute la gauche (communistes

1. Contrairement à ce qu'un vain peuple pourrait croire, le régime de parti unique qui est ici visé n'est pas celui des régimes communistes, mais celui dont rêverait le général de Gaulle...

compris), mais aussi celles des centristes. Vaste programme, bourré de contradictions ! Il ne saurait être question de négocier avec le PC, mais on ne peut non plus se passer de ses électeurs. Il est nécessaire d'intéresser le MRP ou ce qu'il en reste, tout en demeurant fermement à gauche. Il faut donc un homme neuf, un socialiste moderne, ouvert, un homme de dialogue qui ne s'emporte pas. Un nom s'impose — mais oui —, Gaston Defferre, dont l'image est alors à peu près le contraire de ce qu'elle est devenue aujourd'hui. Il va porter, un temps, les aspirations de tout ce que la gauche et le centre gauche comptent d'hommes jeunes qui veulent voir leur pays épouser son temps.

François Mitterrand n'a pas le choix. Puisqu'il se veut de gauche et qu'il tient à participer à ce courant moderniste, il lui faut applaudir. Ce qu'il fait sans perdre une journée. Il écrit dans *le Monde* : « On demandait un capitaine pour l'équipe de France qui combattra le pouvoir personnel. J'approuve la décision de Gaston Defferre, je lui dis que nous[1] serons nombreux à serrer les coudes autour de lui. Je pense que la candidature de M. Defferre est heureuse pour l'opposition. »

Heureuse pour l'opposition ? Peut-être, mais pas pour lui en tout cas. Il vient d'être doublé. Reste à faire comme si et à se transformer en équipier fidèle. En attendant mieux.

Il participe aux réunions d'Horizon 80, l'association qui soutient la candidature du maire de Marseille. Il n'y manifeste d'ailleurs pas un zèle extrême : « Il arrivait très tard aux réunions », dit Claude Estier (ce qui ne surprend personne). Il participe aussi à quelques meetings, où il ne se présente pas comme un partisan enflammé de l'opération. Quand même, Olivier Chevrillon, actuel P-DG du *Point,* alors grand supporter du maire de Marseille (il s'était fait mettre en disponibilité du Conseil d'Etat pour organiser sa campagne), témoigne aujourd'hui de la « parfaite correction » du député de la Nièvre.

Il arrive que ses réserves soient avouées. Ainsi lâche-t-il le 7 juin 1964 devant la Convention des institutions républicaines (la candidature de Gaston Defferre est alors à son zénith) : « Defferre existe, il est socialiste. Il est l'élu de son propre parti et il est candidat. Notre devoir est de savoir de quelle manière on peut l'aider. C'est sans la moindre hésitation — *bien que je*

1. Il ne s'agit pas ici du pluriel de majesté. Cet homme encore isolé veut simplement faire masse !

porte en moi beaucoup de critiques[1] — que j'estime nécessaire de soutenir Defferre. »

Rêve-t-il de voir d'autres partenaires éventuels du maire de Marseille faire capoter sa tentative (et lui dégager la voie du même coup) ? C'est probable.

La candidature de Gaston Defferre heurte trop d'habitudes, dérange trop d'appareils, suscite trop de vieilles hostilités. Et puis, le maire de Marseille n'est pas l'habileté même. Ce n'est pas seulement pour faire échec au général de Gaulle qu'il se lance dans la course, il veut aussi, et il le dit, et ses partisans le répètent, bouleverser la donne politique. Son objectif est la naissance d'une « grande fédération qui rassemblerait toute la gauche non communiste et les démocrates-chrétiens ». Vaste programme une fois de plus, qui rallume instantanément la querelle poussiéreuse de la laïcité. Gaston Defferre, dès le départ, a contre lui son vieil ennemi Guy Mollet — « mon meilleur agent électoral », jettera, narquois, le général de Gaulle. Les caciques du MRP, poussés par leurs militants, collaborent mais se défient. Ils veulent bien changer, mais non point se renier. On tourne en rond. Les syndicats, intéressés au départ, s'effraient de la dimension partisane de la candidature. Et puis, comment résoudre l'insoluble problème communiste ? L'équation est toujours la même : on veut les électeurs du PC, mais on doit feindre d'ignorer ses dirigeants. L'anticommunisme de Gaston Defferre est si franc et massif qu'il ne songe pas un instant à négocier avec eux. Lors des municipales de 1965, il doit d'ailleurs faire front à Marseille contre une double offensive : gaulliste sur l'aile droite ; communiste sur l'aile gauche. Il triomphe et exclut sans faiblesse les quelques socialistes locaux qui avaient pactisé avec le PC[2]. Et, au début de 1965, il s'engage fermement à ignorer le Parti, sinon ses électeurs : « Si je suis désigné le 3 février par le congrès national extraordinaire du Parti socialiste, je n'engagerai pas

1. Souligné par l'auteur.

2. Aujourd'hui, il est vrai, Gaston Defferre fait liste commune avec le PC. Au PS, les mauvaises langues murmurent que son troisième mariage avec Edmonde Charles-Roux n'a pas été pour rien dans son évolution. La romancière est, on le sait, acquise avec ferveur à l'idée de l'alliance avec le PC, elle en signe volontiers les appels, honore régulièrement ses réceptions de sa présence, défile, bras dessus, bras dessous, avec Henri Krasucki, vêtue d'admirables tailleurs Chanel — « sa deuxième façon d'être coco », assure un impertinent secrétaire national du PS.

de pourparlers avec le PC. Je ne négocierai pas avec lui. Je n'accepterai pas de programme commun. »

Le 18 juin 1965 (anniversaire doublement heureux pour les gaullistes), Gaston Defferre échoue : le mariage des socialistes et des centristes ne s'est pas fait et la grande fédération capote. Le PC pavoise, les appareils respirent. Pour François Mitterrand, la voie est libre. Il a acquis un brevet (élémentaire sinon supérieur) d'homme de gauche. Il s'est montré loyal. Il peut maintenant jouer son jeu.

Comment ? Par les amis, toujours les amis. Ceux-ci commencent à propager dans le Landerneau politique la rumeur de sa candidature. Tous sont à l'action : Charles Hernu, Claude Estier, Roland Dumas, Georges Dayan... L'un prend en charge les centristes, un autre les socialistes, un autre encore les communistes. La répartition des tâches s'est faite au gré des affinités et des relations. Côté socialiste, c'est Charles Hernu qui joue les éclaireurs de pointe. Il fait part de ce projet de candidature à Georges Brutelle, qui ne se montre pas hostile. Un dîner réunit les deux hommes avec François Mitterrand dans un bistrot du quartier Latin. Brutelle promet d'en parler à Guy Mollet, dont l'échec de Defferre a renforcé l'emprise sur la SFIO. Et, avant de partir en vacances pour Hossegor, François Mitterrand rencontre le leader socialiste, histoire de l'apprivoiser à l'idée.

A Hossegor, où il reçoit aimablement plusieurs jounalistes, François Mitterrand se garde bien de leur confier ses projets. Il sait que Maurice Faure, président du Parti radical, est prêt à prendre le départ et que Guy Mollet verrait aussi cette candidature d'un bon œil, bien décidé qu'il est à éviter une autre candidature SFIO et une nouvelle affaire Defferre. Au PC, Waldeck Rochet, « le seul eurocommuniste qu'il y ait jamais eu au PC », qui entend donner une perspective française à son parti, ne souhaite pas présenter de candidat ; il est favorable à une candidature d'union de la gauche. L'avocat Antoine Borker, lui-même membre du PC et ami personnel de Charles Hernu, qui a participé aux réunions animées par le bâtonnier René William Thorp[1], en informe l'entourage de François Mitterrand. Il assure que le Comité central du PC se rallierait à une candidature Mitterrand, à condition qu'une rencontre ait

1. Des « colloques juridiques » qui rassemblaient des opposants au gaullisme au début des années soixante.

lieu : le PC souhaite sortir de son ghetto et nouer le dialogue avec la gauche non communiste.

Le député de la Nièvre devine l'occasion propice. Il apprécie et médite. Il sait bien que s'il prend le départ, il aura grand besoin des voix des électeurs communistes. Mais il ne veut pas d'une rencontre en bonne et due forme : l'opinion n'y est pas prête et toutes les formations de la gauche démocratique en écartent formellement l'hypothèse. Le président du conseil général de la Nièvre (il l'est depuis cette année) veut bien tenir compte dans sa campagne de la sensibilité et des orientations du PC, mais non point débattre avec lui idéologie ou programme.

Encore faut-il, avant de se lancer, être sûr que Maurice Faure ne sera pas candidat, que Gaston Defferre ne bondira pas, que Pierre Mendès France déclarera publiquement son appui, que Guy Mollet dira oui... et que le PC ne dira pas non, c'est-à-dire finira par se rallier. Un buisson d'obstacles qui en découragerait plus d'un. Pas lui. D'autant qu'un petit incident de parcours, une attaque, va, comme il lui arrive souvent, raffermir sa résolution.

Homme de gauche incontesté, l'avocat Pierre Stibbe ne nourrissait sûrement pas de bonnes intentions envers François Mitterrand lorsqu'il écrivit dans *le Monde* que, face au général de Gaulle, la gauche devait être représentée par une « personnalité moralement irréprochable ». Dans la classe politique, chacun comprend aussitôt que François Mitterrand est visé et d'avance récusé.

Quand on connaît la psychologie du futur président, on imagine sans peine ce qui s'est produit. Piqué au vif, se sentant agressé, François Mitterrand se cuirasse et s'encourage. Sa décision est prise, il sera candidat. Il l'a avoué plus tard : « L'article de Pierre Stibbe a été pour 30 % dans ma décision de foncer. Je pouvais tout accepter sauf une contestation morale. Cet article aurait enlevé à lui seul mes dernières hésitations si j'en avais eues. On répétait ici et là que j'étais " vulnérable ". Mon honneur et ma volonté n'étant à la disposition de personne, je maintins le rythme rapide de ma démarche[1]. »

Encore faut-il s'imposer aux autres et les prendre de vitesse. Or, voilà déjà le PSU qui propose la candidature de Daniel Mayer, homme de gauche breveté, à l'honorabilité consacrée

1. *In Ma part de vérité, op. cit*

sinon au charisme évident. Et pourquoi pas Mendès ? La petite gauche moderniste en eût volontiers fait son héros. Et lui, au moins, bénéficie-t-il d'un prestige intact et d'une autorité trempée. Encore faudrait-il que l'intéressé se laissât fléchir. Heureux comme toujours d'être sollicité, P. M. F. a toujours semblé éprouver quelque jouissance mélancolique à dire non (d'aucuns y décelaient une pointe de masochisme, ses amis préféraient y voir un exemple édifiant de rare cohérence). Adversaire déterminé de la primauté du président de la République et de son élection au suffrage universel direct, l'ancien président du Conseil ne veut pas se compromettre en mettant le doigt dans une mécanique qu'il blâme. Et puis, il faut bien le dire et même le souligner, personne n'est très optimiste sur l'issue du combat. « Mendès France, explique Gilles Martinet, était encore sous le coup des 80 % de oui au référendum constitutionnel de 1958. Il pensait que, contre de Gaulle, un candidat de la gauche ne ferait pas plus de 20 % des voix — peut-être 25 % en comptant large avec les communistes. Et 25 %, à ses yeux, c'était déchoir. Il ne pouvait l'envisager. »

Quand François Mitterrand annonce sa candidature, les premiers sondages lui prêtent 11 %, puis 16 % des suffrages. Jean-Jacques Servan-Schreiber, inspiré comme à l'ordinaire, écrira le 25 octobre que François Mitterrand, « investi par des appareils vétustes et hostiles », ne peut espérer que 20 ou 25 % — le total le plus faible, tranche-t-il, que la gauche, « communistes compris », aura jamais compté « depuis le Second Empire ».

Autant dire que personne ne prédit au député de la Nièvre des couronnes de roses. Personne ne comprend, ou ne veut reconnaître, que 25 % — 20 % même — sont pour lui un objectif séduisant, un brevet de réhabilitation. Et si jamais il dépassait ce quart des suffrages — serait-ce d'un point —, il deviendrait aussitôt un homme considérable dans cette gauche en pleine déprime.

Le 8 septembre 1965, il prend donc le départ, sans confondre vitesse et précipitation, mais sans tarder. Il commence par téléphoner à Gaston Defferre — coup de chapeau — pour lui demander son soutien. Le maire de Marseille, bien obligé de renvoyer l'ascenseur et pas mécontent d'interdire ainsi à un rival de la SFIO de jouer la carte qui lui a échappé, donne son accord de principe, à une condition : pas de négociation avec le PC. Le même jour, il reçoit à son domicile, rue Guynemer,

Mendès qui l'encourage en privé, mais préfère attendre que le Général se déclare avant d'applaudir en public. A 21 heures, François Mitterrand est chez Daniel Mayer pour lui demander : « Que ferez-vous si je suis candidat ? » L'autre répond qu'il est prêt à s'effacer. Pourtant il a reçu lui aussi les encouragements discrets et privés de Mendès, ce que Mitterrand n'apprécie pas. Mais une bonne nouvelle viendra le soir même : rentrant chez lui à 23 heures pour y retrouver ses mameluks — Dayan, Hernu, Dumas, Beauchamp, Estier, Legatte —, il apprend que le PC le préférerait à Daniel Mayer. Voilà qui éclaircit l'horizon.

Le lendemain matin à 9 h 30, il bondit chez Maurice Faure, à qui il parle entre autres du soutien communiste. Le député du Lot, très effarouché, le met en garde « contre le risque d'être accusé de ressusciter le Front populaire ». Mais il lui donne aussi — avant de s'envoler pour la Grèce — une assurance formelle : il ne se présentera pas contre lui si la SFIO le soutient.

Reste justement à convaincre Guy Mollet, qui le reçoit dans son bureau de la cité Malesherbes, sa citadelle plutôt, où trônent les portraits de sa mère et de Léon Blum. Autant parler net et François Mitterrand parle tout cru : « J'ai déjà l'accord de Waldeck Rochet », annonce-t-il fièrement. Guy Mollet, qui ne veut pas entendre parler d'une candidature socialiste et surtout pas de celle de son vieil ennemi Daniel Mayer [1], est prêt à donner son accord. Mais à une condition [2] : François Mitterrand doit jurer sur l'honneur que rien ne peut lui être reproché dans l'affaire de l'Observatoire. Croix de bois, croix de fer, c'est promis et juré sur-le-champ. Et Mitterrand d'enchaîner :

— Alors, je suis candidat.

Et Mollet d'interroger :

— Quand vous déclarerez-vous ?

— Dans deux heures.

— C'est ce qui s'appelle ne pas perdre de temps. Réfléchissez encore, reprend le socialiste, un peu dépassé par les événements.

Le texte de la déclaration de candidature est déjà rédigé.

1. Ayant pourtant ravi à Daniel Mayer, après la Libération, le poste de secrétaire général du parti, Guy Mollet ne le lui pardonnera jamais. Ainsi sont les hommes politiques...

2. Témoignage d'Ernest Cazelles.

François Mitterrand le communique par téléphone à l'Agence France Presse : « Il s'agit essentiellement pour moi d'opposer à l'arbitraire du pouvoir personnel, au nationalisme chauvin et au conservatisme social, le respect scrupuleux de la loi et des libertés. La volonté de saisir toutes les chances de l'Europe et le dynamisme de l'expansion ordonnée par la mise en œuvre d'un plan démocratique. »

Une fois de plus, François Mitterrand a forcé le destin. Seul. Tout comme il s'était lui-même chargé de mission pour aller rencontrer le général de Gaulle à Alger, ainsi s'auto-investit-il candidat de la gauche.

Les circonstances, il est vrai, souriaient aux audacieux. Personne ne s'imposait. Chacun, parmi les ténors officiels de la gauche, songeait surtout à empêcher ses rivaux d'émerger. François Mitterrand, lui, ne représentait à peu près que lui-même. « C'est la médiocrité du personnel de la gauche qui a permis à Mitterrand d'être candidat », remarque prosaïquement Ernest Cazelles.

Restait à rallier définitivement le PC. C'est-à-dire à obtenir son appui sans avoir à le quémander. Il fallait donc éviter toute rencontre symbolique qui aurait heurté à la fois les électeurs et les dirigeants de la gauche non communiste.

Le PC convoque un Comité central pour déterminer son attitude. Aussitôt, François Mitterrand se sauve littéralement à Bruxelles où rien ne l'appelle et fait porter par Roland Dumas une lettre à Waldeck Rochet. Le lendemain, dans son rapport, le secrétaire général du PC déclare : « Nous, communistes, avons toujours été pour l'union de la gauche. » Ouf ! Voilà donc François Mitterrand intronisé. Il n'existe pas de précédent. La décision n'a pas été acquise sans discussions houleuses au sein du PC, qui tenait par-dessus tout à sortir de sa solitude. « Mitterrand a eu le mérite de faire tomber l'obstacle de l'anti-communisme », applaudira Jacques Duclos.

Est-ce à dire que la gauche, pour une fois officiellement rassemblée (sinon réunie), entonne un hosanna sans fausses notes ? Certes non ! A la SFIO, on n'en finit pas de grincer et de grimacer. Au Comité directeur où il s'agit de ratifier la décision de soutien, aucune unanimité ne se dégage. Guy Mollet est bien obligé de confirmer son appui, mais avec un enthousiasme tout à fait mitigé. Dans une interview à *Paris-Presse* quelques jours plus tard, il expliquera bizarrement : « Nous ne lâcherons pas Mitterrand maintenant que nous avons décidé de le soutenir.

Ce qui est exact, c'est que je souhaite la candidature de M. Pinay car c'est lui qui ferait le plus de voix dans la famille des démocrates libéraux. »

La mystique de l'Union de la gauche n'a décidément pas encore saisi la cité Malesherbes.

Le Parti radical ? « Plusieurs semaines après les socialistes et les communistes, le Parti radical vint à la rescousse. Il le fit à sa manière inimitable, en invitant du même coup à voter pour Jean Lecanuet », raconte Mitterrand lui-même dans *Ma part de vérité*.

Le PSU ? A peine François Mitterrand a-t-il rendu publiques ses sept options — parmi lesquelles on relève l'intention d'en finir avec le régime du pouvoir personnel et la force de frappe « inefficace, ruineuse et dangereuse [1] », la volonté aussi de réserver les fonds publics à l'école publique — que son bon camarade Edouard Depreux, secrétaire national du PSU, écrit dans *Tribune socialiste* : « Faibles et habiles ou, si l'on veut, faiblement habiles, ses sept options se placent exclusivement sous le signe de la banalité, de l'indigence. Le résultat d'une aussi médiocre opération est facile à prévoir : cinq à six millions et demi de suffrages sur les vingt-deux ou vingt-quatre millions de votants ; c'est vers cette défaite que l'on s'achemine. » On ne saurait être plus enthousiaste et mobilisateur.

Au PSU, d'ailleurs, c'est à qui sera le plus chaleureux. Le secrétaire général à l'organisation, Marc Heurgon, s'écrie devant ses amis : « La droite ne présente pas Pesquet, pourquoi présenterions-nous Mitterrand ? » Le parti appelle tout de même à voter en sa faveur, mais à une condition stupéfiante : « Ne pas participer à la campagne. » Or, cette idée de soutien sans participation (votée par 300 voix sur 544 — 67 ayant voté contre, dont Pierre Bérégovoy et Jean Poperen qui auraient préféré un véritable engagement) revient à un jeune inconnu qui intervient sous le nom de Georges Servet. Les initiés savent que derrière ce pseudonyme se cache un haut fonctionnaire du nom de Michel Rocard ! « Cela a été le début de son ascension dans le parti », constate Gilles Martinet.

L' « intelligentsia de gauche » n'est pas plus enthousiaste. Le 4 octobre, deux de ses éditorialistes les plus renommés tentent de relancer l'idée d'une candidature Mendès France. Dans *le*

1. François Mitterrand, même rallié ultérieurement à la force de frappe, ne votera pas un seul budget militaire en vingt-trois ans.

Monde, le professeur Maurice Duverger écrit : « Il s'agirait de choisir un candidat dont la personnalité inspire confiance. »

Dans *France Observateur,* Jean Daniel se pose la question : « Pourquoi ne pas rechercher dès maintenant l'unité de l'opposition ? Pourquoi pas P.M.F. ? Tous ceux qui l'ont vu s'accordent à penser qu'il est décidé à assumer des responsabilités. »

Jean-Paul Sartre n'est pas plus chaleureux, qui écrit en novembre dans sa revue *les Temps modernes* : « Voter Mitterrand, ce n'est pas voter pour lui, mais contre le pouvoir personnel et contre la fuite à droite des socialistes. Beaucoup voteront Mitterrand sans illusions et sans enthousiasme. »

Décidément, c'est ce qui s'appelle déclencher les forces de la joie !

Parmi ces tristes mines, André Ribaud semble presque enthousiaste lorsqu'il décrit ainsi le candidat dans sa célèbre chronique, « la Cour » du *Canard enchaîné* : « C'était un homme entre deux tailles et deux âges, avec une figure aimable qui irritait avec plaisir les yeux des dames, d'une ambition qui s'appuyait de toutes sortes de talents pour arriver à la plus haute fortune, riche en dons, fertile en vues, en ressources, en ressorts. Il avait fort de l'esprit mais manegé et parfois si labyrinthé qu'il se perdait dans ses détours et se laissait alors piéger en terrain raboteux des taillis d'intrigues romanesques dont il ne sortait qu'avec embarras, quoiqu'il eût d'ailleurs la tête froide et fort capable de contenir tout le soin de l'Etat. »

Quelques autres s'y mettront. Ainsi Gérard Jaquet dans *le Populaire* : « François Mitterrand s'est constamment élevé, et avec quelle vigueur, contre la politique du pouvoir personnel du Général. Il est indiscutablement un homme de gauche. »

Enfin, Pierre Mendès France qui, le 28 octobre, à six semaines de l'élection, lui accorde dans *France Observateur* son soutien sans réticences et sans réserves : « Mitterrand est le mieux pour réunir l'ensemble des voix démocrates et socialistes. Je ne vois pas comment on peut encore hésiter... Je vote pour lui, et à ceux qui me font confiance je demande de voter pour lui. »

A tout prendre, les plus positifs sont encore les communistes qui, ayant une fois pour toutes décidé de soutenir François Mitterrand, ne se dédiront pas, et se garderont d'étaler publiquement leurs états d'âme.

François Mitterrand ne s'émeut pas trop de voir ces appuis prendre souvent la forme de la corde du pendu — le soutenant et l'étranglant à la fois. Il fait de pauvreté richesse. Il a compris, lui, que la logique de la candidature présidentielle, c'est le primat d'un homme et non d'un appareil.

Il n'a pas de parti ? La belle affaire ! Des partis encombrent ses rivaux. Et puis, il a ses amis et aussi les anciens prisonniers. Ils lui tiendront lieu d'appareil. Car personne, au Parti socialiste ou au Parti radical, ne s'empresse de l'aider à organiser sa campagne. Il fait donc donner les grognards, toujours les mêmes : André Rousselet, Georges Dayan, Georges Beauchamp, Claude Estier, Louis Mermaz, Roland Dumas, Marie-Thérèse Eyquem, son frère Robert. Et les anciens prisonniers de guerre. Louis Deteix : « Je suis venu le voir et je suis reparti avec un rouleau d'affiches que j'ai collées moi-même dans la région de Clermont-Ferrand. » Le candidat lui-même explique : « Les anciens prisonniers ont été mes premiers délégués départementaux pour ma campagne. Le soir, j'allais coucher chez ces gens que, pour la plupart, je n'avais pas revus depuis la guerre[1]. »

Et s'il n'a pas de parti il va bientôt en tirer avantage. Le 9 octobre, devant ses amis de la Convention des institutions républicaines, il explique : « Je ne serai pas un robot. Je ne suis l'homme ni d'un parti, ni d'une coalition de partis. Je suis l'homme d'un combat. »

Déjà, il voit plus loin. Alors que les apparatchiks s'imaginent encore qu'il s'agit seulement de s'opposer au pouvoir gaulliste, il élargit la visée : « La gauche ne pouvait être absente, déclare-t-il dans la Nièvre. Nous sommes au bas de la côte. Il faudra grimper longtemps. Il faudra que bien des choses changent pour que la gauche renaisse. Je m'y suis mis. »

Et comme pour inaugurer un mot qui sera bientôt le leitmotiv fétichiste de son vocabulaire, il réalise dans son programme schématique une première « synthèse ». Une synthèse qui ressemble encore à un habile patchwork.

Pour concocter son programme, le député de la Nièvre emprunte à chacun, en effet, un morceau de sa vraie croix. Aux communistes, quelques nationalisations et le refus de l'Europe des trusts et des cartels, ainsi que la volonté de combattre la logique de l'affrontement des deux blocs militaires. A la SFIO, il emprunte la condamnation indignée de la politique économique et sociale du régime et la défense ardente de l'Europe et de

1. Entretien avec l'auteur.

l'Alliance atlantique. Au Parti radical, la défense et l'illustration des libertés individuelles et fondamentales; il promet l'abrogation de l'article 16 de la Constitution, article de la dictature à ses yeux, et de l'article 11 sur le référendum. Il promet : « Si je suis élu, ce n'est pas moi qui ferai la politique, mais l'Assemblée nationale ! » Il dit encore : « Il faut éliminer le privilège du président de la République qui croit, selon un mot fameux, que tout l'Etat est en lui et que la volonté de tout le peuple est renfermée dans la sienne. » A Pierre Mendès France, il prend quelques démonstrations graves et austères. A Gaston Defferre, enfin, deux ou trois exemples de situations insupportables et... la nationalisation des banques d'affaires [1].

Pourtant, son apport le plus personnel concerne les femmes. Cela semble fort hardi pour l'époque. Le candidat prend en effet parti officiellement en faveur de la contraception et de la liberté sexuelle de la femme. Propos fort audacieux qui trouve son origine, atteste l'écrivain Gabriel Matzneff, dans un déjeuner rue Guynemer. Ce jour-là, Benoîte Groult, la romancière féministe, aurait « vendu » l'idée au candidat, en lui garantissant un apport substantiel de voix féminines. « Vous croyez ? » aurait interrogé, sceptique, ce catholique aussi prude que libertin. La dame sut le convaincre. Il retint l'idée. Et s'en félicita.

La plate-forme n'enthousiasme personne mais satisfait tout le monde, et d'abord une proportion croissante de Français. Au long de son périple électoral, François Mitterrand draine à ses réunions des foules chaque jour plus nombreuses et plus enthousiastes. L'apothéose a pour cadre la ville rose, Toulouse, où, entre les deux tours, trente-cinq mille supporters l'ovationnent. Transporté par cette ferveur, il troque à la tribune son solennel : « Françaises et Français », pour un vibrant : « Citoyennes et citoyens... » Le peuple de gauche existe, il vient de le rencontrer.

Moment décisif, à en croire les témoignages de tous ses proches. Ce soir-là, le principal candidat de l'opposition se métamorphose en leader de la gauche. Sa femme elle-même — ce n'est pas le moins important — trouve là une invitation à l'engagement. « Danielle a eu comme une révélation, note

1. Le maire de Marseille a déposé en 1963 une proposition de loi allant dans ce sens.

Georges Beauchamp. Alors qu'elle était hostile à la politique, elle a senti la nécessité de devenir militante. »

Le leader de la gauche n'a certes pas de doctrine très assurée. Ainsi, entre les deux tours, à la télévision, plaidera-t-il à la fois pour la liberté de l'entreprise et la renaissance du rôle de l'Etat, qui est de « décider » — notamment pour les investissements.

Au fait, qu'est-ce donc que la gauche, à ses yeux ?

Le 22 mai, il s'explique à la télévision (où il n'est pas à l'aise et où on fait tout pour qu'il ne le soit pas) : « La gauche, c'est tout ce qui se bat pour les libertés individuelles, pour la justice, l'égalité sociale... en 1848, ceux qui se battaient pour que les enfants de dix ans travaillent moins de douze heures par jour... en 1936, les congés payés, la semaine de quarante heures ; en 1965, une définition stricte d'une politique des revenus, d'expansion économique, de meilleure répartition du profit, une défense acharnée de la paix... Notre objectif, c'est le bien-être, le bonheur de l'homme. »

A Lyon, il s'exclame, de plus en plus lyrique : « La gauche, c'est la générosité française, elle est associée à la misère du peuple, mais aussi à son espérance. La gauche, ça signifie l'amour entre les peuples, l'amour entre les hommes. »

On le voit, il s'agit plus de bons sentiments chrétiens et humanistes que de marxisme...

Il n'empêche. A sentir monter le courant populaire qui le soutient, le candidat s'exalte chaque jour plus. Et, en un sens, il n'a pas tort. Le résultat en effet passe toutes les espérances (la sienne d'abord). Au premier tour, il obtient 32 % des suffrages exprimés, contribuant ainsi largement à mettre le général de Gaulle en ballottage. Mieux, au second tour, il rassemble 45 % des suffrages, parmi lesquels il accepte sans s'en plaindre le moins du monde, sans les récuser un instant, sans que la gauche ait l'idée de manifester aux cris de : « Le fascisme ne passera pas », les voix d'extrême droite du candidat Tixier-Vignancour, dont Jean-Marie Le Pen était alors le chef d'état-major.

« Je ne vais tout de même pas m'amuser à comptabiliser les voix », dira François Mitterrand.

Les centristes de Jean Lecanuet, eux aussi, ont voté en grand nombre pour lui.

Grinçant, soupirant, faisant contre mauvaise fortune bonne mine, tout le monde doit en convenir : c'est un succès personnel pour François Mitterrand. Lequel, fidèle à lui-même mais infidèle aux convenances, refuse de féliciter le vainqueur, le général de Gaulle.

Le 19 décembre 1965, le candidat de la gauche est devenu son chef naturel. Elle est certes bien divisée encore et fort éloignée des perspectives du gouvernement, mais il a réussi à sortir la malade de la chambre où elle était confinée depuis des lustres, pour lui faire accomplir ses premiers pas de convalescente. A une réception privée organisée chez Georges Bérard-Quelin, patron d'un groupe de presse, François Mitterrand s'exclame : « Il y a, à l'heure actuelle, un régime qui meurt, une gauche qui naît et une République qui va revivre. Le combat recommence dès ce matin. »

Ce titre tout neuf de leader de la gauche, François Mitterrand est bien décidé à lui donner un contenu. Ceux qui, dans les appareils des partis, s'illusionnent et veulent encore croire qu'au lendemain de l'élection présidentielle la vie va reprendre comme avant se trompent lourdement. Ils ne sont pas au bout de leurs peines. Jean Daniel constate alors que durant toute la campagne François Mitterrand a violé les appareils de la gauche — « un viol salutaire », écrit-il. Eh bien, il n'a pas fini de les violer !

LE CONTRE-PRESIDENT

Le 5 décembre 1965, François Mitterrand est devenu un homme de gauche d'appellation contrôlée. Grâce aux onze millions de suffrages offerts par les électeurs qui vont désormais peser bien plus lourd que les quelques centaines de délégués aux congrès des partis de la gauche non communiste. François Mitterrand va découvrir — et, bon gré mal gré, toute la gauche avec lui — qu'une élection présidentielle ne fait pas seulement du vainqueur un président : son challenger devient du même coup le leader de l'opposition. Cette donnée-là, en 1965, aucun penseur ni aucun stratège de la gauche ne l'avait encore intégrée dans ses calculs. La plupart s'étaient imaginé que, le résultat acquis — ils ne doutaient guère de la victoire du général de Gaulle —, François Mitterrand rentrerait dans le rang nanti de l'estime générale. Tel un bon républicain qui, son devoir accompli, redevient un chef parmi d'autres, mais pas le premier, compte tenu de la modestie de ses troupes personnelles, d'autant que sa performance ne lui rallie pas les intellectuels. Après l'avoir rencontré en novembre 1966, Jean Daniel écrit dans *le Nouvel Observateur* : « Cet homme ne donne pas seulement l'impression de ne croire à rien : on se sent devant lui coupable de croire à quelque chose... Il insinue comme malgré lui que rien n'est pur, que tout est sordide, qu'aucune illusion n'est permise, si bien qu'à la fin des fins on est supposé conclure qu'après tout, dans le lot et en ce bas monde, Guy Mollet ce n'est tout de même pas aussi mal qu'on le dit. »

Bref, ils attendaient Cincinnatus, ils allaient trouver César (ils auraient dû se méfier : il en avait déjà le profil).

Si François Mitterrand accepte de bonne grâce leur soudaine considération, il veut plus... L'élection l'a mis en appétit. Il goûte désormais (pour la première fois de sa vie) aux délices enivrantes de la popularité. Sa performance plus qu'honorable lui vaut une autorité toute neuve, et comme il n'est pas homme à douter de lui-même, il se persuade aisément que la gauche doit renaître par lui. Mieux : qu'elle ne peut ressusciter qu'avec lui.

Plus question comme pendant son long noviciat — 1959-1965 : six années ! — de composer, de se faire petit et discret, d'amadouer, de plaire, de cajoler, bref d'apprivoiser. Le 5 décembre, il est comme un gagnant du loto. Et il se fabrique sur-le-champ une mentalité de nouveau riche.

Jadis il plaidait, désormais il s'impose. Il patientait ? Il tempête ! Il suggérait ? Il exige ! Lui oppose-t-on un avis contraire ? Il menace aussitôt de démissionner du poste où il s'est hissé. Il se veut le chef de file de toute l'opposition.

Il a peu de troupes personnelles, pas d'élus, ses armes s'appellent l'éloquence, la notoriété, le recours à l'opinion contre les appareils, le noyautage des appareils quand c'est possible et... le chantage permanent. En somme, la manière forte alliée à la ruse.

Depuis l'échec de Gaston Defferre et de sa grande fédération, la gauche cherchait, de rencontres en réunions et en colloques, une formule d'unité qui ne se traduise pas par l'uniformité, qui permette surtout à chacun de ses appareils de subsister, à chacun de ses dirigeants de garder ses titres.

François Mitterrand est unitaire pour dix. A l'initiative de sa

Convention des institutions républicaines, s'est tenue le 13 juillet 1965 (donc avant l'élection présidentielle) une réunion rassemblant la SFIO, le Parti radical, l'UDSR et les clubs. Y participaient notamment Guy Mollet, Gérard Jaquet, les radicaux Jacques Maroselli et Robert Fabre et, bien sûr, Charles Hernu, Georges Beauchamp et Louis Mermaz. On y a décidé le principe d'une fédération, et Georges Brutelle, secrétaire général adjoint de la SFIO et grand partisan de la rénovation de la gauche, a été chargé de présenter une charte pour la rentrée de septembre. La date a été fixée au 7.

Or, il se trouve que le 9 septembre François Mitterrand s'est déclaré candidat à la présidence de la République. Résultat : quand la Fédération de la gauche démocrate et socialiste, qui regroupe la SFIO, le Parti radical et la Convention des institutions républicaines (c'est-à-dire le club des mitterrandistes), voit le jour, elle n'a pas le choix : son premier président (il a été prévu que la présidence serait tournante tous les six mois afin que chacun ait son tour) ne peut être que François Mitterrand.

Il montre le bout du nez dans une interwiew à *l'Express* : « Je n'ai pas l'intention de casser les partis. Je crois à la dynamique de ma candidature. Je pèserai de tout mon poids pour que les élections législatives de 1967 soient préparées par une campagne électorale d'un tout nouveau style et d'un tout nouveau genre. »

Ceux qui savent lire entre les lignes auront déjà compris que cette présidence tournante n'est pas destinée à beaucoup tourner et que, s'il ne devient pas président de la République, François Mitterrand sera au moins président de la FGDS.. sinon à vie, du moins jusqu'en 1967.

Les choses seront plus faciles après le scrutin de décembre. Le député de la Nièvre a une priorité : faire admettre à ses partenaires radicaux et socialistes que sa Convention constitue désormais le troisième partenaire de la coalition, qu'elle mérite l'égalité de statut et de traitement.

Pour arriver à ses fins, il emploie une méthode, une seule, le bluff : « C'était très simple, tous les gens qui venaient à ses réunions — et il rassemblait du monde — étaient aimablement priés de donner leur nom et leur adresse et il les comptabilisait comme des militants. Chaque auditeur ou curieux volontaire se métamorphosait en adhérent », raconte un des principaux dirigeants actuels du PS. Si bien qu'un jour, exaspéré, Ernest

Cazelles finit par répandre le bruit que la Convention distribuait gratuitement ses cartes pour faire nombre.

Grosse colère de François Mitterrand : « J'exige une enquête », déclare-t-il, rageur, sachant en bon stratège que la meilleure défense est l'attaque. Les autres l'apaisent, comme il se doit. Encore une fois, ils n'ont pas le choix : quand il affirme que depuis décembre le courant d'adhésion se porte sur la Convention (la FGDS ne recevait pas d'adhésions individuelles), les dirigeants de la SFIO et du Parti radical ne sont pas convaincus. Ils ne croient guère que ce flux mobilise des fourgons postaux entiers. Mais il ne faut pas contrarier celui qui vient de rassembler 45 % des Français.

Puisque la méthode lui réussit si bien, il l'emploie de nouveau. Il se permet de remettre en place, et vertement, Guy Mollet — oui, Guy Mollet soi-même, secrétaire général de la SFIO, ancien président du Conseil et, jusque-là, l'homme de la gauche le plus puissant sinon le plus populaire —, coupable selon lui de vouloir minimiser l'influence de la Convention. Raison de sa colère : François Mitterrand sort de sa poche une circulaire adressée par le numéro un de la SFIO à ses responsables départementaux pour leur enjoindre de limiter l'influence de la Convention en créant de toutes pièces des Clubs Jean-Jaurès, censés équilibrer les Clubs conventionnels. Et François Mitterrand de menacer : « Mes amis et moi quitteront la Fédération si nous n'y avons pas notre juste place. »

Guy Mollet n'entend pas soutenir en public la controverse. Les élections législatives sont pour l'année suivante, ça n'est pas le moment de casser la dynamique et de rompre avec son dynamitero.

D'exigences en pressions, François Mitterrand impose ainsi son jeu. A la mi-mars 1966, quelques jours avant le congrès de la Convention à Lyon, il rend visite à Guy Mollet pour lui dire qu'il souhaite à terme la fusion des partis de la Fédération. Il ajoute qu'il faut à sa tête un pouvoir fort ayant autorité, notamment en matière d'investiture électorale. Et qu'il compte proposer rien moins que la formation d'un contre-gouvernement de la FGDS sur le modèle du cabinet fantôme des travaillistes britanniques. Un programme en trois points qui fait suffoquer Guy Mollet, lequel l'adjure de ne rien précipiter et de bien réfléchir. « C'est tout réfléchi », lui rétorque un François Mitterrand très contre-présidentiel et décidé à proclamer publiquement ce qu'il vient de chuchoter.

De fait, trois jours plus tard, à Lyon, le président de la FGDS se prononce pour la fusion des trois composantes de la Fédération et, en attendant, il lance à ses partenaires : « Dans une fédération réelle, on devrait trouver à sa tête un pouvoir central fort ayant une autorité souveraine sur le domaine commun... Une vraie fédération, c'est le minimum exigible pour que notre accord demeure. »

Autrement dit : François Mitterrand refuse d'être un président potiche ou soliveau. C'est à prendre ou à laisser ; il menace une fois de plus ses partenaires d'une rupture.

Ce préalable posé, ses exigences ne sont pas minces :

— Un candidat unique de la Fédération par circonscription, les députés sortants étant automatiquement investis s'ils le désirent (de quoi calmer, et au-delà, les inquiétudes des élus socialistes et radicaux).

— Un groupe parlementaire unique à l'Assemblée nationale après les élections de mars 1967. (A l'époque, socialistes et radicaux constituaient deux groupes différents ; la Convention des institutions, elle, ne comptait encore qu'un député : celui de la Nièvre...)

— Enfin, la constitution d'un contre-gouvernement comportant des membres des trois formations qui se verront affecter chacun un « contre-ministère ».

Une idée aussi insolite provoque dans la gauche tout entière un concert de glapissements. Le Parti communiste fulmine puisqu'il n'est pas associé à l'affaire ; il redoute par-dessus tout d'être à nouveau l'exclu de cette gauche à peine réunifiée. Les socialistes vitupèrent. Avec Guy Mollet, ils jugent que si l'idée n'est pas mauvaise, il est dangereux de distribuer des portefeuilles, leurs titulaires devenant aussitôt les cibles désignées du pouvoir. Quant aux radicaux, ils préféreraient, expliquent-ils gravement, le terme d'« équipe de contestation » à celui de contre-gouvernement.

François Mitterrand n'a cure de ces querelles de sémantique. Il est bien décidé à aller jusqu'au bout. Le 29 avril, après moult réunions, le Comité exécutif de la Fédération finit par céder et confie au « président » Mitterrand le soin de former le premier « contre-gouvernement de la Vᵉ République ».

Au cas où certains se seraient bercés d'illusions, le premier commentaire de François Mitterrand tombe net : « J'assumerai seul la désignation de cette équipe. » S'il combat avec acharnement le pouvoir personnel du général de Gaulle et les institutions de la Ve République qui donnent trop de prérogatives à leur chef, François Mitterrand, d'instinct, réagit tout autrement dès qu'il s'agit de lui. Puisqu'il est le symbole, il doit être le chef, et dans ce cas les pleins pouvoirs ne lui font plus peur. Appliquant cette même logique, il s'écriera, plus sincère qu'ironique, après son entrée à l'Elysée : « Les institutions ? Avec un tout autre que moi, elles sont dangereuses. Elle l'étaient avant moi, elles le redeviendront après moi. »

En attendant, le « contre-président » compose son équipe. Guy Mollet se voit attribuer la Défense, le radical René Billières l'Education et la Culture, Gaston Defferre les Affaires sociales, Robert Fabre l'Aménagement du territoire, Pierre Mauroy la Jeunesse. « Ah ! il fallut aller trois fois rue Guynemer, Guy Mollet et moi, pour le convaincre de prendre Mauroy. Il n'en voulait pas », raconte Ernest Cazelles. Marie-Thérèse Eyquem (conventionnelle) est chargée de la Promotion de la femme — une idée qui, alors, n'a pas encore effleuré les responsables officiels de la France. Charles Hernu est le secrétaire général de ce contre-gouvernement.

Puisque le gouvernement de la droite se réunit chaque mercredi à l'Elysée, le gouvernement de la gauche tient conseil chaque jeudi. Et, tout comme l'autre, publie ses communiqués et propose ses commentaires à la presse.

La formule fait sourire, on daube ces messieurs qui font joujou sans craindre de laisser par trop transparaître leurs ambitions et François Mitterrand qui mime le chef de l'Etat.

On sourit peut-être. Il n'empêche. On prend vite l'habitude d'écouter les avis du « contre-président ». C'est à peine si l'on relève que ce bel habit d'opérette, il se l'est taillé et cousu lui-même sur mesure.

Le Général donne-t-il une conférence de presse ? Dans les huit jours qui suivent, François Mitterrand tient la sienne, et son audience n'est pas mince. « C'est bien simple, sourit aujourd'hui Pierre Mauroy, à partir du moment où François Mitterrand est devenu président de la FGDS et du contre-gouvernement, on ne pouvait plus, à la SFIO, faire passer un seul communiqué : ça n'intéressait plus personne. »

A l'Assemblée nationale, même phénomène. A chaque grand débat, François Mitterrand s'impose comme l'orateur principal de l'opposition. Au plus fort de la célèbre affaire Ben Barka (l'enlèvement du leader marocain d'opposition à Paris), il est le contradicteur attitré du gouvernement. A la télévision, à la radio, il devient l'un des invités d'opposition les plus recherchés (encore qu'il se plaigne, non sans raison, du mauvais traitement que lui réserve l'ORTF). Petit à petit, il s'habitue à employer tout naturellement le mot « socialisme ». Comme il peut difficilement faire figure de précurseur, il déclare un jour sans se démonter à Guy Mollet, en compagnie duquel il se rendait à Londres : « Il n'y a pas d'âge pour devenir socialiste : voyez Jaurès et Blum. » Le secrétaire général de la SFIO n'est pas très convaincu. Pour lui, on naît socialiste, on ne le devient pas (Mollet doutera toujours de la sincérité socialiste des nouveaux convertis de la Fédération et notamment du premier d'entre eux [1]).

Quelles que soient ces sourdes réticences, François Mitterrand impose sa marque et se comporte en leader charismatique. C'est vrai dans la vie quotidienne de la Fédération. Cela se remarque plus encore lorsqu'il s'agit de définir les grandes orientations, d'abord celles, décisives, des rapports avec le PC. « Désormais, l'allié privilégié de la FGDS est le PC », déclare-t-il en juin 1966. Gaston Defferre, qui rêve toujours d'alliance avec les centristes, bondit et tance le président de la Fédération : il n'aime pas le procédé du fait accompli. Les radicaux renâclent. A la réunion de la FGDS, François Mitterrand, tout en protestant qu'il ne s'agit point de couper les ponts avec les républicains de progrès, fait quand même savoir de la manière la plus nette au maire de Marseille qu'il n'a pas l'intention de téléphoner pour lui demander la permission chaque fois qu'il ouvrira la bouche. Et il menace (une fois de plus) : « Je suis venu ici avec l'intention de refuser la reconduction de mon mandat. Si vous renouvelez mon mandat, c'est sur la base de ce que j'ai dit aujourd'hui. » Il est reconduit... jusqu'aux élections législatives. Ils n'ont pas le choix. Ils n'ont jamais le choix...

Depuis l'élection présidentielle, le député de la Nièvre est presque obsédé par la naissance de ce courant populaire qu'il faut maintenant développer et canaliser. Il s'honore à tout bout de champ d'avoir « sorti le PC du ghetto ». Se sentant plus fort au sein de la gauche non communiste, il accepte même, comme l'en presse inlassablement le PC, de préparer une rencontre solennelle des deux fractions de la gauche, événement sans précédent sous la Ve République.

1. Cité par Philippe Alexandre dans *le Roman de la gauche*, Paris, Plon.

Elle a lieu en décembre 1966. François Mitterrand mène la délégation de la Fédération, Waldeck Rochet celle du PC. Il n'est pas question de Programme commun, contrairement à ce dont rêve à voix haute le PC. Seul, sort de cette rencontre un texte paraphé par les deux partis, dont Jacques Fauvet écrira le 23 décembre 1966 dans *le Monde* : « Cela tient du procès-verbal, du catalogue et d'un semi-contrat. » Il s'agit surtout d'un accord préélectoral avec promesse de désistement automatique pour le deuxième tour en faveur du candidat de gauche le mieux placé.

Mais s'il donne la « priorité » à l'alliance avec le PC, François Mitterrand n'oublie pas les autres : l'idéal pour lui consisterait à s'entendre aussi avec le Centre démocrate de Jean Lecanuet, sans oublier le PSU et Pierre Mendès France qui est une partie de la gauche à lui tout seul.

Le drame de la Fédération est qu'elle n'a alors d'avenir électoral qu'avec les voix de Waldeck Rochet, et d'avenir gouvernemental qu'avec celles de Lecanuet. C'est pourquoi, jusqu'aux élections, François Mitterrand, s'il négocie avec Waldeck Rochet, ne rate pas une occasion de saluer les qualités de républicain de Jean Lecanuet qui s'est opposé au pouvoir personnel en posant sa candidature contre le général de Gaulle. Mais à peine a-t-il lancé ce compliment sur sa droite qu'il se reprend et qu'il se tourne vers sa gauche pour lancer : « Rien ne passe à mes yeux avant l'Union de la gauche, dans laquelle je comprend évidemment le PC. » Pour aussitôt préciser encore à l'intention des centristes : « Priorité ne veut pas dire exclusivité. » Haute voltige. Sa démarche fait écrire à Raymond Barillon dans *le Monde* : « N'ayant pas le pouvoir d'imposer ses vues ni de trancher, il lui faut constamment se garder sur sa droite et sur sa gauche, équilibrer, doser, rectifier le tir aussitôt après avoir tiré. »

Un petit résultat quand même : le PSU signe à son tour, après bien des hésitations, un accord avec la FGDS.

Celle-ci présente ou soutient 430 candidats. Elle avait 91 sortants. Elle obtient 116 élus, parmi lesquels 17 conventionnels (Georges Dayan à Nîmes, André Rousselet à Toulouse, Claude Estier, Louis Mermaz, Georges Fillioud). Dans plusieurs cas — fait rare et preuve de bonne volonté — les communistes se sont même retirés pour favoriser des conventionnels arrivés derrière leur candidat au premier tour, mais mieux placés pour l'emporter au deuxième. « Alors que, soupire Ernest Cazelles, ils n'ont pas été aussi généreux pour les socialistes. » Le PC n'oublie pas que, grâce à François Mitterrand, il a rompu son isolement.

La majorité reste majorité avec un seul siège d'avance. Elle se console en pensant que l'opposition est divisée : si les centristes en font partie formellement, ils ne feraient pour rien au monde cause commune avec le PC.

François Mitterrand n'a pas remporté un triomphe, mais il a obtenu un succès[1]. Il ne l'a pas modeste puisqu'il se déclare sans sourire, en avril 1967, « prêt pour le pouvoir » et capable d'exposer, dit-il, un programme.

Georges Pompidou, Premier ministre désormais chevronné excédé de cette superbe qu'il juge par trop effrontée, lui lance à l'Assemblée nationale : « Enfin, au nom de qui parlez-vous avec autant d'assurance... Vous êtes à la tête d'un groupe de 121 députés, la gauche dite unie compte à peu près 200 députés. La majorité, quelque 240. Alors, vous essayez de nous faire croire que vous avez gagné, tels ces amateurs de rugby qui, au soir de la défaite de leur club, expliquent qu'ils auraient pu gagner, que le terrain n'était pas bon, que l'arbitre n'avait pas tout vu... Vous avez gagné ? En fait, vous avez perdu... pour la troisième fois consécutive... Cela permettra à vos jeunes de se former, monsieur Mitterrand, et à M. Mermaz de devenir plus gracieux. »

LA TRAPPE DE MAI 68
LE DERNIER DUEL AVEC MENDES

Au début de l'année 1968, le président de la Fédération de la gauche démocrate et socialiste peut être optimiste. En trois ans, il s'est imposé dans le rôle (mis au point et breveté par ses soins) de challenger du Général. Le temps travaille pour lui, l'hôte de l'Elysée prend de l'âge et paraît moins à l'aise sur le terrain de faux plat économique où la France est désormais engagée que dans les tumultes orageux de l'Histoire.

Par lassitude, il a reconduit Georges Pompidou à Matignon et

1. Au premier tour, le 5 mars 1967, la gauche (PC, FGDS et PSU) obtient 43,51 % des suffrages.

sa courte majorité à l'Assemblée nationale a les allures abandonnées de l'athlète qui a cessé la compétition. Un jeune ministre évincé du gouvernement, Valéry Giscard d'Estaing, piaffe d'impatience et commence à faire des siennes : il plante ses premiers cactus, s'exerce à lancer des mots cruels sur « l'exercice solitaire du pouvoir ».

Aux élections cantonales d'octobre 1967, 49,8 % des inscrits (soit une nette majorité de suffrages exprimés) votent à gauche.

A gauche justement, où l'on est en pleine reconstruction. L'idée est toujours la même : il s'agit de rebâtir un grand parti non communiste. Les clubs discutent, les militants s'impatientent, les états-majors s'affairent. SFIO, radicaux, conventionnels paraissent prêts à ce pas supplémentaire que François Mitterrand appelle de ses vœux depuis 1965. L'horizon s'éclaire.

Du côté de l'alliance avec les communistes, les choses ne vont pas trop mal non plus. En février 1968, la Fédération de la gauche et le PC ont signé une plate-forme commune. Sous cette appellation optimiste on a surtout relevé des convergences (rares) et des divergences (multiples) sur l'Europe, l'Alliance atlantique, le volume des nationalisations, le Proche-Orient. Qu'importe : pour la première fois, au-delà des accords purement électoraux, se dessine quelque chose qui ressemble à l'esquisse de l'esquisse d'un projet de gouvernement. François Mitterrand — il a quatre années devant lui avant la prochaine échéance présidentielle — sait qu'il a tout le temps d'amener peu à peu le PC à plus de raison et de réalisme, quitte à faire lui aussi les quelques pas symboliques qui seront nécessaires le moment venu.

La stratégie est claire et le calendrier paisible. Pour le président de la FGDS, les choses vont lentement mais dans la bonne direction.

Curieusement, Georges Pompidou, qui apparaît comme un Premier ministre inamovible — il est à Matignon depuis six ans —, semble lui aussi tranquille comme Baptiste. Aux journées parlementaires du parti gaulliste, l'UDR, réunies à Ajaccio en mars, il s'exclame en substance : tout est calme et paisible à l'horizon. RAS. Il est vrai qu'au Château, comme on nomme l'Elysée, les guetteurs n'aperçoivent pas de nuages. Le 1er janvier, en présentant ses vœux aux Français, le Général a ainsi exprimé ses raisons d'espérer : « Que sera 1968 ? L'avenir n'appartient pas aux hommes et je ne le prédis pas. Pourtant, en considérant la façon dont les choses se présentent, c'est vraiment avec confiance que j'envisage pour les douze prochains mois l'existence de notre pays. [...] On ne voit pas comment nous pourrions être paralysés par des crises telles que celles dont nous avons jadis tant souffert. Au contraire, l'ardeur du renouveau faisant son chemin, et ses promoteurs, surtout les jeunes, faisant leur œuvre, il y a lieu d'espérer qu'à mesure notre République trouvera des concours de plus en plus actifs et étendus. De toute façon, au milieu de tant de pays secoués par tant de saccades, le nôtre continuera de donner l'exemple de l'efficacité dans la conduite de ses affaires. »

Quelque temps plus tard, Pierre Viansson-Ponté, un grand spécialiste de la climatologie politique hexagonale, écrit dans son journal *le Monde* un article qui entrera dans l'Histoire : « La France s'ennuie, constate-t-il. [...] Ce qui caractérise actuellement notre vie publique, c'est l'ennui... » Il conclut : « L'ardeur et l'imagination sont aussi nécessaires que le bien-être et l'expansion. »

Dans le Tout-Etat, le Tout-Paris, le Tout-Politique, on acquiesce gravement à ces propos. Dans les dîners en ville, on opine du chef avant de prendre une dernière coupe de champagne et d'éteindre les lumières. Oui, la prospérité est lassante, le bien-être fastidieux, la paix monotone. On en viendrait presque à crier : « Levez-vous, orages désirés ! » Or, ils sont en train de se lever. Mais à droite, à gauche, au gouvernement, dans l'opposition, personne n'entend les grondements des profondeurs.

Avec l'arrivée du printemps et les premières montées de sève, on apprend pourtant quelques curieuses nouvelles Des lycéens ou des étudiants s'agitent et cassent un peu de matériel. A Nanterre, de petits groupes maoïstes font la loi et — sacrilège — ils ont chahuté le jeune député communiste Pierre Juquin, un intellectuel (il est normalien et agrégé) qui fait tant d'efforts pour paraître à la mode. Le parti n'apprécie pas du tout ces manifestations de jeunes bourgeois qui voudraient le tourner sur sa gauche. Ailleurs, on en sourit : le voilà bien attrapé. On ne prend pas plus garde à ce qui se passe en Allemagne ou dans les universités américaines. On s'ennuie, vous dis-je...

Et soudain, tout bouge, tout se fissure, tout craque, tout croule. Mai 68 est là.

Une à une les universités se mettent en grève à Paris, en province. Il fait beau, il fait chaud, la contestation apparaît (le mot fait en un jour fortune). Les murs du quartier Latin et des facultés de la région parisienne se couvrent de dazibaos, le vieil ordre intellectuel et moral est tourné en dérision. Non à l'université bourgeoise. Les étudiants annoncent qu'ils ne seront pas les cadres de l'exploitation capitaliste (ils mettent le feu à la Bourse, ce temple du capitalisme). Non à la société de consommation (encore un mot de fortune rapide). Fini les achats à tempérament, le train-train quotidien, la fidélité, l'obéissance, la phallocratie, les cadences, le travail, le respect des mandarins. Jouir ! Ah, jouir ! C'est écrit sur l'asphalte. Les jeunes étudiants dont les cheveux s'allongent et les cravates disparaissent rêvent d'autogestion, d'amour, de solidarité, de créativité, d'oisiveté, d'irrespect et de fraternité.

L'ordre antérieur imposait ses centrales nucléaires, sa force de frappe et *Concorde*. Mai 68 prône une économie pastorale et écologique. On brûle symboliquement les voitures. Papa pique et maman coud, on va tous fabriquer des poteries au Larzac en buvant du lait de chèvre. On fera l'amour. Hourra, la vraie vie ! On ne tombe pas amoureux d'un taux de croissance !

Le pouvoir est désemparé. Il commence par décider d'ouvrir puis de fermer la Sorbonne, selon les jours et les humeurs. Puis ne décide plus rien puisqu'il n'est plus obéi. Le Général parle d'abord d' « enfantillages ». Alain Peyrefitte, le ministre de l'Education nationale, dénonce l'action de « groupuscules irresponsables ».

La gauche n'a pas l'oreille plus fine. Elle veut à toute force faire entrer ces jeunes événements dans ses vieux moules un peu rouillés : il faut que Mai 68 annonce l'éternel retour de juin 1936, du Front populaire, ou bien qu'il soit un « Mai 58 à rebours », comme le proclame Georges Séguy.

Et François Mitterrand ? Dès le début de mai, il a au moins compris qu'il se passe quelque chose depuis avril. Il déclare le 8 à l'Assemblée nationale : « Si la jeunesse n'a pas toujours raison, la société qui la moque, la méconnaît, la frappe, elle, a toujours tort. » Mais il est loin d'avoir saisi la dimension de l'événement. La première quinzaine du mois le voit surtout affairé, en compagnie de Guy Mollet, à mitonner les statuts du nouveau parti plutôt qu'à disséquer les racines culturelles de la contestation. Le 13 mai, après les premiers incidents graves, une importante manifestation amène à Denfert-Rochereau en passant par le quartier Latin gauche et étudiants confondus aux cris de : « Dix ans, ça suffit », adressés au général de

Gaulle. François Mitterrand demande la libération des étudiants incarcérés, l'amnistie des condamnés et des discussions sur l'avenir de l'université. Mais c'est un autre 13 mai qui le passionne encore, celui de 1958. Il prononce, salle Pleyel, une conférence dont le thème, il est vrai, est arrêté depuis longtemps : « Le 13 mai, dix ans après. » Il fait quand même allusion à l'actualité : « Vous avez assisté cet après-midi à un réflexe de bonne santé du pays. Il faut que la gauche sache être plus qu'une sorte de musée pour grands souvenirs, mais plutôt un lieu où la jeunesse puisse se retrouver. »

Le 14 mai, les étudiants dressent des barricades et défient la police. La France est frappée de stupeur. François Mitterrand apostrophe Georges Pompidou : « Il est temps, il est grand temps que le gouvernement s'en aille. » Et il lance le traditionnel couplet contre la répression.

A Christian Fouchet, ministre de l'Intérieur, il reproche les courses-poursuites des policiers contre les étudiants jusque dans des immeubles privés : « Il y a beaucoup de ministres de l'Intérieur[1] qui ne confondent pas l'ordre et la brutalité, la sécurité des citoyens et la provocation. » Pierre Mendès France, pourtant sollicité par Michel Rocard de se faire le porte-parole des étudiants en colère, préfère garder le silence. Mais François Mitterrand provoque en duel verbal Georges Pompidou. Les étudiants n'en ont cure. Ils affichent une indifférence absolue à l'égard du débat politique.

Lorsque la grève des salariés, déclenchée, ou canalisée, ou endossée par la CGT (façon de montrer aux gauchistes où se situe la véritable force révolutionnaire), devient massive, les hommes politiques, toutes tendances confondues, voient bien ce qu'il y a d'artificiel dans la conjonction des deux mouvements étrangers l'un à l'autre, mais ne savent toujours pas quel langage tenir et quel ton adopter. Leur univers de voitures noires à cocarde et de palais républicains, leurs réunions de bureaux et de comités, leurs négociations autour de plates-formes, de projets et de rapports, tout paraît soudain totalement saugrenu. Aux yeux des protagonistes de Mai, ils appartiennent à une autre planète. Symbole des symboles souvent relevé : ni les étudiants ni les ouvriers n'auront une seule fois la tentation de se rendre en cortège au Palais-Bourbon.

A l'inverse, les hommes politiques ne se montrent guère sur

1. Sous-entendu : « dont j'étais ».

les barricades. François Mitterrand pas plus que les autres. « Vous l'imaginez, dit l'un de ses proches, allant se faire tutoyer et chahuter par des étudiants barbus ? » Pourtant il habite à la lisière même du quartier Latin, à portée de voix des manifestants. Il dira quelques mois plus tard à Pierre Bénichou, journaliste du *Nouvel Observateur*, son bonheur que ses deux fils aient participé au mouvement de Mai et qu'il aurait été très déçu s'ils avaient été indifférents. Mais à chaque âge ses plaisirs, François Mitterrand, lui, joue avec les grands. Il n'entend pas apparaître comme le récupérateur du mouvement étudiant ; il préfère incarner l'alternance politique. Or justement, celle-ci est peut-être à portée de la main. Les événements se précipitent, le désordre s'installe, le pouvoir perd le pouvoir.

Le 24 mai, avant la malheureuse intervention du général de Gaulle proposant aux émeutiers qui n'en ont cure un référendum sur la participation, le président de la FGDS s'écrie : « Le gouvernement n'a plus ni réalité, ni autorité, ni crédit. Le Premier ministre doit montrer l'exemple, il faut qu'il démissionne. Alors s'engagera le nouveau processus au terme duquel pleine réponse sera donnée [...] que le Général comprenne que c'en est fini. »

Comme il l'avait jadis si bien lu dans la Bible, François Mitterrand croit que les temps sont venus. Après l'allocution du Général, il publie une déclaration, comme la plupart des leaders politiques : « Le Général impose le plébiscite au moment où ouvriers, paysans, étudiants, professeurs recherchent le dialogue », et il annonce derechef que la Fédération de la gauche dira non au référendum. Pierre Mendès France. comme en écho, ponctue : « Un plébiscite, cela ne se discute pas, cela se combat. » Waldeck Rochet, le secrétaire général du PC, commente à son tour : « Le régime gaulliste a fait son temps, il faut qu'il s'en aille. »

Bref, on se trouve toujours dans le jeu politique traditionnel : après un discours du président, les leaders prennent position. Ni les uns ni les autres n'ont tout à fait conscience que le sol se dérobe sous leurs pas, que ces déclarations n'ont aucun impact.

Les observateurs qui, par routine et habitude d'esprit, continuent d'analyser ces flots de déclarations et de prises de position croient y déceler, entre autres, une nouvelle alliance Mendès-Mitterrand tant leurs points de vue paraissent proches et leur démarche commune.

Mais, en fait, Mai 68 est l'occasion du dernier duel personnel entre les deux hommes.

Pierre Mendès France, qui depuis 1958 prédisait inlassablement que ce régime né de l'émeute périrait par l'émeute, pense que les événements lui en donnent une éclatante confirmation. Le régime est en train de payer son péché originel.

Pour la première fois depuis 1955 [1] il croit son heure arrivée. Gilles Martinet en témoigne. D'ailleurs, dès le 21 mai, une association de soutien à Pierre Mendès France se crée. Elle regroupe un grand nombre d'universitaires célèbres, Jacques Monod, Laurent Schwartz, entre autres. Des étudiants rebelles viennent même visiter le sage de la rue du Conseiller-Collignon, envers lequel ils montrent une considération particulière ; ils ne le confondent pas avec ces « zombies politiques » qu'ils conspuent allègrement.

Tout président de la FGDS et patient artisan du rechapage de la gauche qu'il est, François Mitterrand n'a pas droit à de tels hommages (même si Daniel Cohn-Bendit estime qu' « il pourrait toujours servir »).

Le 23 mai, les deux leaders de la gauche non communiste se rencontrent rue Guynemer pour évoquer la situation du pays. Chacun se tient sur ses gardes. L'un et l'autre comprennent vite qu'une fois de plus ils ne sont pas sur la même longueur d'ondes. Le député de la Nièvre sait bien que les leaders politiques sont étrangers à l'explosion estudiantine. Pierre Mendès France, devenu député de Grenoble, se sent plus près d'eux et met l'accent sur les responsabilités de l'opposition, surtout en cas de carence du pouvoir.

Or, ce même soir, de nouveaux incidents éclatent boulevard Saint-Michel. Toujours le même rite, on brûle des voitures et on dresse des barricades. « Il faut y aller », lance Charles Hernu, ami des deux hommes, qui se trouve là. François Mitterrand s'interroge. P. M. F. déconseille l'expédition. Soulagé, le président de la FGDS se range à son avis.

Mais, le lendemain, qu'apprend-il ? Que ce si sage Pierre Mendès France s'en est allé, en compagnie de Marie-Claire de Fleurieu et de l'avocat Georges Kiejman, rue Soufflot, au cœur des affrontements et qu'il a discuté avec les étudiants. Il en conclut que P. M. F. ne voulait pas se rendre au quartier Latin en sa compagnie, qu'il a essayé de jouer son propre jeu.

1. Son gouvernement a été renversé au début de cette année-là.

L'ancien président du Conseil aura beau démentir, nier qu'il ait prémédité le coup, jamais François Mitterrand ne croira à son innocence. Et, bien sûr, il s'empresse aussitôt de préparer la riposte.

Le 24 mai, le jour de l'allocution radiodiffusée du Général, une immense manifestation d'étudiants est prévue du côté de la Bastille, la France est paralysée par la grève, la crise atteint presque son paroxysme. Lors d'une réunion du bureau de la FGDS, le président du Parti radical, René Billères, suggère qu' « étant donné les circonstances, la Fédération devrait se rapprocher de Mendès qui a l'oreille des étudiants ». Piqué au vif, François Mitterrand répond aussitôt : « Si l'on veut mon remplacement, il faut le dire franchement. » Guy Mollet est plutôt de l'avis de René Billères et, bien qu'il se soit souvent opposé à Mendès, il n'est pas loin de considérer qu'en l'occurrence celui-ci représente la meilleure chance de la gauche.

François Mitterrand en a gros sur le cœur, il est même ulcéré. Depuis trois ans, il laboure la glaise politique pour la FGDS, pousse la charrue, aiguillonne ces bœufs dont il a le sentiment (justifié) que sans lui ils n'avanceraient pas d'une semelle. Il a obtenu des résultats que l'on peut juger plus qu'honorables et voilà qu'à la première occasion Pierre Mendès France apparaît comme le sauveur suprême ! S'il a été élu à Grenoble en 1967, c'est grâce au soutien de la FGDS. Or, il n'a rien fait pour elle en trois ans. Et les partenaires de François Mitterrand dans la Fédération, encore fascinés par le mythe de l'ancien président du Conseil, semblent tout prêts à le lâcher sans vergogne. C'est trop injuste !

Dieu merci, le PC ne veut surtout pas entendre parler de ce qui pourrait ressembler de près ou de loin à un de Gaulle de gauche, à un homme providentiel. Et les communistes s'inquiètent car les comités de soutien à P. M. F. se multiplient, qui prônent son retour au pouvoir. Un homme comme Alfred Fabre-Luce vante dans *le Monde* « la stature, l'autorité internationale » de Pierre Mendès France pour conclure : « En 1958, on est allé chercher à Colombey un ermite. Je propose une conspiration à ciel ouvert pour aller chercher en pleine Assemblée nationale un autre solitaire... P. M. F. à l'Elysée ! » Et voilà que Pierre Abelin, député-maire de Châtellerault, lance lui aussi un appel à P. M. F.

Que des hommes étiquetés au centre, comme Pierre Abelin, ou à droite, comme Alfred Fabre-Luce, prennent ainsi position en faveur du député de Grenoble, voilà qui avive encore plus les soupçons du PC. D'autant que le 27 mai, soixante-dix mille jeunes soixante-huitards, brandissant des drapeaux rouge et noir, clament au stade Charléty leur hostilité envers les partis et les syndicats, conspuent le gaullisme, mais scandent aussi : « Séguy, démission ! », et n'épargent qu'un seul homme politique notoire, le seul d'ailleurs à cautionner par sa présence ces slogans sacrilèges : Pierre Mendès France, bien sûr !

Le PC, en même temps, commence à se demander si François Mitterrand ne participe pas au complot des mendésistes (c'est bien mal le connaître). Mais il va être fixé.

Le 28 mai, François Mitterrand a convié la presse à l'hôtel Intercontinental. Et, sous les cliquetis des appareils photographiques et les lumières aveuglantes des flashes et des projecteurs, il déclare : « Il n'y a plus d'Etat, et ce qui en tient lieu ne dispose même pas des apparences du pouvoir. Ce que propose de Gaulle aux Français, c'est un plébiscite. Faute du oui exigé, c'est son départ... Ce qui me permet d'envisager un tel départ, c'est qu'après tout, le général de Gaulle pourrait comprendre son devoir. Il faut prévenir cette vacance du pouvoir en prévoyant la mise en place d'un gouvernement provisoire de gestion composé de dix hommes choisis sans exclusive et sans dosages périmés. Et, pour le former, je pense d'abord à Pierre Mendès France. Et, pour la présidence de la République, le suffrage universel décidera. Mais déjà, je vous l'annonce, je suis candidat. »

C'est ce qui s'appelle forcer le destin. Comme de Gaulle dix ans plus tôt, François Mitterrand engage le processus qui peut le conduire au pouvoir. Du coup, il prend de court P. M. F. : il ne l'a pas prévenu, l'ancien président du Conseil apprendra la nouvelle par la radio. Et se sentira bel et bien joué. Si François Mitterrand lui rend les honneurs en lui destinant Matignon à titre provisoire, lui se réserve le rôle essentiel : l'Elysée.

A la FGDS les réactions sont bonnes. Chacun a le sentiment que la formule est viable et qu'une issue plausible est ainsi offerte aux Français : François Mitterrand est chaudement félicité par Guy Mollet, Pierre Mauroy, Louis Mermaz, Gaston Defferre. Ils n'ont pas vu que le président de la FGDS a choqué. Son ton était celui du factieux. A la télévision, il ressemblait à un apprenti dictateur. Il a fait peur. En rentrant chez lui, Pierre Mauroy a la désagréable surprise d'être interpellé par sa femme en ces termes : « Mais qu'est-ce que vous venez de faire, vous êtes fous ? » Pierre Mendès France, qui ne perçoit pas encore ce décalage, bougonne (mais après tout il a toujours assuré que l'élection du président de la République au suffrage universel n'était pas son potage). Cependant, il ne peut se permettre de refuser ce partage des tâches. D'autant qu'Eugène Descamps, le leader de la CFDT, le syndicat le plus sensible aux thèmes de Mai, assure : « Mendès est capable d'assumer avec les partis de gauche la responsabilité du pouvoir. » D'autant que Jean Lecanuet lui-même applaudit : « Si P. M. F. apporte la sauvegarde des libertés, s'il fait une politique européenne et sociale, nous n'avons pas à discuter les hommes qu'il choisira. » Un consensus se dégage. Et Jean Daniel écrit dans *le Nouvel Observateur* : « Il est d'un calme et d'une détermination qui m'impressionnent... L'Histoire lui rend enfin le rôle qui est le sien et qui ne saurait être que le premier. »

Voilà Mendès de partout (ou presque) acclamé. Mais pour un poste transitoire.

Un gouvernement de la gauche issu de Mai, tout le monde est d'accord, mais avec qui ? Les communistes veulent être représentés, et ils vont le dire tout net à François Mitterrand en son logis rue Guynemer.

— Combien y aura-t-il de ministres communistes ? interroge Waldeck Rochet.

— Au moins un, répond François Mitterrand.

— C'est peu, observe Waldeck Rochet.

— Il faut que l'opinion s'habitue à vous revoir au gouvernement.

— Plus il y aura de ministres communistes et plus elle s'y habituera rapidement, rétorque en riant François Billoux, député de Marseille [1].

Et les révoltés de Mai, peuvent-ils participer au pouvoir ? Pierre Mendès France le souhaiterait et il le dit à François Mitterrand, qu'il rencontre chez Georges Dayan, rue de Rivoli.

François Mitterrand : « Vous voyez bien que cela entraînerait une rupture avec le PC [2]. »

1. Claude Estier, *Journal d'un fédéré*, Paris, Fayard.

2. La version que donne Jean Lacouture de cette rencontre, et qui est donc celle de P. M. F., est beaucoup plus rude que celle de Claude Estier : « Mitterrand visiblement exaspéré ne le ménage pas : " Les communistes ne veulent pas de vous comme Premier ministre. Mais ils accepteraient de vous voir confier un portefeuille, peut-être celui de l'Education nationale... " Mendès rétorquant que les forces nouvelles, syndicales, étudiantes, paysannes, doivent être représentées dans le ministère, François Mitterrand s'insurge en

Pierre Mendès France : « Nous ne pouvons pas nous couper de ceux qui représentent la jeunesse. »

François Mitterrand : « Faites appel à des hommes parfaitement indiscutés, comme les professeurs Kastler ou Monod [1]. »

Suivent quelques passes d'armes. Ils tombent d'accord. Mais il est déjà trop tard. Les événements, qui vont décidément très vite, les dépassent. Après sa brève fugue à Baden-Baden, en Allemagne, le Général est rentré à la maison, bien décidé à faire le ménage et reprendre en main l'intendance. Il a douté... Il a pris du champ. Il revient et parle à la radio, fustige « ces politiciens au rancart » qui veulent sa place, renonce au référendum, maintient Georges Pompidou à Matignon et annonce la dissolution de l'Assemblée nationale, suivie d'élections.

Sa défaillance l'a servi. Son absence mystérieuse a surpris, créé le suspense, et son retour a l'air d'être l'effet d'une ruse. Dans la majorité, où nombre de caciques flottaient et parfois sombraient [2], on se ressaisit. Bientôt, c'est l'euphorie. Au défilé du 30 mai sur les Champs-Elysées, le peuple gaulliste scande : « De Gaulle n'est pas seul », et chante : « Mitterrand, tu n's'ras pas président. »

Le président de la FGDS, furieux, commente ainsi le discours radiodiffusé du Général : « La voix que nous venons d'entendre, c'est la voix du 18 Brumaire, c'est la voix du 2 décembre, c'est celle du 13 mai, c'est celle qui commence la marche du pouvoir minoritaire et insolent contre le peuple, c'est celle de la dictature. Cette voix, le peuple la fera taire. »

Dès lors, les gaullistes, qui ont eu si peur et se sont parfois montrés si couards, vont faire de lui une fois de plus leur bouc émissaire. Ils lui font même un mauvais procès en répétant que le président de la FGDS est sorti de la légalité quand il s'est porté candidat à la présidence de la République. François Mitterrand, on l'a vu, n'avait fait en réalité qu'exploiter le thème du vide du pouvoir et surtout se plaçait dans l'hypothèse où de Gaulle, comme il l'avait lui-même envisagé, démission-

---

ce qui concerne les étudiants : " Vous voulez un poste pour Geismar ? Vous allez tout faire échouer. " [En réalité, P. M. F. pensait à Jacques Monod pour l'Education nationale.] »

1. Claude Estier, *Journal d'un fédéré, op. cit.*

2. François Mitterrand dit avoir conservé dans un coffre des dizaines de lettres de gaullistes lui faisant des offres de service !

nerait. Il n'était pas alors interdit de le remplacer par l'élection.

En revanche, il était paradoxal, imprudent et même d'un mauvais perdant de parler de « dictature » au moment où le chef de l'Etat demandait au suffrage universel de trancher.

Il va trancher en effet. Et brutalement. Et pas dans le sens espéré par la gauche.

Les électeurs, au départ plutôt bienveillants envers les étudiants, se sont vite exaspérés de la « chienlit » et surtout des grèves. Dans les campagnes et les banlieues, on n'a pas compris que des jeunes nantis brûlent des voitures et, dans les HLM, on n'a guère aimé que des privilégiés fustigent la société de consommation. Il est temps que le bon sens triomphe. On va donner une leçon à ceux que l'on a crus, à tort ou à raison, proches de l'émeute et des grèves, à commencer par ce Mitterrand qui voulait déjà remplacer le grand Charles (à nouveau et provisoirement paré de toutes les vertus).

La gauche subit une déroute aux élections législatives. La FGDS comptait 118 élus, elle n'en sauve que 57. Le PC n'a plus que 33 députés (contre 73). François Mitterrand lui-même s'est trouvé en ballottage plus serré que prévu et ses amis conventionnels ont tous été battus. Sans exception.

A la FGDS une conclusion logique s'impose à tous : l'investiture personnelle de François Mitterrand vaut malédiction.

Comme un malheur n'arrive jamais seul, au mois d'août, les chars soviétiques envahissent la Tchécoslovaquie. Le printemps de Prague a vécu.

Dans la majorité, on a tôt fait d'exploiter l'événement : toute alliance avec le PC, dit-on, met l'Armée rouge aux portes de Paris, ceux qui la prônent sont des complices ou des irresponsables, le bon peuple, en se signant de crainte, se laisse parfois convaincre.

François Mitterrand, une fois de plus, connaît une de ces chutes vertigineuses qu'un étrange destin lui réserve et qui font dire à ses détracteurs : « Cet homme a le goût de l'échec, il a le mauvais œil, il ne pourra jamais réussir, il n'entrera jamais à l'Elysée. »

Fêté en 1967, il est devenu en 1968 l'objet de tous les ressentiments.

En revenant chez lui à pied, il a tout le loisir de mesurer, au regard des passants, sa décote : « Je suis l'homme le plus haï de France », confie-t-il à Michèle Cotta. Mais il ajoute aussitôt :

« Ce qui me permet d'espérer que je serai un jour l'homme le plus aimé. » Diable d'homme ! Il ne renonce jamais.

LA REMONTEE DES ENFERS VERS EPINAY

Eternel Sisyphe qui voit comme dans un cauchemar le rocher l'écraser chaque fois qu'il croit parvenir au sommet, François Mitterrand, au début de l'été 1968, doit tout recommencer.

Ceux qui, en mai, se flattaient de compter parmi ses amis se détournent sur son passage en juillet. A l'Assemblée nationale, les députés de gauche rescapés de la grande lessive électorale exhalent mauvaise humeur et rancœur. Leur succès, à les entendre, n'est dû qu'à leur seul mérite, tant était lourd à porter le label Mitterrand. Ne parlons pas des battus : ils le désignent comme le seul responsable de leur malheur. La preuve : ses proches les plus proches, les conventionnels, ont tous été battus, tous. Et certains, dont le fidèle Roland Dumas à Brive, dès le premier tour. François Mitterrand qui, dans l'adversité, est rarement beau joueur dénonce le truquage politique et psychologique : « C'est un hold-up conçu, monté, exécuté par des spécialistes [1] ! » Mais cela n'a jamais consolé un député renvoyé aux champs.

L'opinion publique n'est pas plus tendre. Celui que les Français en 1965 jugeaient « courageux », « éloquent », « talentueux », bref « intéressant », est désormais qualifié par eux dans les sondages d' « ambitieux », d' « arrogant », de « démagogue » et d' « intempestif ». Et ces qualificatifs ne le quitteront plus. Celui qui charmait fait peur désormais : on lui reproche une ironie trop sarcastique, un regard noir oblique et flou bien inquiétant, une dent par trop carnassière... Et puis, est-il aussi respectueux de la légalité qu'il voulait le faire croire ? Après l'épisode de Mai, et même si l'accusation n'est pas fondée, on n'en jurerait plus. D'ailleurs, à la télévision, bien des messieurs de talent, de notoriété ou de bon genre défilent pour souligner tous ces vilains défauts.

1. *L'Année politique*, 1968.

Les temps, il est vrai, sont durs pour tout le monde.

Le général de Gaulle ne parvient pas à renouer vraiment avec les Français : ce qu'ils viennent de plébisciter est peut-être moins l'homme du 18 Juin que le retour à l'ordre et la réouverture des stations d'essence. Les gaullistes ? Il les devine tout occupés à cuire dans leur parti leur petite cuisine sur leur petit feu ; ils lorgnent déjà vers Georges Pompidou et songent au partage de l'héritage. Alors, le Général pense — mise au net ou défi au destin ? — à organiser un autre référendum, comme si, à peine réinvesti, il voulait de nouveau remettre son titre en jeu.

A gauche, on ne va pas mieux. Guy Mollet, perclus de douleur, malade, morose, désenchanté, s'enferme de plus en plus dans son bureau enfumé, déjà peu ouvert aux vents du monde, pour remâcher mille sujets d'amertume. Son parti, qu'il aime tant, est au plus mal, Pierre Mauroy lui échappe et regarde François Mitterrand d'un œil gourmand, le CERES qu'il a tant chouchouté le nargue. L'affaire de Prague enfin a ranimé ses défiances et ses colères contre les communistes. Le PCF a certes désapprouvé l'intervention des troupes du Pacte de Varsovie, mais pour aussitôt nuancer platement ses critiques et bientôt accepter honteusement la normalisation.

Guy Mollet, après la tourmente de Mai, se demande qui pourrait réunifier une gauche atomisée entre étudiants révoltés et sociaux-démocrates, technocrates modernistes et révolutionnaires soixante-huitards, ouvriers embourgeoisés et intellectuels ouvriéristes. Il songe de plus en plus à se retirer de la vie politique. Il le dit. Il convoque même ses dauphins présomptifs, Pierre Mauroy et Claude Fuzier. Il leur expose son sentiment. Et il leur répartit les rôles.

Son sentiment est que les conventionnels ont toute leur place dans le Parti socialiste (les radicaux ont déjà fait savoir qu'ils n'y viendront pas) mais que François Mitterrand ne doit pas en être le premier leader. Il faut un homme du sérail. Il a balancé entre Mauroy et Fuzier, et finalement choisi Mauroy. Au Lillois la première place, au Parisien la deuxième, et à eux de jouer ! Pour ne pas partir sur un sentiment d'échec, il voudrait bien que le lancement du parti rénové soit son dernier legs public.

Au long de plusieurs réunions, en octobre, SFIO et conventionnels tentent de jeter les bases doctrinales du nouveau parti. François Mitterrand sent bien les vents contraires : personne ne s'aventure à évoquer la question du leadership en sa présence. Il sait pourquoi et finit par lancer : « Dans le nouveau parti auquel j'adhérerai je ne serai candidat à aucun poste[1]. » Aux assises de la Convention des institutions républicaines réunies à Levallois-Perret les 5 et 6 octobre, François Mitterrand laisse éclater son ire devant ses amis : « Je peux difficilement accepter le reproche de ne pas avoir fait ce que l'on ne voulait pas que je fisse, c'est-à-dire unir davantage la Fédération. Pensez-vous que prenant la gauche comme elle était, il était possible comme cela, en un tournemain, de l'en convaincre, elle qui est enfermée derrière ses barrières, son vocabulaire, ses haines recuites à travers un demi-siècle de socialisme appliqué toujours à contretemps et à contresens ? »

Le socialisme ? Justement, après l'épreuve de Mai qui a passablement renouvelé l'imaginaire des hommes politiques et réveillé la fécondité théorique des intellectuels, le président de la FGDS juge le moment venu de préciser sa vision des choses. Il pose alors quelques jalons : « Je crois à la socialisation des moyens essentiels d'investissement, de production et d'échange [...] je crois à l'utilité d'un secteur public important capable d'entraîner l'ensemble de l'économie. »

Lui emboîtant le pas, ses amis conventionnels rédigent une fière et rude déclaration de principe (à laquelle, après quelques années d'exercice du pouvoir, ils apporteraient sans doute bien des amendements) : « Parce qu'ils sont des démocrates conséquents, les socialistes estiment qu'il ne peut exister de démocratie réelle dans la société capitaliste. C'est en ce sens que le Parti socialiste est un parti révolutionnaire. Le socialisme se fixe pour objectif le bien commun et non le profit privé. La socialisation progressive des moyens d'investissement, de production et d'échange en constitue la base indispensable. La démocratie économique est en effet le caractère distinctif du socialisme... Le Parti socialiste propose de substituer progressivement à la propriété capitaliste une propriété sociale qui peut revêtir des formes multiples et à la gestion de laquelle les travailleurs doivent se préparer... La transformation socialiste ne peut pas être le produi naturel et la somme des réformes

1. Dans la persécution, les gaullistes ne sont pas en reste. Ils l'écartent du siège qu'il occupait à l'Assemblée de Strasbourg sous la précédente législature. Il réplique alors : « L'UNR m'honore une fois de plus en me réservant ses coups, que je reçois au demeurant avec un peu de dédain et de mépris. »

corrigeant les effets du capitalisme. Il ne s'agit pas d'aménager un système, mais de lui en substituer un autre. »

Cette conception du socialisme à la française n'est pas particulièrement originale, mais elle montre que les conventionnels, groupe disparate d'hommes venus des franges du marxisme ou d'un centre gauche qui a progressivement rosi, n'ont pas été sourds aux appels de Mai. Leur condamnation du profit[1] répond comme en écho au : « On ne rêve pas sur un taux de croissance » des étudiants en colère.

A droite comme à gauche, s'engage à ce moment une course-poursuite. C'est à qui aura le mieux compris (rétroactivement) les aspirations des soixante-huitards. Jacques Chaban-Delmas y va de sa « nouvelle société » et Valéry Giscard d'Estaing de sa « croissance douce ». (Dans un colloque chic réuni à l'UNESCO en 1972 à son initiative, il n'hésitera pas à s'écrier : « Je suis un objecteur de croissance. »)

Mitterrand n'est pas en reste. Beaucoup datent de ce moment sa conversion officielle au socialisme. Conversion est bien le mot. Quand il s'en explique longuement dans ce qui est son meilleur livre, *Ma part de vérité*[2], c'est en termes religieux. L'ancien élève des bons pères d'Angoulême donne ainsi sa définition de la gauche : « Moi, je dirai que c'est la justice. Je ne suis pas né à gauche, encore moins socialiste, on l'a vu... J'aggraverai mon cas en confessant que je n'ai montré par la suite aucune précocité. J'aurais pu devenir socialiste sous le choc des idées et des faits, à l'université par exemple, ou pendant la guerre. Non. La grâce efficace a mis longtemps à faire son chemin jusqu'à moi. J'ai dû me contenter de la grâce suffisante que j'avais reçue comme chacun en partage... J'ai obéi, je le suppose, à une inclination naturelle, ferme et fragile à la fois... Non, je n'ai pas rencontré le dieu du socialisme au détour du chemin. Je n'ai pas été réveillé la nuit par ce visiteur inconnu, je ne me suis pas jeté à genoux et je n'ai pas pleuré de joie, je ne suis pas allé dans une de ses églises... Le socialisme n'a pas de dieu mais il dispose de plusieurs vérités révélées et, dans chaque chapelle, des prêtres qui veillent, tranchent et punissent, catéchumènes parmi les catéchumènes entassés dans le narthex. J'ai lu les livres sacrés et entendu les prédicants, fidèles à leur religion, ils enseignent la puissance de

1. Qu'ils réhabiliteront en 1982, sous l'empire de la nécessité.
2. *Op. cit.*

ces faits... Hélas, le socialisme produit plus de théologues que de servants... »

Impossible d'adhérer au socialisme dans un esprit plus religieux. Un peu plus tard, il dira à Jean-Marie Borzeix qu'il a compris l'injustice en lisant le Sermon sur la montagne. L'évolution de François Mitterrand, d'ailleurs, est partagée par nombre de catholiques déçus par la démocratie chrétienne, repoussés vers la gauche par la guerre d'Algérie et qui découvrent comme un élan spirituel dans la protestation des étudiants de Mai contre le matérialisme de la société de consommation. La hiérarchie catholique elle-même s'y met, avec plus ou moins de bonheur, et les journaux écrivent que l'Eglise « vire à gauche ». Le dimanche suivant l'Ascension de l'an de grâce 1968, Mgr Marty, archevêque de Paris, proclame en chaire à Notre-Dame : « Nous contestons une société qui néglige les profondes aspirations des hommes. Dieu n'est pas conservateur, Dieu est pour la justice. » L'évêque de Bordeaux, Mgr Maziers, donne peu après en s'adressant à des ouvriers sa définition de la lutte des classes : « Le combat fraternel et collectif que depuis longtemps vous êtes obligés de mener pour participer d'une manière plus humaine à la vie du monde. » Des recteurs bretons annoncent à leurs ouailles ébaubies qu' « entre le socialisme et le christianisme, il n'y a que des malentendus historiques ».

En fait, dans les années soixante-dix, une fraction du clergé (surtout des jeunes vicaires et des aumôniers des mouvements d'action catholique) ne cache plus son engagement socialiste. Si la plupart se défient encore du marxisme, certains ont le sentiment d'avoir découvert avec l'autogestion, concept soixante-huitard chéri par la CFDT, une solution socialiste et chrétienne aux problèmes du monde. La déchristianisation de la classe ouvrière les hante comme un remords.

Leur évolution ne sera pas sans conséquences politiques : si, en 1974, 77 % des catholiques pratiquants votent au deuxième tour pour Valéry Giscard d'Estaing, trois ans plus tard, aux élections municipales de 1977, le transfert vers la gauche de plus de deux millions de chrétiens explique en bonne part le triomphe des socialistes.

François Mitterrand ne suit pas le même chemin que la masse des catholiques. Il s'en est depuis des années séparé. Et songeant à l'adolescent qu'il était en 1936, il avouera : « Puisque l'Eglise, dont j'avais continué d'observer les préceptes, n'était pas dans le camp de la souffrance et de l'espoir, il fallait, me disais-je, le rejoindre sans elle. Ainsi ai-je quitté le chemin de mon père afin de mieux le retrouver[1]. » Mais cette dernière phrase dit à peu près tout. Il est saisi des mêmes scrupules que nombre de prêtres ou de laïcs. Il est travaillé par les mêmes remords. Il a subi la même empreinte. Sans compter — ou plutôt en comptant, car ce n'est pas rien — qu'un seul chemin s'ouvre à son ambition, celui de gauche. Résultat : l'Eglise et son ouaille égarée s'étant quittées à droite se retrouveront après Mai 1968 dans des provinces limitrophes.

Guy Mollet, athée grand teint, ne croira jamais à la sincérité de ce ralliement : « Mitterrand n'est pas devenu socialiste, dira-t-il, il a appris à parler socialiste, nuance[2] ! »

Le président de la FGDS peut bien réciter chaque jour son nouveau credo, la famille SFIO le regarde toujours, en cet été 1968, comme un pestiféré, contagieux de surcroît, dont il convient donc de se débarrasser au plus vite. En comité directeur de la Fédération, Arthur Notebart, député du Nord, Max Lejeune, élu de la Somme, Charles Loo, élu de Marseille, crient haro sur le baudet. Certains vont jusqu'à demander à Gaston Defferre, mais discrètement, son exclusion du groupe FGDS à l'Assemblée nationale. Guy Mollet s'y oppose et, pressentant l'orage, donne l'absolution au néophyte. Le 5 novembre sur Europe 1, il déclare qu'on ne peut imputer à François Mitterrand le recul de la gauche aux législatives. Mais il est trop tard. Le député de la Nièvre, ulcéré, coupe court à ces manœuvres et à ces sous-manœuvres et annonce, devant les instances dirigeantes, qu'il démissionne de la FGDS.

« Je n'abandonne pas un combat, précise-t-il, il faut aujourd'hui que la Fédération se dépasse et se transforme. » Croit-il qu'on va se précipiter pour le retenir ? En tout cas, après cet adieu en forme d'au revoir, personne ne bronche. Seul Pierre Mauroy et Robert Fabre viendront lui serrer la main. Dur, dur.

Mais en abdiquant, l'orgueilleux leader de la FGDS ne renonce pas. Comme à chaque fois qu'il doit se résigner à reculer, c'est pour mieux assurer sa résolution et sauter. Claude Estier témoigne : « Il s'est jugé victime d'une telle injustice qu'il a décidé de ne plus avoir à dépendre désormais d'appareils ingrats et de personnalités qui pouvaient lui manquer. Sa

1. *In Ma part de vérité, op. cit.*
2. *In* Philippe Alexandre, *le Roman de la gauche, op. cit.*

décision de diriger un grand parti à lui est venue de cette expérience-là. »

Trois ans après — qui l'eût cru — ce sera chose faite. Le 21 juin 1971 — un mois après son triomphe d'Epinay —, il explique à *l'Express* : « Par goût peut-être, suis-je un homme solitaire. A l'UDSR, comme à la Convention, mon activité reposait sur de petits groupes de travail, non sur un parti de masse. Peu à peu, j'ai découvert ce qui à mes yeux est aujourd'hui vérité. Le socialisme représente la seule réponse aux problèmes du monde actuel. Certes, le socialisme, dans l'esprit de beaucoup, ce n'est pas encore une idée claire. Chacun comprend cependant qu'il s'agit d'un choix qui conduit à mettre fin au système actuel où l'argent est roi, où la propriété des moyens de production détermine le pouvoir politique et où tout le monde n'est qu'apparence. Le socialisme signifie la prise en main collective du destin du peuple par lui-même. Et l'apprentissage de la responsabilité. Il est en soi révolutionnaire car il est rupture avec l'ordre économique et social établi. Mais il n'a pas la moindre chance de succès sans la constitution d'un grand parti. Ayant compris cela, j'en ai tiré les conséquences. Fini l'appartenance aux groupuscules. »

Fini l'appartenance aux groupuscules ? Facile à dire, plus difficile à faire. Il lui aura fallu plus de trois ans. Pourtant il aura démontré une fois de plus son talent, cet art de redresser, puis retourner les situations les plus défavorables.

A l'aube de l'année 1969, la classe politique tout entière est mobilisée pour la campagne du référendum voulue par le général de Gaulle, avec au menu deux réformes : le remplacement du Sénat par une Chambre rassemblant des représentants de toutes les forces économiques, syndicales et sociales de la nation — la volonté d'instaurer la « participation » se traduit ainsi par une structure qui apparaît à certains comme une résurgence corporatiste — et l'instauration d'une réforme régionale.

Le Général a prévenu les Français : c'est à prendre ou à laisser. Le non entraînerait son départ immédiat.

La gauche, les centristes et Valéry Giscard d'Estaing font campagne pour le non. François Mitterrand aussi, bien sûr. Mais ses « amis » de la SFIO, qui craignent les effets de son impopularité, l'écartent délibérément de la campagne télévisée. Faisant contre mauvaise fortune bon cœur, il mène une campagne très active contre ce qu'il nomme le « plébiscite[1] ».

Le Général est battu. Le 27 avril les non totalisent 53,17 % des suffrages. Le soir même, Charles de Gaulle fait savoir qu'il quitte l'Elysée et se retire définitivement à Colombey-les-Deux-Eglises. Démentant tous les pronostics de François Mitterrand, le Général a fait ses adieux en souverain démocrate. Le député de la Nièvre a perdu un adversaire dont la taille le grandissait.

Une nouvelle course à la présidence commence. Georges Pompidou, adversaire coriace, est déjà sur la ligne de départ. Mitterrand réfléchit. Il commence par dire, d'emblée, qu'il n'est « candidat à rien ». Mais le fidèle Louis Mermaz et l'entreprenant Roland Dumas sont déjà, à tout hasard, occupés à rassembler les signatures d'élus locaux nécessaires à toute candidature présidentielle.

François Mitterrand n'est pas homme à se berner d'illusions : 1969 se présente beaucoup moins bien que 1965. Il est impossible dans le climat actuel de mettre socialistes et radicaux devant le fait accompli. Les communistes le regardent avec plus de suspicion qu'avant : il est dans le creux de la vague, ils n'ont pas une vocation de terre-neuve, ils ne vont pas tenter de le sauver. Jacques Duclos dira même cruellement : « Mitterrand ne représente aucune organisation, il n'est mû que par son ambition et conçoit la gauche comme une auberge espagnole[2]. » En réalité, Mitterrand soupçonnera toujours les dirigeants socialistes d'avoir expédié des émissaires discrets à Waldeck Rochet et à celui qui s'affaire à ses côtés — un certain Georges Marchais — pour barrer sa candidature.

La gauche est tellement désemparée et mal en point que Guy Mollet évoque une candidature de principe, celle d'un savant réputé, Jean Rostand. En fait, il ne verrait pas d'un mauvais œil la victoire d'Alain Poher, le président du Sénat, dont les chances face à Georges Pompidou ne sont pas négligeables.

1. Il dit « non » pour cinq raisons :
— il veut protester contre la confiscation par le président de pouvoirs que la Constitution ne lui donne pas ;
— le référendum est, à ses yeux, illégal et anticonstitutionnel ;
— la régionalisation sans la décentralisation est, dit-il, un attrape-nigaud ;
— le découpage en vingt et une régions est, juge-t-il, dangereux pour l'unité de la nation ;
— enfin, on ne peut répondre en une seule fois à deux questions différentes.

2. *L'Année politique*, 1969.

Seulement voilà : un candidat se déclare au sein même de la SFIO, Gaston Defferre, qui, en mal de revanche, est bien décidé cette fois-ci à tenter sa chance jusqu'au bout et toujours sans compromissions avec le Parti communiste.

L'Union de la gauche a fait long feu. Le PSU présente un jeune candidat brillant et volubile qui veut réconcilier gauchisme et réformisme. En Mai 68, ce personnage avait fait grand-peur à P. M. F. en proposant, pour répondre aux aspirations des révoltés, l'instauration de comités révolutionnaires de quartier dans chaque ville. Cet honorable inspecteur des finances huguenot mènera campagne en vélomoteur. Il s'appelle Michel Rocard.

Le PC, cette fois, va concourir sous ses propres couleurs. Il y a bien eu, par l'entremise de Claude Fuzier, quelques contacts avec les socialistes, mais depuis Mai et surtout depuis Prague, les sentiments réciproques manquent décidément de chaleur. Il fait donc savoir à Guy Mollet que jamais les voix communistes n'iront à Gaston Defferre. Etrangement, alors qu'il n'est question partout que de répondre aux aspirations de la jeunesse, le PC lance dans la bataille un vétéran moustachu, jadis pâtissier, dont l'accent pyrénéen roule comme les gaves, qui ferait un bon papa gâteau au sourire jovial si son regard, fort peu débonnaire, ne donnait quelques frissons aux plus impavides.

Gaston Defferre, pour se ranger sur la ligne de départ, a dû quelque peu forcer la main de ses camarades. Guy Mollet avait d'abord pensé à Christian Pineau, Alain Savary était prêt à se lancer lui aussi dans la bataille. Mais le 4 mai, au congrès d'Alfortville, le maire de Marseille l'emporte. *Le Monde* relève que c'est « grâce à un congrès complètement manipulé, où les mandats ont été arbitrairement répartis ; on aura même utilisé les mandats des fédérations absentes ».

Claude Estier commentera : « Gaston Defferre est désigné ; il lui faut beaucoup d'imagination pour affirmer qu'il l'a été par le nouveau Parti socialiste [1]. »

A qui Gaston Defferre fait-il appel pour l'aider et constituer une sorte de ticket présidentiel à l'américaine ? A Pierre Mendès France lui-même. Durant toute la campagne, les duettistes se livreront à un cocasse, étrange et lugubre numéro télévisé d'interviewer interviewé. « Trois semaines durant, on

1. *In Journal d'un fédéré, op. cit.*

verra alterner ou cohabiter sur l'écran de la télévision pendant les rares minutes accordées au tandem Defferre-Mendès deux candidats à l'air navré, qui semblent sortir des funérailles du socialisme, même quand alterne avec eux l'excellent Roger Priouret, qui est à coup sûr l'un des meilleurs journalistes français mais non celui dont le ton est le plus propre à verser l'allégresse au cœur des Français », écrit Jean Lacouture, pourtant très favorable à Mendès France.

Pour soigner sa morosité, François Mitterrand peut au moins se dire qu'il reste le seul symbole de l'Union de la gauche et que personne ne lui a ravi ce titre.

Il se consolera vite lorsque, le 1er juin 1969, tomberont les scores de la gauche. « Tomberont » est bien le mot : Gaston Defferre, humiliation suprême, dépasse à peine les 5 % de suffrages. Ses affiches, ses tracts et ses circulaires lui seront donc remboursés, mais d'extrême justesse. Pierre Mendès France, qui craignait en 1965 de faire seulement 25 % des voix, doit partager ce maigre patrimoine avec son ami Gaston.

Jacques Duclos, lui, qui a réussi une fort belle campagne, presque gaie (après lui, les communistes oublieront la recette), totalise 22,51 % des voix. Pour les socialistes, il s'agit bien d'un cataclysme...

Cela va servir, évidemment, les desseins de François Mitterrand. En un mot comme en cent, c'est l'Union de la gauche qu'il faut.

Tandis que ses camarades pansent leurs blessures, il entreprend, lui, un de ces tours de France qui lui sont familiers. Il y remporte, en prêchant l'union et la rénovation du Parti socialiste, de fort jolis succès. A Chambéry, devant deux mille personnes, il lance : « Si les divisions étaient levées à la tête [de la SFIO], un immense courant populaire verrait le jour. » Quelques jours plus tard, invité par RTL, il précise : « Sans un grand parti démocrate et socialiste, la gauche est désorientée et déséquilibrée. » Partout il répète : « La gauche non communiste manque d'un catalyseur. »

Seulement voilà : il y a une difficulté de taille; la place est prise. En juillet 1969[1], la SFIO réunie en congrès dans l'espoir d'un lifting — on y décide tout de même de s'appeler désormais Parti socialiste : PS — a choisi pour premier secrétaire (le titre

1. François Mitterrand a refusé de participer à ce congrès auquel il était pourtant convié. C'est qu'il n'était pas le meneur de jeu !

est nouveau lui aussi) Alain Savary. Guy Mollet, qui s'efface, est parvenu une dernière fois à imposer sa volonté en barrant Pierre Mauroy, auquel il avait naguère promis sa succession. Mais celui-ci a eu le grand tort de manifester un goût trop précoce pour l'autonomie et une inclination mal dissimulée pour François Mitterrand.

Les nouveaux dirigeants inaugurent leur pouvoir tout neuf en sabordant le groupe FGDS de l'Assemblée, qui devient le groupe socialiste. Bien sûr, François Mitterrand est cordialement invité à y adhérer... comme député de base. Son goût pour les sommets, ou une blessure d'orgueil, l'en dissuade. Quitte à être anonyme, il préfère siéger dorénavant parmi la poignée de députés non inscrits.

Trop, c'est trop. Ses efforts pour fédérer des infédérables ont échoué. Et il n'a pas mieux réussi en essayant d'influencer les socialistes à partir d'un petit groupe indépendant à sa dévotion. A défaut d'obtenir un petit chez les autres, il va donc essayer d'avoir un grand chez soi. Puisque le pouvoir sur la gauche passe par la chefferie du Parti socialiste, il va tout faire pour conquérir la place.

Or, tous les deux ans, dans cette famille politique-là, a lieu ce qu'il nomme la « grande Pâque ». Un congrès où — en théorie — le leader remet démocratiquement son pouvoir en jeu. Comment transformer la théorie en pratique et, à cette occasion, sortir le sortant ? Apparemment, c'est une gageure pour quelqu'un qui n'a jamais appartenu au parti et dont l'adhésion même au socialisme est si récente qu'elle paraît plus que suspecte aux briscards de la famille.

En réalité, les circonstances sont plutôt favorables pour qui sait déchiffrer et déceler les passions des hommes. Le titulaire de la charge convoitée, Alain Savary, un homme fort honorable certes, n'exerce guère d'influence sur les militants. Il s'est engagé avec les communistes dans un débat idéologique frileux, dont ne peuvent sortir ni dynamisme ni enthousiasme.

Et puis, les questions de personnes pèsent très lourd dans cette vieille machine qui a accumulé échecs, compromissions et divisions. Dans le genre échec, celui de Gaston Defferre est encore cuisant. Furieux, le maire de Marseille en fait porter le poids au vieil appareil mollétiste et il est prêt à tout pour « démollétiser » le Parti socialiste ; d'ailleurs, il en a assez d'être relégué depuis vingt-cinq années dans la minorité du parti. Pierre Mauroy, ulcéré d'avoir été évincé à la dernière minute pour le poste de premier secrétaire, veut prendre sa revanche. Le CÉRÈS de Jean-Pierre Chevènement, Didier Motchane et Georges Sarre, jeunes loups aux dents déjà longues que Guy Mollet a engagés, encouragés, flattés, s'est vite persuadé que celui-ci justement — et ses sbires aussi — bloque toute évolution réelle du parti. Ceux-là vont se lancer les premiers à l'assaut. En 1970, Didier Motchane donne le signal en désignant ces pelés, ces galeux d'où vient tout le mal : « Ces généraux toujours menteurs, toujours battus, qui occupent la cité Malesherbes. » Peu coutumier des nuances, il vitupère « cette étonnante cohue de bourgeois gentilshommes et de bourgeois prolétaires ». Après cette première salve tirée par un de ses affidés, Jean-Pierre Chevènement s'y met. Il déclare que « le Parti socialiste est devenu un obstacle au Parti socialiste ». Cela lui vaut d'être sanctionné. Alain Savary, mécontent (on le serait à moins), le suspend de tout mandat pour six mois.

François Mitterrand, qui, pour cette arithmétique-là, a vite fait de compter sur ses doigts, s'avise aussitôt du parti qu'il pourrait tirer de cette conjoncture singulière. Et sans calculette il fait ses additions : Mauroy, Defferre et ceux qu'ils entraînent avec eux forment une très grosse minorité au sein du PS. Le CÉRÈS représente 7 ou 8 % des mandats ; si l'on y ajoute les conventionnels, à condition qu'ils adhèrent en bloc et se fassent reconnaître un pourcentage forfaitaire bien calculé, on peut bâtir une majorité. « Ça été un coup de bluff formidable. Mitterrand a fait croire à Savary que ses amis étaient plus de quinze mille, alors qu'ils n'étaient pas trois mille », raconte aujourd'hui Jean Poperen qui n'était pas alors du clan mitterrandiste. Dès lors, tout est prêt pour que l'axe Mollet-Savary devienne minoritaire.

Restent quand même quelques préalables à lever. D'abord, que Pierre Mauroy, pour apporter tous ses mandats, soit bien le seul patron de la Fédération du Nord. Pour cela, un passage obligé : l'accord d'Augustin Laurent, le patriarche socialiste de Lille. Mais les dieux sont avec Mauroy : aux élections municipales de mars 1971, Augustin Laurent lui confie les clés de la mairie de la grande cité... donc de la Fédération socialiste.

Il faut aussi que les ennemis de la veille, l'extrême gauche du PS, le CÉRÈS, et la droite du PS, Mauroy et Defferre, admettent de conjuguer leurs voix.

Pas si facile : c'est le mariage de la carpe et du lapin. Le CÉRÈS rêve d'un grand soir concocté avec le PC. A Lille et à

Marseille, au contraire, l'alliance avec les centristes est la règle. Alain Savary a d'ailleurs tancé Gaston Defferre et Pierre Mauroy, leur reprochant de rester associés à des réactionnaires aux élections de mars 1971. Les jeunes insolents du CÉRÈS sont encore plus sévères avec Alain Savary. A leurs yeux, le maire de Marseille, notamment, qui représente la diabolique tentation de la troisième force, relève de l'exorcisme permanent.

Mais en politique, c'est bien connu (en particulier de François Mitterrand), l'idéologie est la meilleure chose au monde sauf si elle ralentit la marche vers le pouvoir. Jean-Pierre Chevènement, Gaston Defferre, Pierre Mauroy, qui brûlent tous de monter sur le podium, vont donc rivaliser de réalisme. Pendant que Pierre Joxe et Claude Estier discutent avec Alain Savary et Guy Mollet, en leur faisant entendre sans trop le leur promettre que leur patron est de leur côté...

Subtil, François Mitterrand évite de trop se montrer. Dans cette affaire, il applique la stratégie de l'araignée. Il tisse sa toile silencieusement avec l'aide de ses amis, en attendant que les mouches viennent se prendre dans ses fils. Et il sait depuis son enfance charentaise qu'on ne les attrape pas avec du vinaigre...

Il serait fastidieux de narrer par le menu toutes les rencontres des « conjurés » pendant le printemps 1971.

On se retrouve en se cachant les uns des autres, on se voit par deux, par trois, par dix, dans des formations qui toujours varient, et on finit par se rassembler peu à peu en grand catimini. On dit pis que pendre de Guy Mollet et d'Alain Savary. Faute de s'unir pour quelque chose, il faut bien se rassembler contre quelqu'un.

A ces réunions, François Mitterrand, comme il le fait mieux que personne quand il veut bien s'en donner la peine, déploie tout son charme, cajole les uns, moque les autres (les absents), fait miroiter un avenir radieux aux ambitieux, parle doctrine avec les purs.

Lorsqu'il s'agit de manipuler les hommes — depuis la Résistance il connaît la recette — il est inimitable. « Vous vous rendez compte, il nous emmenait même au cabaret », raconte, encore émerveillé, Pierre Mauroy.

Le résultat prévisible (sauf pour Alain Savary et ses amis qui n'imaginent pas la volte-face du CÉRÈS) arrive au congrès d'Epinay : la coalition des « conjurés » est devenue majoritaire. Guy Mollet le méfiant et Alain Savary le candide ont été superbement joués. Guy Mollet tente de se rassurer en répétant : « Avec la mine qu'il a, Mitterrand ne durera pas deux ans », tout comme les gens de droite qui iront répétant après le 10 mai que le président est atteint d'une grave et mystérieuse maladie, et tout comme les académiciens français qui votent pour un moribond en pensant qu'il va bientôt laisser la place.

Le 16 juin, François Mitterrand devient premier secrétaire du nouveau Parti socialiste. Il n'a même pas sa carte en poche.

Deux mois plus tard, interviewé par Marcelle Padovani pour *le Nouvel Observateur*, il lui dira : « Le congrès d'Epinay s'est déroulé avec l'implacable logique de la vie contre tout ce qui la menace ou la ruine. Son déroulement a échappé aux volontés des états-majors, des spécialistes. Il a exprimé une volonté de la base. Quant à la comparaison avec un tableau abstrait, je suis prêt à reconnaître [...] que le congrès d'Epinay ne manquait pas d'une rigueur esthétique. »

Comme il sait dire ces choses ! Volonté de la base, rigueur esthétique : en lisant ces propos, Mauroy et Defferre, Chevènement et Estier, Mollet et Savary doivent se frotter les yeux.

Au congrès d'Epinay, ni Mollet ni Savary ne sourient. Ils assistent à un grand numéro. Radieux, talentueux, charmeur comme il sait l'être quand il a gagné, François Mitterrand fait passer un grand élan lyrique à la tribune. Désormais, il dicte la loi de ce socialisme qu'il incarne. Et quelle loi ! « Celui, dit-il, qui n'accepte pas la rupture avec l'ordre établi et la société capitaliste ne peut pas être adhérent du PS. La révolution, c'est la rupture. Notre base, c'est le front de classe. Le véritable ennemi, c'est le monopole de l'argent, l'argent qui corrompt, qui achète, l'argent qui écrase. L'argent roi qui ruine et qui pourrit jusqu'à la conscience des hommes. »

Les congressistes applaudissent à tout rompre, debout. Ils ne savent pas ou ils ne remarquent pas que cette condamnation de l'argent avait été jadis proférée, presque mot pour mot, par un vieillard auquel ils ne portent qu'une piètre estime : Pétain.

Qu'importe : la fête bat son plein. Et le nouveau patron du parti, qui vient de prôner la révolution, le front de classe, la rupture avec l'ordre établi, poursuit : « Il faut reconquérir le terrain perdu sur les communistes », ce qui est logique, mais ajoute aussitôt, ce qui est plus surprenant : « Il faut reconquérir les libéraux, les indéfinissables. » Là-dessus, poing levé, il chante *l'Internationale*. Pour la première fois de sa vie.

Ah, ouiche ! Du beau travail !

FRANÇOIS MITTERRAND ET SES AMIS

Qui veut comprendre François Mitterrand ne peut se permettre d'ignorer le caractère et le style de ses relations avec ses amis.

Il est, il a toujours été, le centre impérieux d'un cercle qui n'existe que par et pour lui, ou plutôt de plusieurs cercles étrangers les uns aux autres, qui s'ordonnent dans un subtil mouvement brownien dont il est le géomètre attentif, désinvolte et tyrannique. Bref, souverain.

Quelques dizaines d'hommes et de femmes peuvent se parer sans affabulation des plumes de sa confiance. Les moins avisés ou les moins subtils osent s'imaginer l'avoir tout entier quand ils n'en possèdent chacun qu'une parcelle.

Un seul, Georges Dayan, bénéficia de ce privilège singulier : se savoir l'ami de tous les François Mitterrand. Les autres ne sont autorisés à connaître que l'une ou l'autre des cent facettes du personnage. Gare à celui qui s'aventure hors du territoire borné. « On peut savoir sur lui des choses ou des secrets, mais à la condition expresse de ne pas lui laisser deviner que l'on sait », dit l'un de ses proches.

Vouloir forcer une porte de François Mitterrand sans y avoir été invité, c'est s'exposer à voir s'abattre sur soi, et à grand fracas, une herse implacable. Les téméraires ne sont pas légion.

Le futur président a toujours entendu contrôler ce qu'il concède de lui-même aux autres : une fraction de son passé, de ses souvenirs, de ses goûts, de ses intérêts, de ses espoirs, voire de ses amours.

Les plus intimes des sabras — comme on appelle ces jeunes socialistes venus au PS sous son règne et souvent même pour lui — affectent, en retour, une étonnante indifférence envers son passé, presque un refus de savoir ce qu'il fut avant eux. De François Mitterrand, ils ne veulent connaître que le père, le prophète d'un socialisme à la française, juste et moral.

Ceux qui savent d'où il vient (à défaut de savoir où il va) s'émerveillent de sa ductilité et sont préparés à dix rebondissements qu'ils n'osent imaginer... Tout est possible avec cet homme-là. Ils l'admettent. Et, naturellement, dès les premières rencontres, tous avaient pressenti (ou se persuadent aujourd'hui d'avoir deviné) que « leur ami » avait un destin.

« C'est un personnage à part, j'ai eu l'intuition de son avenir dès la première rencontre », confesse l'avocat Jacques Ribs. Et ils sont des dizaines à parler comme lui. Beaucoup, ayant vite acquis la certitude qu'il irait loin, n'ont pas hésité longtemps avant d'accrocher leurs wagons à cet homme-locomotive. Certains par ambition, la plupart par acceptation tacite de sa supériorité.

« J'ai organisé toute ma vie par rapport à lui », déclare sans hésiter Georges Beauchamp, qui n'a pourtant obtenu ou revendiqué pour toute récompense, passé 1981, qu'un modeste siège au Conseil économique et social et cette fameuse Légion d'honneur à laquelle ont eu droit tous ceux que les hasards ou leurs choix avaient placés sur la route du président socialiste. « Mais ma prime, poursuit-il, c'est le tutoiement. » Le bon peuple (de gauche ou de droite) rétorquerait volontiers : « Ça vous fait une belle jambe ! » Mais, dans le clan, personne n'oserait rire d'une telle déclaration. Le tutoiement est la décoration suprême, la grand-croix dans l'ordre du mitterrandisme.

D'instinct, on devient son homme lige. « Je crois qu'on le choisit parce qu'il est naturellement le souverain », avoue André Rousselet, devenu — Mitterrand régnant — le président de l'agence Havas. Et il poursuit : « Après 1981 ? Pour nous, rien n'a changé. Il avait toujours été le président. »

Nul dans son entourage n'a jamais mis en question sa primauté, nul n'a jamais songé à se poser en rival ou en concurrent. Servir l'homme, sinon toujours ses idées, est la règle du jeu. On peut, en son for intérieur, accepter plus ou moins ses choix, froncer les sourcils et s'exaspérer en secret, on ne peut jamais le blâmer.

Discuter, argumenter et surtout s'opposer, rares sont ceux qui s'y risquent. Car François Mitterrand fait aussitôt de tout désaccord une querelle personnelle. Le questionneur ou le sceptique est bien vite paré des vilains qualificatifs d'ingrat ou de déserteur.

Se sent-il soupçonné, comprend-il qu'on le jauge, qu'on le juge ou qu'on le désapprouve ? Aussitôt, comme s'il était piqué par une mygale, il se cabre et déploie ses défenses : le regard se durcit, la moue gourmée devient babine cruelle, on devine la dent. Le teint pâlit, l'aigreur suinte, l'affection s'évapore, le rideau tombe. Comme l'électricité sous l'orage, la communication est brusquement coupée. Elle peut se rétablir quelques instants plus tard, lors d'une prochaine visite, ou jamais... « Il met les gens en condition d'être terrorisés à l'idée de lui déplaire », note un bon connaisseur de cette mise en scène féodale.

Tous cependant ne sont pas traités à la même enseigne. De quelques-uns, en effet, il tolère, attend presque l'autonomie intellectuelle (à condition qu'elle ne soit pas durablement dérangeante). D'un Pierre Joxe, dont il estime l'intelligence et connaît la fidélité — prélables obligés —, il a longtemps supporté les incartades, quitte à s'y opposer violemment. D'un Chevènement, qui ne fut pas pour rien dans son arrivée à la tête du PS en 1971 et qui joua un rôle décisif au congrès de Metz (1979) pour écarter Michel Rocard de la candidature présidentielle, il admet l'autonomie en la délimitant précautionneusement, le laisse un jour sur le bord de la route, mais sait le reprendre, et apparemment le retourner, quand il le souhaite. Depuis que Gaston Defferre s'est résigné à n'être point le premier, il supporte ses incartades, ses gaffes et ses écarts de langage, qu'il n'admettrait chez aucun autre. Tout moralisme battant en retraite, il ne s'offusque même pas des bavures répétitives dont est émaillée la gestion municipale de Marseille.

De Laurent Fabius, qui l'éblouit par son brio néogiscardien, il feint d'ignorer le presque cavalier « Président » par quoi l'autre l'interpelle, en Conseil des ministres. Avec tant d'admiration dans le ton, il est vrai, qu'il peut lui être beaucoup pardonné. Cela ne l'a pas empêché d'accéder à l'Hôtel Matignon.

Mais, pour la plupart, le moindre manquement déclenche des admonestations glaciales. Dans l'amitié avec François Mitterrand, il existe un mode d'emploi drastique auquel chacun doit se plier. Il faut savoir pressentir l'humeur du moment, mesurer la capacité d'accueil du jour, comprendre qu'il est l'heure de se taire, ou bien de parler, ou encore de disparaître. « Il faut savoir sentir si l'on est ou non sur la même longueur d'onde. Avec François Mitterrand, c'est le triomphe du non dit, de l'à peine suggéré. Quand ça va, on a le sentiment diffus et presque physique que cela va. Et quand ça ne va pas, on ressent une telle gêne que l'on a envie de se sauver », note un familier, rompu à cette curieuse liturgie de l'amitié.

Volontiers moqueur ou méprisant en ce qui concerne le protocole des autres, François Mitterrand sait, avec talent, imposer le sien, un rituel plus patriarcal il est vrai que monarchique.

A Latché, son refuge des Landes, les heureux invités se voient assignés par lui, dès l'arrivée, et leur place à table, et leur rôle dans la conversation. La caresse aux ânes, la rituelle promenade dans la forêt avec les chiens seront pour eux les récompenses suprêmes. Sous les halliers, le maître de maison, toujours affublé d'un accoutrement dont le pittoresque le dispute au disparate — l'accessoire le plus prisé étant, défense de rire, le béret, dont le caractère hautement national n'en fait pas l'élément le plus valorisant de la garde-robe masculine —, se confie parfois et va jusqu'à ouvrir l'oreille. Le plus souvent, quand même, il monologue des kilomètres durant sur le rythme des saisons, les nuages qui s'amoncellent ou la lumière du jour. Avec une dilection appliquée, il joue le Raboliot des Landes.

Bien des amis intimes, descendus de Paris avec l'espoir de lui glisser, chemin faisant, quelque message urgent ou quelque idée mûrie, doivent, si tel n'est point le climat, plier bagages et s'en retourner vers la capitale gros Jean comme devant.

Le sérail doit aussi compter avec ces coups de tonnerre : soudain, le grand vizir s'éprend d'un favori tout neuf. En un clin d'œil, dès lors, les vieux amis sont relégués parmi les ombres et priés de patienter. Les foucades s'appellent Jacques Attali, Jack Lang, Régis Debray ou Jean-Edern Hallier. Pour séduire François Mitterrand, mieux vaut être en train de réussir qu'avoir déjà atteint des sommets. Il ne s'entiche ni des inconnus ni des gloires consacrées. Avoir été célébré au moins une fois par *le Nouvel Observateur, le Monde* ou, plus récemment, *Libération* est le meilleur passeport pour une amitié coup de foudre. Il faut savoir écrire, à la rigueur chanter ou même mettre en scène. Débarquer, ses œuvres sous le bras, d'un pays latino-américain, ou à défaut méditerranéen, constitue aussi une bonne introduction. Un cousinage même lointain avec feu Salvador Allende, un parrainage de Fidel Castro, une recommandation de Papandréou ont pu on peuvent ouvrir les portes de l'Elysée, voire celles de la rue de Bièvre. Donnent droit en tout cas à la Légion d'honneur, rituellement distribuée depuis 1981 tel un scoubidou national.

Mais, pour s'établir durablement dans l'affection du monarque et s'intégrer dans les strates des réseaux de l'amitié, il ne suffit pas de briller. Le plus utile est de savoir se dévouer et admirer. Ah ! admirer...

Dans cet exercice, un Jacques Attali, aux airs de petite chouette dévote, s'est montré le meilleur. Il avait d'abord réussi à passer pour un Pic de La Mirandole, écrit quelques ouvrages abscons et contestés, puis servi de précepteur en économie ; il s'est métamorphosé, depuis l'entrée à l'Elysée, en psyché du président, capable de réfléchir chaque jour la plus belle des images. C'est assez dire qu'il est devenu indispensable : confident quotidien, compagnon de tour de parc, agitateur d'idées bonnes ou mauvaises, il doit toujours être là, il sait si bien inscrire tout acte politique du président dans l'Histoire qu'à l'en croire, un paragraphe supplémentaire s'écrit chaque jour pour le Mallet et Isaac du XXIe siècle, quand bien même François Mitterrand n'aurait fait ce jour-là que se moucher. Son bonheur exclusif et jaloux, il se le construit — un peu plus qu'hier mais moins que demain —, dans la contemplation familière du maître. Sentir que celui-ci est là, dans le bureau voisin, qu'il ouvrira bientôt sa porte, qu'il l'appellera, lui sourira, le consultera, lui apprendra quelque nouvelle, testera sur lui quelque concept, voilà les ingrédients de sa félicité. Aux envieux qu'exaspère son influence, le chef de l'Etat répond qu'il est le plus intelligent de tous, qu'il « appartient déjà à l'an 2010 ». Et certains, non dénués de bon sens, de soupirer secrètement : « L'an 2010 ? Encore faudrait-il y arriver. »

Jack Lang ? François Mitterrand qui sent encore sa province s'est d'emblée imaginé que cet universitaire devenu homme de théâtre personnifiait le vrai chic parisien. Tous les témoins le confirment : le natif de Jarnac, pudique et introverti, aurait été complètement bluffé par ce jeune homme au look juvénile, à la chevelure si savamment ébouriffée, à la vêture de yachtman sur le quai, et qui sait si bien communiquer son enthousiasme débordant pour la chose culturelle dans un jargon fontaine progressiste. Comment résister, aussi, à une spontanéité qui le fait se jeter au cou des tiers (célèbres et provisionnés de préférence) comme s'ils étaient des frères de lait ? André Malraux entraînait au musée du Louvre le général de Gaulle avant que matines sonnent. Jack Lang, lui, n'a pas son pareil pour faire surgir aux heures de pointe le président socialiste dans des lieux in, presque underground, mais qui sont ceux où souffle l'esprit du temps, ceux où il faut se montrer. Sans doute est-ce ce goût des projecteurs qui l'avait fait s'écrier au lendemain du 10 mai : « Les Français ont franchi la frontière qui sépare la nuit de la lumière. »

Régis Debray ? Cet intellectuel d'extraction si bourgeoise, d'allure si romantique, de plume si savante et de jugement presque enfantin (« Cuba, île de liberté », fut son premier cri du cœur) joua, pour le premier secrétaire du PS, les Christophe Colomb ; il lui fit découvrir l'Amérique, celle du Sud. Aux yeux du militant de base, ce guérillero conceptuel, ami du Che, naguère pensionnaire des geôles de Bolivie, incarnait en outre la lutte contre un impérialisme américain qui menace tant, chacun le sait, nos libertés fondamentales.

Jean-Edern Hallier ne fit que traverser cette cour. Il s'est trouvé qu'un jour, en veine de générosité, le premier secrétaire du PS, qui ne pouvait encore distribuer que des satisfecit en guise de Légion d'honneur, avait décerné à cet ange déçu le titre de « meilleur écrivain de sa génération ». Ce compliment, qui lui aurait valu l'attachement éternel d'un homme ordinaire ou d'un écrivain normand, suscita chez ce Celte fou une passion de mante religieuse. Et François Mitterrand, une fois couronné, faillit bien être déchiqueté par le talent suicidaire de celui qui l'avait tant ébloui et qui n'est plus désormais à ses yeux qu'un triste sire.

Ces gens de cour ne doivent pas seulement s'entraîner à subir les foucades du roi. Quand on aime, on ne compte pas. Depuis plus de trente ans, tous les amis de François Mitterrand l'auront vérifié à leurs dépens. Cet homme tellement pressé d'abattre le mur d'argent n'entend point se soucier des contingences vulgaires. Des sous, des gros ou des petits, il n'en a jamais sur lui.

Un homme qui ne fait pas partie de ses proches, Jacques Bloch-Morhange, témoigne lui aussi [1] : « Nous descendions son escalier, il habitait au deuxième étage, lorsque sa femme, rouvrant la porte palière, lui fit signe qu'elle voulait lui dire quelque chose d'urgent. Il remonta un étage, l'écouta, fouilla dans ses poches, ne parvint pas à trouver ce qu'il y cherchait et redescendit jusqu'au premier étage pour me demander si je

1. *In la Grenouille et le Scorpion, op. cit.*

pouvais lui prêter cent francs car il lui était demandé l'argent nécessaire pour préparer le repas de midi. Et il était ce matin-là complètement démuni. Je les lui prêtais volontiers. A ma connaissance il me les doit encore. Prescription ! »

Cela ne l'a jamais empêché de convier généreusement maints familiers au restaurant. Ils doivent seulement savoir que l'addition sera pour eux. « Payez, on s'arrangera », lance le maître avant de s'esquiver. En général, c'est tout arrangé.

Une dame, objet de ses tendres attentions, plaisante affectueusement : « Il m'a beaucoup coûté car il lui manquait toujours dix francs pour prendre un café ou vingt francs pour monter dans un taxi. »

Générosité socialiste ou pas, les enfants de Jarnac savent ne pas confondre amitié et gaspillage. Et puis, lorsqu'on se sent le seul maître après Dieu, rien n'est plus naturel que de se laisser traiter par des proches auxquels incombe l'honneur de vous débarrasser des soucis prosaïques : porter votre valise, tendre le manteau, retenir un billet, vous servir de chauffeur. Ces corvées sont en réalité des marques d'intimité, donc des récompenses.

François Mitterrand n'est pourtant point insensible aux malheurs des siens. S'il n'aime guère célébrer mariages ou naissances, il ne se lasse pas d'aller visiter sur leur lit de douleur les amis hospitalisés (Jean Chevrier, propriétaire de l'hôtel du Vieux-Morvan à Château-Chinon, où le député de la Nièvre avait jadis ses quartiers d'hiver et d'été, eut droit à une visite régulière du chef de l'Etat chaque semaine du trimestre où il fut hospitalisé au printemps de 1984).

Il ne manque pas non plus un seul enterrement. Comme tous les grands romantiques chrétiens, c'est un familier de la mort. Son prédécesseur, Valéry Giscard d'Estaing, ne voulait pas savoir que l'Histoire est tragique, lui sait qu'elle l'est. D'aucuns prétendent même qu'il l'espère.

Il n'est jamais aussi sûr de lui et maître de ses sentiments que dans les circonstances les plus éprouvantes : l'attentat de Beyrouth contre les soldats français, celui de la rue des Rosiers le touchent, le bouleversent. Il est alors parfait. Jamais autant que dans ces circonstances tragiques il n'a le mot le plus juste, le masque le plus adapté, le geste le mieux mesuré. Ces jours-là, bien des Français — toutes frontières politiques renversées — le trouvent grand.

« Et puis pour les veuves de ses amis, il est incomparable », confie l'un de ses proches avec une admiration teintée d'ironie.

Ce tempérament de suzerain, cette mise en scène de l'amitié destinée à lui donner toujours le premier rôle tiennent sans doute autant à son affectivité qu'à un réflexe d'organisateur. Même s'il cultive des amitiés qui ne lui rapportent rien, ses proches les plus dévoués lui auront permis, au fil des ans, de constituer une phalange de fidèles sur lesquels il a pu s'appuyer sans crainte pour conquérir l'UDSR, lancer ses clubs, partir à l'assaut du Parti socialiste, et bientôt de la République. Entouré aujourd'hui d'un gouvernement pléthorique, de dizaines de collaborateurs zélés, de centaines de députés socialistes et de milliers de militants, sa conviction demeure intacte : « Avec soixante amis bien placés, on peut tenir un pays, on peut tenir la France », confiera-t-il bien imprudemment à l'auteur.

Sans doute le président a-t-il conservé dans sa mémoire le souvenir du dialogue imaginaire entre Lénine et Trotski dans *la Technique du coup d'Etat* de Curzio Malaparte. Le premier soutenant qu'il faut s'appuyer sur les masses pour conquérir le pouvoir, et le second avançant au contraire qu'il suffit de placer quelques hommes aux points névralgiques pour obtenir plus sûrement le même résultat. Selon ces canons, le chef de l'Etat serait donc plus trotskiste que léniniste...

Ses cinq douzaines d'amis célèbres ou obscurs sont en tout cas de tous les bords. Qu'y a-t-il de commun entre un Jean Védrine et le marquis de Saint-Périer, son partenaire au golf sous la IVe République, qui le conduisait en Rolls jusqu'au fairway ? Quelle parentèle établir dans la franc-maçonnerie du mitterrandisme entre ceux de la Charente et ceux de la Nièvre, ceux de la Résistance et ceux du barreau, ceux de l'opposition et ceux du pouvoir ?

Au moins ont-ils un point commun : on ne trouve dans cette cohorte bigarrée pas un seul ouvrier. N'est-ce pas, sans contredit, la preuve que François Mitterrand est vraiment socialiste ?

LE PRINCE ETRANGER

Il fallait bien une personnalité aussi complexe, diverse et même déroutante que celle de François Mitterrand pour rendre une âme à cette machine disparate : le Parti socialiste du début des années 1970. En arrivant au siège de la cité Malesherbes, un ancien hôtel particulier vieillot et biscornu légué par la SFIO, le nouveau premier secrétaire découvre un étrange patchwork, un conglomérat bizarre où se côtoient de vieux notables SFIO sentimentaux, bons vivants et francs buveurs, de jeunes gauchistes à moitié repentis qui, après avoir erré de groupuscules en groupes, recherchent dans les sections le souvenir de la folle fraternité de Mai 68, des économistes sévères qui glosent doctement sur le taux de croissance sans imaginer un instant qu'il pourrait s'effondrer, des ingénieurs étouffant dans leur laboratoire, pour qui le socialisme représente la prairie de l'Ouest, de grands bourgeois (originaires le plus souvent de la haute société protestante ou juive) à qui l'on demande une petite aide supplémentaire en période électorale, en échange de quoi ils peuvent serrer la main du plombier avec le sentiment d'être unis pour une cause commune, des arrivistes, une poignée d'aigrefins, des chrétiens aussi, venus du militantisme social et prêts à sacrifier leur virginité politique au salut du monde, quelques patrons de progrès disposés à exalter les perspectives de l'autogestion, de préférence chez le voisin ! Et surtout des profs, encore des profs (instituteurs, PEGC, agrégés, maîtres-assistants), des wagons de profs tous modèles et toutes catégories.

Pour les séduire, les rassembler, les motiver, François Mitterrand ne manque pas d'armes.

D'abord, le verbe. Le premier secrétaire vient de (re)lire de bons auteurs : Proudhon, Marx, Jaurès, Hegel, Blum. Muni de ces ingrédients et de quelques pincées de christianisme, il est prêt à inventer un socialisme comme d'autres ont mis au point la nouvelle cuisine. Dans un souffle très quarante-huitard, où il est beaucoup question de dignité de l'homme, d'amour de la liberté-égalité-fraternité, il parle une langue écrite et laisse entrevoir des lendemains qui chantent, où « l'homme dominera la machine », où les pauvres deviendront riches, tandis que les méchants riches seront punis, où l'argent, « l'argent roi », sera détrôné.

Comme personne, il a le sens des vastes perspectives. Pour étayer un argument, il peut multiplier les références historiques. Pour attendrir, amener dans sa démonstration un souvenir d'enfance. Pour impressionner, glisser un grain de Renan ou de Michelet. Pour avoir bonne conscience, un vers de Lamartine[1]. Et, pour faire rire, il envoie des pichenettes à la droite. (Lors de certains congrès, le seul nom de Lecanuet évoqué avec concupiscence provoquait le fou rire de la salle.) Dans sa bouche, le mot gauche prend une valeur presque magique. Au total, même si son refrain n'est pas encore au point, cette musique est assez harmonieuse pour séduire des oreilles aussi diverses.

Les premiers temps, beaucoup de militants et de dirigeants l'appellent entre eux « le prince étranger », et quelques-uns même « le prince maudit ». Mais peu à peu il s'impose. « Jean, étonne-moi », demandait Diaghilev à Cocteau. François, lui aussi, étonne. C'est qu'il n'est pas un patron comme les autres. Pierre Mauroy raconte : « Guy Mollet avait des horaires intangibles. On savait qu'il était là, dans la maison, du matin au soir. On s'attendait à être convoqué dans son bureau pour essuyer ses coups de gueule. François Mitterrand, lui, passait une heure ou deux par jour et jamais au même moment. Il débarquait, impromptu, conviait l'un ou l'autre à venir marcher en sa compagnie à travers la capitale, et puis nous dînions parfois tous ensemble. Nous avons passé avec lui des moments presque magiques. »

Il étonne, ce prince qui arrive cité Malesherbes toujours conduit par de gentes demoiselles, jamais les mêmes (le PS n'a pas, à cette époque, les moyens d'offrir un chauffeur à son leader qui n'est pas un as du volant). On lui découvre de curieuses manies. Alors qu'il ne porte jamais de montre ni d'argent sur lui, il trimbale en permanence dans une poche intérieure de sa veste une drôle de liasse de papiers pressés et chiffonnés, presque collés à force d'être ensemble et qu'il transfère avec soin d'une veste à l'autre quand il en change ; on distingue une carte postale écornée, de vieilles coupures de presse toutes jaunies, une fleur séchée et, sur des brins de

1. « J'écris à nouveau cet aveu, confiera-t-il : ma tendresse pour Lamartine a résisté à tout. »

papier, des gribouillis dont il est le seul à pouvoir déchiffrer les mystères, de nombreux numéros de téléphone, une citation précieuse... Au restaurant, avant de passer à table, il extrait de ce bric-à-brac une petite fiche à peine plus grande qu'un timbre-poste où il a noté les noms de ceux qu'il a conviés et la place qu'il leur assigne autour de la nappe. Aux réunions du bureau exécutif ou du secrétariat [1] — et parfois même, dit-on, aujourd'hui encore en Conseil des ministres —, il lui arrive d'extirper de sa poche ce « petit tas de secrets » et, sous l'œil intrigué de ses voisins, de plonger un instant avec béatitude dans ce morceau de sa vie privée.

En peu de mois le nouveau premier secrétaire va accomplir une petite mue vestimentaire. Afin de se mettre au diapason de ses ouailles, lui que l'on avait toujours connu en costume sombre et chemise blanche cravate noire — la tenue des ministrables sous la IVe — se vêt désormais de couleurs claires, de cols roulés, de velours côtelé, ces éléments d'uniforme de la vie enseignante, bientôt de vêtements presque déstructurés. Mais surtout, il réalise sa propre synthèse entre Blum et Jaurès, empruntant au premier le chapeau à large bord et au second l'écharpe au vent. Plus tard, quand il sera mieux intégré à l'Internationale socialiste, il lui arrivera de porter la casquette de marin, modèle Helmut Schmidt. Si l'habit ne fait pas le moine, il fait au moins le converti.

Il s'essaie aussi aux rites et aux usages de la fête populaire. Sans y parvenir tout à fait. Ce qui provoque parfois de curieuses scènes. Ainsi, durant l'été 1972, pour célébrer ses vingt-cinq ans de vie parlementaire, il organise à Château-Chinon une grande kermesse. Tout le parti est là, tous ses fidèles, tous ses amis. Sa bonne ville enchantée reconnaît ici Dalida et là Roger Hanin, voit passer Mikis Théodorakis et Paul Guimard. Un inconnu arrive en Rolls : seuls les initiés savent qu'il s'agit du marquis de Saint-Périer. On se montre du doigt la romancière Edmonde Charles-Roux, qui a fait en passant des emplettes à Vézelay : un boa en laine orange qu'elle se promet de proposer en modèle à son ami Yves Saint Laurent [2].

François Mitterrand, qui se sent bien sur ses terres et au

1. Qu'il lui arrive de déserter subrepticement pour aller téléphoner à son aise.

2. Raconté par Carmen Tessier dans « les Potins de la commère », *France-Soir*.

milieu des siens, se confie : « Les hommes qui prétendent faire de la politique sans rester en contact permanent avec les gens simples ne sont que des technocrates ignorants. J'apprends beaucoup plus en passant une heure sur un champ de foire qu'en consultant des dossiers très épais. »

Snobisme inconscient ? Que nenni. Le premier secrétaire se veut seulement un émule de Jean Jaurès qui racontait plaisamment : « Cet après-midi, au lieu d'aller travailler à la bibliothèque de la Chambre, je suis allé chez un vieux cordonnier d'Auteuil qui ne me connaît pas mais qui veut me convertir au socialisme. Le croirez-vous ? Je tire grand profit de ce qu'il m'explique en tirant sur l'alêne. Grâce à ce brave homme je me suis aperçu que bien des choses clochent dans les syndicats. »

Le contact avec les « gens simples », comme dit François Mitterrand, n'exclut pas les distances avec les membres du parti.

L'enfant de Jarnac a compris que, pour assurer sa tranquillité, il devait gouverner le PS en souverain. Et qu'il le pouvait.

D'abord, il en a le prestige, la singularité. Quand il parle, le silence se fait ; chacun apprend vite à se taire et boire ses paroles comme élixir de vérité, et si un bavard transgresse la règle, un regard noir et impérieux le fait rentrer sous terre. Chaque semaine, dans l'hebdomadaire du parti, *l'Unité,* sa page — mieux vaudrait dire son journal intime — bucolico-politique (bien souvent moralisatrice) prend presque le relief et l'autorité d'une bulle pontificale. Dans les sections, on l'attend, on la dissèque, on la commente, on aimerait mieux parfois qu'elle soit moins anecdotique, mais on s'en montre fier aussi : voilà qui change de la langue de bois habituellement en usage dans les partis.

Pour régner, ou peut-être simplement pour étonner, il divise. Cet homme complexe paraît se protéger en embrouillant les choses. Sur un sujet unique, il distribue la même tâche à plusieurs rapporteurs, lesquels découvrent, le plus souvent par hasard, qu'ils sont en concurrence avec d'autres. Il en naît de sombres jalousies, d'immenses déceptions et de grandes inquiétudes. Si encore, pour obtenir un poste de confiance, il suffisait d'avoir bien travaillé... Le dernier qui passe peut intéresser soudain le prince et emporter le titre ; alors « en un clin d'œil un destin se fait qui en bouleverse un autre », confie l'un de ceux qui en ont tour à tour bénéficié et pâti. Ainsi le romancier et historien Max Gallo dut-il sa fonction de porte-parole du gouvernement à une prestation réussie à *Apostrophes*. Les trois ou quatre prétendants qui s'échinaient depuis des mois à faire valoir leurs mérites — et s'entraînaient le dimanche à devenir de petits Démosthène — n'eurent plus qu'à prendre ensemble le deuil. Ainsi, au congrès de Grenoble, proposa-t-il à Pierre Bérégovoy une place au secrétariat du parti [1] après l'avoir rencontré dans les toilettes.

Il ne se départit pourtant jamais de sa réserve :

— Est-ce que je peux te tutoyer ? interroge un jour un militant innocent.

— Comme vous voulez, répond glacial le camarade prince, étranger à toute espèce de rondeur joviale.

Pour animer un parti comme le PS, il faut savoir l'impressionner, lui faire du « théâtre », mais, avant tout, jongler pardessus les têtes. Et, dans ce registre, François Mitterrand est inégalable.

Lui que l'on dit brouillé avec les chiffres et les mathématiques mériterait la médaille Field (le prix Nobel des mathématiciens) pour cette algèbre-là. Il a en permanence une équation à résoudre : sachant que son propre courant est représenté symboliquement au sein du PS par la lettre A, celui de Pierre Mauroy par la lettre B, celui de Michel Rocard par la lettre C et celui de Jean-Pierre Chevènement par la lettre E [2], tout son problème, une fois acquise la primauté du paramètre A, aura été de mettre en équation son pouvoir personnel. De congrès en congrès, les forces varient.

A Pau, en 1975 :	A + B − E = mon pouvoir personnel (les rocardiens ne sont pas encore organisés).
A Nantes, en 1977 :	même chose.
A Metz, en 1979, tout change :	A + E − B − C = moi.

Autrement dit, alors qu'à Metz Mauroy et Rocard font alliance et contestent son autorité, François Mitterrand a tôt fait de ramener dans son giron le CERES, cette aile gauche turbulente qui l'avait tant aidé à prendre le pouvoir à Epinay

1. Autant dire le gouvernement du parti.
2. Le courant D, représentant l'influence des femmes au PS, a vite sombré corps et biens.

et qu'il avait, dès 1973 — ingratitude des rois —, rejeté dans la minorité, au purgatoire des socialistes.

Pour conforter son autorité personnelle, il a toujours recours aux mêmes recettes, d'abord une méfiance permanente que rien ne désarme. « Je me souviens du malaise qui régnait à certaines réunions du comité directeur quand le premier secrétaire déchiquetait, tel un tigre accroché à sa proie, André Boulloche, Alain Savary ou les Claude Fuzier et autres Jacques Piette qui avaient la malencontreuse idée de s'opposer à lui [1]. » Et puis il menace de démissionner. Quand le CERES, Pierre Joxe et Claude Estier veulent marquer dans les orientations du PS des distances avec le Marché commun, il écrit à Pierre Mauroy pour lui dire qu'il est prêt à retourner à Colombey-Latché si l'on ne veut plus le suivre. Résultat : les récalcitrants, en chemise et la corde au cou, votent d'un seul mouvement contre leurs idées. Il démissionne encore — ou plutôt il menace de le faire et chacun le retient — quand des fédérations se font tirer l'oreille pour accorder l'investiture aux radicaux de gauche, ces vilains petits-bourgeois. Le premier secrétaire n'admet pas que l'on traite ainsi des alliés qui ont entériné de manière si disciplinée un Programme commun établi en dehors d'eux.

Et bien sûr, vieille habitude, il place ses amis en sentinelles chargées de surveiller tous les points névralgiques.

Georges Dayan devient son porte-parole au sein du comité directeur : en son absence, il peut s'exprimer en son nom. Georges Beauchamp est son représentant spécial à la commission de contrôle des finances du parti. Guy Penne est envoyé en voltigeur à la commission des conflits. Charles Hernu est chargé de tester le climat et parfois même de jouer les kamikazes pour éprouver la résistance du parti sur des sujets qui se prêtent à évolution. Il a même mis une méthode au point. Quand le sujet est trop brûlant pour que le premier secrétaire s'engage en personne, Charles Hernu publie une tribune libre dans *le Monde ;* on enregistre alors les réactions et le premier secrétaire n'a plus qu'à établir la synthèse sur des positions savamment préparées.

Quand son autorité sur le parti s'est affirmée, il officialise presque son hégémonie. A côté du gouvernement régulier du PS — onze secrétaires nationaux, huit délégués —, il nomme des rapporteurs spéciaux qui ne dépendent que de lui et dont,

1. André Salomon, *PS, la mise à nu,* Paris, Robert Laffont.

selon sa technique favorite, les attributions font délibérément double emploi avec celles des responsables en titre. Une excellente façon, comme chacun le sait, de mettre de l'huile dans les rouages. Bientôt les décisions politiques sont confisquées au profit de conclaves informels réunis chez lui rue de Bièvre. Le premier secrétaire devient peu à peu le « Régent du parti [1] ». Ces méthodes déclenchent inévitablement des orages, créant du même coup d'étranges relations de crainte et de dépendance envers le maître. Les courtisans se multiplient donc, la Cour s'étend. Ce qu'il ne déteste pas. « Ce parti qui bouge, qui bouillonne, qui traverse des flux et qui porte un élan, je l'aime après tout comme il est, même lorsqu'il me dérange. Parce qu'il me dérange », écrit le premier secrétaire [2]. Il le dérange peut-être, mais il le fatigue sûrement. Et si François Mitterrand en impose vite à cet assemblage disparate, c'est aussi parce qu'il ne ménage pas sa peine et peut inscrire à son bilan des résultats chaque année plus positifs (80 000 militants en 1971, 100 000 en 1973, 150 000 en 1975).

Chaque année, il entreprend un tour de France — il est incollable sur la géographie hexagonale —, menant la vie d'un simple voyageur de commerce, poussant jusque dans les coins les plus reculés pour vendre ce produit périssable qui s'appelle le socialisme. Ses collaborateurs, ses seconds admirent la vitalité de cet homme de cinquante-six ans qui accepte de voyager de nuit dans des trains peu confortables pour se retrouver au petit matin blême, sans avoir eu le temps de se raser, devant une maigre assemblée de militants avides d'espoir. Ce qui fait dire à de mauvais plaisants que si Joseph Mitterrand, son père, s'était donné autant de mal pour vendre son vinaigre, celui-ci serait devenu aujourd'hui boisson nationale.

Deux fois pourtant, François Mitterrand laissera échapper que cette vie lui pèse. En mai 1972 : « Chaque semaine je vais en province où je visite des fédérations socialistes et tiens des réunions publiques. Le samedi ou le dimanche je me rends dans la Nièvre où je préside au moins six fois par an les sessions du Conseil général. A Paris, le mercredi et le jeudi sont absorbés par les délibérations du secrétariat national et du bureau exécutif du parti. Par surcroît, il est rare qu'une soirée

1. André Salomon, *PS, la mise à nu, op. cit.*
2. François Mitterrand, *l'Abeille et l'Architecte, op. cit.*

ne soit pas confisquée par des commissions de travail ou des assemblées de quartier. Je ne m'en plains pas, mais quand s'ajoutent à ce calendrier un débat parlementaire, la rédaction d'un article, la préparation d'un livre, la mise au point d'une émission, il m'arrive, oui, je l'avoue, de m'essouffler[1]. »

Et encore, en mai 1973 : « Je surmonte en peinant les fatigues de la semaine. Ma difficulté est de briser le rythme auquel je suis soumis. Se reposer exige un tel effort que le plus souvent j'y renonce[2]. »

Qu'est-ce qui le fait courir ainsi ? « Après un quart de siècle de mandat parlementaire, l'ambition de ma vie n'est pas d'aller à l'Elysée », écrit-il dans *la Rose au poing,* la même année, 1973, au lendemain de la signature du Programme commun avec les communistes. Pas l'Elysée ? Allons donc ! Moins d'un an plus tard, il sera, face à Valéry Giscard d'Estaing, un candidat déterminé et échouera de peu. Pourtant, quand il assure : « Si j'avais un titre de noblesse, je prendrais celui que je tiens de mes camarades socialistes. Quitte à laisser une trace dans l'Histoire, ce n'est pas le plus mauvais sillon » beaucoup de ceux qui l'approchent sont tentés de le croire Certes, après le congrès d'Epinay, certains socialistes éprouvaient envers ce trop habile leader une méfiance instinctive, mais ensuite sa disponibilité, son activité pour le parti les incitèrent à penser que dans son comportement entrait plus de sincérité que de calcul.

Au long de ces années, il joue si bien son rôle de premier secrétaire qu'il le devient pleinement aux yeux des militants. Sa légitimité, il l'acquiert en restant l'opposant le plus déterminé au pompidolisme, puis au giscardisme : de ces pouvoirs, rien, jamais rien ne trouve grâce à ses yeux. Il la consolide dans ses négociations avec le PC qui sont autant d'épreuves de force Il la conforte enfin par les progrès électoraux presque incessants de son parti.

Un loyalisme militant naît donc rapidement à son bénéfice. De lui, on attend tout. De lui, rien ne surprend. Pour lui, on est prêt à tout.

Il lui arrive pourtant de mettre à rude épreuve les nerfs de ses camarades. Ainsi, à la fin de 1971, il disparaît soudain sans laisser de trace. Où est-il ? Que fait-il ? Avec qui ? Personne ne le

1. *In la Paille et le Grain, op. cit.*
2. *Ibid.*

sait, au parti. Pendant plusieurs jours, la cité Malesherbes a perdu son capitaine. Certains craignent même un rapt. Personne n'imagine que le patron se trouve en Inde, à Calcutta précisément.

Il a été invité par deux membres de l'association Frères du Monde, Françoise et Léo Jallais, à regarder la misère — la vraie — là où elle est. Et il a accepté. Par souci de comprendre et par scrupule de chrétien peut-être. Egalement parce que, dans la crise du Bangladesh, André Malraux, se rangeant aux côtés des maquisards bengalis, est en train de le doubler sur sa gauche.

Là encore, il ne manque pas de courage. Il couche sur une paillasse à même le sol, dans un camp de Bengalis. Incognito, bien sûr.

Mais le conflit devient aigu. L'aviation pakistanaise a bombardé des aérodromes indiens. Indira Gandhi proclame l'état d'urgence et ferme les aérodromes. Voilà le premier secrétaire pris au piège. Il doit chercher de l'aide, établir des liaisons, donc sortir de l'anonymat. Il apprend qu'un journaliste français séjourne à l'hôtel Ritz intercontinental de Calcutta. Il s'y rend. Jean-Claude Guillebaud, alors envoyé spécial de *Sud-Ouest,* voit ainsi arriver le député de la Nièvre en blue-jean et le chef couvert d'un chapeau de brousse. Ils déjeunent ensemble. Guillebaud est accompagné d'une Française, compagne d'un poète bengali, qu'il a engagée sur place pour lui servir d'interprète, une jeune femme de la bourgeoisie lyonnaise que 68 a fait bifurquer vers l'Inde et qui porte sari. Elle se tourne vers François Mitterrand : « Alors vous êtes journaliste, vous aussi ? » (C'est à vous dégoûter de faire de la politique !)

Non. Mais il a besoin des journalistes, d'un journaliste au moins, pour signaler sa présence, ce qui se fait. L'AFP est prévenue. Les salles de rédaction s'étonnent et s'émeuvent. Le premier secrétaire écrit à Pierre Mauroy, numéro deux du parti, une lettre qui sera lue devant les camarades du bureau exécutif quelque peu stupéfaits : « J'ai besoin de reprendre contact avec le vrai malheur hors des climats ouatés de la politique en Europe. La raison de la discrétion que je demande dans le parti répond à mon souhait d'éviter l'artificiel, la publicité, le tapage. »

Pour la publicité, pas de chance. Le voilà bien obligé d'organiser une conférence de presse à son retour où il confie : « Je me suis trouvé aussi désemparé [à Calcutta] que Fabrice del Dongo à Waterloo. » Et, peut-être pour éviter l'artificiel, il s'attelle dès son retour à la préparation du programme socialiste, convaincu plus que jamais que les castes (traduisez la bourgeoisie française) doivent être mises hors d'état de nuire.

Ce premier secrétaire fugueur est tout de même bien présent, qui assigne à son parti mille tâches : se refaire une santé financière, démontrer sa capacité de réplique à toute initiative gouvernementale, marquer des points aux élections, s'ouvrir à la classe ouvrière, rééquilibrer la gauche au détriment du PC, se préparer à négocier avec celui-ci et, dans cette perspective, se forger d'abord sa propre théorie du socialisme.

A peine arrivé cité Malesherbes, il a chargé Pierre Joxe, un paléomarxiste de ses amis, et le jeune Jean-Pierre Chevènement, qui rêve de rupture avec le capitalisme et de mariage avec les communistes, de mettre en forme les convictions confuses et souvent contradictoires des socialistes français.

Pendant plusieurs mois, deux cents experts travaillent donc d'arrache-pied, fournissent note sur note, document préparatoire sur document préparatoire. « Quel charabia ! » soupire plus d'une fois le prosateur féru de classicisme en prenant connaissance de ce jargon nouveau pour lui où s'entremêlent marxisme, économisme, sociologie, outrances et pédanteries.

Les dirigeants du CERES, il est vrai, s'en donnent à cœur joie. En matière de néologisme, ils sont imbattables. Un jour que Didier Motchane, sombre théoricien dont le brio ne connaît pas de frein et mène parfois aux conclusions les plus aventureuses, est en veine d'imagination, il se voit couper la parole par un premier secrétaire excédé : « Vous vous prenez pour Lénine, Motchane ; et si c'était moi Lénine ? » Stupeur et sourires en coin dans l'assistance. « On s'est donné des coups de genoux sous la table », raconte, encore réjoui, l'un des participants à la réunion.

Léninistes ou pas, les socialistes accouchent d'un programme qui laisse à cent lieues derrière lui toute forme de social-démocratie. Peut-être les camarades avaient-ils, avant de l'écrire, lu ce que le célèbre humoriste Mark Twain disait des sociaux-démocrates : « Comme l'empereur de l'île de Pitcain s'apprêtait à s'installer dans la brouette dorée qui l'attendait à la porte de l'église, le social-démocrate de l'île lui porta quinze ou seize coups de harpon, mais heureusement en visant avec une imprécision si typiquement social-démocratique qu'il ne causa aucun dommage. » Le programme du PS, lui, étant beaucoup plus précis, devait provoquer ultérieurement quelques dommages.

A terme, l'objectif officiel fondamental de *Changer la vie* est le contrôle ouvrier dans l'entreprise, bref l'autogestion (un mot qui disparaîtra corps et biens après la victoire de la gauche). On décide de nationaliser le crédit, les entreprises vivant pour l'essentiel des commandes de l'Etat et toutes celles qui se trouvent en situation de monopole. Les mollétistes introduisent subrepticement, à la grande satisfaction du CERES, une disposition qui fera couler beaucoup d'encre : « à la demande des travailleurs intéressés » d'une entreprise, la nationalisation de celle-ci devra être examinée. Dans la majorité de l'époque, on a vite fait d'exploiter ce faux pas (qui a surpris François Mitterrand lui-même) et d'agiter le spectre de la nationalisation à la carte. Mai 68 n'est pas loin.

En politique étrangère s'affrontent à l'intérieur du PS atlantistes et neutralistes, Européens et anti-Européens, partisans et adversaires de la force de dissuasion. Le projet Chevènement est taxé par Arthur Notebart, député du Nord, de « diarrhée d'anti-américanisme ». André Chandernagor, député de la Creuse, commente de son côté : « Il est bon que ce soit brillant, mais il faut aussi que ce soit compréhensible [1]. » Quand les points de vue sont trop contradictoires, François Mitterrand, bien déterminé à hésiter, choisit le clair-obscur. Ainsi, à propos de la force de frappe, qui deviendra pourtant plus tard élément constituant de la doctrine socialiste mais reste pour l'heure fort contestée, le numéro un laisse tomber ce verdict de Salomon : « La seule politique logique serait la neutralité, mais elle n'est pas concevable. »

On discute beaucoup dans toutes les sections, dans toutes les fédérations du PS, et l'on produit force amendements. Certains portent sur de graves sujets — l'avortement, la peine de mort —; d'autres sur des points qui relèvent plutôt de la symbolique de gauche — la suppression de la publicité à la télévision (illustration abominable de cette société de consommation qu'il faut vite faire disparaître) et la suppression de la première classe dans le métro.

En matière économique, pour *Changer la vie,* un but ingénieux est fixé : « La recherche d'un modèle de croissance qui exclut le profit et soit exclusivement consacré au bonheur de

1. Albert du Roy et Robert Schneider, *le Roman de la rose,* Paris, Le Seuil.

l'homme » (une perspective qu'il est évidemment plaisant de se remémorer après quelques années de virages socialistes au pouvoir).

C'est ce texte qui fournira la base de l'âpre négociation-marchandage avec le PC, d'où sortira le Programme commun de la gauche. Les contradictions et les audaces de ses propositions feront croire à la majorité de l'époque qu'elle tient là une arme irrésistible pour arrêter net la gauche. Or, c'est le contraire qui se produit. Attirés par le bruit du grand débat idéologique qui se déroule au PS, les adhérents affluent. La gauche redevient à la mode. Dans les dîners en ville, pour briller, mieux vaut pencher de ce côté-là. A gauche toute ! La droite pouah ! Il faudra attendre 1981 pour que le mouvement s'inverse.

Comme des critiques tout de même se font jour et que des réfutations se préparent, François Mitterrand prend sa plume pour s'expliquer, récuser les procès, devenir le leader naturel de toute la gauche unie et entrer enfin dans le cénacle des penseurs socialistes. Il dresse ainsi une sorte d'état de sa pensée et de ses sentiments, version 72-73.

Dans *la Rose au poing*[1], tout son propos vise l'adversaire numéro un : le capitalisme. Il faut préparer l'avènement de la démocratie économique, dont le point de départ reste, écrit-il dans le style de Maurice Thorez, « l'appropriation collective des grands moyens de production, d'investissement et d'échange ». Il existe en France, assure-t-il, une dictature de classe, celle des privilégiés, qui est non moins réelle que la nomenclatura soviétique, même si, convient-il (il faut quand même se montrer objectif), « ses manières sont plus raffinées ». En août 1972, il s'en explique ainsi à Roger Priouret[2] : « J'ai acquis la conviction que la structure économique du capitalisme est une dictature et qu'à mes yeux elle représente un danger pour ce goût de la liberté qui est au plus profond de moi-même. Mon réflexe n'a pas été idéologique mais de sensibilité et ensuite de politique... Il y a dans mon éducation une susceptibilité de petit-bourgeois qui n'aime pas qu'on lui marche sur les pieds, qui appartient à une famille très libérale et orgueilleuse vivant en marge de la bourgeoisie... C'est cette

1. Paris, Flammarion.
2. Dans une interview à *l'Expansion*, août 1972.

sensibilité héritée de ma jeunesse qui m'a convaincu que le goulet d'étranglement, c'est l'économie. »

Décidément, il faut toujours remonter à Jarnac.

Les ans passant, jusqu'en 1981 son analyse sera toujours la même : « Les socialistes pensent que le système capitaliste est à l'origine du mal, que la loi suprême du profit a pour conséquences naturelles d'éliminer l'aspiration individuelle ou collective vers des valeurs telles que la beauté, la fête, l'amour, le dialogue, que la volonté de la classe dirigeante s'obstine à raboter l'imagination, la diversité, le savoir et davantage encore l'exigence de responsabilité, cette pointe de diamant d'une société civilisée[1]. »

En matière institutionnelle, il faut, poursuit-il dans *la Rose au poing* — c'est son obsession depuis *le Coup d'Etat permanent* —, réformer la Constitution, réduire le mandat du chef de l'Etat à cinq ans, empêcher que le référendum puisse être utilisé à des fins plébiscitaires. Il faut aussi abroger l'article 16 (« l'article de la dictature »), restituer au Premier ministre la pleine autonomie que lui assure un article 20 jamais appliqué et jamais respecté, remplacer enfin le Conseil constitutionnel par une Cour suprême. Et il conclut : « Fini le temps où l'on pouvait se faire élire à gauche pour gouverner à droite... »

A Jean-François Revel, qui le questionne avec un rien d'inquiétude, François Mitterrand réplique dans *l'Express :* « La mutation que nous proposons doit aboutir à la suppression du capitalisme... Il ne peut y avoir coexistence du socialisme et des monopoles privés... Nous croyons au socialisme autogestionnaire. J'ai fait établir chapitre par chapitre le nombre de fonctionnaires nouveaux que suppose l'application du Programme commun : il est moins élevé que vous ne le croyez. Le Programme commun est moins étatique que le faux libéralisme de M. Giscard d'Estaing. » A la question de Jean-François Revel : « Supposons une unité de production qui ne soit pas rentable. Les travailleurs votent et décident qu'elle doit cependant continuer ? », réponse de François Mitterrand : « Non. C'est le pouvoir politique qui tranchera dans le cadre du Plan. »

En 1965, le candidat de la gauche se disait favorable à la libre entreprise... pourvu que l'Etat décide de ses investissements. En 1973, le voilà favorable à l'autogestion... à condition

1. *Le Monde*, 1976.

que l'Etat décide à la place des ouvriers ! Contradiction ? Non, dialectique, répond son entourage, habitué depuis 1971 à le voir fonctionner.

Nous sommes peut-être là au plus mystérieux de cet étrange personnage : à peine a-t-il formulé une thèse qu'il soutient à sa manière l'antithèse. « Il est comme le yin et le yang, mais les deux à la fois et en même temps », note, mi-amusé, mi-admiratif, un hiérarque de la HSS (haute société socialiste). « Dès que François Mitterrand prend une décision, c'est aussitôt pour vanter les avantages du choix qu'il n'a pas fait », renchérit un ministre.

Machiavélisme ? Point n'est certain. Si sa nature rejoint son intérêt, il réagit toujours de telle manière qu'il est à lui seul l'alternance au sein de l'alternance (ce que les événements vérifieront peut-être). Cela choque ceux qui le connaissent peu et contribue beaucoup à lui donner l'image du politicien rusé, prompt à se retourner et à se déjuger. Mais c'est ainsi : tout ce qu'il dit correspond toujours à une partie de lui-même. De cet homme ondoyant et divers qui n'est jamais ni tout à fait le même ni tout à fait un autre, Michel Jobert, qui l'a bien observé pendant deux ans, note en poète : « Mitterrand, c'est de l'eau. Elle est là qui tremble sur les feuilles si molles d'une ombellifé-racée. Demain elle ne sera plus : elle sera devenue buée du soir, brouillard du matin, gramme de vie dans le sol qui a soif ou qui emmagasine pour les jours arides de l'été... Mitterrand, c'est H_2O, l'eau, tantôt buée, pluie ou neige. Elle coule, si un barrage l'arrête elle cherche à contourner l'obstacle... C'est une force qui va mais dont il est difficile de discerner les contours. »

Par l'ambiguïté, le travail, la distance, le talent oratoire, le ton monarchique, un rien de cruauté, l'art de jongler avec les tendances, François Mitterrand devient donc seul maître à bord du vaisseau socialiste. Et celui-ci ne cesse d'avancer. Alors qu'en 1968 la FGDS n'avait obtenu que 16,5 % des voix, aux législatives de 1973 ses candidats recueillent 20,8 % des voix (radicaux de gauche compris). Le PC est encore devant, qui atteint 21,4 % des suffrages. Mais le rééquilibrage de la gauche a commencé. Sur 88 députés socialistes, 40 ne siégeaient pas dans la précédente Assemblée. Arrivent alors au Palais-Bourbon Pierre Mauroy, Jean-Pierre Chevènement, Alain Savary, Pierre Joxe et Jean Poperen. Et reviennent avec eux des battus de 1968 : Louis Mermaz, Georges Fillioud, etc.

Mieux, trois ans plus tard, aux élections cantonales de 1976, le PS peut revendiquer le titre de premier parti de France grâce aux 26,5 % des voix qu'il parvient à rassembler. Le PC, cette fois, et bien qu'il ait lui-même progressé avec 22,8 % des bulletins, est devancé. Le rééquilibrage de la gauche est réalisé.

Aux élections municipales de 1977, c'est le raz de marée. La gauche — PC, PS et radicaux réunis — parvient au chiffre, sans précédent sous la Vᵉ République, de 54 % des voix et enlève cent cinquante-cinq des deux cent vingt et une communes de plus de trente mille habitants. Le PS arrache quarante et une grandes villes à la majorité de l'époque, le PC vingt-deux.

Aux législatives de 1978, enfin, la progression relative se confirme puisque la gauche non communiste obtient 25 % des voix et, pour la première fois à ce type d'élections, devance le PC qui stagne à 20,6 %. C'est qu'entre-temps l'Union de la gauche a éclaté et le PC, tenu pour responsable, est sanctionné par une fraction des siens. Le PS, en dépit de sa progression, n'a pas atteint les sommets (30 %) que lui promettaient plusieurs sondages. Ce que les politologues appellent l'effet isoloir — c'est-à-dire le réflexe de peur provoqué à la dernière minute chez l'électeur par l'hypothèse d'un changement de majorité — a joué à la baisse. Quand même, qui considère la courbe des suffrages doit bien constater qu'elle ne cesse de monter.

Cette progression électorale, bien sûr, a été marquée d'à-coups. Deux événements, outre la rupture de l'Union de la gauche, ont scandé la longue marche de François Mitterrand : sa défaite aux présidentielles de 1974 et l'émergence d'un rival à l'intérieur du PS ; Michel Rocard.

En 1974, une fois encore, François Mitterrand échoue de peu. Le 4 avril, le président Pompidou meurt presque subitement. Sans trop se soucier du délai de décence, la classe politique doit improviser en hâte une élection présidentielle.

Cette fois, la gauche unanime se tourne vers le premier secrétaire du PS. Chacun l'adjure, communistes compris, de porter les couleurs du camp de la Justice. Comment résister à la pression affectueuse de tant d'amis et tant de camarades ? Comment ne pas tenter sa chance lorsque s'amplifie un tel courant unitaire ? Comment oser décevoir une telle espérance ? Un congrès extraordinaire du Parti socialiste réuni en toute hâte au palais de la Mutualité implore par 3 748 mandats sur 3 748 (un score albanais ou nord-coréen) François Mitterrand de se porter candidat.

Le Nouvel Observateur se demande alors gravement : « Qui

peut battre Mitterrand ? » Question d'autant plus judicieuse que Claude Perdriel, le propriétaire de l'hebdomadaire, a fait don de sa personne au candidat socialiste pour la durée de sa campagne.

François Mitterrand veut prendre de la hauteur : il s'installe donc tour Montparnasse. Là, dans des locaux futuristes, le rejoignent fiévreusement le ban et l'arrière-ban des amis personnels : André Rousselet, Louis Mermaz, François de Grossouvre, Joseph Franceschi, Charles Hernu, Claude Estier, Jacques Attali, Christian Goux, un économiste distingué que François Mitterrand qualifie de « l'un des plus sûrs interprètes de Marx[1] ».

Vient se joindre pour la première fois à ce chœur, à la demande de Jacques Attali, Michel Rocard, encore leader du PSU. Ce qui provoque des frissons parmi les vieux caciques de la cité Malesherbes.

François Mitterrand mène une campagne aussi brève qu'active. Son adversaire principal devient très vite Valéry Giscard d'Estaing. Le ministre des Finances de Georges Pompidou s'impose au détriment du gaulliste Jacques Chaban-Delmas. La crise naissante (450 000 chômeurs, 11,5 % d'inflation) forme le thème principal du débat, même si personne n'en mesure tout à fait l'ampleur. Le leader socialiste explique que le libéralisme et le capitalisme en portent l'entière responsabilité. VGE rétorque que le programme de la gauche aggraverait brutalement les dérèglements intérieurs.

Le modernisme l'emporte sur le socialisme. François Mitterrand est battu sur le fil (avec 49,3 % des suffrages), cela devient une habitude. Le PC, cette fois-ci, n'y est pour rien. Il a joué le jeu avec une irréprochable discrétion. Il fournissait des votes et acceptait de se faire tout petit ou presque.

Mais le destin, décidément, s'acharne. Le premier secrétaire

1. Il écrit à son sujet dans *l'Abeille et l'Architecte :* « Les intellectuels et plus particulièrement les théoriciens de l'économie qui se sentent solidaires de cette lutte historique ont un rôle décisif à jouer. Il leur faut à la fois contribuer à la désagrégation du bloc idéologique en place, démonter les mécanismes et à partir de réflexions, lancer la voie du socialisme... Il est donc souhaitable, comme l'a fait Marx il y a plus de cent ans, que la critique de l'économie politique actuelle, celle de la classe au pouvoir, soit reprise et approfondie, que de nombreux travaux théoriques s'appuyant sur le fait économique et social se développent et fournissent les outils pour la remise en cause d'un ordre décadent. »

du PS à cinquante-huit ans. Pour la première fois, il laisse publiquement deviner son désenchantement et sa lassitude. A ses amis réunis tour Montparnasse, le lendemain de la défaite, il confie : « Je me sentais prêt à diriger la France, je crois que j'aurais fait un bon président. Ne désespérez pas, la gauche gagnera bientôt. Mais ce ne sera pas moi qui la conduirai au pouvoir, ce sera vous. En attendant, le combat reprend dès aujourd'hui. » « Nous avions tous le cœur serré, la plupart ne cachaient pas leurs larmes », se souvient Georges Beauchamp. A Jean Daniel, venu le visiter quelques jours plus tard, le candidat battu confie : « Je ne retrouverai jamais plus des circonstances semblables, j'étais en mesure de gouverner, j'en avais la capacité physique, elle peut diminuer maintenant. Ça m'aurait fait plaisir d'être président de la République. Enfin, ce n'est pas fondamental pour moi [1]. »

Mince consolation : au lendemain de l'échec, François Mitterrand n'a jamais été, disent les sondages, aussi haut dans l'estime des Français, qui, en bons Gaulois, préfèrent toujours le second au vainqueur. Son parti en profite. Durant l'été 1974, les adhésions affluent au PS par centaines et centaines. Les secrétaires de fédération sont débordés, assaillis par des néophytes en mal de militantisme, et pour un peu ils refuseraient du monde. L'échec de mai est perçu dans le camp des battus comme une revanche morale. Ils le savent, ils le croient, ils en sont convaincus : la prochaine fois, le pouvoir ne leur échappera pas.

Pour l'heure, François Mitterrand doit affronter un autre souci. Comme si cette année 1974 n'était décidément pas bénie des dieux, comme si Saturne planait ces mois-là sur son thème astral. Les Assises du socialisme des 12 et 13 octobre annoncent en effet l'entrée au PS de Michel Rocard.

A première vue pourtant, l'affaire se présente bien. Tout le monde (ou presque) se réjouit — Pierre Mauroy le premier, qui y a beaucoup contribué — de l'adhésion au PS d'un tel homme Le CERES lui-même s'enchante d'accueillir un camarade qui est un si fervent partisan de l'autogestion. Les arrivées de personnages comme Jacques Delors, Edmond Maire, Edgar Pisani ou Hubert Dubedout, le maire de Grenoble, font moins de tapage

1. Cité par Franz Olivier Giesbert *in François Mitterrand ou la tentation de l'Histoire, op. cit.*

mais plaisent autant. Voilà un sang neuf qui va fouetter la famille socialiste, désormais sur la voie de la réunification.

François Mitterrand, pour sa part, n'est pas fâché de voir venir à lui des hommes qui, jadis, l'avaient humilié en lui refusant l'entrée du PSU et ne s'étaient pas privés de lui reprocher son passé d'homme de la IVe. Pendant l'été, pourtant, Jean Poperen, un ancien du PSU lui aussi, a averti le premier secrétaire : « J'ai pratiqué Rocard et les siens. Vous faites entrer le virus au PS [1]. » Mais on a raillé une obsession antirocardienne qui le pousse à appeler « Rocard d'Estaing » ce jeune technocrate, adversaire de l'Union de la gauche. Et personne ne l'écoute. Ou presque : des hommes comme Pierre Joxe et Claude Estier marquent eux aussi quelque réticence. Ils craignent que l'arrivée de Rocard ne complique les rapports avec le PC et la CGT, qui sont devenus bons depuis la signature du Programme commun.

Le premier secrétaire ne les entend pas. Il est persuadé que Rocard ne pèsera pas lourd en face de lui dans les instances dirigeantes du parti. Il se réjouit qu'Edmond Maire introduise une sensibilité peu répandue au PS : celle du monde ouvrier. Enfin, le maire de Grenoble, qui a fait de sa ville un champ d'expérimentation sociale, symbolise aux yeux de beaucoup une génération d'hommes de gauche compétents et dynamiques. Au total, François Mitterrand conclut que ces Assises du socialisme ont donc été une bonne affaire.

Et les premiers temps semblent le confirmer. En apparence, jusqu'aux législatives de 1978, tout se passe à peu près bien. La presse fait de Michel Rocard un homme à la mode. Au congrès de Pau, en janvier 1975, on salue son discours. Le PS, dit-on, se dote enfin, grâce à lui, d'économistes sérieux. Bientôt on commence à le présenter comme le dauphin de François Mitterrand ; on glose même sur l'emprise nouvelle des anciens du PSU au sein du PS. Il y a bien des gens comme Georges Séguy pour s'inquiéter des réactions trop favorables de Michel Rocard au rapport Sudreau sur l'entreprise, « Hymne à la gloire de l'entreprise capitaliste ». Mais les réticences communistes ne troublent guère : on les met sur le compte des rancœurs suscitées dans leurs rangs par l'attitude de Michel Rocard, l'homme de Charléty, en 1968. Et l'on pense que cela finira par passer.

1 Cité dans *le Roman de la rose*, *op. cit.*

Comme on ne disait pas encore à l'époque : « Tout baigne », y compris entre François Mitterrand et Michel Rocard. On voit même, quand *l'Expansion* organise un forum afin d'éclairer les patrons sur les intentions socialistes, les deux hommes faire chorus pour affirmer que le marché est encore le meilleur système de régulation de l'économie et que le nombre des nationalisations n'excédera pas celui prévu dans le Programme commun.

Mais en juillet, lors du congrès de Nantes, Michel Rocard se démarque. Il semble vouloir rassurer les cadres et les chefs d'entreprise, donc le centre, si ce n'est la droite. Et, du coup, il inquiète la majorité mitterrandiste qu'il agaçait déjà par ses allures d'intellectuel moderniste. Voilà l'ex-soixante-huitard devenu réformiste ! Sacrilège ! Et il ne s'arrête plus : en septembre, lors d'un débat qui l'oppose sur Europe 1 à Jean-Pierre Fourcade, il s'avise de parler en gestionnaire plus qu'en homme politique. Nouveau sacrilège. Les communistes commencent à grogner qu'ils l'avaient bien dit et tancent sans ménagement un homme qui « voudrait gérer l'économie française à la suédoise ou à l'allemande ».

Alors les dirigeants socialistes entreprennent de dresser son bilan. Voilà un homme qui braque les communistes mais qui, en revanche, a l'oreille des « ennemis de classe », les milieux économiques qu'il rassure ; un homme qui est à la mode, dont le style plaît, dont l'audience grandit à l'extérieur comme à l'intérieur du parti, alors qu'au même moment l'étoile de François Mitterrand commence à pâlir. L'usure du temps, ses bagarres quasi permanentes avec les communistes font douter de la sûreté de la stratégie d'Union de la gauche ; la rupture de celle-ci accroît un peu plus le désenchantement. François Mitterrand est sensible plus que quiconque à ce mouvement de l'opinion. Il se méfiait d'ailleurs depuis longtemps. En septembre 1975, au cours d'un de ces séminaires que les spécialistes laïcs affectionnent — celui-ci se tenait à Gouvieux, dans l'Oise —, il s'était écrié : « La succession n'est pas ouverte. » A bon entendeur, salut ! Et pour s'assurer que l'entendeur entendrait bien, il avait confié à Gilles Martinet, ami de Rocard : « Le parti n'est pas à prendre. Il est déjà pris. »

Cela n'empêchera pas la guerre de succession. Elle commence le 19 mars 1978, le soir du deuxième tour des législatives, des législatives que la gauche a failli gagner et a finalement perdues. Toute la France ce soir-là assiste à la première estocade.

Invité par Antenne 2, Michel Rocard, qui vient d'être élu député des Yvelines, se livre — la main sur le cœur, l'œil en berne — à un grand numéro d'introspection critique qui paraît spontané comme un cri du cœur. En fait, il a préparé un texte, dix fois raturé, qu'il a placé devant lui. Et ce texte explique que la stratégie de la gauche n'était sans doute pas la meilleure... Dans la France profonde, on juge bien convenable ce monsieur qui bat sa coulpe si honnêtement et qui « parle vrai ». Et l'on n'a pas de mots assez sévères pour les autres dirigeants socialistes qui paradent d'ordinaire à la tribune et n'ont pas eu le courage, pense-t-on, de venir se colleter avec leurs adversaires devant les caméras, un soir de défaite.

Les jours suivants, ça ne s'arrange pas. Alors qu'on loue un peu partout Michel Rocard, François Mitterrand, qui incarne l'Union de la gauche, est tenu pour responsable de l'échec électoral, critiqué de tous côtés. L'écrivain de gauche Pierre Bourgeade écrit : « Qu'il se retire... il allierait l'habileté à la grandeur », reprenant ainsi — effet boomerang ? — les injonctions de François Mitterrand au général de Gaulle en 1968. Dans *le Quotidien de Paris*, le gaulliste de gauche (et parfois d'une gauche extrême) Maurice Clavel l'incite carrément à la retraite : « Rentre en toi-même, Octave, et cesse de te plaindre. » Jean-Edern Hallier, dans *Paris-Match*, ordonne froidement : « François Mitterrand, retirez-vous ! »

Amer, on le comprend, le député de la Nièvre confie à son bloc-notes : « J'attends maintenant du principe d'Archimède une somme de doutes, d'insolence, d'injures exactement égale à la somme d'éloges, de soumissions et de serments que m'eût procurée le mouvement contraire. »

Il n'est pas homme, pourtant, à se laisser abattre aussi aisément. Il rebondit : « Ne croyez pas que l'ambition d'être à tout prix président de la République soit le moteur de mon action... Mais, après tout, l'échéance normale de 1981 n'est pas si éloignée. » Quelques jours plus tard, le 30 mars, il lance : « En 1981, les communistes auront leur candidat. Pour nous, il y en a trois possibles : moi-même, Pierre Mauroy et Michel Rocard. » Voilà une belle sérénité. Apparente...

En attendant, cela peut toujours servir, ses amis font adopter à l'unanimité par le groupe socialiste de l'Assemblée, lors de sa première réunion, une motion qui lui manifeste son « affectueux attachement ».

De l'affection, les cœurs socialistes en débordent, mais ils sont réalistes aussi : les sondages font à Michel Rocard des yeux de plus en plus doux. Invité à les commenter, celui-ci explique au *Club de la presse* d'Europe 1 que les Français apprécient sans doute un certain « style politique » et se détournent d'un « certain archaïsme » politique. Archaïque ? Vous avez dit archaïque ? François Mitterrand n'aime pas du tout cela. Car on a vite compris qui était « archaïque » : lui.

Dès lors, la compétition est ouverte. Et beaucoup pensent déjà connaître le vainqueur et le vaincu. Le 23 septembre, *le Monde* annonce en titre : « Rocard veut briguer l'Elysée en 1981. » *Le Nouvel Observateur* est prêt à tourner la page Mitterrand : « L'attachement à un homme ne doit pas compromettre le débat nécessaire. » Au cours de ses déplacements, Raymond Barre croit pouvoir annoncer : « Mitterrand a signé un pacte comme naguère Faust, il lui faut maintenant payer. »

A l'intérieur même du parti, l'auréole du premier secrétaire est ébréchée. Celui que l'on appelait jadis « le Prince », avec défiance mais surtout avec respect, devient dans les sections « Tonton ». C'est sûrement plus affectueux, mais les Français sont toujours affectueux avec les perdants. Pierre Mauroy a beau affirmer que « le plus qualifié pour 1981, c'est encore François Mitterrand », cet « encore »-là sonne mal aux oreilles du premier secrétaire.

Et pendant ce temps-là Michel Rocard est partout : à la télévision, sur les ondes, dans tous les journaux. C'est la coqueluche des médias. *Le Nouvel Observateur* l'interviewe et, en introduction, Jean Daniel écrit : « Pierre Mauroy aura peut-être un jour le parti, mais pas le pays. Michel Rocard pourrait avoir un jour le pays, mais pas le parti. » Il ne parle déjà plus de François Mitterrand.

Est-ce l'heure de la préretraite ? A des visiteurs, le premier secrétaire parle de la mort, se dit tenté par une carrière d'écrivain, laisse entendre que la vie à la campagne est pleine de charme.

Feintes ? Ruses ? Le congrès de Metz n'est pas loin. Et François Mitterrand est bien décidé à garder le pouvoir. Au moment où l'échec de la gauche l'abattait, il vient en effet de recevoir comme un don du ciel un adversaire. Or, il a toujours rebondi, resurgi, gagné *contre* quelqu'un. Et voilà qu'un homme se dresse sur son chemin, dans son propre parti. Eh bien ! il va refaire ses forces contre lui, trouver dans ce combat un nouvel élan.

Premier épisode : comme d'habitude, il envoie ses amis en patrouille livrer les escarmouches initiales. Le 21 juin 1978, Edith Cresson, Louis Mermaz, Charles Hernu, Lionel Jospin, Jean Poperen et quelques autres rendent publique une « contribution[1] » dite des « trente » où ils font référence au rôle important qu'ils ont joué dans la création du Parti socialiste, réaffirment leur option pour l'Union de la gauche et stigmatisent « toute recherche de solution prétendument technique et moderniste qui ferait courir à notre parti un danger mortel ». Voilà Rocard cloué au pilori.

Pierre Mauroy, qui n'a pas été prévenu de l'opération, juge qu'on veut jouer sans lui. Il a appris que Mermaz draguait en vue du congrès au sein de sa fédération du Nord sans l'en avoir prévenu et qu'il a fait aussi des ouvertures en direction du CERES. Grosse colère du maire de Lille qui menace : « Si Mitterrand conclut un accord à Metz avec le CERES, moi j'en ferai un avec Rocard. » La méfiance s'installe.

François Mitterrand ne s'arrête pas pour si peu. Il charge Paul Quilès, un polytechnicien froid et méthodique, de travailler les fédérations en vue du congrès. Et pour l'assister il désigne Jean Auroux, Henri Emmanuelli, Christian Nucci. Tous les jeudis, en outre, une cellule de travail se réunit rue de Bièvre : il y a là, autour du fidèle Georges Dayan, Pierre Bérégovoy, Jacques Attali, Pierre Joxe, Laurent Fabius, Paul Quilès. Des hommes que la plupat des Français ne connaissent pas, ou peu, mais qui deviendront célèbres quand François Mitterrand les paiera de retour en 1981... ou 1984.

Tout cet aréopage a vite fait de répandre dans le parti le bruit que « la candidature Rocard est voulue par l'Elysée pour diviser le parti socialiste, qu'elle fournit à Giscard un adversaire dont il n'aura aucun mal à venir à bout ». C'est à qui tapera le plus fort sur le député des Yvelines. Le 23 novembre, Gaston Defferre, président du groupe à l'Assemblée nationale, déclare à France-Inter : « Le discours de Rocard ressemble à celui de l'inspecteur des finances qui parle des équilibres du budget. Si c'est pour faire cette politique-là, il y a MM. Barre et Giscard d'Estaing. Cette politique rappelle étrangement celle

1. Texte de prise de position préparatoire au congrès.

que faisait Pierre Laval. » Douloureux, Rocard dénoncera cette calomnie politique.

François Mitterrand, lui, se sent revivre. Il attaque : il aime ça. Il ironise sur ceux qui, « comme d'autres cultivent le cannabis, cultivent les états d'âme, petite drogue douce et délétère ». Il a repris son tour de France. Il va courtiser les vieux de la vieille SFIO, Notebart, Ernest Cazelles, Jacques Piette, Claude Fuzier. Il impose des verrous, bétonne son camp.

Résultat : le 20 décembre 1978, Mauroy et Rocard signent une « contribution » commune. Elle regroupe quatre cents signatures, dont celles de Jean-Pierre Cot, que François Mitterrand avait, à son arrivée au PS, couvé de son aile, et Françoise Gaspard, la jeune maire de Dreux. François Mitterrand n'apprécie pas du tout. Il lance en tempêtant sa traditionnelle menace : « Si je ne gagne pas au congrès de Metz, je serai démissionnaire. » Et voilà qu'une « gaffe de Rocard » avive encore les passions. Au cours de l'émission télévisée *Cartes sur table,* il lâche : si nous l'emportons en avril (au congrès), Pierre Mauroy sera le premier secrétaire (sous-entendu : et moi je serai candidat à la présidence). Dès le lendemain, c'est la lutte au couteau. Les mitterrandistes ont beau jeu de dénoncer l'opération menée contre leur chef. Et ils ne s'arrêtent pas en si bon chemin : ils qualifient Michel Rocard de traître. Les rocardiens, eux, stigmatisent François Mitterrand, monarque vieilli, symbole de l'impuissance et de l'incompétence économique.

Leur offensive change l'arithmétique socialiste : Jean-Pierre Chevènement devient un allié indispensable pour François Mitterrand si celui-ci veut l'emporter à Metz. Le député de Belfort se laisse vite convaincre : à ses yeux, l'alliance Rocard-Mauroy correspond à une offensive droitière sous-tendue par l'analyse que « le capitalisme traverse une simple crise d'adaptation qui ne met nullement en cause son existence[1] ». On l'aura compris, c'est par pureté doctrinale que le CERES rejoint le courant A. « Je suis probablement dans la gauche française l'un des hommes qui ont le plus combattu la social-démocratie », plaide Michel Rocard à France-Inter. Au moment où tout le monde le prend pour un social-démocrate. Et c'est ce qui fait son charme, justement.

De part et d'autre, on recense les amis. Si la contribution de

1. *Le Monde* du 4 janvier 1979.

Michel Rocard et Pierre Mauroy est signée par 400 responsables, 39 députés et 10 sénateurs, l'appel des partisans du premier secrétaire recueille 500 signatures, 39 députés, 13 sénateurs. Celui du CERES, 6 députés, 3 sénateurs et 36 membres du comité directeur.

Habile, le 19 janvier à Arras, François Mitterrand déclare : « Je renoncerais à être candidat aux présidentielles si cela devait sauver l'unité du parti. » Réponse ingénue de Michel Rocard le 10 février 1979 sur RTL : « Si François Mitterrand est candidat aux élections présidentielles, je ne le serai pas. » Et, pour se ménager les bonnes grâces de ses camarades marxisants, il précise : « Je ne suis pas du tout anti-étatiste... » Ses conseillers s'arrachent les cheveux par touffes entières.

Le congrès de Metz est celui de la haine. Pour la première fois, François Mitterrand est hué à son arrivée. L'affrontement entre lui et Michel Rocard prend la forme scolastique d'un débat sur les deux cultures qui coexistent au sein du socialisme français [1]. A la tradition jacobine et centralisatrice s'opposerait une sensibilité décentralisatrice et autogestionnaire. « Tout passe d'abord par la transformation du régime économique, ce qui pose en termes clairs le problème de la propriété », dit le premier secrétaire. Michel Rocard rappelle, lui, qu'il faut tenir compte des lois du marché. Les amis de François Mitterrand lui rétorquent qu'il « surestime les contraintes économiques ». Personne n'est dupe derrière le choc des idées ; il s'agit d'un duel à mort de deux personnes qui veulent le même poste.

Celui qui porte l'estocade est le damoiseau Laurent Fabius. Sa pile de diplômes l'autorise à trancher : « Entre le Plan et le marché, il y a nous, le socialisme », une formule bien vague, mais qui signifie quelque chose de tout à fait précis. Rocard est battu et le courant A est vainqueur. En l'écoutant, François Mitterrand semble avaler une gourmandise.

Les jeux sont faits. Le premier secrétaire gagne son congrès, grâce au CERES qui revient dans la majorité. Pierre Mauroy, qui avait tant prêché pour la synthèse (il voulait réconcilier les inconciliables), et Michel Rocard entrent dans la minorité.

Peu après, et sans qu'on puisse établir de lien formel entre les deux événements, le PS, aux élections européennes, perd son titre de premier parti de France. Avec 23,53 % des suffrages, il est devancé par l'UDF qui en obtient 27,6 %.

1. Un débat dont les termes prêteraient aujourd'hui à sourire.

Après l'entracte de l'été, le combat reprend car l'enjeu est toujours là : la candidature à l'Elysée. Et l'échéance approche. François Mitterrand s'interroge, sa cote s'affaiblit. Le 30 septembre, il déclare : « C'est seulement à partir du moment où cesseraient contre moi les insultes que je me demanderais si je sers encore. Tant qu'elles dureront, je pense que l'heure de ma retraite n'est pas venue. » Une autre fois, à l'émission *Cartes sur table,* il s'écrie (complexe de persécution ?) : « Je gêne beaucoup de gens, le pouvoir en place avec tous les moyens dont il dispose, une grande partie de la presse écrite, Georges Marchais, des organes de presse qui se réclament de la gauche, voire les Etats-Unis ou Moscou, mais cela me plaît, j'ai la conviction que je mène une bonne politique. »

Les sondages en tout cas font toujours les yeux doux à son adversaire. A les en croire, Michel Rocard serait le meilleur candidat à la présidence de la République. François Mitterrand tente de contre-attaquer en lançant à six mille militants réunis porte de Pantin : « Est-ce que vous croyez que ce sont les sondages qui vont faire la politique du PS ? Les camarades qui reçoivent une popularité doivent être respectés. Mais il ne faut pas que les socialistes se laissent dicter de l'extérieur les décisions qu'ils ont à prendre. » Ses amis font chorus : « Le PS ne se laissera pas influencer par les sondages », peste Paul Quilès. Louis Mermaz affirme que les sondages « sont la plus grande supercherie jamais rencontrée dans l'histoire de la Ve République ». Et ainsi de suite. Ils ont beau faire, ils ont beau dire, bien des gens croient à ces affreux sondages. Au point que certains notables mitterrandistes commencent à changer de camp pour rejoindre le député des Yvelines.

En septembre 1980, les amis du premier secrétaire le pressent de s'engager plus avant. « Vous n'avez pas le droit de ne pas être candidat, ne serait-ce que pour l'avenir du parti. » Mais il répond, impavide : « Avant l'heure, c'est pas l'heure. »

Le 19 octobre, patatras ! Michel Rocard, tendu et crispé comme jamais, annonce sa candidature à la candidature depuis sa mairie de Conflans-Sainte-Honorine. « Il a raté son coup », commente la presse pour une fois réticente. « Il a fait sa déclaration de Chamalières », raillent, soulagés, les mitterrandistes. Mais c'est peu de dire qu'ils n'apprécient pas. Le 23 octobre, sacrilège... Rocard tient même une réunion à... Epinay, où des militants crient : « Rocard, président ! » C'était comme si Calvin avait voulu prêcher à Saint-Pierre de Rome

François Mitterrand, lui, se tait. Mais trop, c'est trop. Claude Estier, qui le connaît bien, dit aujourd'hui : « Je suis certain que la façon dont Michel Rocard a annoncé sa candidature à la candidature a déterminé François Mitterrand à se présenter. » Toujours le même réflexe : chaque fois qu'un ennemi ou un rival s'avance, François Mitterrand rebondit.

Le 26 octobre, à Marseille, il dit : « Si les militants me le demandaient, je serais candidat. » Le courant A, c'est-à-dire ses amis, contrôlant la majorité des fédérations, les militants ne vont pas tarder à le lui demander. Michel Rocard, comme il l'avait promis, s'incline et s'efface. Il n'a pas le choix. Et celui qui était si décrié, rejeté par les sondages et les Français, va entrer à l'Elysée. Parce qu'il profitera de la conjoncture et de la faiblesse de l'adversaire. Parce que, bien conseillé, il saura faire de ses handicaps autant d'atouts : son âge et son passé le feront apparaître comme un homme d'expérience, son autoritarisme sera présenté comme un signe de caractère, son ambiguïté mystérieuse deviendra sérénité. Il limera même ses dents pour rassurer.

Le 10 mai 1981, François Mitterrand est élu président de la République. Il devrait remercier Michel Rocard. Mais c'est bien la dernière idée qui lui viendrait à l'esprit. L'ingratitude est le propre des princes. Même étrangers.

L'ALLIANCE AVEC LE DIABLE

Aux plus beaux jours de l'Union de la gauche, les amis de François Mitterrand le clamaient : « Plus anticommuniste que lui, disaient-ils, ça n'existe pas, ses sentiments n'ont pas varié. » Et pourtant, l'union avec le PC, il l'a voulue, il l'a pratiquée. Il a fait sortir le parti de son ghetto et il a ouvert à quatre de ses représentants l'entrée des palais ministériels

Dès le début des années soixante, il l'avait compris : pour faire tomber de son socle l'homme du 18 Juin, il devrait rallier à lui, sans faire trop le difficile, tous les adversaires du gaullisme. La loi électorale, le scrutin majoritaire — pour lequel il avait tant lutté sous la IVe — accentuant la bipolarisation rendaient presque inévitable l'union avec le PC.

La seule justification de ce mariage étant la conquête du

pouvoir, la satisfaction d'un dessein personnel, on pourrait trouver dans l'attitude de François Mitterrand la marque d'un cynisme peu ordinaire et la qualifier de péché mortel. Mais, en même temps, chercher à réduire l'influence du Parti communiste — comme ce fut toujours son dessein —, voilà qui mérite l'indulgence plénière.

François Mitterrand est à la fois celui par qui les communistes sont revenus au pouvoir pour trois ans et celui qui a contribué[1] à leur faire subir le plus cruel déclin de leur histoire. Qui s'attache à l'analyse de son caractère ne peut trouver meilleure illustration de sa dualité.

Au départ, l'occasion fait le larron.

En 1965, le PC cherche à changer à la fois d'image et de stratégie. L'époque thorézienne vient de s'achever : l'inamovible Fils du Peuple est mort l'année précédente. Une cure de déstalinisation est en cours. Le parti veut rentrer dans le jeu politique. Il sait désormais que la Ve République est faite pour durer et il a compris qu'une opposition solitaire serait inefficace. Il recherche une sorte de brevet d'honorabilité républicaine : il pense qu'une alliance avec le Parti socialiste va le lui fournir. Les dirigeants communistes ne voient guère de risques à l'opération. Leur parti est fort, bien implanté, très structuré, celui des socialistes est exsangue : dans ce duo, il donnera le ton, sans difficulté.

François Mitterrand, lui, comprend dès le départ que l'union avec le PC pourrait, au contraire, affaiblir l'appareil communiste et renforcer le courant socialiste.

Un pari audacieux. Ils sont peu nombreux à l'époque, à gauche comme à droite, ceux qui se hasardent à miser sur son succès. Beaucoup jugent même le député de la Nièvre téméraire, imprudent, fanfaron. Mais il n'en démordra pas. En juin 1972, après la signature du Programme commun de la gauche, il confie à son ami Patrice Pelat : « Un jour, les Français me remercieront de les avoir débarrassés du Parti communiste. »

Il n'en démordra pas et les faits sembleront lui donner raison : à l'aube de la Ve République, le PC obtient encore de 20

1. Contribué seulement : les dirigeants communistes, recroquevillés dans une vision passéiste de la société française, engoncés dans leur idéologie, maladivement attachés à l'URSS, compromis par l'échec du modèle soviétique, par les campagnes poujadistes et par une ribambelle de reniements moins choquants que visibles, y ont eux-mêmes beaucoup aidé. D'autant qu'ils ont multiplié, on va le voir, les erreurs tactiques.

à 22 % des voix, tandis que la SFIO régresse jusqu'à 11 % ; en 1984, le rapport des forces au sein de la gauche s'est exactement inversé. François Mitterrand a peut-être même trop bien atteint son but, de son point de vue : le PC a tant régressé que la gauche est devenue nettement minoritaire.

Dès le départ, il est vrai, la direction du PC a commis une faute grossière : en ne présentant pas de candidat au premier tour de l'élection présidentielle de 1965, elle a fait du Parti socialiste le bénéficiaire naturel de l'unité. L'Union passant par la candidature unique de François Mitterrand, le PC a laissé échapper ses voix au bénéfice du partenaire socialiste. Et donné, du coup, de mauvaises habitudes à ses électeurs. Le proverbe ment, qui assure que le premier pas est seul à coûter. Le second est aussi onéreux. En 1974, même mécanique, même résultat. Symboliquement, le PC a admis que dans l'Union de la gauche il était le numéro deux, la force d'appoint, le tender et non la locomotive.

Engrenage infernal. Georges Marchais s'écriera au lendemain de l'élection présidentielle de 1974 : « En 1981, nous aurons notre candidat. » Trop tard. Il fallait comprendre dès la première fois.

Deuxième erreur : la signature du Programme commun. Après 1965, Waldeck Rochet n'a eu de cesse d'obtenir des socialistes la rédaction d'un contrat de gouvernement en bonne et due forme. François Mitterrand, qui gardait l'œil rivé sur la ligne bleue de l'Elysée, avait averti ses nouveaux camarades dès le congrès d'Epinay : « Il n'y aura pas d'alliance électorale s'il n'y a pas de programme électoral. Il n'y aura pas de majorité commune s'il n'y a pas de contrat de majorité. Il n'y aura pas de gouvernement de gauche s'il n'y a pas de contrat de gouvernement. » Mais il faisait comme si... comme s'il n'était pas d'accord. Toute l'ingéniosité du premier secrétaire aura consisté à cette époque à musarder et à laisser croire à ses futurs partenaires qu'il rechignait. Selon les semaines et les jours, il avançait le pied avec précaution, comme le baigneur qui craint d'entrer dans une eau glacée, puis le retirait vite en faisant la grimace et enfin, feignant de prendre son courage à deux mains, y revenait avec lenteur, mais chaque fois davantage. Un curieux ballet nautique qui enchantait le partenaire communiste et le confortait dans l'idée qu'il allait noyer et piéger l'allié socialiste.

Finalement, ce Programme commun est adopté dans la

liesse : les socialistes ont cédé sur quelques nationalisations supplémentaires, une brassée d'avantages sociaux en tout genre, et les communistes ont bien voulu, à propos de l'alternance, laisser aimablement le dernier mot à l'électeur. Mais le contenu exact passionne assez peu l'un et l'autre partis. Jean Poperen, à la fois acteur important et observateur avisé, le relève sur l'instant : « La vertu du Programme commun est moins son contenu technique que sa signification politique[1]. » Certes !

L'important, c'est que ce texte donne au PC un brevet de citoyenneté, au PS un certificat d'appartenance à la gauche.

Pour le reste, c'est seulement un mariage blanc. Point question de sentiment. Chacun ne songe qu'à la dot de l'autre. Deux jours à peine après la signature, François Mitterrand s'écrie cyniquement à Vienne, en Autriche, devant le jury soupçonneux de l'Internationale socialiste : « Notre objectif fondamental, c'est de construire un grand Parti socialiste sur le terrain occupé par le Parti communiste, afin de faire la démonstration que sur les cinq millions d'électeurs communistes trois millions peuvent voter socialiste. » L'Union est plus qu'un combat, une compétition.

Au même moment, mais on ne le saura que trois ans plus tard, Georges Marchais, tout nouveau secrétaire général en titre du PC, qui présente un rapport secret devant le Comité central, met en garde ses camarades : « Quant au fond, l'idéologie qui anime le PS est et reste absolument réformiste [...] les traits permanents du PS sont, au-delà de la volonté réelle ou non de promouvoir des réformes sociales et démocratiques, la crainte que se mettent en mouvement la classe ouvrière et les masses, l'hésitation devant le combat de classe face au grand capital, la tendance au compromis avec celui-ci et à la collaboration des classes. Ces traits n'ont pas été estompés depuis le congrès d'Epinay[2]. » Quand on s'épouse avec de tels sentiments réciproques et qu'on a des témoins pour le prouver, on peut faire reconnaître la nullité de son mariage en Cour de Rome.

Ainsi engagée, l'Union ne peut être que querelleuse et fragile. Pendant deux ans pourtant, de 1972 à 1974, le PC semble jouer le jeu. Les élections législatives de 1973 l'ont plutôt encouragé :

1. Philippe Alexandre, *le Roman de la gauche, op. cit.*
2. Cité par Etienne Fajon dans *l'Union et le Combat.*

si le PS progresse, le PC se redresse. La vague de Mai 68 ne lui avait laissé que trente-trois députés ; le scrutin de 1973 lui en assure quarante de mieux.

En 1974, la mort de Georges Pompidou prend tout le monde de court. Georges Marchais se sent trop frais encore, trop débutant, pour se risquer dans la compétition. François Mitterrand est donc de nouveau candidat et le PC est un bon partenaire. Mieux que bien. Entre les deux tours, le secrétaire général du PC convoquera Claude Estier, qui a toujours entretenu de bonnes relations avec les communistes, pour lui dire : « Nous ne voulons pas gêner François Mitterrand, nous serons discrets à propos des postes ministériels. » Et quand l'ambassadeur de l'URSS, Tchervonenko, se rend au domicile de Valéry Giscard d'Estaing pour bien marquer où vont les préférences de Moscou, le Parti communiste, vraiment peiné, se fâche tout rouge.

Las, las, las ! Dès le lendemain de cette presque victoire, on voit bien qui, à gauche, en tire bénéfice : six élections législatives partielles sont organisées à l'automne. Cinq fois sur six, le PS est en tête avec une progression de voix foudroyante : de 10 à 15 % ! Et dans la sixième circonscription, la seule ou le PC arrive en tête — c'est en Dordogne —, son candidat Yves Perron se fait battre au deuxième tour, faute d'un bon report des voix socialistes. De quoi enrager.

Cette fois, il n'y a plus de doute. L'Union profite à qui incarne la gauche. Le bureau politique fait ses comptes : puisque décidément les candidats PS progressent au détriment du PC, l'Union cesse d'être le salut pour devenir l'enfer. De ce jour elle est condamnée. *L'Union de la gauche a cessé de vivre dès cette fin de 1974.*

Comme toujours (mais on n'y prête jamais assez attention), les dirigeants du parti annoncent la couleur. En novembre, Roland Leroy explique à Limoges : « Il y a au nom d'un prétendu rééquilibrage de la gauche une attitude qui vise à affaiblir les positions du PC et qui rejoint ainsi les plans du grand capital. » A quelques semaines de différence, Georges Marchais tonne à Vitry-sur-Seine : « Nous ne saurions être réduits à un rôle de force d'appoint », et Pierre Juquin, toujours zélé, dénonce « certaine convergence entre les plans de la bourgeoisie et le desseins du PS ».

François Mitterrand, le 8 novembre, dans un discours prononcé au PLM Saint-Jacques, répond : « Vous n'avez aucune raison de douter de vous-mêmes, le PS n'a pas besoin de béquilles. La qualité de l'Union tient à la force tranquille et conciliante à l'égard du PC. » Autrement dit, dès cette époque le leader socialiste agit sans trop se préoccuper de l'état-major communiste, mais n'oublie pas de s'adresser aux électeurs communistes.

La canonnade du PC se poursuivra pourtant durant toute l'année 1975. Les élections cantonales de 1976 confirment le maléfice : le Parti socialiste s'envole vers les sommets tandis que le PC s'embourbe. Et alors que les électeurs communistes observent une discipline exemplaire, les électeurs socialistes manifestent une fâcheuse propension pour la pêche à la ligne dès qu'on leur demande de voter pour un candidat communiste.

Si la rupture n'est pas consacrée, c'est que les élections municipales de 1977 approchent et que le mode de scrutin pousse à l'union ! Le PC se fait soudain tout doux. Le PS, soulagé, se laisse apprivoiser, impose des listes uniques à ses élus les plus récalcitrants. Résultat de cette rémission, le PC enlève vingt-deux villes de plus de trente mille habitants. Voilà qui est toujours bon à prendre, notamment pour ses finances. Le CERES de Jean-Pierre Chevènement, cœur sur la main, lui fait même le cadeau de Reims et de Saint-Etienne.

Mais la rémission ne dure pas. A peine les nouveaux maires installés dans leurs hôtels de ville, la polémique reprend. Les socialistes sont accusés de tous les maux, ils trahissent le Programme commun, ils virent à droite. *L'Humanité* publie fort opportunément un chiffrage détaillé (et lourd, ô combien !) du Programme commun à la veille d'un débat qui oppose à la télévision François Mitterrand à Raymond Barre. Autant de munitions qui permettront à celui-ci, gros chat jouant avec une souris, de l'emporter aisément sur son adversaire. Lequel, ulcéré de faire figure d'étudiant recalé par un professeur patelin, vouera désormais à l'examinateur une animosité persistante. Là-dessus, et comme par hasard, le 3 juillet à Châtellerault, lors d'une élection cantonale partielle, la jolie Edith Cresson mord la poussière faute d'un bon report des voix communistes. La fédération locale a fait ce qu'il fallait.

Tout l'été, la polémique se poursuit.

Le PC lève un nouveau lièvre. Il exige une réactualisation du Programme commun en matière économique. Loin de modérer le Programme en raison de la crise, il veut au contraire le durcir de façon presque provocante : il demande des nationalisations par poignées et des avantages sociaux comme si on entrait dans une phase de croissance à la japonaise. François Mitterrand négocie de son mieux, lâche ici pour tenter de résister là, passe quelques nuits blanches. Il a beau dire, il a beau faire, le PC ne veut pas aboutir. C'est la rupture. Et qui plus est, elle intervient en direct à la télévision pendant le journal de 20 heures.

La gauche peut bien passer pour favorite avant les élections législatives de 1978, le PS peut bien se voir crédité par les sondages de scores mirobolants (jusqu'à 30 %), le PC va, avec un zèle de tous les instants, s'appliquer à tout gâcher. Et cette zizanie chronique suscitera chez les électeurs le grain de scepticisme indispensable pour empêcher la victoire. Résultat : contre toute attente, la majorité sortante garde le contrôle de l'Assemblée nationale.

Un score qui fait au moins deux heureux : Valéry Giscard d'Estaing en conclut qu'il ne peut être battu en 1981 ; le PC, que François Mitterrand ne peut être élu à l'élection présidentielle.

Pendant trois ans, la désunion de la gauche sera célébrée chaque semaine par une petite phrase en forme de flèche empoisonnée. Lionel Jospin conclut : « Le PC veut empêcher l'avènement d'un gouvernement de la gauche en France. » On ne saurait mieux dire.

Si les communistes pensent que cela va amener François Mitterrand à renoncer, c'est qu'ils le connaissent mal. Après la défaite de 1978, il assure encore : « Je n'ai pas de jugement sur Georges Marchais, il a été l'expression de la volonté collective de la direction du PC et peut-être de la stratégie du communisme international. Je crois que c'est le peuple français qui aura le dernier mot. Il ne sera pas possible au PC de mener une opération qui, après avoir détruit les chances de la gauche en 1978, finira par le détruire lui-même. » Autrement dit : « Je continue... »

En 1981, la campagne du PC sera particulièrement malveillante à l'égard de François Mitterrand. Georges Marchais ira jusqu'à dire qu'il est encore plus à droite que Valéry Giscard d'Estaing. Le 5 mars, Charles Fiterman, qui sera ministre trois mois plus tard, déclarera devant les secrétaires fédéraux du parti : « Mitterrand ne propose pas de politique nouvelle, ses positions convergent avec la politique de la droite. » Mais comme chacun le sait, c'est le candidat socialiste qui l'emporte tandis que le secrétaire général du PC n'obtient qu'un score humiliant : 15,3 % des voix. Il est quatrième, Mitterrand premier. Jour de deuil pour la place du Colonel-Fabien.

Après les élections législatives, il faut même boire le calice jusqu'à la lie. Puisque les événements échappent au PC, il feint, sinon d'en être l'organisateur, du moins de les contrôler. C'est ainsi que quatre ministres communistes vont faire leur devoir trois années durant. L'électorat communiste s'est montré trop unitaire pour que la direction puisse résister au courant. Après un simulacre de négociation, le bureau politique donne la comédie de la participation.

Les premiers temps sont doux. Les socialistes ouvrent les vannes, chargent le bateau France de cadeaux coûteux. On s'endette, on dévalue, on déséquilibre les finances publiques, on distribue les fruits d'une croissance introuvable, on fait croire au bon peuple qu'on peut travailler moins et vivre mieux en pleine tourmente internationale. Bref, on met en œuvre tout ce à quoi devait conduire ce « bon Programme commun bien réactualisé » que réclamait sur tous les tons Georges Marchais.

Et puis, patatras ! La « pause », c'est-à-dire la rigueur socialiste, vient interrompre brusquement ce mauvais vaudeville. Le PC s'inquiète, proteste, mais reste sage. « Nous voulons rester au gouvernement », scandent à tout propos ses porte-parole... Jusqu'à la fin de la législature et, pourquoi pas, du septennat. Jusqu'aux élections municipales et européennes, plutôt. Le PC espère au moins bénéficier de sa participation ministérielle pour conserver ses bastions municipaux et démontrer qu'il est en train d'esquisser l' « amorce » d'une remontée, car ses dirigeants sont persuadés que 15 % des voix sont un seuil minimal qui ne correspond pas à l'audience réelle du parti.

La vérité est beaucoup plus cruelle. Le PC perd les municipalités gagnées en 1977. La découverte de fraudes et d'irrégularités diverses l'oblige à en abandonner une dizaine de plus. Son image de marque paraît bien écornée. A l'élection européenne, avec 11 % des voix, il retrouve son score... de 1928.

L'Union l'a desservi, la désunion l'a affaibli, la polémique l'a diminué, la participation l'a dévalorisé. Il ne lui reste plus qu'à s'enfermer derechef dans sa citadelle lézardée. Avec l'espoir de se refaire des forces dans l'opposition.

Encore si l'alliance avec le PS et l'expérience l'avaient changé. Certes, il n'emploie plus le même langage. Comme le faisait remarquer François Mitterrand lui-même[1], il est fini le temps où un Maurice Thorez pouvait écrire froidement : « Sinistre Blum, rusé politicien, tartuffe immonde, hideux d'hypocrisie jusqu'à donner la nausée à ceux qui doivent l'approcher non sans répulsion, canaille politique, ses contorsions et ses sifflements de reptile répugnant, le chacal Blum, le gredin, le pourvoyeur des prisons et des bagnes, le mouchard Blum. »

A côté d'un tel torrent d'injures, Georges Marchais semble l'urbanité même.

Elle est loin aussi l'époque où les Jeunesses communistes placardaient sur les murs de Paris (après la Libération) des papillons ainsi libellés : « La France n'est que notre pays, l'URSS est notre patrie. » Les dirigeants communistes d'aujourd'hui n'invoqueraient plus, comme Etienne Fajon, la « solidarité inconditionnelle avec l'URSS » et n'écriraient plus, comme André Wurmser (en 1957) : « Tout homme a deux patries, la sienne et puis l'Union soviétique[2]. »

Voilà pour le langage. Et le fond ? Le PC a changé puisqu'il accepte (en gros sinon en détail) les institutions de la Ve République, le Marché commun (dans son principe sinon dans ses modalités), la force de frappe (tant qu'elle n'est pas trop puissante), l'alternance et même la renonciation au mythe de la dictature du prolétariat. Mais qui croit, sur tous ces points, à son absolue sincérité ?

Et qui croirait qu'il soit tout à fait indépendant de Moscou ? François Mitterrand, tout « allié » qu'il fût, écrivait en 1978 : « Les décisions prises à Paris par la direction du PC français correspondent le plus souvent aux données d'une stratégie mondiale dont le " la " est fourni par Moscou. » Sur l'affaire des euromissiles, l'Afghanistan, la Pologne, bref en dix ou cent occasions, le Parti communiste adopte des positions qui plaisent fort aux gérontes du Kremlin. Et qui croirait, enfin, qu'il ait changé sa manière d'être ? Le « centralisme démocratique » continue de régner. Le secrétaire général et son clan mettent toujours les autres au pas.

Bref, si François Mitterrand, aidé par les circonstances et les communistes eux-mêmes, est parvenu à réduire — pour l'instant — leur influence, il n'a pas réussi à faire changer la nature

1. *In la Paille et le Grain, op. cit.*
2. Cité par Georgette Elgey *in la République des illusions, op. cit.*

de ce parti léniniste (et d'ailleurs il n'avait jamais prétendu qu'il y parviendrait).

En revanche, dans la corbeille de mariage, il a dû lui-même placer quelques cadeaux assez onéreux. Sans le PC, le Parti socialiste n'aurait jamais adopté un projet aussi radical, il aurait montré moins de goût pour les nationalisations, il ne se serait pas cru contraint à un perpétuel double langage, parfois libéral et plus souvent collectiviste, parfois autogestionnaire et plus souvent étatique, parfois tiers-mondiste et plus souvent atlantiste, parfois revanchard et parfois réaliste.

Surtout, les ministres communistes, pendant leurs trois années de passage au pouvoir, ont installé ici et là des hommes — des hommes de qualité, de leur point de vue — pour peser, surveiller, contrôler. Et, plus encore, ils ont mis en place, notamment dans les entreprises nationalisées, les mécanismes qui confèrent à leur parti, et surtout à la CGT, puissance et argent [1].

Un prix élevé donc.

En échange, il est vrai, François Mitterrand a trouvé dans la corbeille de mariage le cadeau de ses rêves : l'Elysée.

1. Cf. le livre de Denis Jeambar, *le PC dans la maison*, Paris, Calmann-Lévy.

Epilogue

D'un François l'autre

Ce livre se termine au moment où l'endurant pèlerin d'un interminable désert atteint, à son ultime tentative, son oasis : l'Elysée. En trois années il est apparu sous deux jours différents : comme le noir et le rouge cohabitent en François Mitterrand, deux présidences ont déjà coexisté en une seule. Le président est un homme double, son action aussi. Les deux voies successives choisies par lui — 1981-1982, 1982-19.. ? — diffèrent tant qu'on jurerait qu'il a, par courtoisie suprême pour l'auteur, voulu illustrer son propos.

En pénétrant dans le Panthéon, une rose à la main, le 21 mai de l'an de grâce 1981, François Mitterrand portait sur le visage deux masques contrastés : celui de la joie qui, en ce soir de victoire, l'enivrait, celui de la gravité qui, en ce début de mandat, l'étreignait.

S'il se méfie des autres, il n'est pas homme à douter de lui-même. Cette charge qu'il avait voulue de toutes ses forces, de toute son énergie, il s'en sentait digne. Il se savait porté par un vaste courant populaire, il avait un programme, il allait l'appliquer, il rêvait au sillon qu'il tracerait, à l'image qu'il laisserait dans l'Histoire. La France au bois dormant allait se réveiller et avec elle tout un peuple oublié : les arrière-petits-enfants de la Révolution de 1848, les petits-enfants de la Commune et les enfants du Front populaire allaient retrouver, grâce à lui, l'espoir, le bonheur, la dignité.

L'auteur s'étant au long des pages de ce livre efforcée de respecter le réel et la vérité des faits et des mots, le lecteur voudra bien lui permettre d'imaginer ceci : allant de tombe en tombe, selon un itinéraire minutieusement balisé, le président avait en poche une feuille de papier soigneusement pliée. Jacques Attali, miroir de son histoire, y avait inscrit quelques lignes brèves : celles qui figureraient dans les dictionnaires et les manuels dès le début du XXIe siècle :

« François Mitterrand, né à Jarnac le 26 octobre 1916. Président de la République de 1981 à 1995. Premier socialiste élu chef de l'Etat au suffrage universel direct. Son mandat devait marquer une étape décisive dans l'histoire de France : la rupture avec le capitalisme, le déclin de la bourgeoisie, la marginalisation de la droite. La participation du Parti communiste au pouvoir allait lui permettre d'instaurer un socialisme de troisième type dont le succès devait inspirer plus tard de nombreux pays d'Europe et du tiers monde. Son passage à la tête de l'Etat devait coïncider avec la renaissance du parlement, l'extinction du paupérisme, la réduction du chômage, la généralisation de l'autogestion. Cette " autre logique " a redonné sa force au franc et son rang à la France. »

L'ambition initiale du nouvel élu était sûrement celle-ci : marquer l'Histoire du sceau socialiste.

L'installation au pouvoir du président Mitterrand bénéficie pour commencer d'un état de grâce éblouissant, perceptible bien au-delà des frontières du peuple de gauche : en juin 1981, 74 % des citoyens se déclarent satisfaits de son élection. Bien plus de deux Français sur trois : de quoi désespérer Chamalières ! Les Français aiment la nouveauté, les peuples civilisés ont besoin de changer d'air et de renouveler leur musée Grévin politique.

Dans cette France qui est la cinquième puissance économique du monde, la générosité socialiste déverse tout d'abord ses bienfaits. Les recettes de 1936 sont prestement ressorties du grenier. On augmente le SMIC, les pensions, les allocations, on réduit la durée du travail (trente-neuf heures payées quarante, le président y tient contre son Premier ministre !), on accorde une cinquième semaine de congés, on abaisse l'âge de la retraite. Je dépense donc je suis : ainsi sont-ils, les socialistes en cette année de grâce. « Je ne suis pas le ministre des Comptes », lance avec superbe la bonne Nicole Questiaux, ministre d'Etat de la Solidarité nationale. On s'attelle sans tarder à labourer le champ des réformes. La nationalisation, thérapeutique reine, inaugure ce que Pierre Mauroy appelle le

« socle du changement ». L'Etat, l'Etat partout, devient le lien naturel de l'intérêt général et du bonheur individuel.

Pierre Mauroy ? Il est tout le contraire d'un ayatollah du marxisme. Cet homme chaleureux sait, depuis son enfance en terre ouvrière du Nord, que socialisme rime avec affectivité et bonheur. « Mon fils, lève ta casquette devant l'ouvrier qui passe », lui conseillait son instituteur de père qui l'autorisa à adhérer aux Jeunesses socialistes en récompense de son succès au baccalauréat. Affable, généreux, volubile, le Premier ministre incarne la première phase du septennat. Défile dans ses discours, Histoire et politique mêlées, une France en images d'Epinal roses, celles du *Jour se lève,* de *la Bête humaine* et de *Germinal*. Cet homme grand et fort, aux belles mains de prélat comme faites pour distribuer, se fait une certaine idée de la France : un peuple de petites gens, pauvres mais honnêtes, menacés par les gros [1].

Hélas, l'économie n'a pas de cœur. Elle ignore les grands sentiments, elle ne connaît que les chiffres et bientôt ils sont tous mauvais. Les déficits se creusent, l'endettement grimpe à en donner le vertige. Les Français qui chantaient hier bougonnent maintenant. Le chômage comme une hydre veut étouffer la gauche.

Alors François Iᵉʳ s'éclipse. François II lui succède. L'un travaillait pour marquer l'Histoire, l'autre gouverne pour achever du mieux possible son mandat. On change radicalement de cap. On adulait l'Etat, on décrète que désormais il faut réduire sa place. On alourdissait les prélèvements, on exige leur allégement et en se fâchant. On avait mis les entreprises sous surveillance, on veut leur rendre la liberté. On embauchait des fonctionnaires, on supprime des emplois publics. On réformait, on gère. On changeait, on change encore. En sens inverse.

Symbole de cette métamorphose, Laurent Fabius remplace Pierre Mauroy. On aurait pu songer à Pierre Bérégovoy, à Michel Rocard, à Jacques Delors, à Louis Mermaz. Mais non. Le président nomme le plus jeune, le plus diplômé, le plus patricien, le plus ambigu, le moins socialiste, lequel se hâte

1. Ainsi rêve-t-il, pour la presse (un projet qu'il présentera au congrès socialiste de Bourg-en-Bresse avec une chaleur toute particulière), de casser les empires pour ne laisser subsister que de petits journaux modestes mais vaillants aidés par l'Etat.

d'aller expliquer à la télévision que hors la modernisation, la productivité, le travail, l'effort, la concurrence, les grands équilibres, la rigueur, oui, la rigueur, point de salut !

Elle avait commencé avant lui, mais ses pères Pierre Mauroy et Jacques Delors ne l'avaient jamais reconnue comme s'il s'agissait d'une fille adultérine. Cette fois, le droit parental est hautement revendiqué et la petite fille Rigueur entre par la grand-porte dans le cercle de famille socialiste. Les communistes se sauvent à toutes jambes en reprochant au gouvernement « de nombreuses convergences avec l'opposition de droite ».

« J'aurais pu être Lénine », confiait naguère le président à plusieurs visiteurs en son palais de l'Elysée. Il avait même parfois menacé ses adversaires d'une radicalisation de sa politique. Plus sagement, il a préféré écouter ce que lui disent les sondages et les bulletins de vote. Paradoxe : le régime de François Mitterrand a converti les Français à la religion libérale. Moins d'Etat (y compris dans l'école), moins d'impôts, moins de lois. Trois ans de socialisme aboutissent à un accès d'individualisme. Drôle de mue.

Du coup, la politique intérieure rejoint la politique étrangère. L'arrivée à l'Elysée dans les bagages du président de Régis Debray, quelques salutations aux marxistes d'Amérique latine avaient pu semer le doute ici ou là. Il fallut vite se rendre à l'évidence : jamais partisan plus convaincu de l'Alliance atlantique n'avait gouverné les destinées de la France. Aucun chef d'Etat occidental ne s'est engagé plus hardiment que lui dans l'affaire des euromissiles.

Restaient les institutions en lesquelles il dénonçait un coup d'Etat permanent, mais il s'y coule à tel point qu'on les dirait fabriquées tout exprès pour lui. Jamais le régime n'a été si totalement présidentiel. Le parti du président est contraint à la discipline. Foin de l'idéologie : être socialiste aujourd'hui signifie d'abord aider le président à terminer son septennat. Sans les institutions de la Ve République, la gauche n'aurait jamais pu durer au pouvoir. Avec la Constitution du général de Gaulle, elle s'y maintient. Mais en reniant son projet initial. Comme si l'alliance du socialisme avec la durée faisait virer le rouge au noir.

Annexes

communiquées à l'auteur
par l'Elysée

Citations militaires

1. 20 JUIN 1940

EXTRAIT DE L'ORDRE GENERAL SANS NUMERO

Le Général de Brigade FALVY commandant la 3e Division d'Infanterie Coloniale cite

A l'Ordre de la Division

MITTERRAND François — Sergent-Chef du 23e Régiment d'Infanterie Coloniale

« Sous-officier adjoint d'un moral magnifique et d'un dévouement total. A, sans compter, payé de sa personne depuis le début de la campagne et son exemple a sérieusement contribué à maintenir l'ardeur de sa section.

Le 14 juin a été blessé à son poste au cours d'une contre-attaque en entraînant ses hommes. »

CES CITATIONS COMPORTENT L'ATTRIBUTION DE LA CROIX DE GUERRE AVEC ETOILE D'ARGENT.

P.C. le 20 juin 1940
Signé : FALVY

Citation homologuée par inscription au Journal Officiel du 20 février 1942 — Page 855 C.C.

EXTRAIT CERTIFIÉ CONFORME

Pau, le 14 février 1984

Le Lt-Colonel MOURET
Commandant le Bureau Central
d'Archives Administratives Militaires

P.O. Le Capitaine DESSIS

2. 1er MARS 1945

EXTRAIT DE L'ORDRE GENERAL N° 224

Le Général de Corps d'Armée KŒNIG Gouverneur Militaire de Paris cite

A l'Ordre de la Division

MITTERRAND François dit « MORLAND » — Lieutenant-Colonel des Forces Françaises de l'Intérieur — Groupe MNPGD.

« Animé du plus profond sentiment patriotique. D'une activité débordante et d'une volonté inflexible, a pris en décembre 1942 l'initiative de créer dans toute la France le Mouvement de Résistance des Prisonniers et Déportés. Par une activité inlassable et malgré les plus grands dangers, a réussi à donner un caractère national à ce mouvement. A organisé en pleine clandestinité un service de renseignements pour les Alliés. A soutenu et animé la Résistance sous les formes les plus diverses. Sabotages des voies ferrées et d'usines, coups de main, fausses pièces d'identité. »

CES CITATIONS COMPORTENT L'ATTRIBUTION DE LA CROIX DE GUERRE AVEC ETOILE D'ARGENT.

PARIS, le 1er mars 1945
Signé : KŒNIG

EXTRAIT CERTIFIÉ CONFORME

PAU, le 14 février 1984

Le Lt-Colonel MOURET
Commandant le Bureau Central
d'Archives Administratives Militaires

P.O. Le Capitaine DESSIS

Témoignages

1. M. PIERRE LEVRARD
(Deuxième évasion)

J'avais été mobilisé au 1er Régiment d'Infanterie Coloniale de Paris comme caporal-chef. Le 10 Mai 1940, cantonnés à STERNAY, nous sommes transportés en camion en Belgique à JAMOIGNE/S/SEMOY. Le 16 Juin, je suis fait prisonnier à SOUILLY à côté de Verdun. Transféré en Allemagne j'ai été affecté à un commando qui travaillait à la construction d'une autoroute. Me prétendant malade, j'ai été transféré au Stalag IX A.

François MITTERRAND, qui appartenait au 23e RIC, était au Stalag IX C. Je ne le connaissais pas à cette époque.

Je me suis évadé pour la 1re fois le 20 Juin 1941 avec Pierre BARRIN dont je m'étais fait un ami au Stalag et qui avait la même impatience que moi d'en sortir au plus vite. Nous avions demandé à partir en commando de travail, et avions atterri à MARBURG, d'où nous nous sommes évadés dès le lendemain soir sans aucun problème.

Partis en plein été, les nuits beaucoup trop courtes ne nous permettaient pas de faire les kilomètres souhaités. Aussi, chaque soir nous avancions un peu l'heure du départ. Ce qui a causé notre perte. Au bout du 5e ou 6e jour, nous partons vers 20 heures. Il fait chaud et le soleil est encore très haut. La région, beaucoup moins boisée, nous oblige à marcher sur la route, en terrain découvert. A la sortie d'un village que nous traversons sans encombre, nous passons sur un pont. Sur les parapets, une vingtaine de garçons et filles des jeunesses hitlériennes prennent le frais. Je fais le salut hitlérien. Barrin, pas ! ce qui m'a beaucoup inquiété. Vingt mètres plus loin, marchant toujours d'un bon pas, sur la route toute nue, au milieu de la plaine, je dis à Barrin : « Maintenant, tu peux être sûr qu'ils vont nous tomber dessus ! » Une minute plus tard, un gars nous rejoint à vélo et nous demande en allemand (que nous ne comprenions pas, mais c'était parfaitement clair) de faire demi-tour et de le suivre. Sans obtempérer, nous continuons, et quelques minutes plus tard, ils sont une cinquantaine à nous rattraper, pour nous ramener au village, d'une manière très menaçante, en nous traitant de « Russes » et de « communistes ». Nous avons eu très peur, persuadés que nous allions être passés à tabac. Arrivés à la Mairie, nous avons très vite réussi à prouver au Maire, grâce à nos plaques, que nous étions bien des prisonniers français. Tout le village a défilé à la Mairie pour nous voir de près. Le Maire, très amical, nous a fait servir de la bière et de la charcuterie. Là, nous avons appris que l'armée allemande venait de pénétrer en Russie et avançait rapidement. Euphorique, le Maire nous disait : « Krieg fertig. Zuruch Franckreich. » Nous étions à la fois rassurés et un peu médusés de cet accueil. Le Maire nous enferme dans la grange de sa maison, et le lendemain matin, avant d'être emmenés par les soldats, nous avons eu droit au meilleur petit déjeuner de notre captivité.

Après un stop à KASSEL, où nous avons passé la nuit en prison, nous réintégrions le Stalag, pour passer devant l'officier de justice qui parlait très bien le français. Il nous dit simplement : « Vous n'avez pas eu de chance. La prochaine fois, peut-être ?... » Nous sommes restés 2 semaines dans la prison du camp et étions libérés le 9 ou 10 Juillet.

Dès le 11, nous étions, Barrin et moi, engagés à l'infirmerie. L'un, comme aide-dentiste, et moi, avec la complicité de Muet, comme pharmacien.

C'est alors que nous avons fait connaissance, François MITTERRAND et moi. Avant mon évasion, j'avais assisté à l'une de ses conférences (sur le siècle de Louis XV, me semble-t-il) et j'avais été fasciné par sa facilité d'élocution et la profonde culture qui se dégageait de ses moindres propos.

Curieusement, le feldwebel qui dirigeait les PG de l'infirmerie, et qui ne nous appréciait ni l'un ni l'autre, nous confondait systématiquement, l'appelant Levrard et moi, « Mitrand ». Ayant sympathisé, il m'a raconté sa première évasion ; je lui ai raconté la mienne.

Nous étions bien décidés, Barrin et moi, d'une part, et Mitterrand de son côté, à recommencer nos tentatives au printemps suivant, comme d'ailleurs la presque totalité des prisonniers repris lors de leur première évasion. Mais à partir de 1942, les choses étaient devenues plus compliquées, les évadés repris étant systématiquement envoyés dans des camps de représailles beaucoup plus éloignés, en Pologne ou dans l'Est de l'Allemagne.

Mais il ne serait venu à aucun de nous trois l'idée saugrenue de partir fin Novembre, en franchissant l'enceinte du camp, de nuit, ce qui n'avait jamais été fait, et ce qui n'a jamais été renouvelé par la suite. Cette enceinte barbelée était infranchissable. Les prisonniers avaient la possibilité de s'en convaincre, en se promenant de l'intérieur, le long de cette barrière. Les opportunités se sont succédées, pour nous conduire tout naturellement vers cette solution.

Nous apprenons début Novembre par Corneloup, dont les activités à l'infirmerie étaient imprécises, mais qui était cependant toujours bien renseigné, qu'un train de DU (initiales allemandes qui signifient à peu près « inapte au travail »), ferait un stop à TREYSA (la gare la plus proche du camp), pour embarquer un contingent du stalag IX A vers Paris : prisonniers malades ou blessés, ceux dépassant la quarantaine, etc.

Avec Barrin, nous pensions simplement qu'il eût été bien agréable de faire partie de ce convoi, qui serait, sans doute, mal gardé et gagnerait Paris en moins de 24 heures. La solution qui consistait à partir en commando n'était pas à envisager. On attendait toujours un certain temps pour risquer d'atterrir à 150 km de Treysa ; quant à sortir du camp : impossible !

L'idée mûrissait. L'enceinte principale épousait exactement la ligne des baraques occupées par les prisonniers et du terrain de sport. Le camp réservé à nos gardiens de tous grades était intégré dans un angle du quadrilatère formé par l'ensemble du stalag. Il n'était séparé de la route qui le longeait que d'une barrière barbelée simple, de la même hauteur que l'ensemble : environ 4 mètres.

Cette enceinte, qui comprenait également la Kommandantur, la Poste, les colis, l'économat, etc., autant de services employant dans la journée des PG qui regagnaient leurs baraques à 16 h 30. A tout hasard, nous avions interrogé un de nos camarades qui travaillait aux colis, sur l'éventualité de se cacher à l'intérieur de ce camp, en attendant la nuit. Sa réponse avait été immédiate et encourageante : « aucun problème ». Plusieurs baraques servaient de débarras divers : bois, vêtements militaires, paillasses, etc., qui étaient fermées par un loquet extérieur. C'est à ce moment que nous avons avisé de notre projet à la fois Mitterrand, Huet et Gaillard.

Restait un problème : une échelle était nécessaire pour « enjamber » la clôture qu'il était impossible de traverser. Le même camarade en trouve une dans une réserve de bois et nous propose de la sortir le 26 Novembre dans la journée, sous un prétexte quelconque, et de la laisser à terre, contre la même baraque. Si l'échelle n'avait pas bougé le matin du départ, soit 2 jours après, peu de chance qu'elle soit retirée dans la journée. Aucune raison sérieuse d'ailleurs, pour qu'un soldat allemand se soucie de cette échelle placée près d'une baraque où aucun prisonnier ne pouvait se trouver la nuit venue.

L'espoir a pris corps sérieusement quand nous avons su, à midi, que l'échelle était toujours le long de la baraque. La réussite, impossible au départ, devenait probable.

A tout hasard, nous envisagions tout de même un pépin, qui nous obligerait à abandonner le train des rapatriés. Nous partions évidemment mains et poches vides, dans des tenues équivoques, qui tenaient à la fois du PG rapatrié et du travailleur étranger. J'avais, pour ma part, le pantalon de ma première évasion, transformé en pantalon de golf, un blouson anglais kaki, une capote noire de cheminot polonais dont j'avais recouvert les boutons nickelés de tissu noir. J'avais appris à dire en allemand le strict nécessaire : demander un billet de chemin de fer de 3e classe et « je suis un travailleur italien ». Miraculeusement, cela m'a suffi pour arriver à bon port... Mais tout a capoté dès le départ, auquel il faut revenir :

Assurés que l'échelle est en place, nous partons séparément à partir de 15 h 30, et sommes enfermés les uns après les autres, dans la baraque prévue. La nuit vient vite, après que cette partie du camp ait été vidée des prisonniers qui y travaillent. L'ordre de départ est fixé d'un commun accord. Je partirai le premier en emportant l'échelle pour la mettre en place et franchir la clôture. Je devais ensuite attendre dans le fossé de la route, côté gauche à environ 500 mètres. Barrin devait suivre, et Mitterrand le dernier.

Avant cela, il faut sortir en pénétrant d'abord dans les latrines qui se trouvent en bout de baraque. Il s'agit seulement de passer au-dessus d'une poutre de bois qui la traverse dans la largeur. Mitterrand grimpe le 1er sur la poutre où il se trouve à califourchon, quand un soldat allemand sifflant et chantant vient poser culotte à 1 mètre de lui. On s'attend au pire... Mitterrand ne bouge absolument pas, et ne doit même plus respirer. Soulagement, enfin ! toujours sifflotant, l'intrus sort et s'éloigne. Nous nous remettons de notre émotion avant de sortir tous les trois sans encombre. Nous restons quelques instants dans l'ombre de la lune. Le ciel est clair et il y a des traces de neige sur le sol. Il gèle légèrement.

Je pars vers les barbelés, seul, l'échelle dans une main. Elle est toute simple, en bois et d'un poids raisonnable. Je l'appuie contre un des poteaux de soutien des barbelés, je grimpe et saute rapidement et, je crois, sans faire de bruit. Je traverse la route vers le bas-côté gauche et m'arrête comme prévu à 500 mètres environ dans le fossé. Au même moment, 1 ou 2 coups de feu, une sirène, les projecteurs et enfin les aboiements des chiens que j'imaginais déjà, lancés à mes trousses.

Tout est raté ! J'imagine mes deux camarades repris et me sens assez désespéré. Je pars en courant à travers champs, dans la direction que je pense être celle de Treysa. Je traverse un canal d'irrigation et en ressors mouillé jusqu'aux cuisses. Après une course de 2 heures, je m'arrête dans un bois, où je reste jusque vers 16 heures, pour me diriger ensuite vers Treysa qui est maintenant visible et proche.

A la tombée de la nuit, j'arrive devant la gare ; avant d'oser me diriger vers le guichet, pour une aventure que je crois bien compromise, je regarde les horaires et décide enfin de demander un billet pour GIESSEN. La petite préposée qui devait avoir 15 ou 16 ans m'a regardé, et apparemment pas convaincue, m'a demandé : « Ausweis bitte ? » J'ai pensé « c'est terminé », et j'ai sorti de ma poche la carte d'un club de natation de Paris, avec ma photo, en disant : « Ich bin italienisch. » Elle m'a répondu « ach so gut » et elle m'a donné mon billet. J'ai pris ce train. Il s'est arrêté 3/4 d'heure plus tard et fut envoyé sur une voie de garage. Il allait bien dans la direction de Giessen, mais s'arrêtait à Marburg. Je descends sur les voies, aperçois l'entrée de la gare devant laquelle se trouve un cheminot en noir et rouge et un soldat allemand. Je montre mon billet et répète : « Ich bin italienisch. » L'employé me prend par le bras, me conduit vers une banquette de la salle d'attente, près du poële. Je me réchauffe et m'endors.

Il me réveille à 2 h 30 dans la nuit et me conduit vers un train qui se trouve arrêté en gare, en me faisant comprendre que ce train allait vers Giessen. C'est un train de troupes... ! A nouveau mon « Ich bin italienisch » fait merveille. Ils me font asseoir auprès d'eux, me donnent à manger, tous contents de voir mon appétit... et pour cause : je n'avais rien mangé depuis plus de 24 heures. Deux heures plus tard, c'est Giessen et nous nous séparons. Je sors de la gare. Il fait nuit et je m'arrête à la sortie de la ville, dans une sapinière où je passe la journée suivante. Vers 17 heures je reprends le train en m'arrêtant successivement à Francfort, Darmstadt, Ludwigshafen, Kaiserlautern et Sarrebruck, reprenant à chaque fois un billet qui correspondait à un parcours de moins de 50 km afin d'éviter les contrôles. Sans autre alerte.

A Sarrebruck, il me reste très peu d'argent. Avec ce qui me restait en poche, je prends un billet pour une gare forcément très proche. Je vais dans une église, demande à me confesser et j'explique ma situation. Je demande à mon « confesseur » s'il peut me changer 100 frs. Il refuse mon argent et me donne les marks nécessaires pour aller jusqu'à Metz. Je n'ai jamais pu le remercier, ne retrouvant jamais le nom de Bedingen qu'il me semblait avoir lu dans la gare.

Dans le train qui m'emmenait vers Metz, j'eus beaucoup de chance de me trouver sur la plate-forme extérieure d'un wagon où je suis seul avec une dame qui peste contre les soldats de la Luftwaffe qui occupent toutes les places assises. Je lui dis que je suis prisonnier évadé, en lui montrant ma plaque. Elle me dit gentiment : « quand nous serons à Metz, vous m'attendrez dans le souterrain, et je vous indiquerai ensuite un compartiment où vous ferez semblant de sommeiller. Nous descendrons à Hagondange. » Arrivés là, elle me dit d'attendre quelques secondes devant le portillon pour prévenir son mari. Ils me disent que je dînerai avec eux et que je suis un de leurs neveux. Il s'agissait de Madame de M [*illisible*] et de son mari, Ingénieur aux usines Hermann Goering. Lequel, après m'avoir invité à prendre un bain, m'a donné un veston noir, car le blouson kaki anglais que j'avais sous ma capote noire n'était guère de mise auprès d'une servante appartenant aux jeunesses hitlériennes.

Après le dîner, ils m'ont conduit dans une famille très chaleureuse, les BORTEIL. Par l'intermédiaire de ces braves gens, j'ai été remis entre les mains d'une chaîne d'évasion. Trois jours après, un passeur est venu me chercher. Il me fallait une bicyclette, et chacune des trois jeunes filles de la maison voulait absolument me donner la sienne. Je suis donc parti de nuit, à bicyclette, en suivant mon passeur, pendant une quinzaine de kilomètres. Là, je devais abandonner mon vélo et attendre sous une passerelle qui enjambait une voie de chemin de fer. Arrivée d'un autre passeur, accompagné de 2 filles portant chacune une valise. Il m'a demandé : « Tu es prisonnier de guerre ? » Sur ma réponse affirmative il a prévenu les 2 filles qu'il ne pourrait pas les passer, afin de me laisser une plus grande chance. J'ai insisté pour qu'ils les prennent et nous sommes tous passés sans encombre.

Nous sommes arrivés à Jœuf-Momecourt chez un cheminot où attendaient déjà 3 ou 4 prisonniers. Il nous a demandé si nous avions assez d'argent français pour aller jusqu'à Besançon, où nous devions demander dans un café déterminé un garçon portant un certain prénom. Arrivés sur place nous sommes conduits à la nuit vers une ferme de Mouchard où attendaient une dizaine de personnes devant traverser la Loue, qui était la frontière des deux zones. Je suis arrivé à LYON le 9 Décembre 1941 où je me suis fait démobiliser, et après avoir attendu un mandat de mon père domicilié au Maroc, je suis rentré en zone occupée, en repassant la ligne de démarcation en fraude à SANCOINS dans le Cher.

J'ai su plus tard, par François MITTERRAND retrouvé fin Janvier 1942 à Paris, que Barrin avait été repris et malmené par les gardiens qui l'avaient arrêté. MITTERRAND lui-même m'a raconté qu'il avait été arrêté au petit matin dans un hôtel de Metz où il avait passé la nuit. Emmené dans un camp de transit aux environs de Metz, il s'évadait à nouveau et parvenait à regagner Paris.

Pendant l'Occupation, nous nous voyions assez souvent chez moi, rue Drouot, où il passait me visiter presque toujours en compagnie d'André BETTENCOURT. Un jour, il me dit devoir s'absenter pour un assez long temps, et me demande de lui garder quelques faux papiers. J'envisageais de les glisser derrière une glace de l'entrée. Je vois arriver, le lendemain par l'intermédiaire de Bettencourt, une grosse valise bourrée de fausses cartes de toutes sortes, que je cachais finalement sous un tas de charbon dans la cave. Je reçus ensuite des coups de fil de personnes se référant à « Morland » pour obtenir certains de ces papiers. Les rendez-vous fixés à l'Opéra m'inquiétaient quelque peu, mais tout s'est finalement bien passé.

Une dernière fois, nous nous sommes retrouvés rue Drouot dans des circonstances plus gaies : c'était après la Libération, avec Mme Mitterrand. Par la suite, ma carrière à l'étranger m'a empêché d'avoir des relations suivies avec François MITTERRAND, en dehors d'un déjeuner au ministère de la Justice.

Pierre Levrard — Interview du journal Minute

Quelques semaines avant l'élection de 1981, un ami me signale avoir lu mon nom dans un article consacré à François MITTERRAND.

Dans le journal en question (Janvier ou Février je crois), je découvre un article très malveillant de la première à la dernière ligne, bourré d'inexactitudes et de faux témoignages, dont aucun n'est référencé. Par exemple, l'affirmation qu'aucun des prisonniers présents au Stalag IX A à cette époque, et interrogés, n'avait entendu parler de cette évasion « rocambolesque, inventée de toutes pièces ».

J'ai téléphoné à *Minute* en demandant à parler au signataire de l'article, en déclinant mon identité et en précisant que j'étais « le » témoin qu'ils recherchaient puisque j'avais participé à l'aventure et étais cité dans l'article incriminé.

J'ai précisé que l'évasion avait bien eu lieu le 28 Novembre 1941 et non pas à la date indiquée, fantaisiste comme le reste. Sur ma demande, ils ont accepté de m'envoyer quelqu'un dès le lendemain (ou le surlendemain). J'ai reçu dans mon bureau du Country-Club un jeune homme dont je n'ai pas noté le nom, mais qui ne correspondait pas au signataire de l'article... Je m'en suis étonné... Ce garçon m'a répondu que ce genre d'article était systématiquement signé d'un nom « fabriqué ». Il est resté dans mon bureau une bonne heure, prenant des notes sur la relation aussi exacte que possible que je lui faisais de notre évasion. Avant qu'il ne parte, je lui ai demandé s'il ferait publier un rectificatif et quand. Il m'a répondu : « Si François Mitterrand n'est pas élu, oui; dans le cas contraire, non. » Il a terminé en ajoutant : « Nous sommes radicalement contre Mitterrand. S'il est élu, une affaire comme la vôtre ne survivra pas (en parlant du Country-Club que je dirigeais). »

Et pourtant, elle survit...

2. MME MAYA BARON
(Troisième évasion)

BARON Marie (dite Maya) née le 12.8.1917 à BOULAY (Moselle) où j'habitais. Après mes études primaires je suis rentrée dans le commerce de mes parents (chemiserie-bonneterie, articles militaires). Mai 1940 évacuée avec les miens en Auvergne. Août de la même année retour en Lorraine annexée. Ne pouvant reprendre notre ancienne affaire, tout ayant été pillé, j'ai ouvert une librairie-papeterie, agrandie à la Libération par un dépôt de presse. L'ancien camp militaire 162 R Infanterie de Forteresse était devenu camp de prisonniers français parmi lesquels j'ai retrouvé Raymont BALLANT, ancien élève officier au 162 R. Il fut un de mes agents. A sa demande d'organiser quelque chose pour aider aux évasions, c'est ainsi que début 1941 je suis rentrée dans le Réseau d'évasions, organisé par Sœur Hélène, religieuse à l'hôpital de Saint-Nicolas à Metz. Parmi ceux que j'ai aidés à retrouver la liberté se trouvait François MITTERRAND, après 2 évasions manquées, la filière étant débordée, j'ai dû cacher François qui venait de s'échapper ainsi que deux autres prisonniers venant d'Allemagne durant deux jours chez mes voisines, les demoiselles STENGER. Ne pouvant le faire chez moi par mesure de sécurité, étant sous surveillance de la Gestapo, afin de donner toutes les chances à François, j'ai préféré l'accompagner moi-même à Metz et le remettre au passeur. Partis à 5 heures de Boulay, nous sommes allés chez une de nos amis, Mme GUILLAUME, où nous sommes restés jusqu'à l'heure de notre rendez-vous à 18 heures église Saint-Martin. De là, Mme GUILLAUME nous accompagnant avec ses deux fillettes, nous sommes partis à la gare où nous attendait le passeur. Mon rôle était terminé. Deux jours après je recevais une carte de Nancy (colis bien arrivé). Nos évadés avaient retrouvé la liberté. J'ai la Croix de Guerre avec étoile d'argent, citée à l'Ordre de la Nation, Carte du Combattant Volontaire de la Résistance.

Bibliographie

Philippe Alexandre, *le Roman de la gauche*, Plon, 1979.

Jacques Bloch-Morhange, *Mémoires d'un gaulliste obstiné et non conformiste*. 1. *La Grenouille et le Scorpion*, France-Empire, 1982.

Jean-Marie Borzeix, *Mitterrand lui-même*, Stock, 1973.

Philippe Bourdrel, *la Cagoule*, Albin-Michel, 1970.

Eric Duhamel, *L'UDSR. Etudes et réalités internes d'un parti de centre gauche sous la IVe République*, Rapport de maîtrise, 1983.

Georgette Elgey, *Histoire de la IVe République*. 1. *La République des illusions (1945-1951)*, Fayard, 1965.

Georgette Elgey, *Histoire de la IVe République*. 2. *La République des contradictions (1951-1954)*, Fayard, 1968.

Claude Estier, *Journal d'un fédéré, la Fédération de la gauche au jour le jour (1965-1969), Fayard, 1970.*

Henri Frenay, La nuit finira. Mémoires de Résistance (1940-1945), Robert Laffont, 1983.

Franz Olivier Giesbert, *François Mitterrand où la tentation de l'histoire*, Le Seuil, 1977.

Roger Gouze, *les Miroirs parallèles*, Calmann-Lévy, 1968.

Jacques Julliard, *la IVe République*, Calmann-Lévy, 1968.

Jean Lacouture, *Pierre Mendès France*, Le Seuil, 1983.

Herbert Lottman, *Pétain*, Le Seuil, 1984.

Jean-Louis Loubet del Bayle, *les Non-Conformistes des années 1930*, Le Seuil 1939.

Claude Manceron, *Cent mille voix par jour*, Robert Laffont, 1966.

François Mitterrand, *Aux frontières de l'union française*, Julliard, 1953.

François Mitterrand, *le Coup d'Etat permanent*, Plon, 1964/Julliard, 1984.

François Mitterrand, *Présence française et abandon*, Plon, 1957.

François Mitterrand, *Politique 1*, Fayard, 1977.

François Mitterrand, *Politique 2*, Fayard, 1981.

François Mitterrand, *la Paille et le Grain*. Chronique. Flammarion, 1976.

François Mitterrand, *l'Abeille et l'Architecte*, Flammarion, 1978.

François Mitterrand, *Ici et maintenant*, Fayard, 1980.

François Mitterrand, *la Paille et le Grain*. Journal de Mitterrand, Flammarion 1981.

François Mitterrand, *Ma part de vérité*. De l'unité à la rupture, Dialogue avec Alain Duhamel, Fayard, 1969.

Charles Moulin, *Mitterrand intime*, Albin-Michel, 1982.

Michel Picar et Julie Montagard, *Danielle Mitterrand*, portrait. Ramsay, 1982.

Jean Poperen, *l'Unité de la gauche*, Fayard, 1976.

Albert du Roy et Robert Schneider, *le Roman de la rose*. D'Epinay à l'Elysée, l'aventure des socialistes, Le Seuil, 1982.

André Salomon, *P.S., la mise à nu*, Robert Laffont, 1980.

Georges Suffert, *De Defferre à Mitterrand*, Le Seuil, 1966.

Dossiers P.G. Rapatriés, 1940-1945. Publiés en 1981

TABLE

Avant-propos 9

1. Le bonheur de Jarnac 11
2. L'empreinte 37
3. Qui suis-je ? 53
4. Ruptures et semailles 79
5. La IVe République. La carrière 141
6. La Ve République. Le destin 235

Epilogue. D'un François l'autre 367

Annexes 371
Bibliographie 382

Achevé d'imprimer en janvier 1985
sur presse Cameron
dans les ateliers de la S.E.P.C.
à Saint-Amand-Montrond (Cher)
pour le compte des éditions Grasset
61, rue des Saints-Pères, 75006 Paris

Nº d'Édition : 6604. Nº d'Impression : 073.
Première édition : dépôt légal : octobre 1984.
Nouveau tirage : dépôt légal : janvier 1985.
Imprimé en France

ISBN 2-246-28191-1